D1298683

Primitif

Données de catalogage avant publication (Canada)

Popescu, Petru, 1944-

Primitif

Traduction de : Almost Adam.

ISBN 2-89111-787-5

I. Carn, Stéphane. II. Cheval, Catherine. III. Titre.

PS3568.O62A6514 1998 813'.54 C98-940563-X

Titre original
ALMOST ADAM

Traduction
STÉPHANE CARN ET CATHERINE CHEVAL

Maquette de la couverture
FRANCE LAFOND

Éditions Libre Expression
2016, rue Saint-Hubert
Montréal, (Québec) H2L 3Z5

Dépôt légal :
2e trimestre 1998

ISBN 2-89111-787-5

Petru Popescu

Primitif

Roman

Pour Iris, Adam et Chloe

SOMMAIRE

Hominiens (ou hominidés) : Sous-ordre de primates auquel appartiennent notamment l'*Homo sapiens* fossile, l'*Homo erectus*, l'*Homo habilis* et les australopithèques. Ces derniers sont apparus en Afrique australe durant le pliocène. Ils étaient pourvus d'une capacité crânienne nettement inférieure à celle de l'homme actuel et se déplaçaient en posture bipède.

Pliocène : Dernière période de l'ère tertiaire, succédant au miocène et couvrant près de trois millions d'années (de - 5 à - 2 millions d'années, par rapport à nos jours). C'est durant le pliocène que se sont répandus les grands mammifères et que les premiers hominiens sont apparus en Afrique.

Fossile (du latin *fossilis*, tiré de la terre) : Restes minéralisés d'un organisme préservé dans des dépôts sédimentaires. Seules subsistent généralement les parties les plus dures des végétaux, et des animaux — dents, os, coquilles...

Je n'imagine pas de spectacle plus passionnant que la découverte de l'Homme, tel qu'il est apparu dans son environnement primitif.

Charles DARWIN
Lettre à John Henslow

Ne considérons pas l'écorce terrestre, incrustée de vestiges, comme un riche musée parfaitement organisé, mais comme une piètre collection, réunies à l'aveuglette et à de très rares intervalles.

Charles DARWIN
De l'origine des espèces

Si le genre humain disparaissait, l'humanité se trouverait constituée par les singes. Les hommes, eux, seraient des anges.

Charles DARWIN
Notes sur L'Evolution des espèces

Prologue

Je signerai ce document de mes seules initiales, I.V.H., tenu que je suis au devoir de réserve par mon statut d'officier, dans cette guerre qui est d'ores et déjà perdue.

J'ai la quasi-certitude d'être le seul représentant du monde civilisé à avoir exploré ce secteur. Au cas où je ne sortirais pas vivant de cet enfer, il est de mon devoir envers mes semblables de laisser une trace écrite, ne fût-ce que quelques lignes, de ma découverte.

C'est la main tremblante et l'esprit en proie à un véritable maelström, que j'écris ces mots.

Nous ne sommes pas seuls sur cette planète.

Nous ne sommes pas les seuls primates supérieurs bipèdes doués de pensée et pourvus — ou tristement dépourvus, selon les cas — de valeurs morales.

Nous ne sommes pas les seuls représentants de l'espèce humaine à peupler cette terre. Il existe une autre lignée, qui a survécu, ici même, à un stade antérieur de l'évolution. Et je puis en témoigner — je les ai vus, de mes propres yeux.

Cela semble incroyable. Sidérant.

L'histoire de l'humanité, telle que l'enseignaient jusqu'ici tous les manuels, est donc amputée de moitié. Cette espèce parallèle coexiste avec la nôtre depuis la nuit des temps. Ces hominidés étaient déjà là sous les Ming, pendant la Renaissance, du temps où Shakespeare écrivait ses chefs-d'œuvre, pendant la guerre de Sécession — et jusqu'à ce jour.

Ils ont survécu dans des poches de la forêt tropicale, en Afrique, certes, mais peut-être aussi sur d'autres continents... Ils ont évolué à un rythme plus lent que celui du reste de la planète, et très différent du nôtre, ce qui pourrait s'avérer lourd de conséquences pour notre avenir.

Disons plutôt : ce qui *s'avérera* lourd de conséquences pour ce qui nous reste d'avenir !

Et c'est moi qui les ai découverts ! Même si je décidais de ne pas révéler leur existence au nom du secret militaire, ou dans un souci d'ordre plus strictement scientifique, quelqu'un d'autre finira fatalement par les re-découvrir — si toutefois ces créatures survivent. La boîte de Pandore est désormais ouverte.

L'encre n'a pas eu le temps de sécher, sur ma page, que déjà tout ce qu'il y a en moi de plus rationnel s'insurge : impossible. C'est impossible ! J'ai dû errer trop longtemps seul, dans ces immensités sauvages. Je suis resté trop longtemps isolé du monde, exposé à trop de stimuli nouveaux, étranges ou inquiétants. Je divague. Je ne parviens plus à faire la part des faits et des fantasmes... Dans un accès de délire, j'ai dû me laisser abuser par l'une de mes hallucinations !

Mais ma raison pourrait tout aussi bien me persuader du contraire : peut-être la survie d'une espèce aussi archaïque est-elle non seulement plausible, mais logique et prévisible — et qu'il ait fallu tant de temps pour s'en apercevoir n'a rien de très surprenant : notre planète est loin d'être entièrement explorée. De fait, nous n'en connaissons qu'une faible partie. La plupart des explorateurs se rendent sur leurs lieux d'étude en empruntant les chemins les plus directs possible, mais le long de leur parcours, et tout autour, demeurent des milliers de kilomètres carrés inexplorés dont la reconnaissance précise et systématique exigerait des années, des vies de travail. Ces régions vierges peuvent receler d'innombrables secrets, comme le prouve ce dont je viens d'être témoin.

L'étude de notre planète ne fait que commencer. Nous sommes bien loin d'avoir percé tous les mystères de notre environnement. Partout cohabitent des races relevant de stades d'évolution très divers. Il subsiste partout des espèces très anciennes, mais stables et toujours florissantes, qui partagent leur habitat avec des souches plus récentes auxquelles elles ont donné naissance. Dans tous les règnes biologiques, des lignées archaïques coexistent avec leur descendance.

Ce qui porte un tout autre éclairage sur le problème de nos propres ancêtres.

A l'échelle géologique, deux millions d'années ne sont qu'un bref clin d'œil. Etant donnée cette diversité des rythmes d'évolution des espèces et des milieux, force est d'envisager le temps terrestre comme une sorte de continuum où le passé côtoie le présent. Certaines créatures appartiennent à un présent immédiat, et d'autres à un présent fossile. Car ce sont de véritables fossiles vivants, qui ont traversé les âges, figés dans un présent archaïque qui s'est perpétué jusqu'à nos jours.

En écrivant ces derniers mots, il me semble que ma plume s'est faite plus légère sur le papier, mais s'il est relativement aisé d'exposer des théories, les faits sont bien plus épineux à décrire — à preuve, la scène qui se déroule en cet instant même, sous mes yeux, dans cette savane écrasée de soleil.

Depuis ce matin, j'observe deux hominiens, un mâle et une femelle, d'une douzaine d'années. Ils ont à peu près la taille de nos enfants *sapiens*, mais ils sont sexuellement matures. Ils sont en train de s'accoupler et tout dans leur comportement suggère que c'est leur première expérience en ce domaine.

J'ai délaissé un instant mon carnet de notes pour une paire de jumelles, et je fais le point, avec cet instrument de guerre conçu pour décimer les rangs ennemis, et que je braque sur cette scène originelle, émouvante entre toutes. Ils sont si absorbés que j'ai pu les approcher d'assez près pour entendre le son de leurs voix.

Je n'aurais jamais imaginé que l'attitude scientifique puisse un jour me paraître si bêtement prosaïque, si superficielle, et surtout si futile, comparée au mythe et à la poésie. Pour un peu, j'invoquerais ici Hanuman, le roi-singe de la mythologie hindoue. Grand Hanuman, si tu étais ici, à mes côtés, les ébats de ces deux jeunes créatures te raviraient. Je les entends à présent qui « communiquent », au moyen d'émissions vocales très rudimentaires. Je dois tendre l'oreille pour distinguer des nuances dans les grognements qu'ils échangent. Certains ressemblent à des cris de douleur, et d'autres pourraient être des exhortations à la douceur ou à la prudence. Manifestement, la jeune femelle proteste — ce qui me conforte dans l'idée qu'elle est vierge. Cette seule idée me laisse sans voix. La virginité, cette caractéristique exclusive de la féminité humaine... présente, ici même, dans cette savane perdue, où rien n'a changé depuis le pliocène !

Proportionnellement à sa petite taille, les organes génitaux du mâle sont bien développés, ce qui est le sceau du passage de l'état de primate à celui d'hominien. Mais ses gestes ont quelque chose de maladroit et d'hésitant, comme s'il était inexpérimenté.

Cette scène est un des spectacles les plus profondément humains qu'il m'ait été donné de voir. Chez les mammifères, la recherche d'un partenaire et l'accouplement sont dictés par des pulsions liées à l'état hormonal, et il n'entre aucune part de sentiment dans leur activité sexuelle. Or, ce que j'ai sous les yeux en est un démenti flagrant : je suis frappé par la grande tendresse qui émane de ce couple d'hominiens.

Je retiens mon souffle... Elle l'encourage et ils s'unissent enfin, communiant dans un plaisir calme et concentré.

Moi qui suis venu dans ce pays en tant que soldat, pour y apporter la mort et la destruction, je suis profondément ému devant cet acte d'amour primitif, essentiellement orienté vers la perpétuation de l'espèce. Nous étions semblables à eux, il y a encore deux millions d'années — un battement de paupière, en regard de l'âge de l'univers —, ainsi que je l'ai déjà souligné...

Si seulement nous avions su rester comme ces deux êtres ! Quel merveilleux savoir possédions-nous alors, que nous avons fini par oublier, au fur et à mesure que s'écrivait notre histoire — à coup d'explosions démographiques, de conquêtes de nouveaux continents, de guerres, de progrès techniques ! Qui peut affirmer que ce que nous avons gagné contrebalance vraiment ce que nous avons perdu... ?

Les mots me manquent, à la vue de ce jeune couple... Comment dire cette tendresse passionnée, éperdue, avec laquelle ils se perdent l'un dans l'autre ? Et nous, au stade d'évolution qui est le nôtre et dont nous sommes si fiers, sommes-nous encore capables d'une telle profondeur de sentiment, d'une telle intensité, d'une telle fougue, lorsqu'il s'agit de perpétuer notre espèce et de nous projeter dans l'avenir ? Ne serait-ce pas là, entre autres, l'un des trésors que nous avons perdus en chemin ?

Je m'éloigne sans bruit, de peur de les déranger.

Mais dès que je me retrouve seul avec moi-même, je ne puis m'empêcher de m'interroger sur le sens de ce que je viens de voir. Mon esprit se heurte aussitôt à cette vérité inouïe : nous ne sommes pas *seuls* ! Et je ne parle pas des immensités interstellaires ! Non... ici même, sur notre propre Terre... !

Je me sens à deux doigts de sombrer dans la folie — je n'arrive pas à le croire... C'est moi qui ai fait cette incroyable découverte !

Extrait d'un journal daté d'avril 1953,
peu après le début de la guérilla mau-mau,
au Kenya occidental

I

EMPREINTES

1

KENYA OCCIDENTAL
FIN MAI 1995,
après la saison des pluies...

Le petit avion, un Beech Lightning monomoteur, se cabrait comme un étalon sauvage. Ballotté par de forts courants ascendants, il tentait de maintenir son cap en direction du massif montagneux de la Mau qui culmine à trois mille mètres d'altitude.

Les escarpements de la Mau s'étirent sur trois cents kilomètres selon un axe nord-sud, telle une muraille rocheuse isolant la portion kenyane de la grande vallée du Rift. Une étonnante formation géologique, que ce massif, avec ses contreforts arides et ravinés, parsemés seulement de buissons rabougris. A mi-pente, la végétation s'épaissit puis se fait de plus en plus luxuriante, jusqu'à former une épaisse forêt, sous laquelle disparaît la ligne de crête. A l'extrémité sud de la chaîne, cette forêt descend jusqu'à la limite de la savane, laissant émerger, ici et là, des promontoires et des éperons de roche nue.

Au pied des pentes, la savane du Dogilani déploie son tapis de graminées roussies par le soleil, semé de bouquets d'acacias et de points d'eau scintillants, dont les berges grouillent d'antilopes, de duikers et de buffles assoiffés. Partout dans les hautes herbes rôdent des félins en quête de proies, et les rapaces sillonnent le ciel, attendant de prélever leur tribut sur leurs futures victimes.

Autant la savane, immense et ensanglantée par le combat sans fin que se livrent les différentes espèces, semble fermement ancrée dans le présent, autant les pentes de la Mau, où l'on ne discerne nulle trace de vie, sont suspendues dans une sorte de passé intemporel. Quant aux crêtes, couronnées d'une jungle luxuriante — la partie la plus inaccessible et donc la plus mystérieuse du massif — on pourrait croire qu'elles appartiennent à un autre âge.

Midi approchait, et l'air tremblait au-dessus de la plaine, chauffé à blanc par une matinée de soleil. En s'élevant, les flux d'air chaud se heurtaient aux masses plus fraîches qui descendaient des hauteurs de la Mau. L'air froid ripostait vigoureusement, criblant son adversaire de longues lances de vent froid qui provoquaient des courants anarchiques. Dans ces remous, les trois tonnes de l'avion ne semblaient guère peser plus qu'un jouet d'enfant.

Hendrijks, le pilote, s'accrochait aux commandes, malgré la longue habitude qu'il avait de ces crêtes et de ces plateaux. Sa trogne de Hollandais, d'ordinaire rubiconde, avait viré au jaunâtre. Son front ruisselait.

Derrière lui, sur les deux sièges placés côte à côte, étaient sanglés ses deux passagers : Ken Lauder, un jeune paléoanthropologue américain et son ami Ngili Ngiamena, Kenyan et géologue. Ce dernier exhortait Hendrijks à maintenir son cap : droit devant eux, les falaises de la Mau grossissaient de seconde en seconde, comme si l'appareil allait les heurter de plein fouet et disparaître dans une explosion de feu, de flammes et de fumée.

Assis à côté de la porte béante de l'avion, Lauder tentait de se pencher au maximum au-dessus du vide, retenu par sa seule ceinture de sécurité qui s'incrustait douloureusement dans son estomac. A deux doigts de perdre l'équilibre, il se laissait pendre à l'extérieur, braquant l'objectif d'un appareil photo sur les pentes qui défilaient sous l'avion. Les mains et les bras contractés à l'extrême, tout le buste raidi, il s'arcboutait pour résister au flux d'air qui lui sifflait aux oreilles, tel un puissant souffle glacé émanant de la montagne, à présent dangereusement proche.

La force du vent était telle qu'elle lui retroussait les paupières. Ken réintégra la cabine et hurla au pilote de réduire les gaz pour qu'il puisse prendre ses photos.

— Impossible ! protesta Hendrijks.

S'il ralentissait encore, il n'aurait plus assez d'élan pour lutter contre les turbulences. Déjà, à la vitesse où ils allaient, l'appareil était salement secoué. Chaque fois qu'il se trouvait pris dans un courant, c'était comme s'il percutait un mur de briques invisible.

Le chaos des crêtes érodées et des barres rocheuses qu'ils survolaient ne faisait qu'aggraver les sautes de vent et l'appareil dansait, soulevé par les courants ascendants, avant de retomber, entraîné par un courant froid. La carlingue gémissait, à l'extrême limite de sa résistance. Ken hurla à nouveau quelque chose à l'adresse du pilote. Hendrijks était passé trop vite au-dessus d'un éperon rocheux. Il n'avait pas eu le temps de prendre sa photo. Pouvait-il faire demi-tour et survoler le même point, à vitesse réduite... ?

— Pas question ! cria Hendrijks. J'en ai besoin, de ma vitesse !

Les pentes de la Mau, tapissées sur leur moitié supérieure d'une végétation d'un vert luxuriant, parurent fondre droit sur l'appareil.

— OK ! tonna Hendrijks. Je refais un passage — et tâchez de ne pas la louper, votre foutue photo !

Ken prit une grande lampée d'air, s'assurant, de sa main libre, de la solidité de sa ceinture. La boucle tenait bon... enfin, elle avait tenu jusque-là, et avec un peu de chance, elle tiendrait encore !

Hendrijks effectua un virage sur l'aile. Un trou d'air s'ouvrit sous l'avion, aspirant l'extrémité de l'aile droite qui plongea, presque à la verticale, en direction du sol. L'œil vissé à son objectif, Ken se sentit happé par le vide. Seuls le retinrent son pied gauche, calé sous le siège du pilote, et sa ceinture. Hendrijks dut s'agripper à son manche pour redresser l'appareil in extremis, comme un nageur emporté par une lame de fond, qui tente de se frayer un chemin vers la surface.

— Allez-y ! glapit-il. C'est le moment ou jamais !

L'avion avait retrouvé son assiette. Vue du ciel, la pente ravinée par tout un réseau de torrents — à sec en cette saison — avait l'allure d'une gigantesque patte de sphinx. Le point précis que Ken cherchait à photographier était posé, telle une grosse articulation, sur le doigt médian de cette curieuse formation.

La violence du vent le faisait larmoyer. Lorsque l'avion se trouverait à la verticale de sa cible, il lui faudrait prendre sa photo à l'aveuglette. Il vit son sujet s'encadrer dans son viseur et pressa le déclencheur, tentant désespérément de distinguer ce qu'il photographiait — mais en vain : ses larmes lui brouillaient la vue.

Il avait néanmoins la quasi-certitude d'avoir réussi sa photo. Il n'avait pas pu la rater ! Il ouvrait la bouche pour pousser un cri de joie lorsqu'il se retourna...

L'éperon, qu'ils laissaient derrière eux, était à présent noyé sous un nuage de poussière. Les vents de la mi-journée soulevaient des tourbillons ocre sur les pentes des alentours, bloquant toute visibilité. Les vagues de poussière se succédaient. Entre deux vagues, l'air retrouvait sa transparence, jusqu'à ce que la suivante vienne submerger la patte du sphinx d'un nouveau tourbillon.

La seule chose qu'il avait dû fixer sur sa pellicule, c'était cet écran de poussière ocre. Avec un peu de chance, on devinerait peut-être la forme générale de la patte de sphinx, mais enveloppée dans ce nuage de poussière. La location de l'avion leur coûtait un bon millier de dollars, à lui et à Ngili, sans compter la caisse de whisky promise à Hendrijks, et si ça se trouvait, il venait de rater cette dernière prise de vue. La dernière, et la plus intéressante, évidemment !

Il se hissa dans la carlingue.

— Demi-tour, Hendrijks ! hurla-t-il. On y retourne !

— Encore raté ?

— Ouais, bordel ! fit Lauder, en assénant un coup de poing rageur sur la paroi de tôle, qui résonna comme un bidon vide. Faites demi-tour et tâchez de passer moins vite, cette fois, nom d'un chien !

— Tu dérailles, s'écria Ngili, près de lui. Il t'a dit qu'il ne peut pas réduire les gaz ! L'appareil a besoin d'un minimum de vitesse, pour lutter contre le vent...

— Plus vite, alors — mais plus bas !

— Plus bas ! » s'insurgea Hendrijks, dont le visage avait perdu toute couleur, comme si les pigments de sa peau avaient subi une mutation aussi soudaine qu'irréversible. « Vous voulez que j'aille m'écraser contre ces tas de cailloux, c'est ça ? Vous n'avez pas remarqué que c'était déjà moins une, quand j'ai viré, tout à l'heure ?

— Ça doit pourtant être faisable ! Descendez encore. Essayez de vous rappeler où se situent les sautes de vent... !

— Me rappeler les... ? Mais ça n'arrête pas de changer !

— En ce cas, vous pouvez dire adieu à vos mille dollars !

Les secousses qui ébranlaient l'appareil, le sifflement du flux d'air qui s'engouffrait par la porte béante et l'omniprésence du danger rappelèrent à Ken qu'ils venaient de voir la mort de tout près. Ils n'avaient évité la catastrophe que grâce à l'énergie presque surhumaine qu'avait déployée Hendrijks. Il laissa son appareil photo tomber au bout de sa courroie, empoigna le pilote par les épaules et le secoua de toutes ses forces, avec la sensation très nette, ce faisant, d'ébranler tout l'avion.

— Allez-y, faites-le, Hendrijks ! Vous êtes un as. Personne ne vous arrive à la cheville, aux commandes d'un coucou, dans ce pays. Allez-y, ou vous ne toucherez pas un sou !

Par-dessus son épaule, le Hollandais hurla qu'il s'en battait l'œil et que, s'il faisait demi-tour, ce serait uniquement pour se tirer de ce merdier — et dare-dare, encore ! La voix de Ken se fit suppliante.

— Plus bas, mon vieux ! Plus bas, encore une fois — la dernière... !

Car l'occasion ne se représenterait plus. C'était son unique chance de photographier ce qu'il avait repéré par son hublot, une demi-heure plus tôt.

Ils avaient décollé à bord du Beech Lightning, aux premières lueurs du jour, pour établir des relevés géologiques aériens du Dogilani et des contreforts sud de la Mau. Ces formations rocheuses, vieilles de cinq millions d'années, avaient l'allure d'un gigantesque cuirassé du pliocène, croisant sur la plaine du Dogilani, comme sur une mer étale.

Les immenses étendues de savane bordant ses contreforts arides, et les forêts luxuriantes accrochées à ses crêtes, faisaient de l'extrémité sud de la Mau un lieu étrange et imposant, vestige du temps où l'humanité n'était pas encore l'humanité.

C'est à l'ère tertiaire, au cours du pliocène, que les continents se sont fixés dans leur position actuelle et qu'est apparue la vallée du Rift, cet immense fossé d'effondrement né du choc de deux plaques tectoniques, qui entaille l'Afrique orientale pratiquement du nord au sud. De part et d'autre de cette ligne de faille, se sont établis deux systèmes climatiques diamétralement opposés : à l'ouest un climat humide, favorisant la persistance des anciennes forêts ; à l'est, un climat chaud et sec, qui a provoqué l'apparition d'une savane où les herbivores se sont multipliés jusqu'à former d'immenses troupeaux. Tandis que la forêt reculait, certaines souches de primates arboricoles ont progressivement abandonné leur habitat naturel pour s'aventurer en terrain découvert. C'est d'eux qu'est issue l'espèce humaine.

Toute la matinée, l'avion avait donc survolé diverses formations rocheuses, que Ken photographiait, tandis que Ngili en relevait les coordonnées. Ils venaient de passer à une trentaine de mètres au-dessus d'un éperon rocheux arrondi et raviné par l'érosion, pour que Ngili puisse observer de plus près l'état des roches. Ken, qui calculait les distances séparant les divers sites à partir de leur vitesse de vol, avait noté l'heure — onze heures quinze.

Sur le sommet de cet éperon, il avait remarqué des traces aisément repérables car disposées en un grand cercle — une formation plutôt curieuse, dans un endroit constamment battu par les vents et aussi difficile d'accès.

Ils avaient alors demandé au pilote de faire demi-tour et de repasser au-dessus de l'éperon — ce qu'avait fait Hendrijks. Ils l'avaient survolé à nouveau, un peu plus bas, et Ngili avait vu, lui aussi, ce cercle sombre. Comme l'avion descendait encore, le cercle s'était fragmenté en une succession de points distincts, comme les perles d'un collier. A quelques dizaines de mètres du sol, les points s'étaient révélés de forme ovale et allongée. Des traces de pas. On avait marché sur ce promontoire rocheux. En décrivant un grand cercle.

Les deux amis avaient échangé un regard où la curiosité le disputait à la perplexité. Leur sang de spécialistes de la préhistoire n'avait fait qu'un tour. Et si ces traces étaient des empreintes fossiles, laissées dans le sol par des hominidés ?

L'hypothèse n'était pas si fantaisiste. Entre deux saisons des pluies, les premiers contreforts de la Mau étaient d'une sécheresse absolue. Il y soufflait constamment des vents violents qui érodaient le sol, mettant à nu les couches sous-jacentes. Si le sol avait conservé une quelconque trace, dans ce secteur, il y avait de fortes chances pour que cela remonte à la nuit des temps. Car il ne pouvait s'agir que d'empreintes pétrifiées. A en juger par l'ombre que projetaient les bords, elles devaient être profondément incrustées dans le sol. Elles formaient de petites taches sombres, clairement visibles à la surface de la patte de sphinx, qui luisait sous le soleil.

Hendrijks avait fait basculer l'avion sur l'aile et, le nez collé à sa vitre, avait à son tour regardé le cercle.

— Pas de quoi fouetter un chat ! avait-il grommelé. Sans doute les traces d'un gardien de chèvres...

— Un gardien de chèvres ? Sur ce caillou ? Qu'est-ce qu'elles seraient venues fabriquer là, ces chèvres ? D'ailleurs, où sont leurs empreintes ? Vous voyez des marques de sabots, vous ?

— Sans compter qu'à ma connaissance, cette zone est totalement inhabitée ! avait renchéri Ngili.

— Eh, qu'est-ce qui prouve que ces traces ne sont pas là depuis des lustres... ? Le coin était peut-être couvert de pâturages, il y a une centaine d'années...

— Si vous admettez qu'elles peuvent remonter à plus d'un siècle, pourquoi n'auraient-elles pas des milliers d'années objecta alors Ken.

— Et ça n'explique toujours pas l'absence de traces de sabots... ! fit Ngili.

Hendrijks leva les yeux au ciel et lâcha un instant les commandes, dans un geste d'agacement.

Que de pinaillage pour pas grand-chose ! râlait-il à part soi. Qu'est-ce qu'il était venu perdre son temps ici, avec ces givrés ? Enfin, ce n'était pas vraiment une perte de temps : mille dollars, pour une semaine de relevés aériens, c'était toujours bon à prendre. Hendrijks n'était plus de première jeunesse et il avait affaire à une rude concurrence, depuis qu'on filait son brevet de pilote au premier négro venu... Il avait fini par se laisser convaincre. OK. Il allait revenir en arrière et survoler à nouveau cette trace circulaire, pour que Ken puisse prendre ses photos.

Comme ils n'avaient largué aucune balise, que la lumière avait changé et qu'il fallait compter avec ce terrain volcanique, riche en fer, qui perturbait les instruments de navigation, il leur avait fallu une bonne demi-heure de vol, au-dessus d'une multitude d'éperons qui se ressemblaient comme deux gouttes d'eau, avant de retrouver celui qu'ils cherchaient. Et ce, juste au moment où les vents de midi se déchaînaient au-dessus des contreforts de la Mau...

Ken laissa échapper le grand angle de son Minolta, qu'il avait dévissé d'une main fébrile, pour le remplacer par un téléobjectif. L'objectif roula sur le plancher de la cabine. Tout à sa hâte, Ken ne fit pas un geste pour le ramasser. Il engagea son zoom dans la rainure et, d'un coup de poignet, le bloqua en position. Cela fait, il lança un coup d'œil vers son ami, croisant le regard sombre de ses prunelles — deux onyx noirs qui étincelaient. Le visage de Ngili, d'ordinaire luisant comme un masque d'ébène, semblait soudain dépourvu de tout relief. Comme la plupart des Africains, Ngili ne pâlissait pas ; son teint perdait simplement son éclat.

Ngili soutint son regard et, d'une voix remarquablement posée, laissa tomber :

— Ce zinc ne tiendra pas le coup...

— Il a bien tenu, jusqu'à présent, non ? Allez ! Une dernière fois...

— T'es vraiment dingue... soupira Ngili.

Ngili parlait un anglais parfaitement fluide, à peine mâtiné d'intonations massaï. Il était né à Nairobi et y avait passé une bonne partie de son enfance. Il avait rencontré Ken sur les bancs de l'université du Kenya, où il préparait un diplôme de géologie, tandis que Ken achevait ses études de paléoanthropologie. Ngili avait l'élégance et la noblesse naturelle des Massaï. Bien que grand et mince, Ken était nettement plus charpenté que son ami. Il gardait une vivacité juvénile, malgré ses vingt-huit ans. L'éclat de ses yeux noisette illuminait son visage hâlé. Au-dessus de son nez bien dessiné, une tignasse châtain clair, décolorée par le soleil et le vent de la brousse, lui balayait le front. Son menton volontaire, que creusait une fossette, sa bouche et sa mâchoire résolues venaient confirmer l'impression générale d'énergie concentrée qu'exhalait toute sa personne.

— Pas si dingue que ça ! Hendrijks en est parfaitement capable, s'il garde son sang-froid...

— Qu'il en soit capable ou pas, c'est une autre histoire.

Mais ça n'empêche pas que toi, tu es fou à lier, mon vieux! répéta Ngili.

OK, se dit Ken. Eh bien, soit. Fou je suis, et fou je mourrai — aujourd'hui même, peut-être, sur cette terre d'Afrique...

L'appareil perdait de la vitesse.

Penché à l'extérieur, Ken vit l'éperon rocheux se rapprocher. Hendrijks avait donc puisé en lui assez d'énergie pour amener l'avion au point voulu, à l'altitude idéale. Fort de ses années d'expérience, il s'efforçait d'anticiper les sautes de vent. Il avait abaissé les volets des ailes et réduit les gaz au minimum, comme s'il s'apprêtait à se poser — à ceci près qu'en cas d'urgence, jamais il n'aurait déniché dans tout le secteur de terrain propice à un atterrissage, même acrobatique.

Le plan de Hendrijks était apparemment de descendre le plus bas possible et de remonter à la verticale, au dernier moment, au ras de la muraille de pierre. Ken ne put s'empêcher de tirer mentalement son chapeau à ce vieux baroudeur imbibé d'alcool, dernier représentant d'une race en voie d'extinction — et dont ce serait peut-être le dernier exploit.

— Génial, Hendrijks! Vous êtes vraiment le meilleur!

— *Dankje!* répondit Hendrijks en afrikaans, sa langue natale, qu'il réservait aux circonstances exceptionnelles.

Et effectivement, l'heure était grave. Ils risquaient bel et bien d'y passer tous les trois, d'une seconde à l'autre.

Dans la tête de Ken, les pensées se succédaient avec une étrange limpidité. Derrière chacun des êtres humains qui peuplent cette planète, en cet instant même, songeait-il, il devait y en avoir cent fois autant, dont les os étaient retournés à la poussière, au cours de ces cinq derniers millions d'années... Tandis que l'immense majorité de ces corps se dissolvaient dans le sol, sous forme de matière organique, pour alimenter d'autres formes de vie, certains s'étaient fossilisés. Pourquoi, quand et comment? Qui aurait pu le dire...?

Car qui pouvait prétendre détenir une quelconque vérité?

En paléontologie, comme dans les disciplines voisines, il n'existait aucune interprétation définitive, aucune hypothèse qui ne soit périodiquement remise en cause. On avait très peu de faits univoques et unanimement reconnus à se mettre sous la dent. On n'avait que... la science.

Et voilà qu'il prenait le risque de s'écraser contre ces falaises désertes, au nom d'une chose aussi peu tangible...

Il aurait dû avoir peur, mais il n'en était plus temps. Le sommet de l'éperon fondait droit sur eux. Il devait prendre cette satanée photo...

L'avion se laissait porter en vol plané, tel un oiseau qui déploie ses ailes avant de se poser sur son perchoir.

A vitesse réduite, le vent perdait de sa violence et Ken, dont les yeux pleuraient moins, parvint à cadrer et à faire le point. Au-dessous de lui, les rafales de poussière qui balayaient le sommet du promontoire rocheux, le couvraient et le découvraient à intervalles quasi réguliers.

Il devrait anticiper ce rythme et appuyer sur le déclencheur à la seconde précise où un nuage de poussière s'envolerait, et juste avant que ne s'abatte le suivant. Il vit un tourbillon se former, se soulever et passer, lui révélant la surface de la roche avec une étonnante acuité, comme un fond marin que l'océan découvrirait pour la première fois et qui dévoilerait enfin sa végétation et son relief, à leur véritable échelle.

Ken appuya sur le déclencheur. Un autre nuage se forma, à son tour chassé par le vent. Il eut le temps de prendre une autre photo — de très près, cette fois — magnifique !

Il sentit une brusque secousse, à sa taille. La boucle de sa ceinture de sécurité. Elle avait fini par céder, mais à sa grande surprise, il ne tombait pas : Ngili avait jeté ses deux bras autour de lui et le retenait, une main passée sous son aisselle droite, l'autre accrochée sous la ceinture de son pantalon. Les ongles de son ami crissaient sur la lanière de cuir et lui labouraient la peau du dos à travers sa chemise, mais pour Ken, rien n'importait plus que le sommet de cet éperon...

Il le mitrailla de plus belle, au rythme des rafales et des vagues de poussière. Le coucou se cabra en une terrible embardée, pris en tenailles entre deux flux antagonistes. Ngili poussa un cri, tandis que Hendrijks allait s'écraser contre son tableau de bord. Le pilote enfonça la manette des gaz avec l'énergie du désespoir. Le vent, qui les rabattait vers le sol, semblait s'être ligué avec la pesanteur pour précipiter la chute de l'appareil.

L'avion se redressa en rugissant, passa à ce qui leur parut quelques centimètres de la paroi rocheuse, et effectua un virage serré à l'extrême. La force centrifuge propulsa Ken vers l'extérieur. Sous les ongles de Ngili, qui s'enfonçaient dans son épaule, quelques gouttes de sang avaient perlé. Le grand angle que Ken avait abandonné à son sort roula jusqu'à la porte et bascula dans le vide. Ken le regarda tomber, surpris de ne pas le suivre dans sa chute...

Mais il n'avait pas vraiment peur. Il ne ressentait qu'une étrange curiosité pour ce qui aurait pu être son dernier instant.

Il vit l'objectif s'écraser sur le roc, après un interminable plongeon, et voler en miettes.

Ngili avait réussi à assurer sa prise sur sa ceinture, une lanière de cuir assez solide pour résister à l'incroyable tension à laquelle elle était soumise.

Hendrijks dut sentir le déplacement du poids de ses deux passagers, derrière lui. Il rétablit l'appareil si sèchement que la secousse souleva Ken au niveau de la porte. Ngili en profita pour le hisser à l'intérieur de la carlingue, avec tant de vigueur qu'il se cogna le crâne contre le plafond.

Hendrijks se retourna, hilare et le nez en sang — souvenir de sa rencontre involontaire avec le tableau de bord... L'avion était à présent secoué de soubresauts si violents que Ken craignit un moment qu'il ait perdu son empennage.

— Je v... vais faire d... demi-tour, annonça Hendrijks, que les trépidations de l'appareil faisaient bégayer. On va tâcher d'atterrir quelque part, dans le coin...

De l'index, il montrait la savane qui s'étendait au sud de la Mau.

Ken et Ngili suivirent la direction qu'indiquait son doigt. La savane, avec ses acacias, ses étendues de hautes herbes parsemées d'affleurements rocheux et de petites buttes... Elle semblait si paisible et si accueillante... Tout y était si vaste, si ouvert!

Là-bas, au sud-ouest, s'éloignait un orage. Des éclairs, inoffensifs à cette distance, zébraient le ciel. Partout, le tapis végétal vert et jaune s'ombrait des masses grises des troupeaux qui y paissaient.

— OK, Hendrijks. Posez-nous... et entiers, si possible, fit Ken, avec l'agaçant sentiment de lui donner là un conseil superflu.

Car il semblait incroyable que l'avion puisse tenir le coup, ne fût-ce qu'une minute de plus... Les deux amis se cramponnèrent à leur siège. Ken fit le vide dans son esprit, concentrant toute sa conscience en un faisceau d'énergie vive qu'il dirigeait vers le moteur, la carlingue, le train d'atterrissage et jusqu'au moindre boulon. Ils étaient engagés dans la poussée finale d'un périlleux accouchement... L'appareil émergea tout à coup de la matrice des vents pour glisser, enfin libre, dans la brise tiède de la savane.

Vivants! Ken et Ngili avaient peine à en croire leurs yeux et leurs oreilles. Ils maintinrent encore quelques minutes leur effort de concentration, pour assister le coucou dans sa descente. Sous eux, le sol se rapprochait.

L'appareil survola les dernières pentes et arriva au-dessus de la savane, frôlant au passage le sommet d'un acacia.

Puis les roues touchèrent terre.

2

Le train d'atterrissage creusait un double sillon dans les hautes herbes. Vue du ciel, la savane offrait l'aspect d'une surface unie d'un rouge cuivré, mais sous son tapis de graminées, le sol n'était que creux et bosses et l'avion tressautait là-dessus comme un vulgaire jouet, secouant sans ménagement ses passagers.

Le train d'atterrissage heurta un amas de rochers invisibles, que l'appareil franchit en cahotant avant d'achever sa course dans un bouquet d'épineux qu'il faucha comme la lame d'une machette.

A peine s'était-il immobilisé que Ken et Ngili sautèrent de la cabine et se laissèrent choir dans l'herbe. Sidérés d'être toujours entiers, ils examinèrent l'avion. Une fissure s'était ouverte dans la gouverne de direction ; quant à l'extrémité du volet de compensation droit, elle avait carrément disparu. Hendrijks coupa le moteur, s'extirpa de sa cabine et vint s'étendre à quelques mètres d'eux en grommelant quelque chose où il était question de ses mille dollars et des *deux* caisses de whisky qu'il n'aurait pas volées — et il avait bien dit deux !

Ken dévisagea Ngili, dont le regard avait retrouvé sa vivacité coutumière.

— Alors, ça y est ? Elles sont dans la boîte, ces sacrées empreintes ? lui demanda son ami, avec un geste vers son appareil photo.

— J'ai eu l'éperon rocheux, en tout cas. Parfaitement dégagé et sans un atome de poussière. Pour les empreintes, il faudra attendre le développement...

— J'espère au moins qu'on n'aura pas fait tout ce cirque pour rien ! s'esclaffa Ngili.

Les trois hommes laissèrent s'écouler encore une minute, allongés dans l'herbe, puis Hendrijks se hissa sur ses pieds, grimpa dans l'avion et entreprit de fouiller la cabine pour remettre la main sur sa pipe, qui restait introuvable. Car plus rien n'était à sa place, dans l'habitacle. Jusqu'au carnet de vol, qui avait été catapulté au fond de la carlingue, où ses pages s'étaient éparpillées par terre. A force d'être bringuebalée de côté et d'autre, une boîte de biscuits s'était ouverte, répandant son contenu. Hendrijks poussa un juron en constatant les dégâts. Sa bouteille de whisky, qui était restée miraculeusement intacte, avait tout de même perdu quelques centilitres de son précieux contenu. Le pilote sauta de l'appareil et entreprit d'en faire le tour, inspectant minutieusement les ailerons, les volets, les traverses des ailes, l'hélice...

— Je vais devoir réparer la gouverne de direction ! annonça-t-il à ses deux passagers. Pas question de décoller dans cet état !

— Vous en aurez pour combien de temps ? s'enquit Ken, toujours affalé dans l'herbe.

Comme nombre de pilotes de la vieille école, Hendrijks était aussi un mécanicien hors pair.

— Plusieurs heures, minimum ! J'ai du fil de fer, des vis, des pattes de fixation... » Marquant une pause, Hendrijks jeta un coup d'œil au soleil d'un air préoccupé. « Mais si j'ai pas réparé avant la nuit, va falloir remettre notre départ à demain matin...

— Prenez le temps qu'il vous faudra, quitte à ce qu'on passe la nuit ici.

Ce ne serait pas la première fois que Ken et Ngili bivouaqueraient dans la savane. Tous deux avaient souvent dormi à la belle étoile sur leurs lieux de fouilles.

— En ce cas, filez-moi un coup de main pour filtrer le carburant. Parce que, rien que ça, ça risque de nous prendre un bon bout de temps...

L'avion contenait des jerrycans d'essence, qu'il fallait transvaser dans les réservoirs pratiquement à sec, en la filtrant à travers une peau de chamois, pour la débarrasser des impuretés qui auraient pu provoquer des ratés en vol. Si le moteur avait eu la moindre faiblesse au moment où ils survolaient les pentes de la Mau, aucun d'eux n'aurait été là pour en parler...

Ngili et Ken se levèrent et aidèrent Hendrijks à transvaser le carburant. Cela fait, faute d'une échelle, ils roulèrent une énorme pierre sous la queue de l'appareil, afin qu'il puisse accéder sans peine à la gouverne de direction. Après quoi, le pilote leur demanda de rassembler des branches d'épineux. S'ils devaient camper sur place, il fallait prévoir de quoi faire un feu.

Quelques minutes plus tard, Ken attaquait à la machette des buissons d'*acacia fistula*, d'une épaisseur et d'une vigueur surprenantes. Leur bois lui-même semblait plus dur qu'il n'aurait dû. Peut-être ces végétaux étaient-ils restés aussi noueux et résistants que leurs ancêtres du pliocène — à moins qu'il n'ait commencé, lui, à fatiguer... Il promena son regard aux alentours. Sur une petite butte poussaient des arbustes couverts de baies rondes et noires, qui luisaient comme des yeux et avaient l'air de vous fixer avec une attention presque humaine, vaguement menaçante.

— T'as remarqué, Ngili ? Il y a des tas de plantes qui ne ressemblent à rien de connu, dans le coin...

— Et les gnous, alors ? J'en avais jamais vu de pareils. Gras à souhait et d'un flegme ! Oh, regarde ! Une femelle en train de mettre bas...

Ngili lui passa les jumelles, et Ken eut tôt fait de repérer le troupeau — vingt ou trente bêtes qui, à travers les lentilles optiques, semblaient paître à quelques centimètres de son nez. Les gnous étaient de perpétuels excités. Un rien les dérangeait. Un insecte se posant sur leur queue, une pierre coincée dans un sabot, ou la seule vue de la savane écrasée de soleil, suffisaient pour les faire détaler comme s'ils avaient le diable aux trousses. Mais ici, rien de tel. Ils se promenaient de touffe en touffe, ruminant paresseusement, avec une nonchalance que Ken ne leur avait jamais vue.

La femelle s'était immobilisée, les pattes légèrement écartées, son long visage figé dans une expression d'extrême concentration. Sous sa queue pendait une grosse bulle noire et luisante, d'où émergeait une forme hérissée, qui n'était autre que les sabots et les pattes du nouveau-né. Quant à la bulle, c'était le reste de son corps, enveloppé dans les membranes placentaires qu'il n'avait pas encore rompues. A l'intérieur de son cocon visqueux, le jeune gnou se démenait, jouant déjà de ses pattes grêles, bien qu'il fût encore aux deux tiers prisonnier de la matrice maternelle.

A travers ses jumelles, Ken observa le troupeau et nota que d'autres femelles avaient, elles aussi, des petits. Plusieurs jeunes titubaient près de leurs mères, grelottant sur leurs longues pattes, comme s'ils n'étaient nés que de quelques heures.

— Bizarre, ça... marmonna-t-il.

— Quoi? Qu'est-ce qu'il y a de si bizarre?

— On dirait qu'ici, c'est la saison des naissances, pour les gnous. On est pourtant en mai!

Ce qui représentait quatre bons mois de retard sur le calendrier normal de reproduction des gnous, qui vêlaient d'ordinaire en janvier — avant la saison des pluies, et non après. Ken était bien placé pour le savoir. Pendant ses années de fac, il avait dû exercer divers petits boulots pour payer ses études. Guide de safari, entre autres.

Ngili haussa les épaules. Le cycle de la vie des gnous ne le passionnait manifestement pas.

— Tu as raison, fit Ken. Ça ne signifie sans doute pas grand-chose, sinon que ce troupeau-ci semble obéir à son propre cycle naturel. Peut-être n'ont-ils pas suivi la grande migration annuelle, à la fin de l'été dernier...

Tous deux gardèrent le silence. Chaque année, des millions de gnous, chassés des plaines de Tanzanie par l'épuisement progressif des pâturages, migraient vers le nord, en quête de nouveaux herbages qu'ils délaissaient à leur tour, dès que la nourriture venait à manquer. Leur instinct les entraînait dans un grand mouvement circulaire à travers les savanes du Kenya qu'ils parcouraient, en sens inverse des aiguilles d'une montre, suivant un circuit immuable. Plusieurs mois plus tard, ils se retrouvaient de l'autre côté de la frontière tanzanienne, prêts à repartir pour une nouvelle migration. Ces cycles régissaient toute leur existence, de la saison des amours à celle des naissances.

— Peut-être que les gnous de ce secteur ne migrent pas avec leurs collègues, plaisanta Ngili. Ils restent peut-être ici à longueur d'année...

— Peut-être, opina Ken, contemplant les graminées luxuriantes.

Peut-être ce bout de savane échappait-il à l'épuisement saisonnier des pâturages. Peut-être l'herbe y poussait-elle en quantité suffisante, en toutes saisons... Auquel cas les gnous du coin n'avaient aucune raison de migrer vers le nord et pouvaient donc s'accoupler quand bon leur semblait.

— Il y a aussi pas mal d'antilopes... des duikers... murmura Ken, qui continuait à examiner les environs à travers ses jumelles.

— Et ils t'ont l'air normaux, eux?

— A première vue, oui... Extraordinairement gras et détendus, eux aussi, mais... normaux.

Les duikers étaient de petites antilopes à la robe cuivrée. Entre leurs courtes cornes, leur front s'ornait d'une ligne noire, effilée. Elles bougeaient à peine, sans doute parce qu'il n'y avait pas de fauves dans les parages. Mais dès la tombée de la nuit, elles devraient être constamment sur le qui-vive, prêtes à détaler à la moindre alerte, pour échapper aux griffes des lionnes ou des léopards.

Entre-temps, le petit gnou était né. Il était tombé sur l'herbe en un petit tas humide et avait aussitôt redressé sa jolie tête, encore relié à sa mère par de longs filaments de placenta. Il s'était d'abord ébroué, pour tenter de se débarrasser de ces fils, puis avait tenté de se hisser sur ses pattes, mais elles avaient fléchi sous lui. Sa mère avait alors abandonné sa position de travail, pour lécher son nouveau-né.

— Il est trognon... ! s'exclama Ngili. Mais c'est une vraie annexe du paradis terrestre, ici !

Dans un éclat de rire, Ken lui fit remarquer qu'après leurs émotions dans le coucou de Hendrijks, même le fin fond du Sahara leur aurait eu des allures paradisiaques. Il envoya une bourrade amicale dans l'épaule de son compagnon et ils rejoignirent l'avion en se frayant un chemin dans les hautes herbes et les épineux.

— Je n'aurai sûrement pas terminé pour ce soir, zézaya Hendrijks à travers les deux longues vis qu'il tenait fichées au coin de ses lèvres.

Ses mains s'énervaient sur une patte de fixation. Il sortit les vis de sa bouche pour ordonner à Ngili de contacter l'aéroport de Nairobi :

— Dites-leur qu'on a dû modifier notre plan de vol. Et demandez-leur aussi ce que la météo prévoit pour demain, pendant que vous y êtes.

Hendrijks, plutôt mal embouché au naturel, s'adressait toujours à Ngili d'un ton particulièrement cassant.

Le jeune Noir grimpa dans l'avion, alluma la radio de bord et appela Nairobi. La météo était bonne. On signalait bien, au sud de la frontière tanzanienne, une tempête de sable qui se dirigeait vers le nord, mais l'ouragan aurait tout le temps de s'essouffler avant d'atteindre le Kenya. Ngili demanda aux contrôleurs aériens de transmettre un message à sa famille : ils allaient passer la nuit en brousse et ne rentreraient probablement pas avant le lendemain midi.

Avant de décoller, les trois hommes avaient eu la prévoyance d'emporter des sandwiches et une glacière pleine de boîtes de Coca-Cola et de Kane — le soda national du Kenya — ainsi que quelques bières, pour Hendrijks. La glacière avait survécu à leur atterrissage forcé. Hendrijks ouvrit trois boîtes de Coca.

Ken entassa le bois qu'il avait coupé non loin de l'avion. Puis, tandis que Hendrijks rangeait ses outils et que Ngili s'asseyait dans l'herbe avec ses feuilles de relevés stratigraphiques, il partit faire un petit tour de reconnaissance dans les environs. Il voulait voir de plus près un petit monticule isolé qu'il avait repéré, à quelques centaines de mètres de là.

Comme il n'en était plus qu'à quelques pas, il constata

que le sommet du tertre avait été érodé. Il le contourna et, de l'autre côté, aperçut un crâne. Un crâne humain.

Sa première réaction fut de ne pas en croire ses yeux, mais il dut se rendre à l'évidence : un crâne fossile fixait sur lui le regard aveugle de ses orbites vides.

Il reposait au sommet du tertre. Le maxillaire supérieur, presque entièrement dégagé de sa gangue de terre, avait conservé la plupart de ses dents, qui restaient solidement fichées dans leurs alvéoles.

Comme Ken faisait un pas dans sa direction, il sentit le sol friable crisser sous ses semelles. Le terrain d'alentour devait être de formation si ancienne et avait été si profondément érodé que, sous son poids, les particules se désagrégeaient et tombaient en poussière.

Le crâne avait dû rester enfoui dans le sol jusqu'au printemps ou jusqu'à l'automne précédent, saisons où des pluies diluviennes s'abattaient sur la région. Sous l'effet du ruissellement, un petit torrent avait pu se former dans une crevasse de la Mau, dévaler jusqu'ici et décalotter le sommet du petit tertre, mettant à nu une couche plus friable. Puis le vent avait achevé la besogne, emportant la terre grain à grain, jusqu'à ce que le crâne réapparaisse à la lumière du jour.

A quelques centimètres, Ken aperçut un petit os brun. Il approcha aussi près qu'il le put et l'examina, bien résolu à ne toucher à rien, sinon de ses yeux fascinés. C'était une cervicale, encore à moitié enfouie dans la terre sablonneuse. Le squelette, ou ce qu'il en restait, devait reposer là-dessous, toujours enseveli.

Ken ouvrait la bouche pour appeler Ngili, lorsqu'une pensée l'arrêta. S'il s'agissait du squelette d'un berger et qu'il était vieux de quelques siècles, la découverte était certes intéressante, mais sans plus. En revanche, s'il était plus ancien...

Ken sentit monter en lui la même tension que lorsqu'il avait photographié les empreintes depuis l'avion. Son souffle s'accéléra quand il remarqua la pente du front, inhabituellement fuyant. Ou bien ce crâne était très ancien, ou bien il avait appartenu à un homme actuel, présentant un angle facial exceptionnellement aigu. Mais cette dernière hypothèse était peu plausible : on n'avait jamais relevé de fronts aussi fuyants chez aucune des tribus autochtones.

Ken se planta face au crâne et le fixa intensément. Il se détachait sur le ciel flamboyant. Au centre de la calotte crânienne, parfaitement visible en position frontale, courait un bourrelet osseux. Une crête sagittale !

Ce genre de crête était un trait caractéristique de l'*Australopithecus robustus*, en qui on avait, un temps, vu le fameux « chaînon manquant » de l'évolution de la race humaine. Il avait développé ce renforcement osseux pour supporter le poids considérable des os et des muscles de ses mâchoires massives, encore très proches de celles des grands singes supérieurs. L'*Australopithecus robustus* était doté de puissantes vertèbres, capables de soutenir cette tête alourdie non pas par son encéphale, qui n'excédait pas cinq cents centimètres cubes, mais par cette épaisse ossature.

Ken connaissait un moyen de déterminer sommairement l'âge approximatif du squelette, et un moyen plus rapide encore de savoir s'il s'agissait d'un crâne de primate ou d'hominidé. Il décida de pratiquer sur-le-champ ces tests préliminaires. Inutile de donner de faux espoirs à Ngili...

Il avança vers le crâne une main hésitante, redoutant de le voir se désagréger au contact de ses doigts.

Il prit une profonde inspiration.

Doucement, Lauder. Du calme ! Pas de panique. C'est de science qu'il s'agit, là, mon vieux... L'évolution de l'espèce humaine, tu connais... ?

Il souffla un grand coup et effleura le crâne avec précaution. Loin de tomber en poussière, il le sentit pivoter sous ses doigts. Il suffisait de le ramasser, comme un fruit mûr qui n'aurait attendu que d'être récolté.

Il le souleva, le retourna et examina la succession des dents, noircies par le temps. Elles étaient disposées suivant une ligne courbée en fer à cheval, caractéristique de l'espèce humaine — celles des gorilles et des babouins dessinaient une forme plus rectangulaire, aux angles plus accusés. Les canines supérieures étaient usées par la mastication. Celui ou celle qui avait autrefois mâché avec ces canines avait dû mourir vers l'âge de vingt ans, l'espérance de vie maximum d'un australopithèque.

Réprimant la fébrilité qui commençait à le gagner, Ken poursuivit son examen du fossile. La surface des molaires présentait des cuspides — cinq petites protubérances pointues, disposées selon un Y irrégulier.

Parfait. Cette disposition particulière était apparue chez l'ancêtre commun des pongidés et des hommes, mais on ne connaissait aucun singe anthropoïde dont les molaires présentent plus de quatre cuspides. A en juger par le nombre de ces pointes, le crâne aurait pu appartenir à un grand primate ; mais en ce cas, les canines auraient été plus longues, et incurvées en arrière, comme des crocs, pour s'imbriquer avec celles de la mâchoire inférieure. Or, celles-ci étaient courtes et arrondies. Humaines.

Ken déglutit péniblement et s'humecta les lèvres.

Restait à soumettre son fossile au test de datation empirique...

Il soupesa le crâne. Il semblait lourd, pour sa taille — signe que la minéralisation avait fait son œuvre. Les fossiles qui restaient au contact du sol pendant des millions d'années subissaient une lente pétrification au cours de laquelle les minéraux envahissaient peu à peu les innombrables canaux et pores du tissu osseux d'origine. Gorgés de minéraux, les os finissaient par devenir de la pierre — une pierre reproduisant fidèlement la forme initiale de l'os. Et comme la pierre est plus lourde que le tissu osseux, les os pétrifiés et donc anciens étaient logiquement plus lourds que les os récents.

Or, le poids du crâne que tenait Ken était nettement supérieur à celui qu'aurait eu un crâne récent, provenant d'un individu de taille similaire. Preuve qu'il en était à un stade de fossilisation avancé.

Ceci dit, restait à pratiquer un test décisif...

Ken porta délicatement le crâne à ses lèvres et, choisissant un point précis de la calotte, l'effleura du bout de la langue. Un goût de terre — l'impalpable poussière de la savane — lui envahit la bouche. Il cracha, et appliqua à nouveau sa langue, pour arriver le plus près possible de l'os. La surface en était lisse et parfaitement unie. Un os non pétrifié lui aurait paru rugueux, à cause de cette myriade de petits pores encore ouverts, qui auraient exercé sur sa langue un effet de succion, comme autant de minuscules ventouses. Cette porosité, indétectable à l'œil nu, n'échappait pas à la muqueuse ultra-sensible de la langue. Et plus le baiser — tout scientifique — de Ken le nettoyait de sa poussière, plus cet os-ci semblait avoir la texture de la pierre. Une pierre d'un poli parfait.

Car c'en était une. Un crâne fossile d'australopithèque.

Et qui disait australopithèque, disait pliocène... Ce fossile était celui d'un hominidé qui avait vécu ici, entre cinq et deux millions d'années auparavant, à l'époque où la lignée humaine avait définitivement divergé d'avec celle de ses cousins simiens.

Avec d'infinies précautions, Ken replaça le fossile dans son alvéole de gravier, puis il se redressa et appela Ngili, d'une voix cassée par la fatigue et l'excitation. Mais lorsqu'il hurla pour la deuxième fois le nom de son ami, son appel vibra dans l'air du soir.

Ngili laissa choir ses notes et s'élança vers lui au pas de course.

Hendrijks, qui tentait de faire partir le feu, leva à peine la tête. Il était plutôt soulagé de n'avoir pas à tenter un décollage avec un appareil endommagé, dans le vent du soir qui se levait. Autant attendre le calme du petit matin. A son âge, un tour de force quotidien lui suffisait amplement. Et là, il avait sa dose pour la journée... Il avait donc laissé en plan ses réparations, qu'il aurait très bien pu achever avant la nuit.

Car il était bien résolu à mourir confortablement dans son lit, à Nairobi, et si possible, la main sur une croupe café au lait, qui lui rappellerait le bon vieux temps de son Afrique à lui. L'époque bénie où les Blancs étaient les Blancs, et où les nègres savaient rester à leur place. Parce que c'était vraiment le monde à l'envers, là... ces savants américains qui débarquaient dans la brousse pour faire ami-ami avec les géologues du cru... D'abord, un géologue massaï, hein... ! Et tous ces négros qui se ramassaient des fortunes de nababs en tripatouillant au gouvernement...

Cette dernière pensée visait la famille de Ngili. Les Ngiamena étaient riches. Ils possédaient des plantations de café et de sisal, reprises à des Anglais qui avaient fui le Kenya en 1953. Et Ngiamena père était un homme influent. Il faisait la pluie et le beau temps à l'Office des réserves et des parcs nationaux, ce qui le plaçait sur un pied d'égalité avec les ministres. Il devait cette brillante situation à la vieille amitié qui l'avait lié à feu Jomo Kenyatta, le premier président du Kenya. Mais Hendrijks avait un peu de mal à s'expliquer tout ça... Et, quand il se décida enfin à relever la tête, il ne s'expliqua pas davantage pourquoi Ken léchait ce truc rond qui, vu de loin, avait l'allure d'une grosse noix de coco — bien qu'il n'y ait pas l'ombre d'un cocotier en vue ; rien que des acacias, des arbustes rabougris et des baobabs ! Et sa lanterne ne s'éclaira pas davantage lorsqu'il vit Ngili prendre la noix de coco des mains de l'Américain et, après l'avoir regardée sous toutes les coutures, se mettre lui aussi à la lécher.

Ken revint à toutes jambes vers l'avion. Hendrijks qui s'était écroulé près du feu, sa bouteille de whisky sur les genoux, avait définitivement renoncé à s'interroger sur l'étrange comportement de ses passagers. Il se contentait de se laisser dériver dans les brumes du whisky et de la nostalgie post-colonialiste, où il se réfugiait chaque soir, passé une certaine heure.

Ken allait lui demander s'il y avait des pinceaux, quelque part dans l'appareil, lorsqu'il se souvint que le pilote avait un blaireau et un coupe-chou, dans sa trousse de toilette, glissée sous son siège. Dans sa douce torpeur, Hendrijks accepta de les leur prêter. Si ça pouvait leur faire plaisir...

Ken le remercia et s'engouffra dans l'avion. La trousse localisée, il y piocha ce qu'il lui fallait, sauta de la cabine et fila ventre à terre rejoindre Ngili, qui était resté près du tertre. En l'attendant, le jeune Noir avait commencé à attaquer le sol autour du fossile. Armé de la machette, il découpait le sable en fines lamelles, qui s'effritaient comme de la cendre.

Ken se mit à creuser avec le rasoir. A mesure que les ossements émergeaient, il y passait le blaireau pour en ôter la terre qui y restait collée. Ngili avait déjà exhumé les cervicales, ainsi que les deux clavicules, miraculeusement intactes. Ces os sont si fins qu'ils ont tendance à se désintégrer sous les outils des géologues, lorsqu'ils tentent de dégager les fossiles de leur gangue — le plus souvent constituée de brèche, une sorte de ciment naturel, mêlant du calcaire et des graviers agglomérés.

Après les clavicules apparurent les côtes, très abîmées, certaines même en miettes, mais néanmoins présentes et bien reconnaissables. Au-dessous, la lame de la machette heurta un substrat plus dur et Ken décida qu'ils en resteraient là pour le moment. Il n'était pas question de faire courir le moindre risque au fossile en travaillant à la lueur d'une lampe.

Le ciel était à présent d'un bleu d'encre. Selon la belle métaphore d'un poète massaï, la nuit commençait à cracher ses étoiles dans le bol du firmament.

Ngili frissonnait des pieds à la tête, tant d'excitation qu'à cause de la fraîcheur du soir.

— Si Hendrijks acceptait de nous prêter une bâche, on pourrait recouvrir le tertre et dessiner une croix avec des pierres, à côté, pour marquer l'emplacement. Il nous suffirait de revenir avec une équipe de terrassiers et un permis de fouilles en bonne et due forme...

Ken sursauta :

— Quoi ? Tu voudrais qu'on laisse tout en plan, comme ça, à la merci des animaux ou du premier qui passerait dans le coin ?

— Tu rigoles ! Personne ne met jamais les pieds ici — même pas les braconniers. Tu ne crois tout de même pas qu'on va déterrer ce fossile avec ce genre d'outillage ? ajouta-t-il en lui brandissant sous le nez la lame de la machette, déjà passablement ébréchée.

— Pourquoi pas ? Regarde comme on a avancé, en une heure...

— N'empêche. Faut un permis, pour faire des fouilles !

La législation réglementant les fouilles archéologiques avait été récemment renforcée. Elle imposait désormais d'être en possession d'un permis délivré par une commission composée pour moitié des sommités du département de paléontologie de l'université, et pour moitié de membres de la délégation gouvernementale aux recherches archéologiques. L'obtention de ce permis pouvait prendre un mois ou deux, et le départ imminent de Randall Phillips risquait de compliquer énormément les choses. Leur ex-professeur de paléo-anatomie devait s'envoler dans quelques jours pour la Californie, où il passerait une année sabbatique à l'université de Davis. Jamais ils n'auraient le temps de rédiger leur demande, et de la présenter à Randall pour qu'il la transmette à la commission avant son départ. Ils devraient passer par Cyril Anderson, directeur du département et administrateur adjoint de la collection de fossiles de l'université. Anderson risquait de leur opposer un refus catégorique, à cause des conditions peu orthodoxes de cette découverte — les premiers tests avaient été si cavalièrement menés...

— Ngili... Tu connais Anderson aussi bien que moi.

— Oui, c'est un maniaque de la procédure, reprit Ngili. S'il vient à apprendre dans quelles conditions on a commencé le boulot, avec des outils improvisés et presque à tâtons, je ne te dis pas la pub qu'il va nous faire auprès de la commission... !

— Pour se faire établir le permis à son nom, acheva Ken, avec une âpreté qu'il ne se connaissait pas. Pas question ! J'ai une autre idée. Regarde autour de toi... fit-il, embrassant d'un geste circulaire la savane, hérissée à perte de vue de monticules semblables à celui qu'ils venaient d'éventrer. Chacune de ces buttes pourrait receler un fossile qui dort. Si ça se trouve, on est tombés sur un gisement aussi riche que celui d'Olduvai, en Tanzanie, ou de l'Afar, en Ethiopie. Primo, l'érosion semble très uniforme, ce qui signifie que, s'il y a d'autres fossiles, ils doivent se trouver à la même profondeur que celui-ci, soit pratiquement à fleur de terre. Et ensuite, cette plaine est parfaitement isolée — l'habitat idéal pour des populations d'australopithèques sédentaires, vivant en autarcie... Quelle peut être la superficie de cette plaine, à ton avis ?

— Une seconde...

Ngili sortit une carte géologique, qu'il déploya. Eclairé par la lampe de Ken, il entreprit d'estimer les distances d'un pouce et d'un index poussiéreux.

— Nous sommes à plus de cent quatre-vingts kilomètres de la frontière tanzanienne, vers le sud. Et à l'ouest, le village le plus proche, sur les bords du lac, est à deux cents bons kilomètres.

Ken se pencha à son tour sur la carte, où dansait le rond lumineux de sa lampe-torche. Le lac en question était le lac Victoria. Un simple coup d'œil suffisait pour comprendre ce qui avait protégé cette plaine des incursions humaines. Elle n'avait rien qui puisse attirer les colons ou les explorateurs. Elle ne possédait aucune richesse naturelle, hormis sa faune, et était isolée de tous côtés par des barrières naturelles : d'un côté, les pentes boisées de la Mau, de l'autre, les ravins désertiques du grand Rift et enfin, au sud, la frontière tanzanienne, qui se matérialisait sur le terrain par une succession de plateaux désespérément chauds et arides. Les zones habitées les plus proches étaient les berges du lac Victoria, dont les pêcheurs ne s'éloignaient guère. Quant au grand Rift, qu'ils avaient survolé, il ressemblait à une balafre mal cicatrisée. Il n'y avait pas trace de la moindre piste dans ce secteur, encore qu'il soit probablement accessible à des véhicules de safari tout terrain.

— Ça doit faire dans les vingt mille hectares inexplorés, dit Ngili. Et on est en plein milieu.

— Pas mal comme habitat naturel ! s'esclaffa Ken.

Ils gardèrent un moment le silence, subjugués. Ken savourait cette sensation d'être au tout début de l'humanité, comme s'ils n'avaient rien laissé derrière eux, ni villes, ni civilisation... Comme si, derrière le mur est du Rift, il n'existait aucune ville du nom de Nairobi, aucune mégapole où grouillaient trois millions d'individus déracinés. Comme s'il n'y avait pas ces atrocités, au Rwanda, sur l'autre rive du lac Victoria ; pas de longs cortèges de réfugiés faméliques, se traînant le long de routes embourbées, dans l'espoir illusoire de trouver refuge de l'autre côté de la frontière. Comme s'il n'existait au monde qu'eux deux, dans ce lieu hors du temps...

Le souvenir de l'avion, de Hendrijks et du but de leur voyage l'arracha à sa rêverie. Son pragmatisme reprit le dessus.

— Voilà mon plan, déclara-t-il. Demain, on embarque le fossile avec quelques échantillons de sol, et on remet le tout à Randall pour qu'il les fasse analyser, en Californie, par le laboratoire de Davis. Il les confiera à Aaron Levinson, qui est *le* spécialiste actuel de la datation au potassium-argon. Quand il les aura passés dans ses machines, il pourra certifier l'ancienneté de notre fossile. Après quoi, Randall informera de notre découverte la communauté internationale, et nous pourrons compter sur le soutien scientifique — et financier — de grandes pointures de la paléontologie, devant lesquelles Cyril sera bien forcé de s'écraser.

Ken contemplait les monticules érodés avec une telle flamme dans le regard que Ngili ne put s'empêcher de lui décocher une bourrade amicale.

— Génial, comme plan ! Encore faudrait-il être sûrs que ta trouvaille date réellement du pliocène... fit-il, en désignant le fossile du menton.

— Mais regarde-moi ce crâne ! s'écria Ken. On ne fait pas mieux, dans le genre *Australopithecus robustus* ! Ce squelette a deux millions d'années, au bas mot — si ce n'est trois !

Ngili dut l'admettre. C'était bien un *Australopithecus robustus*, répondant point par point aux définitions des manuels, et dans un parfait état de conservation. Rien que ce qu'ils en avaient dégagé représentait vingt fois plus d'os que le fragment de calotte crânienne d'australopithèque, que Ken avait récemment acheté à prix d'or dans une boutique de Nairobi spécialisée dans la vente de fossiles et de plantes médicinales. Zhang Chen, le propriétaire, un Kenyan d'origine chinoise, faisait commerce, sous le nom d'« os de dragon », de vieux os de singes — voire d'ossements humains — qui, une fois réduits en poudre, donnaient un aphrodisiaque, réputé souverain contre l'impuissance.

— A nous deux et avec un tel stock d'os de dragon, on pourrait repeupler toute cette savane ! plaisanta Ngili.

Ken sourit. Ce ne serait pas la première fois que ce naïf engouement pour les vieux os aurait permis à des chercheurs de faire d'étonnantes découvertes. A la fin du XIXe siècle, au cours d'un voyage en Chine, K.A. Haberer, le fameux naturaliste allemand, avait déniché chez un apothicaire tout un assortiment de dents, de crânes, de côtes, de rotules, dont le marchand lui avait vanté les vertus curatives contre l'impuissance, mais aussi contre les coliques néphrétiques, les crises de foie, et même la malaria ! Haberer lui avait acheté pratiquement tout son stock, sans se douter que ses emplettes déboucheraient sur la découverte de l'un des hommes fossiles les plus célèbres du monde : *Sinanthropus pekinensis* — l'homme de Pékin.

Zhang Chen vendait ses plantes médicinales à sa clientèle locale et exportait ses poudres de perlimpinpin à base d'os de singe ou de corne de rhinocéros vers Hong-Kong et Singapour. Evidemment, les rhinocéros en question étaient clandestinement abattus dans les réserves, par des braconniers. Zhang avait aussi des mollusques et des poissons fossilisés dont il ignorait la véritable valeur. Il comptait parmi ses clients un bon nombre d'étudiants en sciences naturelles et quelques collectionneurs originaux.

Zhang avait juré ses grands dieux qu'il n'avait pas la moindre idée de la provenance de cette calotte crânienne. Lorsque Ken et Ngili avaient demandé à Randall Phillips de la soumettre aux tests de datation, le professeur leur avait ri au nez. Cet os qui avait traîné x temps dans un vieux bocal, au fond d'une échoppe de Nairobi, avait dû être tellement tripoté, transbahuté et contaminé qu'il était inutile d'espérer le dater — et que ce crâne présentât un parfait profil d'australopithèque n'y changeait rien !

— OK ! soupira Ngili. Appliquons ton plan. Mais ça va faire tiquer tout le monde qu'on ne teste notre trouvaille sur place. Maintenant que le labo de l'université s'est équipé d'un superbe détecteur de potassium-argon flambant neuf... Tu sais, ce joujou high-tech qui fait les délices de cette chère Corinne, la sirène du département de palynologie...

— Je suis au courant, merci. Le hic, c'est que la sirène en question est aussi, accessoirement, l'épouse de Cyril Anderson !

La belle Corinne Gramm avait suivi les cours d'Anderson sur les mêmes bancs qu'eux. Ken se rappelait encore ses mains, agiles et fuselées, quoique mises à rude épreuve par les acides et les colorants du labo. Des mains superbes... Corinne était de taille moyenne, plutôt petite, blonde aux yeux gris. Sa séduction tenait davantage à la vigueur de ses traits et à l'énergie subtile qui émanait d'elle, qu'à une quelconque notion de conformité aux canons esthétiques en vigueur.

Après son diplôme, elle avait épousé Anderson, son aîné de trente ans, au bas mot. Ce qui n'avait pas manqué de faire jaser, dans les milieux scientifiques.

La compétition était féroce, entre paléontologues : les découvertes réellement importantes étaient rarissimes, et les jeunes chercheurs avaient un mal de chien à décrocher des subventions pour financer leurs projets, et à se faire un nom dans le métier. Une jeune et jolie paléontologue qui court-circuitait ainsi la concurrence en épousant une star de la profession ne pouvait que s'attirer l'animosité de ses collègues.

Quant à Cyril Anderson, il avait la réputation de récupérer sans vergogne les projets qui lui semblaient prometteurs et d'en reléguer les initiateurs au second plan, surtout s'ils étaient jeunes et inexpérimentés. Il présentait la découverte comme découlant d'une de ses théories personnelles et s'en attribuait tout le mérite. A peine signalait-on la mise au jour d'un nouveau fossile humain qu'on pouvait s'attendre à voir Cyril Anderson monopoliser l'attention des médias et donner sur toutes les antennes son interprétation de l'événement, quand bien même il n'y était pour rien.

— Oui, j'oubliais... marmonna Ngili. Avoue que c'est vraiment pas de bol, qu'on soit affligés d'un Anderson...

Ils regagnèrent l'avion qu'entre-temps Hendrijks avait solidement amarré aux plus gros arbustes environnants.

Le pilote était assis en tailleur, dans la posture d'un yogi en méditation — à ceci près que sa méditation relevait plutôt du coma éthylique. Ils n'étaient plus qu'à quelques pas de lui, lorsqu'il bascula sur le flanc, laissant choir sa bouteille de whisky.

Ngili fit un bond digne d'un léopard pour la rattraper avant que son contenu ne se répande sur le sol.

— Chapeau ! exulta Ken. Après une telle B.A., ce vieux chameau ne pourra pas nous refuser une petite ristourne !

— Te bile pas pour l'argent, répliqua Ngili. Um'tu y pourvoira...

Um'tu — « l'homme », en swahili — était le nom que Ngili et sa sœur Yinka donnaient à leur père, dans l'intimité. Quant à « te bile pas », c'était la réponse qu'opposait invariablement Ngili à tout problème de finances. Car pour les Ngiamena, l'argent n'était jamais un problème. S'il fallait en croire son père, c'était la dernière année où Ngili jouait les petits savants. Jakub Ngiamena lui préparait déjà un poste officiel — dans la diplomatie, par exemple.

Ken avait peine à croire que Ngili accepterait de renoncer à la géologie, mais ils étaient en Afrique... Ici, les obligations tribales et familiales prenaient le pas sur vos choix personnels. Ngili, ce pur produit de Cambridge, qui maîtrisait l'anglais mieux que bien des Britanniques, et qui était l'intelligence et la courtoisie mêmes, risquait sous peu de se retrouver en train de représenter son pays dans les instances internationales, affublé pour les grandes occasions d'une coiffe de plumes ou d'une toque en léopard. Enfin, peut-être... Pour l'instant, les deux amis se contentaient de vivre au jour le jour, joignant l'utile à l'agréable. Grâce à Ngili, Ken bénéficiait d'appuis et d'introductions sur lesquels peu d'étrangers auraient pu compter au Kenya, et Ngili avait trouvé en son ami un alter ego à qui il pouvait parler en toute franchise, sans craindre de se voir reprocher de renier ses racines.

Ils n'avaient rien mangé, ni l'un ni l'autre, depuis le déjeuner et les provisions de bord étaient épuisées. Ngili commençait à avoir l'estomac dans les talons. Par acquit de conscience, il explora le sac qui avait contenu leurs sandwichs, mais il n'y trouva que des miettes. Ils n'avaient plus que les biscuits, écrasés sur le plancher de l'appareil, à se mettre sous la dent. Comme il s'appuyait, déçu, à la paroi de la cabine, il fit jouer accidentellement un panneau qui bascula, révélant un compartiment où s'entassaient plusieurs boîtes de biscuits, du Coca et des boîtes d'ananas en tranches made in Hawaï. Hendrijks s'était prudemment mis de côté quelques provisions...

— Regarde-moi ça ! s'exclama Ngili. Quel rat, ce type... !

— Bof. Rat ou pas, il a plutôt été à la hauteur, aujourd'hui, avoue !

— Peut-être, mais son sens du partage vole plutôt bas ! jeta Ngili, une lueur de mépris dans l'œil. Pour un Massaï, se constituer un stock sans en faire profiter l'ensemble de la tribu est un véritable déshonneur.

— Eh bien, vas-y ! Te gêne pas. Bouffe-lui ses biscuits... fit Ken, qui se sentait la tête un peu légère, mais n'avait pas vraiment faim.

— Pas question ! Mes ancêtres avaient l'habitude de rester le ventre vide plusieurs jours durant. Ce ne sont pas vingt-quatre heures de jeûne qui vont me tuer ! déclara Ngili, décapsulant une bouteille de Coca, qu'il descendit d'un trait.

Ken se garda de tout commentaire quant aux effets conjugués du sucre et de la caféine sur un organisme à jeun... Le compartiment contenait aussi un jerrycan d'eau potable. Ken en avala quelques gorgées, puis munis de couvertures trouvées dans l'avion et d'une vieille bâche imperméable qui puait l'essence, ils s'installèrent pour la nuit. Ken jeta une couverture sur Hendrijks qui se retourna sur le dos et se mit à ronfler.

Le feu crépitait encore. Ken sentit en lui quelque chose qui faisait écho à ces crépitements. Il entreprit de répartir équitablement la literie entre lui et Ngili. Comme ce dernier lui demandait ce qu'il fabriquait, il répondit :

— Imagine qu'une hyène vienne rôder autour du tertre, ou qu'une chouette prenne notre crâne comme perchoir. Je préfère aller veiller au grain !

— T'es malade, ou quoi ? Tu vas te geler, là-bas ! Quand le feu s'éteindra, on n'aura pas trop de toute notre chaleur animale, crois-moi...

— Si j'ai froid, je reviendrai.

— Ouais... C'est bien ce que je disais : t'es malade !

— Je sais ! Rendez-vous demain matin, au chevet du fossile...

3

Ken posa délicatement la bâche sur le fossile mis à nu, et se coucha à quelques pas du monticule, roulé dans sa couverture. Il doutait de pouvoir fermer l'œil.

Jusque-là, la découverte du fossile lui avait complètement fait oublier les traces de pas, mais il avait tout loisir d'y repenser, à présent. Ces empreintes circulaires, sur cet éperon rocheux... Comme si des hominidés étaient venus là, tourner en rond, pour une raison d'eux seuls connue.

En rond... pourquoi diable ?

Et s'il s'agissait d'australopithèques, le mystère s'épaississait encore.

Les seules empreintes humaines comparables jamais

découvertes l'avaient été en 1978, en Tanzanie. A l'époque, Mary Leakey avait étonné le monde entier en photographiant une double série d'empreintes préhistoriques. Deux hominidés — un adulte et, vraisemblablement, un enfant — avaient marché sur une mince couche de cendres volcaniques qui avaient conservé l'empreinte de leurs pas. Plus de trois millions et demi d'années avant l'apparition de l'homme actuel, ils s'étaient déplacés debout, sur des pieds qui avaient déjà l'allure de pieds humains, si ce n'est que leurs orteils étaient plus longs, le pouce s'écartant un peu des autres doigts.

Mais la trajectoire des deux hominiens de Laetoli était rectiligne, ou presque. Ils allaient nécessairement quelque part : vers leur gîte ou leur repas... à moins qu'ils n'aient fui quelque chose — un danger, peut-être. Probablement l'éruption volcanique dont les projections de cendres avaient emprisonné leurs traces...

Si les hominidés qui avaient laissé leurs empreintes sur le promontoire étaient de la même espèce que ceux de Laetoli, le schéma et les raisons d'être de leur déplacement en devenaient d'autant plus énigmatiques.

Un cercle... Pourquoi ?

Il n'en avait aucune idée. Mais le plaisir d'une trouvaille était toujours double : la surprise de la découverte elle-même, et le lent décryptage qui s'ensuivait.

Il avait peine à croire que lui, Ken Lauder, natif d'Oakland, Californie, ayant débarqué en Afrique avec le Peace Corps — lui, cet étudiant fraîchement émoulu de l'université du Kenya, qui avait financé ses études en jouant les barmans au Naivasha Hotel de Nairobi, ou les guides de safari, et qui n'avait participé à ses premières campagnes de fouilles qu'en tant que chauffeur de camion — bref, lui, ce brave vieux Lauder, un parfait inconnu pour les sommités de sa profession, venait de faire deux époustouflantes découvertes en l'espace de quelques heures !

Dont ce fossile, d'un incontestable intérêt scientifique.

Quant à son autre trouvaille, il ne voulait même plus y penser, tant elle lui embrasait l'imagination.

Une deuxième série d'empreintes d'hominidés. Un nouveau Laetoli !

Non. Impossible. Il était tout bêtement victime du « syndrome de Dubois », comme disait Randall Phillips, lorsqu'il voulait tempérer l'excès d'enthousiasme d'étudiants enclins à surestimer la valeur d'une de leurs découvertes. Avant même d'avoir accosté à Java, dans les années 1890, Eugène Dubois, l'inventeur du pithécanthrope, répétait à qui voulait l'entendre qu'il serait le premier à mettre en évidence le fameux « chaînon manquant ». Mais ça, comme se plaisait à le souligner Randall, c'était de la foi, et non de la science... Encore que, dans leur discipline, mieux valait pouvoir compter aussi sur une bonne dose de foi...

Ken avait la certitude que ce serait une erreur d'informer Cyril Anderson de sa découverte, et pourtant, la frustration le tenaillait. Car Cyril était une véritable institution, et pas seulement à cause de son brillant parcours universitaire. En fait, cet aspect de sa carrière était le moindre de ses mérites. Cyril avait travaillé avec le père de la paléoanthropologie moderne — Louis Leakey en personne. Encore adolescent, il avait été l'assistant de Raymond Dart, qui avait découvert les restes d'un hominidé qu'il avait baptisé *Australopithecus*, le « singe du Sud ». Dart était le premier à avoir affirmé que l'Afrique australe avait été le berceau de l'humanité, malgré le tollé général qu'avait provoqué cette hypothèse dans la communauté scientifique : « Comment, l'ancêtre de la lignée humaine, un singe africain ? Impossible ! » Ce que Dart avait trouvé ne pouvait être qu'un primate, apparenté au chimpanzé, au gorille, voire au babouin...

Un demi-siècle plus tard, l'hypothèse de Dart avait pris valeur de fait et, par association, Cyril se trouvait nimbé de l'aura de cette génération de pionniers dont il était l'héritier. Le prestige de Leakey et celui de Dart, réunis en la personne de leur successeur, lui avaient conféré une célébrité internationale, qui lui avait ouvert les portes des universités et lui avait valu de décrocher de juteux contrats d'édition, sans compter ce poste d'administrateur adjoint des collections de l'université du Kenya.

Elles étaient conservées dans le sous-sol du département de paléontologie — une porte sur la droite, dans le couloir menant au labo (celui-là même que dirigeait à présent la belle Corinne). Derrière leur porte blindée, digne d'une banque de Wall Street, les locaux avaient des allures d'abri anti-atomique. Une véritable forteresse, où reposaient les os les plus précieux du monde, dans des boîtes d'aluminium méticuleusement étiquetées, sous la surveillance d'un arsenal de caméras, de thermomètres et autres hygromètres — fonctionnant en couple, afin de prévenir tout risque de défaillance technique, et donc tout changement des conditions atmosphériques qui aurait pu entraîner d'irréparables dommages pour les fossiles.

Ken revoyait ce lieu magique, où s'alignaient les reliques des premiers hominiens, en une longue chaîne illustrant autant d'étapes décisives dans l'élucidation de cette énigme qu'était la genèse de l'espèce humaine. Il y avait là des crânes d'*Homo habilis*, le premier constructeur d'outils, et celui de l'*Homo sapiens*, le premier que l'on créditait de la pensée réfléchie, sans oublier les innombrables représentants de la lignée des australopithèques, soit dans leur version la plus élancée, dite « gracile », soit dans celle plus trapue, dite « robuste ». Ils étaient encore si proches des singes qu'on les avait longtemps pris pour ce fameux « chaînon manquant ».

Curieux, songea Ken, que la découverte de centaines de spécimens d'hominidés n'ait fait qu'allonger la liste des prétendants au titre de « chaînon manquant », sans pour autant faire la lumière sur le processus de l'hominisation. Entre le singe et l'homme proprement dit demeurait une étape intermédiaire, mal définie, dont l'énigme le fascinait. Si le fossile qu'il avait trouvé avait vraiment deux millions d'années, voire davantage, peut-être verrait-on se profiler un début de solution...

Ken pensa à Corinne, qui pouvait aller et venir à son gré dans ce saint des saints inaccessible au commun des mortels. Car l'immense majorité des hommes n'auraient jamais l'occasion de contempler leurs lointains ancêtres, alors qu'elle avait libre accès à ces trésors, quand bon lui semblait. L'aura de Cyril rejaillissait sur sa femme, tout comme celle de Dart et de Leakey avait rejailli sur lui.

Sacré personnage, que cet Anderson... Un Anglais né au Kenya, grand, légèrement voûté, les cheveux d'un blanc de neige. Les modulations de sa diction shakespearienne évoquaient celles d'un lord célébrant le rituel du *five o'clock*, mais loin de sombrer dans le ridicule, cette affectation savait séduire et convaincre. Il affectionnait les vestons à carreaux, les chemises à col empesé, les cravates rayées et, dès que le climat de Nairobi, par ailleurs tempéré, se faisait pluvieux, on le voyait traverser le campus à grandes enjambées sous un très victorien parapluie noir.

Son bureau, dans le bâtiment de paléontologie, était à son image. Immense, un tantinet kitsch, disparaissant sous les souvenirs de ses illustres relations. Sa table de travail s'efforçait vainement de ressembler à la paillasse d'un labo. Les instruments qui s'y entassaient n'avaient manifestement rien d'utilitaire : ils brillaient comme des sous neufs, et particulièrement un certain récipient destiné au nettoyage des échantillons et qui n'avait jamais dû voir l'ombre d'un fossile, puisqu'il était en or massif. Un cadeau de la Mitsubishi Corporation, co-sponsor d'un documentaire qu'Anderson avait supervisé pour la BBC...

— Tu vois, Lauder, Cyril est une sorte de pop star, dans notre petit show, lui avait un jour confié Randall Phillips. D'ailleurs, il faut avouer qu'il tient son rôle à merveille. Il a tout ce qu'il faut pour cela. Le ton, la justesse des images, l'envergure, et surtout il ne manque pas de souffle ! C'est le seul type que je connaisse qui soit capable de vous transporter du cambrien à nos jours sans reprendre haleine, et de vous ramener au pliocène au détour de la phrase suivante... Nous autres paléontologues, nous avons si peu de faits à nous mettre sous la dent, que nous sommes bien forcés de nous en remettre à notre puissance de vision intellectuelle. L'ami Cyril, lui, se fait un tel cinéma qu'il a tendance à perdre les faits de vue. Enfin... il vit sur son image : il est le Philosophe des origines de l'homme. Ça fait rêver le grand public...

— Mais on dirait que vous êtes jaloux, ma parole ! avait plaisanté Ken, se prévalant de l'amitié qui les liait, au-delà de toute considération d'âge et de statut.

— Mais je le suis, Lauder ! avait admis Randall avec un sourire. J'ai consacré ces trente dernières années à mon travail. A la science. Anderson, lui, les a investies dans sa carrière. Lequel de nous deux s'est le mieux amusé, à ton avis ?

Au début, Ken lui-même avait été ébloui par Anderson, qu'il avait vu pour la première fois à New York, en 1984, à l'occasion d'une exposition organisée au Muséum américain d'histoire naturelle. « Nos ancêtres : quatre millions d'années d'humanité. » Tout un programme... On avait regroupé pour l'occasion quelques-uns des fossiles les plus précieux du monde, des pièces dont certaines étaient assurées pour un demi-million de dollars.

C'était un jour de printemps, froid et pluvieux. Le ciel déversait des trombes d'eau sur la foule qui faisait la queue devant le musée, débordant sur la chaussée de Central Park Ouest, bloquant tout trafic. Ken, alors âgé de dix-sept ans, se trouvait perdu quelque part dans cette marée humaine. Il était arrivé à New York la veille, tout seul, comme un grand, avec un billet d'avion dont l'achat avait englouti toutes ses économies. Pour rien au monde il n'aurait loupé cette expo. Il avait attrapé le virus de la paléontologie trois ans plus tôt et depuis, il sillonnait les plages de Californie du Nord et leurs falaises de calcaire, en quête d'empreintes de plancton fossiles.

Il avait soudain aperçu Leakey et Anderson, fendant la foule en direction du grand escalier, qu'ils avaient gravi, en compagnie du maire de New York. Leakey avait adressé à la foule un salut bref, mais chaleureux, tandis qu'un pas derrière lui, Anderson rayonnait, réservant ses plus beaux sourires aux flashs des journalistes. Ses cheveux, alors poivre et sel, n'avaient pas encore ce blanc neigeux. Ses belles mains pâles tenaient haut la poignée de son parapluie noir. Il avait sous le bras un exemplaire du *Times* où s'étalait sa photo, avec ce titre : « Serons-nous toujours là dans un million d'années ? — Le Philosophe de l'Homme nous pose cette question vitale ».

Sous le regard fasciné de Ken, les trois hommes avaient franchi la porte et disparu dans le musée, où ils allaient inaugurer l'exposition pour laquelle cette foule avide de contempler ses lointains ancêtres s'écrasait dans la rue.

Ce soir-là, dans son petit hôtel miteux — pour ne pas dire borgne — de la quarantième rue, Ken avait lu et relu l'article du *Times*, avant d'allumer sa télé. Anderson était évidemment à son poste, devant les caméras. Leakey aussi, mais lui et les autres chercheurs restaient nettement plus sobres dans leurs propos. Anderson avait pourtant eu le mérite de formuler clairement et sans détour les questions que se posait Monsieur Tout-le-Monde : les hommes d'aujourd'hui sont-ils les mêmes que ceux d'il y a trois millions d'années ? L'espèce humaine a-t-elle un avenir ? Est-elle à bout de souffle, ou aura-t-elle encore assez de vitalité pour s'adapter et évoluer encore ?

A ces questions, Anderson n'avait pas répondu en scientifique, mais en poète, en visionnaire. Il frappait l'imagination de l'homme de la rue — Ken y compris, bien entendu. Anderson l'avait fait fantasmer sur l'humanité des premiers âges — et sur l'Afrique...

Le surlendemain, après deux autres longues visites au Muséum, Ken avait repris l'avion pour Oakland, avec cette fois en tête un plan qui devait constituer le deuxième tournant décisif de son existence — le voyage à New York en avait été le premier.

Il irait en Afrique.

Chez lui, il n'avait pas grand monde à qui s'ouvrir de son projet. Il vivait seul avec sa mère ; quant à son père, ils avaient perdu sa trace depuis bien longtemps. Ses parents s'étaient rencontrés à San Francisco, à l'âge d'or des hippies. Ils l'avaient conçu entre deux joints, mais la grossesse de sa mère les avait brutalement ramenés à la réalité. Ils étaient partis s'installer à Oakland. Son père avait pris un emploi de bureau, à la poste. Un matin, il était parti à son boulot, comme d'habitude, et avait disparu sans laisser de trace. Ken avait alors cinq ans. Sa mère avait survécu en vendant des robes de lin et de soie, qu'elle dessinait et cousait elle-même. C'était une femme silencieuse. Il lui arrivait de rester des journées entières sans desserrer les dents.

Ken avait donc appris à se passer de ses conseils. D'ailleurs, rien ni personne n'aurait pu l'empêcher d'aller en Afrique. Il s'était engagé comme coopérant dans le Peace Corps, qui recrutait des « volontaires de la paix ».

En arrivant à Nairobi, il avait retrouvé Anderson, plongé jusqu'au cou dans une sordide intrigue universitaire. Un de ses collègues, un certain Randall Phillips, fondateur du département de paléontologie, était en passe d'être nommé conservateur de la collection de fossiles. Anderson avait déployé tout son charme auprès du gouvernement, faisant valoir qu'il serait pour leur jeune nation un représentant idéal, s'il était nommé administrateur adjoint. Phillips ne pourrait s'opposer à une nomination qui serait « recommandée » par le Premier ministre en personne...

Dès sa nomination, Anderson s'employa à dissuader les autorités de confier à Phillips le poste de conservateur. Ne reculant devant rien, il avait intensifié son offensive de séduction, faisant miroiter en haut lieu les subventions internationales qu'il s'engageait à décrocher, grâce à son prestige et à ses relations... Entre nous, laissait-il entendre, vous trouvez vraiment que Phillips soit le meilleur candidat à la direction de cette collection et de ce département mythiques, célèbres dans le monde entier... ?

Maintenant que Randall avait annoncé son intention de repartir pour un an aux Etats-Unis, Cyril aurait les coudées franches pour prendre en mains le département.

Les étudiants raffolaient des envolées lyriques d'Anderson. Ils buvaient ses paroles, bien plus que celles de Randall, qui était parfois sec, platement technique, impatient ou sarcastique et n'avait pas le don de parler à leur imagination. Il n'avait rien d'un chantre du passé, guidant ses disciples sur la voie d'une prodigieuse initiation.

Et évidemment, arriverait ce qui devait arriver... !

Assez gambergé ! se morigéna Ken. En pleine nuit, perdu dans la brousse, à des centaines de bornes de toute civilisation, tu ne trouves rien de mieux à faire que la chronique des grenouillages du département de paléontologie ! Tu as dû passer trop d'années dans le sillage de Randall... N'accable pas ce pauvre Caruso ! — s'exhorta-t-il, utilisant malgré lui le surnom dont Randall Phillips avait affublé son collègue. Il avait pourtant quelque peine à s'en empêcher, et pour cause ! Le cynisme d'Anderson l'avait guéri de pas mal d'illusions, quant à la rigueur scientifique.

Dans un premier temps, Ken avait tenté de s'inscrire sur la liste de tutorat d'Anderson, mais les places étaient prises d'assaut. Il s'était alors mis en quête d'un autre mentor et, loin de soupçonner ce à quoi il s'exposait, avait choisi Randall, pour son brillant palmarès universitaire.

Il s'était rapidement aperçu qu'il était victime d'une sorte de mise en quarantaine, que ce soit à la bibliothèque, au labo, ou en cours. Anderson affichait sans vergogne son indifférence pour tous ceux qu'il ne considérait pas comme ses poulains. Lorsque Ken lui avait remis son mémoire de thèse, il le lui avait rendu avec une demi-page de notes dactylographiées à la hâte, et la soutenance avait duré à peine dix minutes.

Fort heureusement, Ken avait déjà compris que dans cette discipline, l'essentiel était le travail sur le terrain. Il avait lié des contacts avec des chercheurs, s'était fait des amis, dont Ngili, et avait participé à des projets indépendants, non subventionnés, en franc-tireur. Après l'obtention de son diplôme, Anderson ne lui avait pas mis de bâtons dans les roues — sans doute parce que Ken ne pesait pas assez lourd, à ses yeux. Et peut-être aussi parce qu'à l'époque, il ignorait encore qu'avant de l'épouser, la belle Corinne avait eu une brève liaison avec Ken.

Dès leur première rencontre, au labo, ça avait été le coup de foudre. Leur passion avait duré deux mois, durant lesquels ils s'étaient retrouvés chez lui en grand secret. Franche et directe dans sa vie professionnelle, Corinne était d'une discrétion presque maladive pour tout ce qui relevait de sa vie privée. Lorsqu'ils s'étaient séparés, ils avaient convenu de rester bons amis et, quand elle lui avait annoncé son mariage avec Anderson, Ken s'était persuadé qu'il s'en fichait éperdument. Corinne resterait pour lui une collègue talentueuse, et Anderson avait un cul de tous les diables, comme d'habitude !

Son diplôme en poche, Ken avait décidé de s'établir en Afrique, et de se consacrer à la paléontologie. Pour ça, il devait approfondir son expérience du terrain. Il entreprit plusieurs expéditions. D'abord à Tilemsi, au Sahara, dans ce paysage lunaire où le sol s'effritait au moindre contact, révélant des œufs vieux de trois cents millions d'années, époque à laquelle le désert était occupé par une mer intérieure, peuplée de tortues et de reptiles marins. Puis à Olduvai, en Tanzanie. L'illustre site était victime de l'érosion du temps, mais surtout de sa célébrité et des hordes de scientifiques qui s'y bousculaient. Ken avait travaillé d'arrache-pied, affrontant le jour la canicule et, la nuit, le froid du désert, résistant vaillamment à la déshydratation, à la dysenterie, au paludisme... Il endurait avec constance la voracité des insectes, de la vermine, des parasites en tout genre... Il sillonna ainsi tout le continent, du lac Turkana à Koobi Fora, puis à Kromdraai.

Pour se rendre sur ces hauts lieux de la genèse de l'humanité, il avait tout accepté, y compris de faire office de cuistot ou de chauffeur. Il se faufilait sur les champs de fouilles à la tombée de la nuit ou avant l'aube, au besoin en graissant la patte aux gardiens. Mais il se débrouillait toujours pour en être, même s'il savait d'avance qu'il ne mettrait la main sur aucun fossile de quelque intérêt, faute de temps, et surtout parce que d'autres avaient ratissé le site bien avant lui. Mais à ses yeux, l'essentiel était de se trouver sur ces lieux où planait l'ombre des géants : ceux du passé — les fossiles — et ceux du présent — leurs inventeurs.

Il s'était débarrassé de ce qui lui restait de romantisme, et ne s'en trouvait pas plus mal. Il préférait infiniment sentir sur sa langue la saveur âpre de la vérité. Un goût à la fois puissant et tonique !

Mais tout cela lui avait laissé une petite dent contre Anderson, et pas seulement parce qu'il l'avait fait revenir de pas mal d'illusions. Non. Ce que Ken ne parvenait pas à comprendre, c'était ce qui pouvait pousser un tel homme à être aussi égocentrique et aussi mesquin. Anderson n'avait pas l'ombre d'une excuse. La vie lui avait tout donné. Il aurait pu devenir un véritable dieu, et ce n'était qu'un vulgaire magouilleur.

Il n'aurait su dire à quel moment il s'était assoupi, ni combien de temps il avait pu dormir. Il eut peu à peu conscience d'émerger de sa torpeur et de percevoir un mouvement, non loin de lui. Au-dessus de la savane, quelques nuages effilochés couraient sur la lune. Se redressant, il glissa un œil en direction du tertre. La bâche, sans doute soulevée par la brise, avait glissé. Le crâne en émergeait, le fixant de ses orbites noires.

La fraîcheur de l'air nocturne fit frissonner Ken.

Toi aussi, songea-t-il, s'adressant au fossile, tu as dû grelotter plus d'une fois, du temps où tes pieds foulaient le sol de cette savane. Mais tu n'as plus rien à craindre des rhumes, à présent... La mort a tout de même quelques bons côtés...

Dans un silence qui lui sembla étrangement lourd de sens, le crâne parut soutenir son regard, comme si le cerveau d'hominien qu'il avait jadis abrité avait pu percevoir ses pensées. Il avait l'air navré de ne pouvoir lui expliquer ce qui l'avait poussé à tourner ainsi en rond, avec les siens, au sommet de cet éperon rocheux. Mais les australopithèques n'avaient pas développé de langage verbal articulé...

La lune émergea de derrière les nuages. Un reflet blafard jouait sur la surface polie de la boîte crânienne, et les orbites du fossile s'étaient emplies d'ombre, accentuant l'illusion d'un regard fixé sur lui. Dans cette lumière fantomatique, comment ne pas imaginer que ce crâne vide, privé d'yeux et de cerveau, avait obscurément conscience de ce monde des vivants qu'il venait de retrouver...?

Une chauve-souris le frôla, dans un bruissement d'ailes. Puis il distingua un imperceptible bruit de pattes. Il fit volte-face. Une famille de musaraignes trottinait à quelques pas de lui, semblables en tout point à leurs cousines européennes, à l'exception de leur long museau flexible. Elles franchirent quelques mètres à découvert, entre deux buissons. La plus grande — la mère, sans doute — ouvrait le chemin, sa petite trompe au ras du sol.

Ken repoussa sa couverture. Il se levait, suivant des yeux leur cocasse procession, lorsqu'il repéra un chacal doré tapi, immobile, derrière un épineux, attendant que les musaraignes arrivent à sa portée. Ken devinait sa robe jaune, qui tranchait avec le feuillage.

Ne te réjouis pas trop vite, mon lascar! songea-t-il, en tâtonnant dans les replis de sa couverture. Il avait piqué une lampe-torche dans l'avion. Il lui suffirait de l'allumer pour mettre le chacal en fuite. Dès qu'il eut mis la main dessus, il la braqua vers l'animal et actionna l'interrupteur.

Rien ne se produisit.

Son pouce s'activa à nouveau sur le bouton. Toujours rien. Les piles étaient mortes.

Kaput! — à l'image de ce vieux sac à vin de Hendrijks... se dit-il, désolé de ne pouvoir prévenir le petit drame qui se préparait. Mais Hendrijks n'était pas du genre à prendre soin du matériel annexe.

Le chacal bondit, s'empara de la mère musaraigne, lui brisa l'échine d'un coup de dent et détala en emportant sa proie, tandis que les autres bestioles se dispersaient dans un concert de piaillements.

Transi, Ken glissa la lampe inutile dans sa poche, s'enroula dans sa couverture et fit quelques pas autour du tertre. Il voyait onduler sous la lune de vagues formes noires. Des hyènes ou des chiens sauvages poussaient leur cri et, à environ deux cents mètres, il distingua une file de silhouettes rondouillardes — on aurait cru un collier de perles noires déroulant ses zigzags dans la savane. Des cochons de brousse... se dit-il. Il ne faisait pas bon les rencontrer en bande. Leurs dents aigues pouvaient vous dévorer un homme en quelques minutes. Mais ce soir, il ne risquait rien. Ils n'attaqueraient pas. Aucun des habitants de cette savane n'était assez affamé pour s'abaisser à manger de l'homme...

Son esprit luttait pour dominer sa peur, mais son corps avait déjà capitulé. Son pénis se rétractait et ses testicules se recroquevillaient, comme deux gros pois auxquels son scrotum crispé aurait tenté de faire réintégrer l'abri tout relatif de son corps. L'absurdité de la situation lui sauta brusquement aux yeux. Risquer sa peau pour monter la garde auprès de quelques vieux ossements... C'était idiot!

Il chercha des yeux l'avion, dont la carlingue luisait sous la lune. Qu'il paraissait loin, tout à coup... L'envie de rejoindre ses compagnons l'effleura. Etait-ce la raison qui parlait en lui ou, plus prosaïquement, la peur du noir? Tout ça à cause de cette lampe...

Il avait l'impression que la nuit elle-même était une machine à remonter le temps, et qu'elle l'avait catapulté dans la préhistoire. Ces os qu'il veillait étaient ceux d'un compagnon, mort quelques jours à peine auparavant. Un camarade. Un frère d'armes. A moins qu'il ne s'agisse d'une femelle... De sa compagne? Privé de cet ami — ou de cette conjointe —, il sentit s'abattre sur lui toute la détresse du monde.

Puis de curieux fantasmes se mêlèrent à sa peur. Il sentit s'alourdir l'arrière de ses jambes, comme si ses mollets étaient devenus à la fois plus courts et plus massifs. Quel effet pouvait bien vous faire cette savane, quand on la voyait à un mètre vingt du sol et qu'on devait y cohabiter avec des fauves et des cochons sanguinaires, sans aucun moyen de défense naturel contre les prédateurs, sans la moindre lampe-torche, armé de ses seuls yeux — fussent-ils dotés d'une prodigieuse acuité visuelle?

Il frissonna de la tête aux pieds. Je ferais mieux de retourner me coucher... se dit-il. Je me pèle de froid ! C'est ce foutu vent qui me fait claquer des dents...

Contournant le monticule, il resta stupéfait, trop effrayé pour avoir même conscience de sa peur. Un lion, un jeune mâle arborant une crinière noire déjà impressionnante, se dirigeait vers la bâche, qui avait glissé à terre. Il avançait à pas prudents, l'encolure si basse qu'il en paraissait presque bossu. Il tendit le cou et se mit à flairer la bâche, avec cette expression décontenancée qu'ont les fauves en présence d'un objet ou d'un événement qui dépasse leur entendement. Son attitude avait même quelque chose d'humble et de penaud, qui n'indiquait qu'une mise en sommeil de ses instincts de tueur, temporairement supplantés par la surprise.

Ken s'était figé, les mâchoires crispées pour empêcher ses dents de s'entrechoquer. Il était partagé entre la peur et l'admiration dont il ne pouvait se défendre devant cette incroyable fluidité de mouvement... Le jeune mâle se mouvait avec cette puissance pataude commune à tous les jeunes félins. Etait-ce sa première rencontre avec le monde des humains ?

L'animal s'immobilisa au bord de la bâche, fouettant l'air de sa queue. Il en approcha le nez puis, d'un coup de griffes, qui crissa sur la toile plastifiée, testa la résistance de cet étrange objet. Comme il relevait la tête, il aperçut Ken.

Il n'y avait qu'une chose à faire : soutenir ce regard. Ce que fit Ken. Mais ses yeux de primate ne pouvaient rivaliser avec ceux d'un félin. S'il avait une chance de s'en sortir vivant, il ne le devrait qu'à ses glandes sudoripares : pour un lion, un humain dégage une odeur repoussante, qui l'inhibe.

Le fauve baissa la tête et, dans un mouvement d'une élégante souplesse, s'assit, reprenant sa contenance modeste, le tout sans quitter Ken des yeux. Tout son corps avait paru se couler dans son arrière-train.

Ken fut pris d'une quinte de toux intempestive. Les oreilles rondes, jusque-là enfouies dans les poils noirs de la crinière, se dressèrent. L'animal laissa béer sa mâchoire et rugit, puis, d'une détente, bondit en direction de Ken, qui empoigna le seul objet qu'il eût sous la main — la lampe.

Ça, non ! se rebella-t-il. Ce serait vraiment trop bête... Ça ne peut pas se terminer comme ça !

Il soupesa ses chances de mettre le lion en fuite en lui balançant un coup de torche sur le nez. La distance qui les séparait fondait inexorablement. Ce n'était plus qu'une question de secondes...

Dans une crispation de nervosité, son pouce actionna l'interrupteur, dont il n'espérait plus rien. Mais les piles ne devaient pas être complètement mortes car, contre toute attente, l'ampoule se ralluma. Le pinceau de lumière frappa le lion en pleine face. Aveuglé, le félin virevolta en plein bond pour stopper sa course. Un cri, qui tenait davantage du miaulement que du rugissement, s'échappa de sa gorge et, déséquilibré par son faux mouvement autant que par sa cécité passagère, il s'affala par terre avec un bruit sourd.

Ces quelques secondes avaient suffi. Ken eut à peine conscience d'avoir bougé, mais quand il retrouva ses esprits, il était toujours face au fauve, mais il avait réussi à mettre entre eux une bonne vingtaine de mètres. Le lion se redressa, fit demi-tour et s'éloigna, les claquements de sa queue trahissant seuls sa colère.

La lampe clignota encore quelques secondes avant de s'éteindre, mais Ken respirait plus librement, comme si l'obscurité avait cessé de l'oppresser.

Il revint vers le tertre décapité. D'un geste machinal, il se pencha pour ramasser la bâche dont il recouvrit le fossile, puis il se hâta de regagner l'avion. Les mille et un bruits de la vie nocturne de la savane l'accompagnèrent tout le long du chemin.

La région devait être un véritable Eden pour les chasseurs — et pour les braconniers, donc ! Et si les nuits y étaient aussi tumultueuses, en cette fin de XXe siècle, qu'est-ce que ça avait dû être, trois millions d'années auparavant... ?

4

La première chose qu'il entendit en se réveillant, ce furent les « *Go-away ! Go-away !* », à la fois rauques et stridents, d'un oiseau. Il identifia le volatile avant même d'ouvrir les yeux. C'était un touraco gris, un gros oiseau braillard très commun dans les déserts et les bouquets d'acacias de la savane. Puis éclata un chœur de cris discordants, suivi d'une détonation brève et sèche. Un coup de feu.

Il sauta sur ses pieds, se frotta énergiquement les yeux et regarda l'avion, qui lui parut étrangement bancal. Hendrijks se démenait, un fusil à la main. Toute la partie supérieure de la carlingue parut s'envoler dans un tourbillon d'ailes. Les touracos y avaient apparemment élu domicile, avant que le coup de feu ne les en déloge.

Hendrijks fit à nouveau feu, et se mit à galoper autour de l'appareil, en canardant tous azimuts. Puis Ken entendit d'autres cris et vit Ngili débouler ventre à terre au milieu du campement, en braillant à Hendrijks d'arrêter ce raffut. Il brandissait la machette dont la lame était déjà toute jaune de terre. Le bout en était même tordu. Il se demanda depuis combien de temps Ngili avait pu se remettre à l'ouvrage.

Surpris par son irruption, Hendrijks fit volte-face et trébucha. Son doigt pressa involontairement la détente et une balle siffla aux oreilles de Ngili, qui n'eut que le temps de baisser la tête, avant de charger, la machette levée, le visage crispé dans un rictus de hargne.

Ken s'élança pour les séparer, l'esprit encore un peu brumeux, mais le corps déjà sur le qui-vive. Charmante journée en perspective !

Il arriva avant les deux hommes furibonds au point de rencontre de leurs trajectoires, et s'interposa.

— Mais qu'est-ce qui vous prend, bon Dieu? s'exclama-t-il d'une voix encore pâteuse.

— Z'avez pas vu mon zinc, hein? Non mais, visez-moi ça! articula Hendrijks, qui s'étranglait de colère.

Au même instant, le pilote repéra un couple de touracos, qui revenaient tournoyer autour de son appareil. Il voulut épauler à nouveau, mais s'abstint, sentant Ngili à deux doigts de lui sauter à la gorge. Les volatiles se posèrent sur l'avion, et reprirent tranquillement leur concert de croassements.

Brusquement, Ken s'avisa de l'état de l'appareil. Le fût de train d'atterrissage gauche était moitié moins long que celui de droite. L'avion s'inclinait dangereusement de ce côté, l'extrémité de son aile gauche frôlant presque le sol.

Comme Ken s'en étonnait, Hendrijks lui aboya au nez que le ressort de la suspension avait dû trinquer à l'atterrissage et lâcher pendant la nuit. Ce devait être la découverte de cette avarie qui avait déclenché son coup de sang contre les oiseaux. Entre deux jurons, Hendrijks remarqua soudain l'état de la machette que tenait Ngili et sauta sur l'occasion pour cracher sa bile.

Ngili lui expliqua qu'il s'en était servi pour creuser, et Hendrijks rétorqua que c'était *sa* machette. De quel droit la lui avait-il prise? Ngili lui rappela qu'il les avait expressément autorisés, la veille au soir, à emprunter cette machette... Comme son blaireau et son rasoir, d'ailleurs...

L'allusion au rasoir fut la goutte qui fit déborder le vase. Hendrijks bondit sur Ngili, les poings levés.

Ken arracha Ngili à son adversaire, puis empoigna Hendrijks par les épaules et le fixa dans le blanc de l'œil.

— Vous pourrez décoller avec un train d'atterrissage dans cet état? » Hendrijks coula un regard noir vers l'aile affaissée et finit par hocher la tête. « Alors, vous feriez mieux de vous calmer et de retrousser vos manches pour finir de réparer la gouverne!

Ses mains s'accrochaient toujours aux épaules de Hendrijks. Celui-ci lui fit lâcher prise avec une brutalité qui le prit au dépourvu.

— OK! Je pose les dernières fixations sur la gouverne

de direction, aboya-t-il, et je mets les bouts. Illico! Ça vous laisse quelque chose comme une heure. Et je vous préviens, tous les deux: si vous n'avez pas le cul vissé à vos sièges quand j'ai fini, je décolle sans vous!

Sur ce, il tourna les talons et disparut dans la cabine, laissant Ken et Ngili face à face.

— T'en fais pas! s'esclaffa Ken, en prenant le bras de son ami. Il a juste besoin de lâcher un peu de vapeur... Le syndrome classique de la gueule de bois!

Ngili haletait de colère contenue.

— T'appelles ça « lâcher un peu de vapeur », toi? Avec un flingue chargé? Moi, mes comptes, je les règle à mains nues. » Il tourna les talons et mit le cap sur la savane d'un pas résolu. « Allez, amène-toi! lança-t-il par-dessus son épaule. J'ai un truc à te montrer!

Malgré ses traits tirés et les protestations — encore plus audibles que la veille — de son estomac affamé, Ngili avait l'air tout excité.

— Tiens! Jette un œil à cette branche! fit-il en s'emparant de l'une de celles que Ken avait coupées la veille à la machette.

A l'extrémité du rameau épineux s'accrochait une boulette de boue sèche, de la taille d'une petite pomme — une fourmilière.

Puis, toujours armé de sa branche, Ngili entraîna son ami à quelques mètres de là. Au bord d'un trou, grossièrement creusé à la machette, gisait une pierre plate, retournée, qu'il avait dû en extraire. Il plaça sa branche d'acacia juste à côté.

La face interne de la roche portait l'empreinte de branches en tout point semblables. Les mêmes ramifications noueuses, les mêmes tiges, les mêmes épines, longues et vigoureuses. Jusqu'au nid d'insecte qui s'y retrouvait, accroché à la branche pétrifiée — le tout sculpté en creux dans le calcaire. Fossilisé.

Les branches vivantes avaient exactement la même allure que leurs ancêtres.

— Alors, qu'est-ce que vous en dites, professeur Lauder? Mmmm?

— Génial...! Dis donc, tu me bombardes professeur, subitement?

— Ce qui est sûr, c'est que ces jolis petits fossiles devraient accélérer ta promotion. Bien que ça ne soit pas vraiment dans la poche...

Ngili arpentait nerveusement le terrain autour des plantes fossiles. Il était d'une saisissante beauté, malgré sa barbe de deux jours et le manque de sommeil qui lui rougissait les yeux — à moins que ce ne fût un effet de ses ascendances massaï.

— C'est une parfaite démonstration de ta théorie, Ken! Cet habitat n'a pratiquement pas évolué depuis trois millions d'années. » Il s'agenouilla et promena un index poussiéreux, mais délicat, sur les contours des rameaux de pierre, si miraculeusement conservés. « Si cette région avait été soumise à d'importantes variations climatiques depuis le pliocène, cette variété d'acacias aurait disparu ou aurait subi des modifications si radicales pour s'adapter, que nous aurions peine à la reconnaître. Or, l'espèce est restée parfaitement stable...

Ken dut s'éclaircir la voix.

— Et pour toi, c'est une preuve irréfutable...?

— Tu parles! Mais ce n'est qu'un exemple, bien sûr! Dieu sait combien d'espèces végétales, dans le coin, sont de véritables fossiles vivants, inchangés depuis l'ère tertiaire. Qu'est-ce qui pourrait expliquer une telle stabilité climatique, à ton avis...?

— Ça! lança Ken, l'index pointé sur les crêtes de la Mau, couronnées de nuages blancs. C'est le stabilisateur climatique idéal. Ce massif rocheux maintient un bon niveau d'humidité, pratiquement d'un bout de l'année à l'autre. Il doit bien y avoir des journées, et même des mois sans une goutte de pluie, mais tôt ou tard, ces brouillards engendrent des averses qui viennent arroser les pentes, et les masses d'air humide parviennent jusqu'ici. On ne s'en douterait peut-être pas, mais cette zone doit compter parmi les savanes les mieux arrosées de toute l'Afrique!

— En ce cas, déclara Ngili en déployant ses longs bras comme s'il voulait englober toute la savane environnante, on y est, Ken! Nous avons découvert le pliocène, tel qu'en lui-même, en plein vingtième siècle! Et ce, grâce à ton flair génial.

— Merci, merci... fit Ken, avec embarras.

Il se sentait incroyablement verni, et pour un peu, il en aurait eu les larmes aux yeux... Comme Ngili laissait enfin retomber ses bras, il s'empara d'une de ses mains, et la serra avec effusion.

— Merci, vieux ! T'es un vrai pote !

— Pas de quoi... Ce que j'espère surtout, c'est de devenir un jour un vrai géologue !

— Ça, ça dépend de ton père...

— Tu verras qu'il va se laisser attendrir, après la découverte qu'on vient de faire ! exulta Ngili. On pourrait demander un permis pour entreprendre des fouilles. Qui sait — peut-être décrocherons-nous des subventions, rien que sur ce projet d'étude : l'incroyable stabilité de ce biotope.

— Sans compter qu'on a aussi un squelette fossile... lui rappela Ken.

— Exact. Et si son bassin et ses pieds nous permettent d'établir qu'il pouvait marcher en position verticale, à nous la gloire ! Tu vois ça d'ici — un homme fossile entier, dans son environnement exact, garanti d'origine !

Il s'interrompit tout à coup et, jetant un coup d'œil à la bâche qui gisait à terre, il se pencha pour examiner l'empreinte d'une patte de lion.

— Ah, je comprends pourquoi tu es revenu dare-dare au campement, au beau milieu de la nuit... !

Ken entreprit de lui raconter ses exploits nocturnes.

— C'est malin ! s'esclaffa Ngili. Tu te rends compte que tu aurais pu y rester, et passer à côté de la grande découverte de ta vie !

Sur ce, ils empoignèrent leurs outils improvisés et se remirent à l'ouvrage.

— N'oublie pas, lança Ken, que c'est le pelvis qui fait l'Homme ! Surtout en cette ère où le pelvis est roi...

La façon dont les fémurs d'un squelette s'emboîtent dans les articulations de son pelvis indique sans ambiguïté si, de son vivant, son propriétaire se déplaçait sur ses deux pieds. Quant à l'allure générale du bassin, elle permet de déterminer son sexe. La boutade de Ken sur « l'ère du pelvis roi » n'était donc pas totalement gratuite. Elle faisait référence à la remise en cause des théories jusque-là incontestées sur l'acquisition de la bipédie par les ancêtres de l'homme.

Pendant des décennies, l'hypothèse communément admise dans les milieux scientifiques avait été que les hominidés n'avaient pu adopter la posture bipède avant que leur capacité crânienne, qui n'excédait pas les cinq cents centimètres cubes pour l'*Australopithecus*, n'atteigne sept cents centimètres cubes, comme chez l'*Homo habilis*, le premier constructeur d'outils. Tous les spécialistes avaient tenu la bipédie pour une conséquence directe de l'accroissement de la masse cérébrale, jusqu'à la découverte, au milieu des années soixante-dix, de squelettes plus complets d'australopithèques fossiles, parmi lesquels celui de la fameuse Lucy dont l'étude avait prouvé qu'elle marchait déjà sur ses deux pieds il y a quelque 3,2 millions d'années, malgré un encéphale de seulement quatre cents centimètres cubes...

Ces découvertes avaient complètement bouleversé les théories de l'évolution. Si l'on pouvait être bipède avec un cerveau de la taille de celui d'un primate, il fallait admettre qu'un autre facteur avait incité les premiers hominidés à se redresser, et à renoncer définitivement à la vie arboricole. Or, personne n'avait encore pu définir ce facteur. On ne disposait que d'indices, patiemment recueillis en faisant « parler » les restes de fossiles humains, tel que celui que Ken et Ngili étaient en train d'exhumer.

Ignorant résolument les gargouillis de son estomac et la migraine qui lui broyait les tempes, Ken maniait avec énergie le coupe-chou de Hendrijks, mais ses pensées vagabondaient. Cette découverte augurait-elle pour lui un nouveau bail de travail acharné et de solitude ou, au contraire, la fin des années de vaches maigres et la possibilité de se marier, de fonder une famille ?

Difficile à dire, puisque la boule de cristal sur laquelle il se penchait était le bassin d'un hominidé encore à moitié enseveli !

Cet os recelait de fascinants indices, pour qui savait les décrypter. Au cours du processus d'hominisation, l'anatomie des hominidés préhumains avait subi des mutations considérables, que personne n'était en mesure d'expliquer. Lorsqu'ils se mirent à marcher en position verticale, les parties génitales des femelles vinrent se loger entre leurs jambes, au lieu de s'ouvrir vers l'arrière, exposant leur tumescence comme un signal pendant l'ovulation. Chez les mâles, le pénis, désormais en position frontale, était devenu plus visible, plus exposé, que celui des autres mammifères. Dans le même temps, l'os pénien avait inexplicablement disparu et le volume du pénis s'était trouvé multiplié par quatre, dépendant uniquement de l'afflux sanguin pour entrer en érection.

La circulation sanguine de ces « pré-hommes » était plus rapide que celle des primates, et leur volume sanguin plus important. Les femelles commencèrent à avoir des menstrues. Le comportement sexuel et la reproduction, qui restent les plus mystérieuses des fonctions vitales, s'étaient radicalement modifiés lors du passage de l'état de primate à celui d'*Homo sapiens*.

Ken s'absorbait dans son travail, se frayant un chemin à coups de lame vers le mystère qui dormait dans les profondeurs du tertre. Le sol était nettement plus compact, à présent. Tout à coup, le rasoir lui échappa des mains et se brisa.

Ken rangea ce qui en restait dans son étui et remisa le tout au fond de sa poche, puis il se mit en quête d'un autre outil pour creuser. Otant sa ceinture, il en détacha la boucle de laiton et se remit à gratter la terre.

— De la brèche ! annonça Ngili, désignant l'agglomérat de sable, de graviers et de calcaire qui affleurait. Apparemment, il n'y a plus que ça, en dessous... C'est dur comme du béton ! Pas question d'attaquer ça à la machette... et notre pépère doit être enfoncé là-dedans, de la taille aux pieds.

Il s'essuya le front d'un revers de manche.

— Les mafiosi du pliocène offraient peut-être déjà à leurs victimes des costards en ciment... ! suggéra Ken avec un clin d'œil.

— Ça ne me fait rire qu'à moitié... La matinée n'y suffira pas, pour le dégager. On en a pour une bonne journée, là, sinon plus...

— Reste plus qu'à convaincre Hendrijks de patienter !

— Tiens, quand on parle du loup..., fit Ngili avec un mouvement du menton.

Le Hollandais zigzaguait entre les buissons, le fusil en bandoulière. Ken remarqua un petit groupe d'antilopes, des duikers, qui cessèrent de brouter pour pointer le museau par-dessus les hautes herbes sur son passage.

Le bruit de ses bottes se rapprocha. Il s'était coiffé d'un chapeau de brousse, sous lequel la peau grisâtre et grêlée de son visage ressemblait à un masque de granit.

— Vous m'avez l'air bien sombre ! attaqua Ken, qui préférait prendre l'initiative des débats. Y a un pépin ?

— Je viens d'écouter la météo, répondit Hendrijks. Cette tempête de sable nous fonce droit dessus. Elle devrait arriver sur nous en fin d'après-midi.

— On aura peut-être terminé d'ici là...

— Y a intérêt, fit-il. Parce que moi, je serai déjà loin ! Pas question d'affronter cette vacherie, avec un avion dans cet état !

— Mais vous disiez qu'il ne manquait plus qu'une fixation, pour réparer la gouverne...

— Ça, c'est fait !

— Eh ben, alors... Le voilà remis en état, votre avion, tout comme vous, apparemment...

— Ce ne serait pas la faim qui vous travaille ? glissa Ngili, avec une pointe d'acidité.

Hendrijks lui décocha un regard si venimeux que Ken commença à se poser des questions. Quelle mouche le piquait ? Il ne l'avait jamais vu dans un état pareil...

— On aimerait revoir les termes de notre contrat, fit Ken, d'un ton conciliant. On risque de devoir rester ici un jour de plus. Combien prendriez-vous pour une journée supplémentaire ?

— Je ne resterai pas ici une heure de plus, pour tout l'or du monde. Et je ne veux pas de ces saletés dans mon avion ! Laissez des repères, et on met les bouts. Vous trouverez quelqu'un d'autre pour vous ramener, la semaine prochaine, cracha Hendrijks, avec un regard circulaire.

Sous le soleil déjà haut, la savane s'étendait à perte de vue. Çà et là, éclatait la tache rouge ou blanche d'un buisson en fleurs, ou ondulait la masse sombre d'un troupeau. Mais le pilote contemplait tout cela d'un regard opaque et vitreux, comme s'il s'était trouvé dans un cimetière hanté. Il s'éclaircit la gorge :

— J'ai eu du mal à capter la station météo, reprit-il, un ton plus bas. La radio de bord m'a l'air à deux doigts de flancher, elle aussi. Pas question de risquer un autre accident. D'ailleurs, cette petite escale qui s'éternise commence à me courir sérieusement... Tout ça m'a l'air d'un foutu coup du sort, si vous voulez mon avis ! Un foutu coup du sort !

Avec un sourire en coin, Ngili l'exhorta à ne pas céder à la superstition.

— C'est vous qui avez le culot de me sortir ça ! *Vous !* aboya Hendrijks, d'un ton lourd de sous-entendus.

Ngili le fusilla du regard puis, balançant la machette par terre, ajouta que si le Kenya finançait des campagnes d'information pour mettre en garde ses compatriotes contre les sorciers-guérisseurs kamba, Hendrijks pouvait bien s'offrir lui aussi le luxe d'un minimum de rationalité.

Sous le chapeau de toile kaki, les pores et les nodosités du visage de Hendrijks semblèrent s'animer d'une vie propre. Chaque nodule, chaque sillon parut se rétracter sous l'effet d'une colère contenue.

— Sans compter qu'on n'a rien à se mettre sous la dent ! éructa Hendrijks.

— Vous avez pourtant ce superbe *bunduki* en bandoulière ! rétorqua Ngili, utilisant à dessein le terme swahili pour « fusil ». J'ai dû voir une bonne cinquantaine de lièvres dans ces buissons. On pourrait même les attraper à mains nues... Je l'ai fait, moi, quand j'étais gosse !

Dans la brousse, Ken avait maintes fois vu des enfants les chasser ainsi, et même des adultes. Le lièvre filait tout droit vers l'abri des buissons, mais presque invariablement, il faisait un brusque crochet vers la droite ou vers la gauche et restait plaqué au sol en attendant que le danger s'éloigne. Si ses poursuivants prévoyaient bien leur coup et s'ils plongeaient au bon endroit, même sans voir l'animal, ils lui tombaient sur le râble une fois sur deux.

— Ouais, vous les chopiez à mains nues et vous les bouffiez tout crus, c'est ça ? persifla Hendrijks.

— Là, vous passez vraiment les bornes ! fit Ngili, d'un ton menaçant.

— Et moi, j'en ai jusque-là de vos grands airs !

— Parce que vous croyez que j'ai besoin de prendre de grands airs, face à un sac à vin dans votre genre ! répliqua froidement Ngili. Dès que vous forcez un peu sur la bouteille, vous devenez une vraie loque.

Hendrijks s'empourpra et produisit un son que Ken ne l'aurait jamais cru capable d'émettre. Une sorte de sifflement suraigu.

— T'avise pas de juger ma conduite, cracha-t-il. Et t'avise pas de me traiter de quoi que ce soit ! Vu, morveux ?

— Pourquoi ne pas dire carrément *toto* ? rétorqua Ngili. Pourquoi vous fatiguer à me trouver des noms d'oiseaux ? Vous n'avez qu'à dire *toto*, ou *mpishi* !

Ces mots étaient les rares termes de swahili que les colons blancs d'antan avaient consenti à apprendre, pour appeler leur boy ou leur cuisinier. Ngili avait parlé d'une voix étrange, lui aussi, comme s'il avait grogné entre ses dents serrées.

— Ou alors *kaffir*, hein... Vous venez de ce pays où les Blancs traitaient les Noirs de *kaffir*, si je me souviens bien ?

— Eh ! Ça va comme ça, vous deux ! intervint Ken.

Sous ses yeux incrédules, la main de Hendrijks chercha la lanière de son fusil. Le pilote fit un pas menaçant vers Ngili, qui lui tint tête. Hendrijks lui jeta à la figure qu'il n'était qu'un gosse de riche et qu'il ne connaissait rien à rien, alors que lui, Hendrijks, il avait sillonné ce continent des années durant, à bord de son avion. Bien avant la naissance du jeune géologue, il avait trimé, bourlingué, souffert sur cette terre...

A quoi Ngili répliqua que ni Hendrijks ni ses semblables n'étaient venus dans son pays pour trimer, et qu'ils n'avaient pas connu une heure de souffrance, sur la terre africaine.

— T'étais pas encore né, à l'époque de la guérilla mau-mau ! rugit Hendrijks. Mais je peux te jurer que bien des Blancs ont dû se barricader dans leurs chambres, pour ne pas se faire saigner durant leur sommeil par des domestiques qui leur devaient tout : de vulgaires voleurs à qui ils avaient évité la prison, des filles qui, sans eux, se seraient vendues sur la place du marché, pour une boîte de savonnettes... » Hendrijks s'interrompit, se rendant soudain compte de la portée de ses paroles. « Laisse tomber... Ton père, lui, saurait certainement de quoi je parle, marmonna-t-il pour se tirer d'affaire.

Réduits à deux fentes, les yeux de Ngili étincelaient comme des lames de machette.

— Ça suffit ! s'écria Ken en s'interposant.

Il ordonna à Hendrijks de retourner à l'avion, d'avaler un bon verre d'eau et de revenir faire des excuses à Ngili, quand il se serait un peu calmé. Le Hollandais le fixa. Bouffie par la colère, sa trogne grisâtre évoquait celle d'un crapaud-buffle en rut.

— Vous faites ce que vous voulez, mais moi, je me tire d'ici! aboya-t-il, en tournant les talons.

Ken jeta vers Ngili un regard perplexe. Il fut à deux doigts de lui poser la main sur le bras — chez les Africains, les manifestations d'affection sont monnaie courante, y compris entre hommes — mais il préféra s'abstenir. Ce n'était pas le moment de donner à son ami l'impression de vouloir le materner. Il se contenta de marmonner quelques injures bien senties à l'encontre des vieux cons en général et de Hendrijks en particulier.

— Il veut se tirer? Qu'il se tire! fit Ngili, tendu, mais parfaitement maître de lui. On se passera de ses services. Il suffit de retourner à l'avion avant qu'il mette les voiles, et de demander par radio à Nairobi d'envoyer un autre pilote nous récupérer. Je ne voudrais pas qu'Um'tu se fasse trop de mauvais sang...

Ngili était très beau, au naturel — presque trop. Mais avec ses traits creusés par la colère et par la faim, il paraissait soudain plus brut, plus intense, plus proche de sa réalité profonde.

— T'inquiète! fit Ken. C'est qu'un coup de bluff... Allez viens! On a du pain sur la planche, ajouta-t-il en ramassant la machette.

Ils avaient entrepris d'ouvrir une tranchée circulaire autour du bloc de brèche qui emprisonnait le fossile. Ils allaient devoir creuser assez profond pour pouvoir le sortir d'un seul tenant, sans l'endommager.

La machette ouvrait le passage, et la boucle de ceinture l'élargissait. Ils progressaient centimètre par centimètre, au prix d'un effort éreintant. Ken commençait à se demander s'il était bien raisonnable de s'entêter mais, comme l'avait souligné Ngili, tant qu'ils n'auraient pas dégagé le bassin de leur fossile, ils ne sauraient pas au juste ce qu'ils avaient découvert.

Et ils n'auraient sûrement pas fini avant la nuit.

Lorsqu'ils entendirent ronfler le moteur de l'avion, ils

crurent avoir rêvé, mais en levant la tête, ils virent que Hendrijks avait pointé le nez de l'appareil vers la Mau, pour profiter de la brise qui soufflait en direction du massif. Il poussait le moteur pleins gaz.

— Le fils de pute... ah, le fumier ! cracha Ken, en s'extirpant de la tranchée.

Mobilisant toute l'énergie qui lui restait, il s'élança ventre à terre vers l'appareil pour tenter de le rattraper.

Ngili avait bondi, lui aussi, et courait dans son sillage. L'hélice soulevait déjà une mini tempête de sable qui leur fouettait le visage et faisait voler les pans de leurs chemises trempées.

Ken arriva à la hauteur de l'appareil. Evitant l'aile gauche, qui rasait le sol de façon inquiétante, il plongea sous l'aile droite et courut se planter face à l'avion, à distance respectueuse de l'hélice. Hendrijks roulait au ralenti, comme pour tester l'état de la piste. Son hublot était resté ouvert. Ken agita les bras au-dessus de sa tête pour l'arrêter, en hurlant : « Stop ! Stop ! »

L'hélice ralentit et ses pales redevinrent visibles. Hendrijks avait réduit les gaz. Il passa la tête par le hublot et lui cria qu'il était d'accord pour l'emmener, lui, mais que Ngili pouvait se brosser.

— Pas question ! se récria Ken. Je ne pars pas sans lui.

— Allez ! Grouillez-vous plutôt de monter là-dedans ! lui cria Hendrijks. L'autre zigue n'a qu'à attendre le prochain avion. Vous lui en enverrez un de Nairobi...

Assourdi par le vacarme de l'hélice, Ken articula silencieusement « Va te faire foutre ! »

Ngili, qui arrivait hors d'haleine, l'empoigna par le coude et lui dit de ne pas s'en faire : il n'avait qu'à rentrer avec Hendrijks et téléphoner à son père de l'aéroport.

Ken secoua la tête et grommela que Hendrijks bluffait. Il s'écarta du chemin de l'avion.

Le pilote remit les gaz. L'appareil bondit en avant, l'aile gauche au ras du sol, et prit progressivement de la vitesse, poussé par un bon vent arrière. Ce qui devait arriver arriva : l'aile faucha de plein fouet un groupe de buissons et un arbuste de taille respectable.

Ken vit l'appareil ralentir, faire demi-tour et revenir vers lui.

L'extrémité de l'aile avait souffert du choc. Un des feux de position pendait au bout de son câble, son ampoule en miettes. Ken scruta les alentours d'un œil dubitatif. Vu la nature du terrain et l'état de l'avion, jamais Hendrijks ne parviendrait à décoller sans se planter dans un arbre ou un rocher.

L'appareil s'immobilisa. Hendrijks en descendit et mit le cap sur eux d'un pas presque allègre.

— Bon, ben... je crois que le train d'atterrissage est mort, les gars. Va falloir qu'on nettoie un bout de terrain, pour aménager un semblant de piste, si on veut décoller...

Le « on » n'avait pas échappé à Ken.

— Vous terminez votre boulot, vous soufflez un peu, et on s'y met tous ensemble... D'accord? Mais si vous préférez remettre ça à demain, ben... va pour demain! On n'est plus à vingt-quatre heures près...

Ngili parut ne se retenir qu'à grand-peine de le mettre en pièces. Ken lui lança un regard suppliant.

— Ça peut nous prendre encore pas mal de temps pour dégager ce fossile, vous savez...

— Mais bien sûr, bien sûr! Pas de problème! fit Hendrijks, arrangeant. Fait soif, trouvez pas? Il reste de l'eau, dans l'avion, si vous voulez...

Comme il les précédait vers l'appareil, Ngili articula silencieusement : « Radio. » Ken hocha la tête.

L'un derrière l'autre, ils grimpèrent à bord. Ngili prit la tasse de fer-blanc que lui tendait Hendrijks, tandis que Ken se coiffait du casque radio et allumait l'appareil. Il répéta à plusieurs reprises l'indicatif du Beech Lightning, mais s'interrompit en s'apercevant qu'un silence de mauvais augure avait remplacé le bruit de friture habituel. Il pianota encore un instant sur les boutons, écouta encore, retenant son souffle, mais rien ne se produisit. La radio ne répondait plus.

A son tour, Hendrijks s'empara du casque et s'escrima sur les boutons, avant de reposer l'émetteur, désespérément muet, à côté du siège du pilote.

— Passez-moi votre fusil, lui dit Ken.

Hendrijks avait retrouvé son bon sens, et son bon sens lui conseillait de s'écraser... Sans un mot, il tendit son fusil à Ken — une arme ultra-légère, plus redoutable que ne le laissait supposer son apparence. Ken l'en délesta.

— Vous feriez bien d'amarrer solidement votre avion, si vous n'avez rien de mieux à faire, conseilla-t-il au pilote. Eh, Ngili... Ça t'embêterait d'aller remettre la bâche sur le fossile ? Ensuite, tu pourras souffler un peu ! De mon côté, je vais tâcher de nous ramener de quoi dîner...

5

Il avançait dans les hautes herbes, en direction d'un bouquet d'acacias, ces arbres élégants, aux épines acérées et dont les minces feuilles ne répandent qu'une ombre diaphane, parce qu'elles s'étalent en vastes nappes horizontales, comme de petits plateaux verts tendus vers le soleil. Mais même léger, cet ombrage était préférable à la lumière directe, et à cette heure-là, les antilopes devaient s'y être rassemblées pour ruminer paisiblement, au frais.

Sans doute aurait-il mieux valu chasser avant midi, mais il n'avait plus le choix. D'autres acacias poussaient le long des grands amas rocheux qui émergeaient de la savane en une barre presque ininterrompue, s'allongeant en direction des premiers contreforts de la Mau. Ken mit le cap sur cette muraille naturelle où il espérait trouver des duikers qui ont le sabot aussi sûr et agile dans la savane que dans les rochers. Il les chasserait devant lui en direction de la barre rocheuse. Excellente stratégie : dans les hautes herbes, s'il ne faisait pas mouche du premier coup, les bêtes s'égailleraient de tous côtés ; mais s'il parvenait à les acculer au pied de la paroi, leurs silhouettes se découperaient sur le gris clair de la pierre, comme autant de cibles bondissantes.

Il se sentait les jambes en coton. La fatigue et la faim, probablement...

Dès qu'il arriva en vue des arbres, la première chose qu'il remarqua fut leurs troncs, d'un noir de suie. Ils avaient dû échapper par miracle à un feu de brousse. Ils ne donnaient qu'un semblant d'ombre, mais les duikers étaient bien là, affalés comme de gros traversins brun fauve à têtes d'antilopes. Dans cette position, leurs pattes grêles et leurs minuscules sabots semblaient trop délicats et trop fragiles pour les porter. Leurs fronts rayés de noir oscillaient lentement, au rythme de leur mastication.

Ken décida de s'en approcher le plus possible et de ne tirer qu'à coup sûr. Inutile de gaspiller ses munitions, ou de faire inutilement souffrir un animal. Les duikers avaient posé sur lui leurs grands yeux innocents et semblaient songer à se relever, mais sans manifester la moindre nervosité. Bizarre comme aucun animal, par ici, ne semblait troublé par la présence de l'homme. C'était pour eux un danger inconnu...

La chaleur de midi l'écrasait et ralentissait ses mouvements. Le retour au camp avec un duiker mort sur le dos risquait de lui poser quelques problèmes. Il épaula, hésitant entre tous ces fronts bruns qu'il voyait défiler dans le viseur. Il laissa s'écouler plusieurs secondes, pour laisser aux animaux le temps de fuir. Ils détalèrent, comme à regret, en direction des rochers entre lesquels serpentaient des sentiers, envahis d'avoine rouge et d'éphédras. Au-delà, les éboulis s'étageaient, formant une sorte de surplomb accidenté — probablement truffé d'excellents points d'affût. Le coin idéal pour des braconniers.

Soudain, il fit un faux pas et se tordit la cheville gauche. Un cri de douleur lui échappa. A présent bien éveillés, les duikers forcèrent l'allure en direction de la paroi rocheuse, droit devant lui. Il épaula, se figea, fit feu... et manqua sa cible. Les derniers animaux disparaissaient, la queue frémissante d'effroi. Il avait bonne mine, seul au milieu de la savane, son gibier envolé, et avec une cheville esquintée!

Il étouffa un petit rire, amusé par le sentiment de sa propre maladresse, auquel se mêlait un certain soulagement. Il posa un genou à terre et palpa sa cheville qui commençait à enfler, puis se lança à l'assaut de l'éboulis, en boitillant. Le troupeau ne pouvait pas être bien loin...

Il examina le sol à ses pieds. Les traces de sabots continuaient à perte de vue. Il hésita. Plus il s'éloignerait de l'avion, plus le retour serait pénible — sans même parler de cette cheville...

Il préféra donc rebrousser chemin jusqu'aux acacias, engourdi par la faim et finalement furieux contre lui-même. Là, il examina à nouveau les traces pour évaluer les autres possibilités qui s'offraient à lui, et resta cloué sur place, trop sonné par ce qu'il avait sous les yeux pour réagir : sous les marques de sabots, on distinguait une curieuse empreinte, plus fuselée. Une trace de pas, dont le talon se dessinait nettement dans la poussière.

Les orteils étaient plutôt longs, bien distincts, le pouce s'écartant largement des autres doigts. L'empreinte était moitié plus petite que sa propre botte. Un pied d'enfant, à en juger par sa taille. Mais à tous points de vue, cela ressemblait fort à un pied archaïque. Un pied d'hominien.

Il fit un pas en arrière pour ne pas l'abîmer et faillit piétiner une autre trace. Il s'écarta d'un bond. Les empreintes, mêlées à des marques de sabots, se succédaient sur quelques mètres.

Son cœur se mit soudain à battre la chamade comme s'il avait fini par rattraper sa pensée. Il entreprit de compter les empreintes. Une, deux, trois... Il y en avait sept, dont trois presque entièrement effacées par celles des antilopes.

Il s'accroupit et effleura avec précaution l'une des traces. La terre meuble s'effrita sous ses doigts. L'empreinte des orteils se déforma. La piste pouvait avoir quelques heures, un jour peut-être, voire deux — mais sûrement pas davantage, avec ce constant va-et-vient des antilopes.

Cette piste était fraîche. Toute fraîche.

Le grondement de plusieurs dizaines de sabots martelant le sol et ponctué d'un chœur de bêlements grêles lui fit dresser l'oreille. Les duikers revenaient au galop.

Un grand mâle, qui devait faire pas loin d'un mètre au garrot, chargeait dans sa direction, le front ensanglanté.

Il épaula, sans prendre la peine de viser : sa cible fondait droit sur lui. Il appuya sur la détente. Une flamme jaillit au bout de son canon. Il vit la balle percuter le poitrail de l'animal, qui fit une embardée, roula à terre et dérapa sur les traces de pas, avant de s'immobiliser.

Des oiseaux, dont Ken n'avait pas soupçonné la présence, prirent leur essor en croassant, imités par un couple de touracos gris. Presque sous son nez, un lièvre surgit des broussailles et détala.

Il eut l'impression de se réveiller brutalement. A ses pieds, le duiker agonisait. Un flot de sang noir lui inondait le poitrail, mais la plaie qu'il avait au front avait cessé de saigner. Ken réarma son fusil et approcha de l'animal. Son regard faisait la navette entre ces deux blessures — dont une seule était de son fait — et la série d'empreintes qu'il venait de découvrir. Ces deux images se combinaient pour en évoquer une troisième : une petite silhouette brune, là-bas, au bout du sentier qu'avait emprunté le troupeau...

Quelque chose ou quelqu'un se cachait dans ces rochers. La créature qui avait laissé ces traces. Elle avait dû être surprise par la débandade des duikers et tenter d'arrêter le mâle, qui menait le troupeau. Sinon, pourquoi ces fichus bestiaux seraient-ils revenus vers lui, alors qu'il venait de leur tirer dessus ?

Il y avait quelqu'un, là-bas, dans les rochers. Quelqu'un qui avait lancé un projectile à la tête de ce grand mâle, et l'avait blessé.

Sa balle n'avait fait que l'achever.

Il vérifia la chambre de son fusil, qu'il venait pourtant de réarmer. Il tremblait comme une feuille.

Puis il mit son arme en bandoulière, se pencha sur l'antilope et la chargea sur son épaule, les cornes ballottant sur sa poitrine. Il s'engagea sur le chemin qu'avaient suivi les animaux. Il était envahi par des herbes folles de toutes sortes, piétinées à deux reprises par la débandade des duikers.

Il ne tarda pas à ralentir l'allure : sur son épaule, le duiker pesait son poids, et le sentier n'était plus qu'un étroit passage qui serpentait au milieu d'un chaos de blocs rocheux, entassés plus haut que sa tête.

Il n'y avait pas âme qui vive.

Il avança encore, à pas comptés.

Il passa au pied de plusieurs silhouettes fantomatiques sculptées dans le roc par l'inépuisable fantaisie des éléments. Brusquement, le passage s'élargit. Une sorte d'enclos naturel s'ouvrait devant lui, une petite arène que ceignaient de toutes parts des éboulis et des parois rocheuses peu élevées.

Ken s'y risqua, avec le sentiment de détonner dangereusement dans un tel environnement. Ni le gravier qui recouvrait le sol, ni les touffes d'herbe, aussi malmenées que celles du sentier, n'avaient dû garder la moindre empreinte...

Au milieu de la clairière, sur une plaque d'herbe piétinée, gisait une pierre noire, grande d'une demi-paume, posée là, bien en évidence, comme à dessein. C'était le seul objet noir en vue. Les roches d'alentour étaient des blocs de grès et de calcaire, déclinant toutes les nuances, du gris au jaune, et la végétation était d'un vert poussiéreux.

Il ramassa la pierre. Ses doigts se crispèrent à son contact. Elle était humide et visqueuse, plate et dentelée, comme si on en avait détaché des éclats en la frappant contre un autre caillou. A l'une de ses extrémités, luisait un liquide noirâtre. Il la laissa tomber et porta ses doigts à ses lèvres.

Du sang. Celui de l'antilope.

Au bout d'un moment, il se pencha pour déposer la carcasse sur l'herbe, puis il se redressa et empoigna son arme, l'index sur la détente, prêt à riposter à toute attaque.

Il sentit s'aiguiser la conscience qu'il avait de lui-même, comme s'il s'était vu par les yeux de quelqu'un d'autre. Ceux du mystérieux chasseur — celui ou celle qu'il avait dépossédé de sa proie, et dont sa balle n'avait fait qu'achever l'ouvrage.

Ce n'était pas son imagination qui lui jouait des tours. Il était en pleine possession de ses moyens. Il avait simplement senti sur lui le regard de l'autre chasseur et il redoutait sa réaction. On le surveillait, depuis ces corniches déchiquetées ou ces broussailles.

Il attendit.

Au bout de quelques minutes, il comprit qu'il n'y avait plus personne. Le chasseur avait dû s'éloigner, en entendant ses coups de feu. Quant à ce projectile, peut-être n'avait-il pas eu pour but de tuer une proie, mais seulement de se défendre.

Restait ce caillou noir, la blessure de l'antilope et les empreintes...

Quelqu'un était tapi, quelque part dans ces rochers.

Son regard revint à la pierre. Cédant à un besoin incoercible de repenser chaque idée, il examina à nouveau le sang, qui commençait à se figer et ressemblait de plus en plus à une simple croûte de terre brunâtre. Pas moyen de l'empêcher de sécher et, s'il voulait protéger cette pierre, pour la rapporter telle quelle au camp, il devrait abandonner sur place l'antilope et son fusil.

Explorant ses poches, il en sortit une poignée de monnaie kenyane et son briquet, dont il ne se séparait jamais, pour avoir toujours de quoi faire du feu. Il remit le tout pêle-mêle dans une de ses poches et glissa la pierre dans l'autre.

Cela fait, il chargea le duiker et le fusil sur ses épaules et reprit en sens inverse l'étroit goulet qui serpentait entre les rochers jusqu'à la plaine. La tête de l'animal ballottait contre son épaule droite, constellant sa chemise de taches de sang. Sans elles, il aurait eu du mal à croire qu'il n'avait pas rêvé ou que ce n'était pas la faim qui le faisait délirer...

Il s'était écoulé un bon moment, dans l'enclos au milieu des rochers. Une dizaine de minutes, peut-être... Difficile à dire, dans un cadre de référence temporel si radicalement différent. Car le chasseur qui avait lancé la pierre avait beau être très sensible à l'écoulement du temps et aux changements de luminosité qu'il induisait, au fil de la journée, il n'imaginait même pas qu'on pût le découper en une succession de petites unités arbitraires, artificiellement baptisées « secondes » ou « minutes ».

Il quitta sa cachette pour s'engager dans le passage, sur les traces de son étrange visiteur. Les battements de son cœur lui faisaient vibrer tout le corps. Il mesurait à peine un mètre dix et son poids devait être cinq fois moindre que celui de l'étranger.

— *Haaah*, hoqueta-t-il, avec un son plat, produit par un larynx haut placé, au bout de sa longue cavité buccale, sous un voile du palais dont la luette descendait très bas.

Le sens de ce son était limpide — c'était l'expression de la plus extrême frayeur.

Une frayeur cependant différente de celles qu'éprouvait habituellement ce chasseur.

Si sa pensée s'était articulée à l'aide de mots, il aurait pu décrire cette peur comme proche de celle que lui laissaient ses cauchemars. Car les choses dont il avait été témoin depuis la veille au soir étaient si déroutantes qu'il ne pouvait les comparer qu'aux bizarres combinaisons d'images hétéroclites qui lui apparaissaient durant son sommeil. Ou peut-être au visage inconnu que prenait son petit univers familier, lorsque les éclairs déchiraient le ciel et la terre de leurs griffes de feu.

Il posa ses longs pieds dans les marques ovales que l'intrus avait laissées derrière lui et s'ouvrit aux sensations qui remontaient de ses orteils et de ses plantes de pied, le long de ses nerfs et de ses synapses, jusqu'à son cerveau. Les pieds de l'étranger avaient imprimé dans la terre et les graviers de petites plates-formes lisses et arrondies, aux contours d'une régularité inconnue pour les sens du chasseur.

Il n'avait jamais rien vu de tel. Intrigué, il se pencha sur une empreinte, et y appliqua la paume de sa main, étendant ses longs doigts pour mieux se pénétrer de cette merveille.

Jamais il n'avait vu de surface aussi plane, ou de dessins aussi réguliers.

Il sauta sur ses pieds et se remit en route, en allongeant le pas. Dans un rayon de deux cents mètres, son champ visuel lui donnait de tout ce qui l'entourait une image d'une précision et d'une clarté presque douloureuses. Ses yeux étaient de véritables armes. Ils fouillaient la réalité avec une acuité résultant de la longue expérience qu'ils avaient eue d'un environnement à la fois plus sombre et plus insidieux.

A l'extrémité du passage, il déboucha dans la savane et se risqua à découvert. Puis il fit halte à la limite des hautes herbes, sa tête oscillant au rythme de leurs ondulations. De loin, on aurait pu le prendre pour un prédateur à l'affût d'une proie.

Le chasseur dévorait des yeux ce mystérieux visiteur, sidéré de le trouver si semblable à lui, malgré sa taille démesurée. Comme lui, il avait cette façon bien particulière de se déplacer en terrain plat, sans prendre appui sur ses mains, porté par ses seules jambes...

Au-delà de deux cents mètres, la vision du chasseur, bien que toujours parfaitement nette, perdait tout relief, comme si les choses situées derrière cette invisible frontière n'avaient pas besoin d'être distinguées et identifiées avec autant de précision.

Mais pour l'instant, son regard scrutait avec une intensité redoublée ce lointain dépourvu d'épaisseur. Là-bas s'était posé cet incroyable objet d'où avaient surgi ces curieux visiteurs. Il avait vu de près deux d'entre eux — l'un avec une peau bizarrement claire, l'autre aussi noir que l'écorce d'un arbre après un feu de brousse.

Quant au troisième, il était resté à proximité de l'objet mystérieux — un énorme tubercule fuselé et ailé, telle une igname géante, mâtinée de libellule. Il brillait, comme s'il avait été revêtu d'une couche de rosée qui aurait refusé de s'évaporer sous le soleil, pourtant torride.

Périodiquement, les trois créatures disparaissaient dans les entrailles de cette grosse libellule grise, pour réapparaître peu après...

Le vent se mit à agiter les plumets des graminées devant ses narines rondes et dilatées — de précieux instruments sensoriels, dans son système de référence immédiat — tandis qu'au loin la silhouette du grand chasseur chargé du duiker se découpait sur un ciel d'instant en instant plus sombre. A l'horizon, se dressait une colonne de poussière d'un gris sale qui approchait rapidement.

Il se demanda si la tempête allait engloutir le gros tubercule et ses trois occupants. Il attendit, la tête bourdonnante de curiosité, jusqu'à ce que la trombe atteigne l'avion, mais ce dernier ne disparut pas dans le tourbillon.

Le chasseur s'attarda encore, jusqu'à ce que les premiers grains de sable se mettent à pleuvoir autour de lui. Alors seulement, il tourna les talons et s'en fut chercher refuge dans les rochers.

La couleur du ciel rappela brusquement à Ken la tempête de sable annoncée par Hendrijks. Il se hâta de regagner le Beech Lightning, encombré par sa prise et boitillant sur sa cheville foulée qui lui faisait un mal de chien.

Quelques minutes plus tard, il était près de l'appareil. A peine avait-il jeté le duiker à terre que le déluge de poussière s'abattit.

Ngili et lui passèrent toute la tempête à plat ventre par terre, agrippés au câble qu'Hendrijks avait fixé aux roues de l'avion, tandis que le pilote en faisait autant de l'autre côté, pour lester l'appareil au maximum. Ils se cramponnaient à l'aveuglette, le visage entortillé dans un morceau de bâche. Mieux valait suffoquer sous ces masques de fortune, où ils respiraient un air moite et confiné, que d'avaler cette satanée poussière. Malmené par le vent, le Beech Lightning protestait de toutes ses membrures, tandis que la queue du fuselage ripait de droite et de gauche sur sa roue, en faisant de grandes embardées.

Entre deux rafales, Ken parvint à raconter sa curieuse partie de chasse à Ngili, puis il le harcela de questions :

— Qu'est-ce qui a bien pu se passer? Comment tu expliques ça, toi?

— T'emballe pas... Ce mâle, qui galopait en tête du troupeau pendant la débandade, a pu foncer tête baissée dans un rocher. A moins que...

Ngili marqua une pause. Ken n'entendait plus que le bruit de ces minuscules grains de sable qui rebondissaient sur la bâche. Un son si ténu que même la bruine la plus fine n'aurait pu imiter son infinitésimal crépitement.

— A moins que tu n'aies quand même fait mouche, avec ta première balle...

Ken fit un violent effort de mémoire, pour s'assurer que ni la faim ni la fatigue qui l'accablaient, au moment où il était arrivé près des antilopes, n'avaient pu à ce point lui embrouiller les idées.

— J'ai tiré ma première balle pendant que les duikers s'enfuyaient devant moi, répliqua-t-il, haletant dans son cocon d'air raréfié. Je ne vois pas par quel miracle elle aurait pu faire le tour de cet animal qui me présentait sa croupe, pour venir le frapper en plein front! Non, non... Ma première balle est allée se perdre dans les broussailles. Il y avait forcément quelqu'un, au bout de ce chemin, là-bas, dans les rochers... Quelqu'un qui a blessé ce duiker avec ceci, ajouta-t-il, sortant la pierre noire de sa poche. L'animal est donc revenu sur ses pas, avec tout le troupeau sur les talons, et quand il est arrivé sur moi, je n'ai fait que l'achever, d'une balle dans le poitrail.

Ngili s'empara de la pierre et l'examina sous toutes les coutures, à la lumière de la lampe-torche.

— Et tu as vu des roches noires, par là-bas? Des blocs de basalte?

— Ça, je te jure bien que non... !

— Inutile de jurer...

— Je suis sûr et certain que c'est bien ce projectile qui a frappé l'antilope, répéta Ken, en récupérant sa pierre, qui n'avait rien perdu de son mystère — ni de sa réalité. Alors, ta théorie ?

— Je n'en ai pas. Je te crois sur parole, mais je ne vois pas la queue d'une explication. » Ngili réfléchit un instant sans mot dire. « Et ces empreintes... ça pourrait être celles d'un hominidé, tu crois ?

— Absolument ! Une plante bien développée, le talon marqué, le gros orteil divergent, les autres doigts très longs et légèrement incurvés vers le bas — sans doute mieux adaptés que les nôtres à la vie arboricole...

— Et tu es sûr d'avoir vu tout ça ?

— Enfin, Ngili ! Après la journée que je viens de vivre, je ne suis plus sûr de rien !

— Il y avait peut-être des tribus par ici, dans le temps...

— Dans le temps ? Et actuellement ?

— Dis-moi un peu... de quelle taille, tes empreintes ?

Avec l'assurance que donne une longue habitude du terrain, Ken projeta mentalement une règle graduée à côté des empreintes.

— Quinze, seize centimètres.

Ngili s'abstint de tout commentaire. Qu'aurait-il pu dire ? Un pied de cette taille ne pouvait appartenir qu'à un enfant, ou à un chimpanzé. Sauf que les chimpanzés n'avaient pas de pieds, à proprement parler. Comme tous les singes supérieurs, les chimpanzés étaient des quadrumanes — deux mains en haut, et deux en bas.

Après la tempête de cette nuit, ils n'avaient pas l'ombre d'une chance de retrouver la moindre empreinte. Mais ils pouvaient se rendre sur les lieux, munis d'une boussole, pour en relever les coordonnées exactes.

Ken pensa aux autres empreintes, celles qu'ils avaient repérées sur l'éperon rocheux. Celles-là aussi devaient être enfouies sous plusieurs centimètres de poussière...

6

La tempête se calma peu avant minuit. La savane semblait disparaître sous un manteau de neige. Les trois hommes firent tomber le sable qui s'était déposé sur leur réserve de bois et allumèrent un feu. Après quoi, Ken et Ngili nettoyèrent le duiker et l'écorchèrent avec un couteau emprunté à Hendrijks. Hormis le trou qu'il avait au milieu du poitrail, il ne portait aucune trace de blessure par balle, ni sur le front, ni ailleurs.

Pendant que l'animal rôtissait, Hendrijks partagea avec eux le fond de sa bouteille de whisky. Il semblait n'avoir qu'une idée : à quelle heure commenceraient-ils à dégager la piste de décollage, le lendemain matin ? Dix fois il répéta sa question, et dix fois ils répondirent, avec une belle constance : dès qu'ils auraient installé le fossile et leurs autres échantillons à bord.

La radio restait muette.

Ils se couchèrent, roulés dans leurs bâches, et dormirent d'un sommeil troublé. La viande mal cuite leur restait sur l'estomac, et il flottait toujours dans l'air une fine poussière qui s'immisçait sous leurs bâches et les faisait éternuer.

Lorsque Ken et Ngili ouvrirent l'œil, à l'aube, Hendrijks était déjà réveillé. Assis près de son avion bancal, l'air renfrogné, il avait l'allure d'un gros gorille à face grise, trônant au milieu d'un sanctuaire en cendres.

Ken et Ngili achevèrent de dégager le bloc de brèche qui emprisonnait les hanches et les jambes du squelette. Ils le déposèrent près du monticule de terre, dont ils relevèrent la position exacte, à l'aide de l'appareil photo, de la boussole et d'un ruban gradué qu'ils avaient déniché dans la boîte à outils de l'avion.

Ken photographia le monticule et les formations rocheuses environnantes sous tous les angles. Il aurait aimé prendre davantage de clichés, mais il avait tant mitraillé l'éperon rocheux, suspendu dans le vide, qu'il ne lui restait plus qu'un demi-film.

La radio refusait obstinément de fonctionner.

Ken et Ngili partirent en direction du bouquet d'acacias pour y faire d'autres relevés.

— Ça fait trente-six heures qu'on n'a pas donné signe de vie, marmonna Ngili. Um'tu doit être mort d'inquiétude.

— Ton père, toujours ton père... Tu ne jures que par lui, ma parole ! Tu ne parles presque jamais de ta mère, ni de ta sœur Yinka, ni de Gwee...

— Eh ! normal... Je suis son fils aîné. Je compte pour lui. Et alors... ? C'est pas pareil, pour toi ?

Ken s'esclaffa.

— Tu oublies que le mien, de père, a fichu le camp quand j'avais cinq ans et qu'il ne s'est jamais plus manifesté ? Tu vois ce que j'ai dû compter pour lui !

Mais ce genre de chose passait bien au-dessus de la tête de Ngili.

— Il existe, pourtant, ton père... C'est grâce à lui que tu es ici, en ce moment ! Il doit bien être quelque part par là, fit-il avec un mouvement de menton qui englobait tout le paysage, sous son linceul de poussière.

Ken sentit un frisson glacé lui parcourir l'échine. Ebranlé jusqu'au plus profond de lui-même, il resta tremblant, muet d'angoisse. Ngili dut lire dans le regard de son ami quelque chose qui le troubla, car il se reprit aussitôt :

— Ce que je veux dire, c'est que... sans l'enfance que tu as eue, tu ne serais pas ce que tu es aujourd'hui. Tu n'aurais sans doute jamais mis les pieds en Afrique...

Ken tremblait toujours, le cœur pris dans un étau de glace.

Autour d'eux, la brousse émergeait du sommeil. Les rongeurs s'affairaient près de leurs terriers, dont l'entrée disparaissait sous plusieurs centimètres de sable. Les oiseaux s'ébrouaient.

Arrivés aux acacias que le soleil levant commençait à

dorer, ils effectuèrent les relevés qu'ils étaient venus faire. Puis Ken retrouva le passage dans les rochers et s'y engagea, suivi de Ngili. Leurs bottes enfonçaient dans une épaisse couche de poussière, aussi fine que de la farine.

Ken fut surpris de constater à quel point ses souvenirs différaient de ce qu'il avait sous les yeux. Il avait dû être dans un tel état d'excitation, la veille, qu'il avait à peine pris le temps d'examiner les rochers d'alentour. A un moment, le sentier bifurquait. Ken ne se souvenait pas de cette fourche, mais il fit taire ses hésitations et prit à gauche. Il ne retrouva pas le petit enclos dégagé, avec les herbes piétinées. Au bout de plusieurs centaines de mètres entre des amas de roches calcaires, ce chemin-ci débouchait sur un vaste plateau rocheux, irrégulier, cerné par d'autres amoncellements chaotiques et d'autres éperons rocheux déchiquetés, au-delà desquels s'étendait un autre pan de savane.

L'endroit ne lui rappelait absolument rien, mais il eut bientôt le désagréable sentiment d'être observé, comme le soir précédent, par des yeux invisibles. Il entendit dans son dos un « Ah! » de saisissement. Croyant que son ami avait trébuché ou qu'il s'était tordu le pied, Ken fit volte-face et l'aperçut à quelques mètres de là, debout sous une saillie du rocher, qu'une rangée de buissons dissimulait presque entièrement.

Dans une étroite niche qui se creusait là-dessous, gisaient plusieurs gros galets qui semblaient avoir échappé au linceul de poussière. Des galets de basalte. Noirs. Et il y avait aussi des empreintes : un petit pied, moitié moins grand que celui de Ngili.

Ngili ramassa un de ces cailloux et l'exposa aux pâles rayons du soleil. Il était rond, presque sphérique, mais taillé d'un côté. Quelqu'un en avait détaché des éclats, pour en faire une arme de chasse.

Ken le lui prit des mains et sortit l'autre pierre de sa poche, pour les comparer.

— Celui qui a fabriqué ça sait ce qu'il fait, déclara-t-il. Ce doit être un chasseur chevronné.

Les deux cailloux n'avaient ni la même forme ni les mêmes dimensions, mais par-delà ces différences, il existait entre eux une indéniable parenté. A cause de la façon dont ils avaient été taillés.

Ngili regarda Ken en clignant rapidement des yeux. Ken aurait presque pu entendre cliqueter les rouages de son cerveau, qui commençait à entrevoir de nouvelles possibilités.

— Ça ne peut pas être un chimpanzé ; ils ne taillent pas les pierres pour en faire des outils de chasse.

Ils s'accroupirent autour des cailloux. Comme son ami, Ngili avait la très nette impression d'être épié, et même écouté.

— Il te reste encore un peu de pellicule ? murmura-t-il.

Ken fit « oui » de la tête.

Ils n'avaient aucun moyen de réaliser un moulage, mais ils pouvaient utiliser l'appareil photo... Ken le braqua sur les empreintes avec le sentiment de fixer sur la pellicule, non pas ce coin de savane poussiéreux, nimbé d'une lueur blafarde, mais le pliocène lui-même.

— Attention ! Garde quelques photos... fit Ngili.

Mais l'esprit de Ken avait précédé le sien. Mieux valait ne pas finir son film au cas où...

Il laissa l'appareil retomber sur sa poitrine, au bout de sa lanière, et ramassa la pierre. Autour d'eux, tous les rochers étaient en calcaire jaune, une roche sédimentaire, riche en carbonate de calcium, alors que les galets taillés étaient de basalte : une roche volcanique, plus dure, et de formation antérieure. Ils provenaient d'un gisement basaltique, peut-être très éloigné. S'ils étaient là, il avait bien fallu que quelqu'un les y apporte.

Ce qui en faisait, des « manuports », des pierres élevées au rang d'outils, par le simple fait qu'un hominidé les avait déplacées de leur lieu d'origine pour les utiliser ailleurs. C'était un signe déterminant — tout comme les éclats qu'on en avait détachés, encore qu'il eut été difficile d'établir avec certitude qu'ils résultaient d'une action humaine, et non de celle des forces naturelles.

— Eh, minute... fit Ngili. Qui dit « manuport », dit « hominidé »...

— Oui. Pourquoi ? Tu pensais à autre chose ?

— Un membre d'une tribu quelconque, séparé des siens. Un genre de proscrit.

— Ici ? Tu ne m'as pas dit que la région était inhabitée ?

Ken songea avec un frisson d'émerveillement qu'ils étaient peut-être en train de confronter leurs arguments à portée d'oreille du chasseur qui l'avait épié, la veille, dans les rochers... celui qui avait manqué de peu l'antilope.

— Exact, fit Ngili. Mais à une époque, les tribus exilaient leurs criminels, leurs violeurs ou leurs indésirables dans des endroits déserts, comme celui-ci.

— Il y a longtemps de ça?

— Oh, trente ou quarante ans, tout au plus.

— Mais tu as vu ces traces...? fit Ken, en poussant son compagnon à l'intérieur de l'abri. Tu as vu la forme et la taille de ce pied?

— Impossible! admit Ngili. Ce doit être un gamin appartenant à une tribu du coin, qui s'est perdu. Il peut présenter quelques particularités anatomiques que nous interprétons comme archaïques, mais... » Il s'interrompit, tiraillé entre plusieurs idées radicalement contradictoires. « Mais elles ne peuvent pas être vraiment archaïques... Parce que les caractéristiques physiques des protohumains n'ont pu se perpétuer jusqu'à notre époque...

Ken porta ses mains à ses tempes, incapable d'aligner deux idées. D'ailleurs, ils n'avaient pas le temps d'ergoter. Il fallait rejoindre l'avion. Ils devaient encore empaqueter le fossile et le charger à bord.

Il glissa trois autres pierres dans sa poche et rebroussa chemin, ouvrant la route devant Ngili.

La veille, il avait fait main basse sur le gibier de ce chasseur et aujourd'hui, c'était ses outils de chasse qu'il emportait. Il ignorait quel genre de créature il pouvait être, mais il était au moins sûr d'une chose : à ses yeux, il ne devait être, lui, qu'un vulgaire voleur.

Hendrijks venait aux nouvelles. Il approchait du tertre, d'une démarche pesante et saccadée, tranchant violemment sur la grâce et la sérénité environnantes.

Dès qu'il les aperçut, il se répandit en récriminations. Ils n'étaient pas encore prêts! Un petit avion venait de passer au-dessus du Beech Lightning, volant plein sud, à basse altitude. Il avait tiré plusieurs coups de feu en l'air et agité les bras, mais le pilote n'avait pas répondu à ses appels. Pas le moindre signal lumineux, pas le moindre balancement des ailes, indiquant qu'il l'avait repéré, lui ou son appareil. Du regard, Ken consulta Ngili, qui n'eut qu'un haussement d'épaules. Ni l'un ni l'autre n'avait entendu de coups de feu, ni de bruit de moteur — mais quoi d'étonnant, vu l'état où les avaient plongés leurs découvertes... ?

Ngili enjoignit à Hendrijks de poser son satané fusil et de leur donner un coup de main pour transporter le bloc de conglomérat, qu'ils empoignèrent et emportèrent vers l'avion, en titubant. Ils durent s'arrêter plusieurs fois en chemin, pour reprendre haleine.

Une fois qu'ils l'eurent hissé dans la carlingue et bien calé avec la glacière et un carton, Ken attendit que Hendrijks se retourne vers lui, et lui demanda tout à trac s'il était déjà venu dans le coin.

Un imperceptible frémissement courut sur le visage du pilote.

— Ouais, grommela-t-il. J'ai dû survoler le secteur, en 1952 ou 1953...

Il avait planté ses yeux dans ceux de Ken, comme hypnotisé par ce regard acéré, qui l'acculait à dire la vérité.

— Et vous vous y étiez posé ?

— Non. » Hendrijks lança vers Ngili un regard méfiant, indéchiffrable. « Je transportais des soldats. Des Anglais que je ramenais d'Ouganda, à destination de Nairobi, pour aider à mater la révolte des indépendantistes kenyans.

— Et à l'époque, vous aviez remarqué des traces comme celles qu'on a photographiées ?

Hendrijks se dandina, l'air embarrassé et perdit l'équilibre, heurtant la paroi de la cabine. Derrière le hublot, la poussière délogée par le choc dégringola en un fin rideau.

— Ouais, admit-il. J'ai vu des empreintes, dans le coin. Je volais bas, et j'ai vu des marques sombres, qui m'ont eu tout l'air d'être des traces de pas.

— Où ? Sur le même promontoire ?

— Ça, je serais infichu de le dire ! J'avais d'autres chats à fouetter...

Il semblait sincère.

— Et vous avez vu le... » Ken déglutit à grand-peine. « Auriez-vous vu quelqu'un, au bout de ces traces — celui ou ceux qui auraient pu les laisser ?

— Non. Personne. Juste les traces.

— Alors, pourquoi êtes-vous si pressé de quitter le secteur ? Vous avez peur ?

— Pas du tout, rétorqua Hendrijks. Filez récupérer ce

qui reste là-bas — et n'oubliez pas mon fusil ! Je fais chauffer le moteur.

Ken et Ngili sautèrent de la carlingue et s'élancèrent au pas de course vers le tertre.

L'esprit de Ken avait retrouvé sa limpidité. Ils retourneraient à Nairobi, le temps de remettre à Randall les ossements et les échantillons minéraux, et ils reviendraient ici dès que possible, munis d'un stock de pellicule et d'une caméra vidéo. Il faudrait aussi du matériel de moulage, des outils de terrassement, des provisions... Bref, ils organiseraient une expédition digne de ce nom, avec ou sans la bénédiction des autorités officielles. Inutile, dans l'immédiat, de spéculer davantage sur la catégorie dont relevait celui ou ceux qui vivaient dans le secteur. Il savait seulement qu'il avait eu sous les yeux les empreintes d'un chasseur utilisant des *manuports*...

Ngili et lui revenaient vers l'avion, chargés du crâne, des plantes fossiles et du fusil de Hendrijks, lorsqu'ils aperçurent un petit nuage jaunâtre qui balayait la plaine, arrivant sur eux à fond de train. Un véhicule tout terrain, de fabrication britannique. C'était un Safari Cub — le genre de jeep à toit ouvrant dans lesquelles on trimballe les touristes dans les réserves, pour photographier les animaux en liberté, à la différence que celle-ci avait perdu toutes ses portières, et jusqu'à son toit ouvrant. Sa carrosserie était enduite d'une couche de poussière jaune qui s'envolait, à chaque cahot, en un panache gracieusement fuselé.

Ngili se figea sur place.

— Peut-être des gardes de la réserve, envoyés par mon père... ?

— Peu importe ! s'exclama Ken. Ils tombent à pic pour nous donner un coup de main. On va nettoyer la piste en un clin d'œil... !

Du côté passager, une tête émergea du toit béant du Safari Cub, dont le pot d'échappement laissa fuser plusieurs détonations. Presque aussitôt, Ken comprit que ces claquements n'avaient rien à voir avec des problèmes d'échappement. Le type avait braqué un fusil sur l'avion et avait tiré.

Hendrijks, dont la silhouette se découpait sur le gris clair de la carlingue, plongea au sol, tandis que le conducteur du Cub accélérait brusquement.

— Mais ils vont bousiller l'avion ! hurla Ken, tandis que le but de la trajectoire du Cub se précisait dangereusement.

Il empoigna le fusil. La fourgonnette approchait du Beech Lightning, lorsqu'elle franchit la petite saillie rocheuse que l'avion avait heurtée à l'atterrissage, et qui disparaissait à présent sous la poussière. Le véhicule décolla sur l'obstacle et retomba de l'autre côté, en faisant grincer ses amortisseurs.

Le moteur avait calé. Ils entendirent rugir le démarreur sur lequel le conducteur s'escrimait désespérément. Enfin, le moteur toussota et repartit. Le conducteur dut écraser l'accélérateur, car le Cub repartit à la charge, tel un rhinocéros furieux.

Ken n'en était plus qu'à une centaine de mètres. Derrière lui, Ngili lui criait de tirer dans les pneus. Il se laissa choir dans l'herbe, l'œil collé à la lunette, et visa la roue avant. Il pressa la détente.

Le type au fusil se tourna vers eux et fit feu. Plusieurs balles atterrirent dans les buissons d'alentours, soulevant de petits nuages de poussière. Une seconde plus tard, le Safari Cub versa de côté, comme retourné par la main d'un dieu invisible.

Le conducteur s'extirpa de derrière son volant et détala vers le sud sans demander son reste.

Ken et Ngili accoururent. Le tireur avait été projeté à plusieurs mètres du véhicule. Il gisait à terre, inanimé, bras et jambes étendus. De sa tempe fracassée s'écoulait un flot de sang que la poussière absorbait aussitôt.

C'était un Africain d'âge mûr et de petite taille, souffrant visiblement de malnutrition. Ses paumes rougeâtres et ses doigts crochus aux longs ongles crasseux s'ouvraient vers le ciel en une énigmatique prière. Ses yeux, grands ouverts et déjà vitreux, étaient injectés de sang, comme sous l'effet d'une hémorragie interne. Il était vêtu d'un sweat sans forme ni couleur, et d'un pantalon de treillis, et chaussé de sandales aux semelles taillées dans un bout de pneu.

Hendrijks accourut à son tour, en criant quelque chose où Ken distingua le mot « braconniers ».

Il jeta un œil à l'intérieur du véhicule. Il ne devait pas avoir plus de quelques années, mais dans la brousse, c'était amplement suffisant pour faire une épave de n'importe quel engin. La poussière, le soleil, les accidents du terrain... La peinture de la carrosserie s'écaillait, les sièges étaient défoncés. Tout témoignait d'un état de corrosion et de délabrement avancé. A part cet indéfinissable relent qui y flottait, l'habitacle était absolument vide. Pas même une amulette, ou un porte-clé, pendu au rétroviseur. La porte de la boîte à gants béait sur un compartiment — vide, lui aussi.

Le véhicule ne portait aucune plaque minéralogique, et, à l'examen, le dessous du châssis ne révéla qu'un réseau de fils encrassés et de tuyaux rouillés, dégageant une forte odeur d'huile et de métal chaud.

Ken souffla un grand coup. Ses pensées s'emballaient. Surmontant sa répulsion, il s'agenouilla près du tireur et lui palpa le corps, puis le retourna, en quête d'un portefeuille ou d'un quelconque objet personnel. Le cadavre puait la sueur et la vieille crasse. Il était encore tiède, et guère plus lourd qu'un mannequin. L'étrange agresseur n'avait que la peau sur les os. Comme Ken fouillait le corps, une unique question lui tournait dans l'esprit : « Qu'est-ce que ça veut dire, nom de Dieu... Mais qu'est-ce qui se passe... ? »

Pendant ce temps, le conducteur courait toujours. Il n'était plus qu'un point, au loin.

— Alors ? s'enquit Hendrijks. Il n'a pas de papiers ? Rien du tout... ?

Ken se releva en secouant la tête et s'essuya les mains sur son pantalon. Hendrijks envoya un coup de pied au cadavre.

— Arrêtez ! rugit Ken.

— Ça va, ça va... c'est bon, fit le Hollandais. Et maintenant, on se tire. Il n'y a plus rien à faire ici. Décollage immédiat !

Il ramassa son fusil et s'éloigna en direction de l'avion. Ken et Ngili s'attardèrent encore un peu près du corps. Ils se regardaient, incapables de hasarder ne serait-ce qu'une explication. Les mots leur manquaient.

— Tu crois vraiment que ça pouvait être des braconniers... ? finit par demander Ken.

Ngili secoua la tête.

— Pourquoi des braconniers iraient charger un avion en pleine savane... ? Ils préfèrent attendre que le terrain soit libre, pour vaquer à leurs petites affaires. Et ce type... Il a l'air d'un braconnier, selon toi ? » Il s'accroupit, retourna le corps et le soumit à son tour à une fouille rapide, mais minutieuse. « Un braconnier, ça reste à prouver... mais un tueur, sûrement... Tiens ! On dirais que tu as oublié quelque chose...

Du sweat de l'homme, Ngili avait tiré un petit Walther PPK. Ouvrant le barillet, il montra à Ken les six balles qui y étaient logées, puis il le referma et lui remit l'arme.

— Garde-moi ce truc, Ken. Ça tiendra lieu de pièce à conviction, au besoin, et de toute façon, ça peut servir. Tu es plus vulnérable que moi...

— Ah oui ? demanda Ken, d'une voix rauque. Et pourquoi ?

— Eh bien, imagine que cette petite escarmouche ne soit qu'un début... » Ngili se tut et regarda le corps étendu à ses pieds. « Tu n'as pas de famille, personne qui se porte garant pour toi, tu es étranger et la couleur de ta peau ne t'aide pas à passer inaperçu. Tu cours nettement plus de risques que moi, l'un dans l'autre...

Ken saisit le Walther et l'enfourna dans sa poche, où il rejoignit les projectiles de l'âge de pierre, avec un bruit métallique — les armes avec les armes... Puis il ramassa le fusil du tueur et, l'empoignant par le canon, le précipita contre un rocher. La crosse éclata, le barillet se tordit, la gâchette et le cran de sûreté se détachèrent et tombèrent en cliquetant sur la pierre.

— Grouillons-nous de ramasser les plantes fossiles, dit Ngili. Le conducteur pourrait rallier un camp de base quelconque, et s'il nous envoie d'autres sbires, ils n'auront plus qu'à nous tirer comme des lapins.

— Tu crois qu'il faudra prévenir les flics, à Nairobi ? demanda Ken.

Ngili soupesa un instant la question.

— Moi, je ne le ferais pas. C'est le meilleur moyen d'envenimer les choses. Non, je me contenterais de tout raconter à mon père...

— Et qu'est-ce qu'il pourra y faire ?

— Il enverra des hommes de confiance sur les lieux, pour surveiller un peu le coin. S'ils ne remarquent rien de suspect, nous pourrons revenir et élucider notre seconde énigme...

Leur seconde énigme. Cette créature, qu'il laissaient sous la menace diffuse et inexplicable de ces tueurs.

Ken laissa errer son regard au loin, en direction de la barre rocheuse.

Les yeux de Ngili avaient suivi les siens.

— Allez, viens, fit-il à voix basse. Ce chasseur connaît le secteur mieux que quiconque et pour ce qui est de s'y cacher, on peut lui faire confiance ! Viens plutôt me filer un coup de main...

Il entreprit de nettoyer les rameaux fossiles. Ken lui prêta main forte, grommelant de temps à autre :

— Qu'est-ce que ça signifie... Mais qu'est-ce que ça signifie... ?

A quoi Ngili répondait invariablement d'un haussement d'épaules déconcerté.

Malgré la tension et l'angoisse où les avaient plongés les événements, ils entourèrent d'un luxe de précautions les échantillons qu'ils transportaient à l'appareil.

Une fois dans l'avion, Ken se passa les doigts dans les cheveux. Il remettait un peu d'ordre dans ses vêtements, lorsqu'il s'aperçut que son briquet avait disparu. Son premier mouvement fut de sauter à terre et de partir à sa recherche, mais l'objet avait pu tomber de sa poche à peu près n'importe où, y compris dans la savane pendant qu'il cavalait après le Safari Cub. L'idée de laisser derrière lui un objet inflammable ne l'enchantait guère mais, d'ici un mois, la savane ne serait plus qu'un vaste bûcher de broussailles prêt à s'embraser, et le soleil y provoquerait bien plus d'incendies spontanés que ne pourrait le faire nul objet issu des mains humaines.

Hendrijks leur demanda de placer le bloc de brèche à tribord et de s'installer tous deux du même côté, pour que le supplément de poids soulève l'aile gauche d'une soixantaine de centimètres. Ils s'exécutèrent et, effectivement, l'aile endommagée s'éleva juste assez pour ne plus racler le sol.

Hendrijks estima que cela suffirait. Il tenterait de décoller ainsi. Il fit rouler l'appareil en direction de l'épave du Safari Cub, puis effectua un demi-tour et fonça pleins gaz sur cette saillie rocheuse qui ferait office de tremplin. Après une embardée, l'avion prit son essor. Portées par le moteur, les ailes retrouvèrent aussitôt leur équilibre et le Beech

Lightning s'éleva rapidement, tandis qu'au-dessous d'eux, le monde perdait peu à peu sa réalité.

Ken, les deux bras étendus, protégeait les fossiles, tout en se dévissant le cou pour tâcher d'apercevoir quelque chose par les hublots — le camp des braconniers, par exemple. Mais ses yeux ne rencontrèrent que l'immensité de la savane, majestueusement vide, à l'exception, ici et là, des quelques troupeaux qui y vaguaient.

Hendrijks avait mis le cap au sud, pour ne pas avoir à affronter à nouveau la Mau et ses tourbillons déchaînés. Au bout de quelques minutes, il alluma machinalement la radio, et un juron lui échappa.

— *Got Verdomma!* Ça, c'est la meilleure! s'exclama-t-il.

La radio était revenue à la vie. Il établit le contact avec l'aéroport d'Embakasi et annonça leur arrivée.

Après quoi, Ngili prit le micro et appela son père. Ken n'entendit que d'une oreille ce qu'il lui disait. C'étaient ses propres pensées qui lui occupaient l'esprit. Le souvenir de ses bottes dans les broussailles, de son pas foulant la poussière sur les traces de cet étrange chasseur... Etait-ce vraiment possible? Avait-il vécu depuis toujours dans l'attente d'une telle rencontre? Serait-il désormais hanté par ce souvenir?

Mais c'est un syndrome de Dubois carabiné que tu nous fais là, mon petit vieux...! s'esclaffa-t-il mentalement. Le rire de Randall lui avait résonné aux oreilles.

Non. Impossible. Malgré le stress et l'épuisement, son esprit restait clair et rationnel. C'était celui d'un chercheur capable de patience et d'objectivité. Celui d'un homme de science. Il lui faudrait revenir sur les lieux. Voilà. Il reviendrait — équipé de toute la panoplie de la technologie moderne.

Il se laissa aller contre le dossier de son siège et ferma les yeux, mais à peine son esprit commença-t-il à se détendre que l'implacable question revint y tournoyer, comme un vautour dans le ciel de la savane. Qu'est-ce qui se passe? Qu'est-ce que ça peut bien vouloir dire...?

Le chasseur avait vu passer le Safari Cub à quelques centaines de mètres de l'endroit où il se cachait, au-delà de cette limite où il n'avait plus des choses qu'une image plate et confuse. Dans ce mode de vision, les détonations, la culbute du véhicule et l'agitation frénétique des étrangers lui avaient semblé autant d'événements cocasses et captivants, mais dénués de toute réalité. Ses longues mains ne s'en étaient pas moins repliées, l'un de ses poings serrant une pierre taillée avec une force et une précision dont aucun singe n'eût été capable.

Peu après sa subite apparition, l'étrange animal gris s'était abattu, comme un hippopotame ou un rhinocéros en colère, fauché en pleine course par la morsure d'un serpent venimeux. Mais le chasseur ne connaissait pas de serpent capable d'arrêter si soudainement une telle masse.

L'animal s'était couché sur le flanc et les visiteurs avaient couru vers le grand tubercule, dont l'éclat s'était terni depuis la tempête, à cause de la poussière — preuve que ce qu'il voyait n'était pas un rêve, puisque cette poussière était bien réelle, elle. La tempête de sable avait bel et bien eu lieu. Puis le gros insecte-igname avait poussé un terrible rugissement et s'était mis en branle. Il était vivant. Il avait fait demi-tour, et le chasseur avait à nouveau pu voir ses ailes, ouvertes comme celles d'un coléoptère. Ça ronflait, ça brassait l'air, ça bourdonnait — une libellule s'éveillant après l'averse ou les heures fraîches de la nuit.

Et il avait quitté le sol, les ailes toujours déployées. Il l'avait vu monter plus haut qu'aucun insecte de lui connu, même emporté par un coup de vent. Il l'avait longtemps suivi des yeux, s'attendant à voir un vautour ou un marabout lui fondre dessus et n'en faire qu'une bouchée. Mais aucun oiseau n'avait paru s'intéresser à cette proie pourtant facile, si lourde et si bruyante, qui avait mis tant de temps à traverser le ciel. L'étrange insecte avait finalement disparu à l'horizon sans être inquiété. Après son passage, le ciel avait retrouvé son silence et son insondable pureté.

Et à présent, tout semblait terminé. Comme s'il était sorti d'un rêve étrange, pour se réveiller dans son univers familier...

En regagnant son abri, sous la corniche au milieu des rochers, il posa le pied sur le briquet qui gisait sur le chemin. L'objet disparaissait aux trois quarts sous une grande feuille palmée, couverte d'une bonne couche de poussière, dont il était lui aussi saupoudré. Mais dès que sa plante de pied entra en contact avec la surface polie, il perçut immédiatement une sensation qui venait d'un autre monde.

Il se pencha pour ramasser l'objet. Il n'avait donc pas rêvé ! La couche de poussière s'effrita et ses doigts explorèrent une surface absolument plane, lisse, sans grain ni texture, aux bords parfaitement rectilignes... Alors que tout, dans la savane, présentait des arêtes et des contours irréguliers et rugueux, ou se perdait dans le vague et l'informe.

Le chasseur dut faire violence à son esprit pour qu'il accepte de faire place à toutes ces notions, nouvelles pour lui. Déconcerté, il tournait et retournait le briquet entre ses doigts. Sans s'appuyer sur aucun mot, sa pensée concevait que celui qui avait emporté ses projectiles lui avait laissé en échange ce curieux petit caillou.

Son esprit avait gardé l'image de ce visage si différent du sien, mais qui présentait tout de même de troublantes similitudes. L'emplacement des yeux, l'intensité de leur regard... Il l'avait vu à quelques pas de distance, la veille, et l'avait bien observé. Et cette façon de marcher — ça aussi, c'était un curieux point commun !

Les doigts refermés sur l'objet inconnu, le chasseur revit mentalement le visiteur, debout face à lui, si près qu'il lui avait semblé qu'une communication silencieuse s'établissait entre eux. Une étrange aspiration émergea à sa conscience : y aurait-il d'autres rencontres... ? Cet espoir s'enracina peu à peu dans l'esprit du petit chasseur aux longs pieds.

II

UNE BULLE DE PLIOCENE

1

Vue du ciel, Nairobi n'avait rien de très exotique. Un centre-ville digne d'une grande ville américaine, hérissé de tours et de gratte-ciel, et ceinturé de banlieues. Quant à l'aéroport Jomo Kenyatta, qu'une majorité de la population persistait à appeler *Embakasi*, c'était une gigantesque pieuvre de béton, dont les terminaux rayonnaient autour de l'aérogare circulaire, comme autant de tentacules.

Aux alentours, la savane était sillonnée de routes. Lorsque Ken avait débarqué pour la première fois au Kenya, les quinze kilomètres de macadam reliant l'aéroport à la capitale traversaient des champs parsemés d'acacias, où galopaient encore des troupeaux d'antilopes. Mais à présent, les antilopes n'étaient plus qu'un souvenir et le réseau routier n'était plus qu'un perpétuel embouteillage. Les champs s'étaient couverts de cahutes et seuls quelques rares acacias avaient échappé à la hache des habitants des bidonvilles voisins, toujours en quête de petit bois pour alimenter les fourneaux des ménagères.

Hendrijks entama les manœuvres d'approche. L'avion survolait des abris de fortune en carton d'emballage, des tentes improvisées, des cases traditionnelles faites de branchages où des lambeaux de chiffons et de plastique remplaçaient le chaume. Après la saison des pluies, bon nombre de baraques restaient à ciel ouvert; leurs occupants préféraient se passer carrément de toit, plutôt que de ménager des ouvertures dans leurs précaires cloisons pour laisser passer la lumière ou la fumée. A l'intérieur, on apercevait des femmes qui allaitaient leurs bébés ou vaquaient à leurs fourneaux, environnées d'enfants. Les gosses levaient le nez et regardaient passer l'avion en agitant la main.

La piste s'étirait devant eux. A la demande de Hendrijks, Ken et Ngili reprirent leur poste dans la moitié droite de la cabine, et les pneus touchèrent le sol avec un couinement strident. L'extrémité de l'aile droite frôla le tarmac, projetant des gerbes d'étincelles, avant de se stabiliser à quelques pouces du sol. La carlingue protesta de toutes ses membrures, lorsque Hendrijks actionna les freins, puis l'avion ralentit et mit paisiblement le cap sur le terminal des appareils de tourisme.

Au bord de la piste se dressait une silhouette solitaire : un Africain puissamment charpenté, sculptural dans son *kikoi* écarlate — le pagne traditionnel des Massaï. Il suivit d'un œil sombre les inquiétantes oscillations de l'avion qui approchait, mais son visage s'éclaira lorsqu'il vit l'appareil achever sa course sans accroc. Il agita une main à la paume d'un rose clair.

— Um'tu ! s'écria Ngili, radieux, en sautant sur ses pieds.

Hendrijks lui hurla de se rasseoir et parcourut encore quelques mètres avant de s'immobiliser près d'un grillage qui séparait l'aéroport de la brousse des alentours. Au-delà, une large coulée noire — une piste d'atterrissage en construction — zébrait la savane.

Hendrijks se tourna vers Ngili en s'épongeant le front.

— Votre père est venu vous chercher, on dirait ! grommela-t-il. J'espère qu'il a apporté son carnet de chèques — parce qu'il va devoir m'en signer deux : un pour la semaine de location, comme prévu, et un autre pour les dégâts.

— Pas de problèmes pour vos mille dollars, fit Ngili, mais comment comptez-vous chiffrer les réparations, sans l'aide d'un expert ?

— Bon. Eh bien, je lui enverrai la facture à son bureau ! Comptez sur moi pour vous réclamer mon dû jusqu'au dernier sou !

Ken considéra la trogne rubiconde et bouffie du pilote,

et réprima un sourire. Le père de Ngili n'était pas tombé de la dernière pluie. Il paierait les réparations sans rechigner, mais si Hendrijks essayait de l'estamper, il n'aurait sûrement pas le dernier mot!

Ken et Ngili sautèrent à terre. D'âcres relents de fumée avaient envahi l'air sec, et des crépitements saccadés, qu'on aurait pu prendre pour des claquements de fouet, ponctuaient une rumeur lointaine. Des éclats de voix. Ken les écouta d'une oreille distraite. Il y a toujours un peu d'électricité dans l'air, sur un aéroport africain...

Jakub Ngiamena accourut vers son fils aîné et le serra dans ses bras. Avec son ample *kikoi*, il ressemblait davantage à l'un de ces chefs de tribu qui avaient recueilli un David Livingstone épuisé par des semaines de brousse, cent ans plus tôt, qu'à un haut fonctionnaire du Kenya contemporain. Et pourtant, il siégeait au Parlement et dirigeait d'une main de fer l'Office des réserves et des parcs nationaux. Il préférait s'habiller à l'africaine, par respect pour son héritage culturel, mais aussi parce qu'il frisait les cent vingt kilos. Près de son père, Ngili avait l'allure d'un frêle arbrisseau.

Derrière les deux hommes, près des portes vitrées du terminal — dont la modernité avait quelque chose d'insolite, après une semaine de brousse —, Ken aperçut Yinka, la sœur cadette de Ngili, rédactrice au *Nairobi Daily Herald*. Elle était aussi mince que son frère, et arborait un *kikoi* semblable à celui de Jakub, mais d'un bleu profond. A son front brillait un cercle d'or.

Ken lui fit signe de la main, mais Yinka se contenta de le fixer en silence. Comme tous les Ngiamena, elle avait des yeux magnifiques, d'un noir de jais.

Jakub Ngiamena libéra son fils de son étreinte et échangea avec Ken une chaleureuse poignée de main.

— Comment va le meilleur ami de mon premier-né? demanda-t-il, dans la langue savoureuse qui lui était coutumière. Mais, venez vite... ne restons pas là... ! ajouta-t-il, les yeux fixés sur l'avion.

Ou plutôt, au-delà de l'avion, nota Ken, qui avait suivi son regard. A travers la clôture grillagée, on apercevait la piste d'atterrissage en construction, et au-delà, une immense étendue de cabanes et de tentes de fortune. Puis tout sembla se précipiter. Un groupe de bulldozers se lança à l'assaut du campement, nivelant les frêles constructions qui s'effondraient sous leurs mâchoires comme des châteaux de cartes. Des grappes d'hommes, de femmes et d'enfants qui s'enfuyaient devant eux, refluèrent à travers le ruban de goudron en direction de l'aéroport. En quelques secondes, le grillage se couvrit d'une multitude de mains et de pieds noirs qui tentaient de l'escalader.

Derrière eux, les bulldozers attaquaient déjà une autre rangée de huttes, chassant une deuxième vague de fuyards vers la clôture. Ils couraient devant les engins, trébuchaient, se relevaient et se remettaient à courir. On eût dit des pèlerins surpris par un séisme au beau milieu de leurs prosternations. Les femmes ramassaient des enfants tombés; les hommes attrapaient au passage qui un matelas ou un ustensile de cuisine, qui un poulet. Un bulldozer fonça sur un groupe de chèvres rivées à leurs piquets et les lamina sans hésitation, encore bêlantes et gigotantes.

Ce que Ken avait pris pour des claquements de fouets était, en fait, des coups de feu. D'un hélicoptère de la police qui tournait au-dessus de la scène, jaillit une voix tonitruante qui intima aux fuyards — en anglais, d'abord, puis en swahili — l'ordre de rester au large de l'aéroport. Puis une nuée de voitures de police et de véhicules militaires se déversa sur la piste dans un concert de hurlements de moteurs, pour faire la jonction avec le groupe des bulldozers. Le vacarme avait atteint la limite du supportable.

— Mais qu'est-ce qui se passe? hurla Ngili, pour son père.

— Des réfugiés du Rwanda! s'égosilla Ngiamena. Ils se sont installés dans les bidonvilles. L'armée doit faire le ménage. Dépêchons, les garçons! Qu'est-ce que vous nous rapportez de beau?

— Des fossiles d'une valeur inestimable. Ils sont restés à bord!

— Alors, je te conseille de les récupérer immédiatement, fils! Sinon, tu peux leur dire adieu...

Ils s'époumonaient comme au cœur d'une tempête. Ken fila vers l'appareil et plongea dans la carlingue, Ngili dans son sillage. Ngiamena jeta un regard en direction de la clôture, qui oscillait sous le poids des corps qui s'y entassaient. Encore quelques secondes...

Ken et Ngili descendirent de l'avion, ployant sous le poids du bloc de brèche. Yinka approcha, sans s'émouvoir, malgré le bruit et la confusion. L'éclair doré que Ken avait entrevu au-dessus de ses sourcils était une chaîne d'or qui lui ceignait le front.

— Tu peux nous donner un coup de main, Yinka? haleta Ngili. Il en reste d'autres dans l'avion...

Elle lui jeta un regard de princesse outragée, que l'on aurait chargée d'une basse besogne. Elle avait un visage de type massaï très pur — mince, avec un petit nez droit aux narines délicates, la lèvre supérieure dessinant un arc parfait. Ses jolis doigts aux ongles roses repoussèrent la chaîne en or qui lui retombait sur le front.

— Du nerf, Yinka! lui lança son père, ce qui parut insuffler un soupçon d'énergie à son élégante indolence.

Tout à coup, la clôture céda sous la masse des fuyards. Ken tourna la tête. Perchée sur le grillage qui s'affaissait, une femme tendait désespérément un bébé à un homme qui avait pris pied sur le tarmac, mais qui s'affala. L'enfant échappa aux mains de sa mère et disparut au milieu des corps amoncelés pêle-mêle sur le goudron.

Ngili tira sur le bloc de brèche et entraîna Ken, qui le tenait par l'autre bout, en direction du terminal. Yinka et son père achevèrent de sortir les derniers fossiles de l'avion, sous les cris de Hendrijks qui réclamait son dû. Le niveau sonore était tel que Jakub avait renoncé à distinguer ses paroles et s'efforçait de les lire sur ses lèvres. Mais les réfugiés rwandais s'étaient déjà relevés et se ruaient vers l'aérogare. Les voyant déferler en direction de l'appareil, Hendrijks préféra oublier temporairement son argent pour protéger son bien. Ngiamena s'élança dans le sillage de Ken et de ses enfants. Les portes automatiques du terminal se refermèrent sur eux avec un chuintement futuriste.

Hendrijks grimpa dans sa cabine, empoigna son fusil et resta retranché dans l'appareil, l'arme au poing, jusqu'à ce que, pris en tenailles entre les soldats et la police, les fuyards aient été refoulés vers la zone où les bulldozers achevaient d'anéantir le bidonville. Hendrijks souffla un grand coup. Il n'en était certes pas à sa première vague de panique — qu'il s'agisse de foules hystériques, ou de troupeaux affolés —, mais celle-ci n'était vraiment pas passée loin.

Malgré ce qu'en disait Ngiamena, cette bande de traîne-savates, ces prétendus Rwandais, lui avaient tout l'air de loqueteux du cru — rien qu'un tas de négros, tous autant qu'ils étaient ! Dire que les Anglais avaient été assez bêtes pour leur lâcher l'indépendance, dans les années soixante... Et depuis, tout s'en allait à vau-l'eau, dans ce foutu pays. Qu'est-ce qu'ils pouvaient bien avoir dans le citron à l'époque, ces crétins de Rosbifs, nom d'un chien ? Sans même parler de toutes ces années de guérilla sanglante, durant lesquelles les Blancs ne pouvaient même pas sortir pisser sans risquer de se prendre une balle dans la peau...

Une fois dans l'aérogare, Ngiamena héla deux porteurs qui allaient pieds nus, mais arboraient la casquette syndicale réglementaire. Ils ouvrirent des yeux ronds à la vue du bloc que trimballaient Ken et Ngili, avant d'accourir. Les deux jeunes gens leur montrèrent comment le transporter sans l'endommager.

— Merci, Yinka ! fit Ken, en massant ses mains écorchées.

La jeune femme portait contre son élégant *kikoi* une brassée de fossiles qui avaient perdu leur emballage.

— Nous avons fait une formidable découverte, Ngili et moi !

— Eh bien, tu m'en vois ravie, mon colon ! laissa-t-elle tomber avec un sourire froid.

Ken ignora la provocation ; de la part de Yinka, ce ne serait ni la première, ni la dernière... Aujourd'hui, la belle Yinka n'était que modestement parée, mais Ken l'avait maintes fois vue la tête surchargée d'or, au point de trébucher à cause de toute cette quincaillerie qui l'empêchait de voir où elle mettait les pieds.

Ils traversèrent le hall à toutes jambes et émergèrent devant l'aéroport. Tout semblait paisible, de ce côté. Sous le panneau géant se flattant du million de visiteurs que l'aéroport était censé accueillir annuellement — mais tout un chacun savait que ce chiffre n'était qu'une rodomontade du ministère du Tourisme — des gamins des rues, armés d'éponges, assiégeaient les voitures en stationnement. Des vendeurs ambulants proposaient des bananes vertes et des paquets de café. Des femmes distribuaient des brochures vantant les mérites des safaris organisés, des hôtels et des boutiques de souvenirs.

Ngiamena se dirigea vers sa voiture, qui semblait nappée de chantilly, tant les quatre gamins qui la shampooinaient s'en donnaient à cœur joie. Ngiamena leur intima l'ordre de la rincer, ce qu'ils firent, à grands renforts de seaux d'eau, et la voiture — une Mercedes 600 — émergea de la mousse. En dépit des éraflures de la carrosserie et de l'enjoliveur manquant, c'était tout de même une Mercedes 600 — éclatant symbole de réussite sociale, en Afrique!

Ken, lui, était propriétaire d'une vieille Land Rover qu'il avait laissée chez les Ngiamena, à Karen, la banlieue résidentielle de Nairobi. Il demanda au père de Ngili de s'arrêter en chemin chez un photographe. Il avait hâte de voir ce que donneraient ses photos. Ngiamena acquiesça, puis il lança une poignée de monnaie aux petits laveurs de voiture et paya les deux porteurs. Avec d'infinies précautions, les garçons entreprirent de charger leurs trouvailles dans la Mercedes. Ngili jubilait.

— Um'tu, Yinka! Vous avez vu ces fossiles...? De pures merveilles! On est tombés sur un site unique! Mais qu'est-ce que vous avez, tous les deux? finit-il par demander, devant la mine sombre qu'affichaient Jakub et Yinka.

— La situation est plutôt préoccupante, ici, répondit son père. L'armée a décidé de rapatrier les Rwandais — mais encore faut-il commencer par leur mettre la main dessus...! Les militaires multiplient donc les rafles dans les bidonvilles. Je ne peux que le déplorer, évidemment, mais il est impensable de faire supporter à nos services sociaux une telle masse de réfugiés...

L'allusion aux services sociaux fit sourciller Yinka. Bouche bée, Ngili dévisageait son père.

— Mais tu les as vus, ces Rwandais, Um'tu? A mon humble avis, ces pauvres diables ne sont pas plus Rwandais que toi et moi...

— Peut-être, mais c'est pourtant ce qu'affirme la police — d'où cette opération, qu'ils ont baptisée « Coup de balai ». Yinka, tu monteras devant, avec moi. Et vous, les garçons, je préférerais que vous posiez votre paquet de terre sur vos genoux, plutôt que sur mes coussins, si ça ne vous fait rien.

— C'est trop lourd, Um'tu. Mais je vais mettre ma chemise dessous.

Ngili ôta sa chemise et l'étala sur la banquette arrière.

Les deux amis s'installèrent, le bloc de brèche calé entre eux deux, tandis que Yinka s'asseyait à l'avant, sur le siège passager.

A l'instant où Jakub Ngiamena démarrait, un avion les survola en rase-mottes, dans un hurlement de moteurs. Le vacarme devint rapidement insoutenable. Devant l'aérogare, la petite armée de vendeurs ambulants renversa la tête en arrière et suivit des yeux le gros transporteur, dont les ailes arboraient les couleurs de l'armée de l'air kenyane, et qui semblait à deux doigts de s'écraser au milieu de la circulation.

Comme l'appareil s'éloignait en direction de la capitale, Ngiamena lança la Mercedes sur la bretelle de l'échangeur. Il y avait moins d'un an que les six voies de l'autoroute étaient en service, mais déjà la moitié du macadam avait disparu. Jetant un coup d'œil par la portière, Ken vit l'avion piquer vers les collines de Ngong, où se trouvaient les banlieues les plus huppées de Nairobi, parsemées de terrains de golfs et de clubs d'équitation.

— Pourquoi vole-t-il à si basse altitude? demanda-t-il, estomaqué par la trajectoire de l'appareil qui semblait vouloir s'écraser sur la crête des collines bleutées.

— Parce qu'il doit transporter près de deux cents réfugiés « rwandais », alors que sa capacité limite est de cent passagers, expliqua Yinka depuis le siège avant. Et aussi pour faire passer le message. Réfléchis une seconde, Ken! Qu'est-ce qu'il y a là-bas? demanda-t-elle en tendant le doigt vers les collines.

— Votre maison? lança Ken, au hasard.

— Tu n'y es pas du tout, mon colon!

— Les ambassades étrangères?

— Là, tu te rapproches...

— La résidence de l'ambassadeur des Etats-Unis? fit Ken, avec soulagement — l'appareil avait franchi les collines sans incident.

— Tu brûles! Ces avions vont passer et repasser au ras des cheminées de l'ambassade US, jusqu'à ce que tous les diplomates du secteur, américains et autres, aient capté le message : « SOS! Vous avez vu tous ces Rwandais qu'on a sur le dos! Vite, envoyez l'aide internationale! »

Yinka s'interrompit le temps de couler vers son père un regard acéré, et reprit :

— Ceci dit, il semblerait que ce ne soient pas du tout les Rwandais que vise ce fameux « Coup de balai », mais tout simplement les sans-abris locaux, dont nos édiles aimeraient débarrasser les rues de la capitale.

— Ça, c'est ce qui s'appelle régler un problème social ! marmonna Ken.

— N'est-ce pas ! Admire l'habileté diabolique de la manœuvre, mon colon ! D'un seul coup d'un seul, nous purgeons nos rues de toute leur racaille, et nous ouvrons toutes grandes les vannes de l'aide internationale...

Yinka parlait un anglais encore plus coloré et plus fluide que celui de son frère. Elle étendit son bras fuselé sur le dossier de son siège et plongea ses yeux dans ceux de Ken.

— Parions que cette brillante idée a germé dans le cerveau d'un de nos généraux... Beaucoup trop subtil, pour des méninges de civil... !

— Où vas-tu pêcher ça, Yinka ? s'exclama son père. Cette opération n'a rien d'une manœuvre d'intimidation visant les diplomates étrangers, lança-t-il, avec un sourire crispé en direction du siège arrière. Voilà ce que c'est d'être africains, Ken ! Nous nous laissons emporter par notre imagination, plus souvent qu'à notre tour...

— Et toi, Ken, qu'en penses-tu ? Ils existent, ces réfugiés rwandais, à ton avis ? glissa Yinka.

Ses prunelles étaient d'un noir profond, mais qu'un rayon de soleil vienne s'y jouer et elles prenaient aussitôt une nuance d'un brun velouté, qui leur faisait un regard chaud et doux.

Ken eut un mouvement de recul. Elle essayait de l'attirer sur un terrain où il n'avait pas la moindre intention de s'aventurer — même s'il frissonnait encore à la pensée de ces hommes et de ces femmes, cramponnés à leurs enfants et à leurs maigres possessions — avec la même frénésie qu'ils s'étaient cramponnés, Ngili et lui, à leurs précieux fossiles. Ken fit taire en lui la petite voix qui lui demandait opiniâtrement s'il n'aurait pas dû intervenir, lors de cette scène à laquelle il avait assisté, à l'aéroport. Mais la triste vérité était qu'il n'y avait rien à faire. Il n'était qu'un ressortissant étranger confronté aux dures réalités d'un pays en difficulté. Le président Donald Angus Noi s'apprêtait à instaurer un régime dictatorial et, de jour en jour, la population du Kenya voyait ses libertés fondre comme neige au soleil. Le pays était en pleine décadence.

— Ah... j'oubliais, fit Yinka en se tournant vers les garçons. Le journal a mis la clé sous la porte. Je suis au chômage !

— Quoi ?

Ngili se redressa brutalement. L'air conditionné de la Mercedes séchait sa sueur, déposant une pellicule luisante sur son torse et ses belles épaules noires.

— C'est une blague, Yinka ? demanda Ken.

— Pas du tout. Le *Nairobi Daily Herald* a vécu, fit-elle avec une légèreté où perça une note d'amertume

Yinka avait fait ses études de journaliste en Angleterre et était revenue la tête pleine de projets idéalistes sur la façon dont une presse libre pouvait s'attaquer aux inégalités sociales du Kenya. Bien entendu, ce poste en or qu'elle occupait à la rédaction du plus grand quotidien de la capitale n'avait pu que la conforter dans ses illusions. Grâce à l'influence de son père, elle pouvait en toute impunité harceler le pouvoir en place à coups d'articles incendiaires où elle partait en guerre contre les maux qui affligeaient le pays, sans toutefois risquer d'être accusée de propager des nouvelles alarmistes.

Mais tout comme la plupart des publications les plus progressistes du pays, voilà que le *Nairobi Daily Herald* venait d'être interdit.

Ken jeta un coup d'œil vers Jakub. Il conduisait avec une agressivité qu'il ne lui avait jamais vue, imitant les autres automobilistes qui les frôlaient, comme pour tenter d'arracher au passage les rétroviseurs latéraux de la Mercedes. Dans les rues de Nairobi, le jeu avait pris valeur de sport national. Ce qui était bien moins courant, c'était l'attitude de Jakub, d'ordinaire opposé à ce style de conduite. Ce jour-là, il paraissait décidé à en découdre avec tous les conducteurs venant en sens inverse, qu'il forçait à se rabattre sur les autres files, sans dévier d'un iota la course de son gros char allemand.

Il s'était passé quelque chose.

Ken eut une pensée bassement égoïste : la situation politique affecterait-elle les activités scientifiques des chercheurs étrangers, en général, et les siennes en particulier ?

L'étoile des Ngiamena allait-elle décliner? Jakub tenait à ses enfants un bien curieux discours, aujourd'hui... Pourquoi leur assenait-il ainsi la ligne officielle du gouvernement?

Ken avait abondamment profité des largesses de la famille Ngiamena. S'il lui fallait faire renouveler son visa, par exemple — un véritable parcours du combattant, pour tout étranger — il se contentait de confier son passeport à Ngili, qui le transmettait à son père et, dès le lendemain, sans délai ni pot-de-vin, il obtenait un nouveau visa et récupérait son passeport. Et leur amitié avait bien d'autres agréables à-côtés — telle cette fête surprise que les Ngiamena avaient organisée pour son vingt-septième anniversaire. Ou encore cet intérêt qu'ils manifestaient pour ses opinions sur l'Afrique — qu'il devait cependant veiller à n'exprimer qu'en sourdine car, en dignes Africains, les Ngiamena ne dérogeaient pas à la règle : l'intérêt que leur inspiraient les idées des Occidentaux sur leur pays, n'avait d'égal que leur extrême susceptibilité. Mais ils le recevaient toujours à bras ouverts, lorsqu'il rentrait d'une expédition. On lui préparait un dîner somptueux et il se voyait octroyer la place d'honneur, en face de Jakub, lui-même installé au haut bout de la table, comme tout chef de tribu qui se respecte.

Bien entendu, leurs relations n'allaient pas sans quelques petits accrocs, provoqués notamment par leur conscience exacerbée de sa citoyenneté américaine et leurs efforts pour le rallier à leurs idées, lors des discussions politiques. Mais Ken ne concevait pas l'Afrique sans les Ngiamena, ce qui lui rendait cette querelle d'autant plus pénible. Car c'était bien une querelle.

— Ça suffit, Yinka! décréta Jakub d'un ton sec. Tu racontes n'importe quoi! Le gouvernement n'a rien à voir avec le dépôt de bilan de ton journal!

La jeune femme eut une moue méprisante. L'intérieur de sa lèvre, d'un rose vif, évoquait la pulpe d'un fruit mûr.

— Mais bien sûr! Simple coïncidence, n'est-ce pas... Le mois dernier, nous publions un dossier complet sur la situation à Nairobi, et sur la décadence généralisée de cette ville que l'on surnommait encore tout récemment la Cité des fleurs : montée de la criminalité, apparition de chacals dans les bidonvilles — bref, toutes les retombées catastrophiques de cette dictature qui s'installe, de jour en jour... Et le lendemain, comme par hasard, notre bien-aimé président convoque ses conseillers économiques et fixe des tarifs prohibitifs pour le papier d'imprimerie !

— Yin-*kah !*

Au cou de Jakub, la jugulaire palpitait.

— Oui, Um'tu... ? pépia-t-elle, d'une voix de petite fille sage.

— Ce gouvernement n'a rien d'une dictature ! Il prend des mesures autoritaires, certes, et multiplie les maladresses, je te l'accorde... mais le Kenya reste un Etat libre et indépendant. Notre liberté, nous l'avons payée de notre sang. Ce que nous en faisons désormais ne regarde que nous, et nous seuls !

La voix de Jakub avait tonné dans la Mercedes. Yinka ferma les yeux une seconde, puis les réouvrit à demi, comme pour laisser filtrer un message muet, en réponse à l'explosion émotionnelle de son père. Jakub poursuivit sa harangue, un ton plus bas.

— Nous vous avons tout donné, à vous, les jeunes. La liberté, les moyens matériels, les clés de l'avenir. Autant de jouets de luxe, dont nous n'aurions même pas soupçonné l'existence, nous-mêmes, étant gosses. Mais il se trouve que ce pays doit affronter de sérieux problèmes. Et vous, vous allez devoir renoncer à vos joujoux !

Ngili se pencha vers son père.

— Arrête, Um'tu... je t'en prie !

Les yeux de Yinka n'étaient plus que deux braises. Ken avait entendu dire qu'un Massaï rougissait du blanc de l'œil. Il s'attendait à une explosion d'amour-propre blessé, mais Yinka répondit d'une voix étonnamment posée.

— Laisse, Ngili ! Ça m'apprendra à rester à ma place — la place d'une femme, dans la société africaine. Je te remercie, Um'tu. Je te rends le jouet que tu m'avais prêté.

— Mais enfin, Yinka ! Ce n'est pas moi qui... fit Jakub, exaspéré, en secouant la tête.

Mais ses bras s'étaient raidis sur le volant. Un *matatu* — un taxi mâtiné de camionnette, hybride typique de la région — fonçait droit sur la Mercedes. La distance entre les deux véhicules fondait à vue d'œil. Tous les Noirs entassés sur la plate-forme arrière avaient bondi sur leurs pieds et braillaient à qui mieux mieux, pour encourager le chauffeur. En voyant le *matatu* se rapprocher dangereusement, Ngili se redressa sur la banquette arrière. Yinka ouvrit une bouche médusée. Juste comme Jakub donnait un coup de volant pour jeter sa voiture sur le bas-côté, le conducteur du *matatu* parut se dégonfler. Il fit faire à son véhicule une grande embardée qui envoya ses passagers rouler les uns sur les autres, toujours hilares et vociférants.

Jakub réintégra la file du milieu et souffla un grand coup.

— Bien sûr, tous ces types ont femme et enfants, pour la plupart... Vous les avez vus jouer avec leur vie... ?

Il écrasa d'un pouce impérial une goutte de sueur qui avait glissé le long de sa tempe, dans les méandres serrés de ses cheveux poivre et sel.

— Ah, l'Afrique... ! commenta-t-il, à l'intention de Ken. Quant au reste, Yinka, je considère que la discussion est close. Alors ? Qu'est-ce que vous avez déterré de si formidable, Ken et toi, fils ?

Le ton ne débordait pas d'enthousiasme, mais peut-être Ngiamena n'était-il pas au sommet de sa forme...

— Un spécimen d'*Australopithecus robustus*, en excellent état de conservation. Si ses pieds sont intacts à l'intérieur de ce bloc, ajouta Ngili, nous tenons la preuve de la bipédie de nos lointains ancêtres — ce qui devrait nous propulser sur le devant de la scène de l'anthropologie internationale. Tu n'avais pas dit que tu déposerais Ken chez son photographe, Um'tu ?

— Mais je n'ai pas oublié. Nous y allons.

Jakub quitta l'autoroute et, quelques minutes plus tard, la Mercedes se traînait au pas dans les embouteillages, au milieu de *matatus* poussifs, et de véhicules de tous les modèles possibles et imaginables. De guerre lasse, Ken finit par proposer de descendre et de courir jusque chez le photographe. En faisant vite, il les rattraperait au niveau du pâté de maisons suivant. Ngili s'apprêtait à l'accompagner, mais son père le retint. Il voulait discuter avec lui d'importants problèmes familiaux.

Les préparatifs du mariage du frère cadet de Ngili, sans doute... se dit Ken. Deux jours avant leur départ pour le Dogilani, il avait conduit Ngili dans sa Land Rover chez les parents de la fiancée pour y déposer un bidon de cinquante litres de miel sauvage, afin d'officialiser la demande en mariage de Gwee. Selon la coutume massaï, ce miel était destiné aux femmes du clan de la jeune fille. Si elles acceptaient ce présent, c'était que la demande du garçon était agréée. Dans le cas contraire, les donateurs voyaient le bidon réapparaître, intact, sur le seuil. Ngili et lui avaient attendu une bonne heure devant la porte de la jeune fille, mais le bidon n'avait pas été jeté à la rue. Ils étaient alors revenus informer Gwee qu'il pouvait se rendre en personne chez sa fiancée pour offrir un autre bidon de miel, encore plus gros celui-là, et dont le contenu serait fermenté et transformé en une sorte d'hydromel, pour les hommes de la famille.

A l'occasion du mariage de Gwee, les Ngiamena avaient décidé de renouer avec leurs racines. Le salon qui était retenu à l'hôtel Naivasha pour la réception serait décoré de boucliers et de sagaies. Toutes les filles répétaient consciencieusement les danses traditionnelles et, entre les deux familles, c'étaient des discussions de puristes à n'en plus finir. Car pour l'un et l'autre clan, qui appartenaient tous deux à l'élite urbaine de Nairobi, la chasse et les longs voyages au rythme de la transhumance des troupeaux n'étaient plus que de lointains souvenirs.

Ken louvoya entre les voitures immobilisées et mit le cap sur un centre commercial. Là, il grimpa au second étage et franchit la porte d'une boutique au-dessus de laquelle clignotait une enseigne au néon : « CHEZ THÉO — TOUT POUR LE SAFARI — VOS PHOTOS EN UNE HEURE ».

Théo était un petit Grec râblé, un impénitent bavard.

— Repasse sur le coup de sept heures ! D'ici là, je n'aurai pas une seconde pour m'occuper de tes films. J'ai une énorme commande à terminer — des Indiens qui quittent le pays et qui ont tenu à prendre leur baraque et leur piscine sous toutes les coutures avant leur départ... expliqua-t-il.

Il avait étiqueté les pellicules de Ken, et les avait déposées dans une boîte marquée : A TIRER.

— Ça marche ! fit Ken, en jetant un coup d'œil à sa montre, qui indiquait cinq heures. Pourvu que je les aie ce soir, sans faute...

Théo leva un œil curieux vers son client, amaigri et couvert de poussière, mais dont le regard brillait d'une telle lueur que le photographe sentit un frisson d'excitation communicative le parcourir, lui aussi, avant même d'avoir vu ce que contenaient les rouleaux. Depuis des années, il tirait les photos de Ken et de ses collègues et leur vendait leur matériel de brousse. Il avait fini par se sentir lui-même un peu de la famille...

— Alors, cette fois, ça y est? C'est le gros coup? demanda-t-il,

— Possible, fit Ken d'un air mystérieux. Ecoute, Théo, tu vas être le premier à voir ces clichés. Surtout, pas un mot. A personne — d'accord?

— Eh, tu as affaire à un pro, non? Sans compter que — il s'était soudain rembruni — ce qui se prépare en ce moment ne me dit rien qui vaille. On ne va peut-être pas moisir dans le coin, le frangin et moi.

— Sérieux? Mais où est-ce que vous iriez?

— Plus au sud, sans doute. A Jo'burg, par exemple. Mandela semble avoir la situation bien en main. Ou alors, au Texas — on a un cousin là-bas.

— Ça, c'est vraiment le Sud profond! Ils vont sûrement apprécier ton matos, dans ces contrées sauvages!

Le « matos » en question occupait une bonne moitié de la boutique. Un mur entier disparaissait sous un choix impressionnant de revolvers et de fusils de chasse. Théo vendait aussi ce qui se faisait de mieux, en matière de détection et d'observation : jumelles, détecteurs à infrarouge, micros en tous genres, capables de capter le ronronnement d'un léopard au cœur de la savane, ou les craquements des mâchoires d'une hyène dévorant une charogne.

— J'écrase les prix, vieux...! Y a rien qui te tente, dans tout ça? demanda Théo.

Ken jeta un autre coup d'œil à sa montre. La Mercedes devait être encore à un bon pâté de maisons du centre commercial... Il s'approcha du matériel exposé. Il aurait aimé pouvoir s'offrir la moitié de la boutique. Théo tenta de lui faire l'article pour un téléphone cellulaire, modèle Iridium, équipé d'une antenne miniaturisée. Quatre cent vingt-cinq grammes au total, pile au lithium comprise.

— Avec ça, tu communiques avec n'importe qui, n'importe où sur la planète!

— Sans façons, Théo ! Je ne saurais pas quoi faire d'un joujou aussi sophistiqué !

— Je te le laisse pour mille shillings, fit Théo — il avait grimacé en mentionnant le prix. Tu pourras appeler ta maman en direct de la jungle. A quand remonte votre dernière conversation téléphonique, hein ?

— J'ai passé Noël avec elle.

— Et alors... ça allait ?

— Elle était en pleine forme.

Ken revit la grande femme maigre, vêtue de lin, qui l'avait embrassé avec raideur à sa descente d'avion, à Oakland. Un réseau de capillaires violacés — résultat de plusieurs décennies de tabagisme intensif — lui striait la lèvre supérieure. Son enfance tout entière avait baigné dans les effluves de nicotine. Sans pour autant renoncer à ses cigarettes, sa mère s'était entichée de macrobiotique et écrivait un livre de cuisine New Age... Après avoir communiqué avec elle exclusivement par cartes postales des années durant, Ken avait décidé d'aller la voir. Elle avait organisé une fête pour présenter son grand fils à ses amis. Pendant toute la soirée, la musique New Age avait alterné avec les vieux succès du Grateful Dead. Certains invités lui avaient même parlé de son père, le postier un peu trop porté sur la *ganja*.

Ken était resté cinq jours avec elle dans cette maison où il avait grandi, à Oakland. Il s'attendait à ce qu'elle le saoule de questions, ou qu'elle manifeste un minimum d'intérêt pour sa vie, son métier, ses activités... Mais elle s'était bornée à lui demander de lui envoyer des tissus africains et des recettes de cuisine locale...

— Tu sais que tu vas me manquer, Ken ? fit Théo.

Ils se regardèrent, à la fois émus et embarrassés de constater qu'ils s'étaient attachés l'un à l'autre, presque à leur insu. Derrière eux, un petit marchand de journaux balança l'édition du soir de l'*East African Standard* dans la boutique. Théo ramassa le journal, jeta un coup d'œil à la « une » et fronça les sourcils. RICHARD LEAKEY REJOINT LES RANGS DE L'OPPOSITION KENYANE, À LONDRES. LA TRAHISON DU CÉLÈBRE SCIENTIFIQUE DÉCHAÎNE LA COLÈRE DES NAIROBIENS !

Sous la manchette s'étalait une photo de la propriété de Leakey, à la périphérie de Nairobi, assiégée par une foule de Noirs furieux qui avaient entrepris d'arracher les clôtures.

— Ça, c'était couru! fit Théo, avec une compassion toute confraternelle. Et maintenant, reste à savoir à quelles mesures de rétorsion la communauté scientifique doit s'attendre, de la part du gouvernement? Je ne dis pas ça pour toi, note bien... toi, t'es protégé en haut lieu, mon lascar...

— Je n'en suis pas si sûr! marmonna Ken, en pensant à l'étrange comportement de Jakub.

Il repéra un entrefilet intitulé « Du bureau de la présidence », coincé dans la colonne de gauche, à côté de l'article sur Leakey.

Il parcourut l'article si fébrilement qu'il ne parvint pas à en saisir le sens. Il dut le relire : *C'est avec beaucoup de regret que nous nous voyons contraints, du fait des abus dont se sont rendus coupables certains scientifiques étrangers qui étaient les hôtes de ce pays, de suspendre immédiatement tous les programmes de recherches en cours. Le bien-fondé de la poursuite éventuelle de certains d'entre eux sera étudié par une commission, dont les pouvoirs et les attributions seront prochainement fixés par un vote du Parlement.*

Ken tira sur son col de chemise d'un geste si brusque que le bouton sauta et roula sur le sol de la boutique, mais ni lui ni Théo ne s'en soucièrent.

— Et meeerde! grogna le Grec. Nous voilà fixés...! On aura peut-être le plaisir de se retrouver à bord du même charter...

Ken eut l'impression qu'un étau se refermait sur ses tempes. Il tenta de chasser son mal de crâne en se disant que le communiqué n'avait peut-être pas le caractère radical qu'il lui prêtait. Bien sûr, le texte disait « immédiatement », mais sans préciser de date... Et en Afrique, ce mot avait toujours un sens éminemment élastique.

— Excuse-moi..., souffla-t-il, en laissant le journal lui tomber des mains. Faut que je file...

— T'es sûr que ça va?

— Ça pourrait aller plus mal, vu les circonstances! Je repasserai vers sept heures. Allez, salut!

Ken sortit de la boutique dans un état de panique contrôlée, surpris de se retrouver dans une rue somme toute assez paisible. Il fendit la foule colorée. Une suée froide lui ruisselait dans le dos. Peut-être ne pourrait-il jamais retourner dans le Dogilani...

Richard Leakey avait longtemps été le directeur de la faune du Kenya, nommé à ce poste par un gouvernement en mal de crédibilité et de subventions internationales. Mais avec son franc-parler, Leakey n'avait pas tardé à s'attirer les foudres du régime. Il en était à présent venu à le dénoncer ouvertement. Ken craignait que l'entrée de Leakey dans l'arène politique n'incite le gouvernement à se durcir dans sa paranoïa. Un autre appareil de l'armée survola la ville à basse altitude... Quelles mesures succéderaient à cet hypocrite « Coup de balai »... ? L'instauration de l'état d'urgence ? Un couvre-feu ? L'expulsion des ressortissants étrangers, y compris les chercheurs scientifiques ? Les autres Etats africains n'hésitaient pas à recourir à ce genre de joyeusetés — pourquoi le Kenya s'en priverait-il ?

L'animation de la rue le rasséréna un peu. Ignorant tout de la crise qui venait d'éclater, le peuple restait résolu à vivre, et si possible dans la joie. Des enfants dansaient au son d'une musique rap improvisée sur de vieux bidons vides. Installées à leur balcon, des jeunes filles en bikini bavardaient en s'enduisant de Coppertone, pour s'éclaircir la peau. Des hommes d'affaires en costumes trois pièces s'arrêtaient pour acheter des gris-gris à des sorciers kamba. Sur un coin de trottoir, des femmes se faisaient vernir les ongles de pieds, à deux pas d'un groupe d'artisans qui sculptaient des billes de bois ou martelaient des plaques de cuivre. Partout, des *pipits*, ces gosses des rues aussi vifs que les oiseaux qui leur avaient donné leur surnom, couraient parmi les flâneurs, offrant leurs services pour quelques pièces. Même le cocktail d'odeurs douceâtres qui flottait dans l'air — fumées des ordures carbonisées, relents des fruits gâtés, et de tous ces corps mijotant sous le soleil — avait quelque chose qui vous requinquait.

La situation ne pouvait pas être totalement bloquée. Il devait y avoir une façon de s'en sortir. Le nouveau décret n'entrerait peut-être jamais en application. La plupart des scientifiques étaient subventionnés par des organismes internationaux qui ne manqueraient pas de faire pression en haut lieu.

Ken aperçut Yinka, un pâté de maisons plus loin. Penchée à la portière de la Mercedes, elle achetait un journal — l'*East African Standard*, lui sembla-t-il.

Il fendit la foule en direction de la voiture, ouvrit la portière et s'y engouffra.

— Vous avez vu les titres ? » demanda-t-il. Ngili gardait les yeux fixés sur le bloc de brèche. « Une vraie catastrophe ! Me voilà quasiment interdit de séjour dans le Dogilani !

Ngili ne releva pas. Le journal était étalé sur les genoux de Yinka, qui ne le lisait manifestement pas. Derrière son volant, Jakub Ngiamena trônait, impassible.

— Mais qu'est-ce qui vous arrive ? demanda Ken.

Yinka repoussa d'une main fébrile la chaîne d'or qui lui ceignait le front, et l'informa que son père venait d'ordonner à Ngili de renoncer à tous ses projets d'expéditions. En raison de la situation politique, Ngili devait se présenter dès le lundi suivant au ministère des Affaires étrangères pour y suivre un stage de formation accélérée qui le préparerait à la carrière diplomatique.

2

Au-dessus de la savane, le soleil commençait à plonger vers l'horizon brumeux. Le petit hominien s'était perché au sommet d'un *kopje* — un amoncellement de rochers qu'un glacier ou un flot de lave avait entassés là, plusieurs millions d'années auparavant.

Un géologue expérimenté aurait plutôt penché pour le glacier, à cause des fissures irrégulières et profondes qui s'ouvraient à la surface de la roche ocre. Si les blocs avaient été crachés par un volcan, ils auraient plutôt été noirs, ou d'un gris foncé, et auraient bien mieux résisté aux écarts de température entre les journées torrides et les nuits glaciales. Le rocher qui couronnait le *kopje* semblait posé sur les autres blocs de façon si précaire qu'on s'attendait à le voir s'écrouler d'un instant à l'autre — détail qui plaidait, lui aussi, en faveur d'une formation glaciaire : les énormes blocs avaient dû être balayés comme de vulgaires galets par la poussée de la mer de glace qui, en fondant, les avait laissés empilés au hasard les uns sur les autres, dans un improbable équilibre qui ferait frémir ceux qui les contempleraient, plus tard, un jour...

Mais pour l'instant, le petit chasseur s'était posté sur ce trône de roc, sans s'émouvoir de la précarité de son équilibre — pas plus que le rocher ne s'inquiétait, d'ailleurs, de sa présence. Le poids de l'enfant l'ébranlait aussi peu que celui des oiseaux ou des babouins qui venaient y folâtrer.

Il s'était accroupi, les yeux dans le vide. En apparence, du moins, car son esprit s'était attelé à un problème déroutant. Pendant près de trois jours, il avait observé ces étrangers et leur igname volante, jusqu'à ce qu'ils disparaissent, à la manière de ces créatures fantastiques qui peuplaient ses rêves. Il n'associait à aucun mot particulier la notion de « rêve », car bien qu'il sût produire et reconnaître quantité de sons, sa pensée ne fonctionnait pas à l'aide de mots. Lorsqu'il pensait à quelque chose, son esprit évoquait directement la conscience qu'il avait de cette chose, sous ses aspects les plus familiers, qu'il avait assimilés, pour les intégrer à son « répertoire » mental.

Le rêve était ce qui arrivait durant son sommeil.

Mais ce dernier rêve n'était comparable à aucun de ceux qu'il avait faits jusque-là. D'abord, il ne se souvenait ni s'être endormi, ni avoir éprouvé les sensations qui accompagnaient d'habitude son réveil, lorsqu'il s'étirait, en retrouvant la fraîcheur de l'air matinal. Il ne s'était pas senti plonger dans ce rêve-là — et en sortir, pas davantage.

A la différence de ses rêves précédents, celui-ci avait laissé d'étranges traces dans son univers, des choses venues d'un autre monde. Comme ce caillou brillant que le visiteur à la peau claire avait laissé dans son sillage.

Il retint son souffle, et tendit ses lèvres charnues vers l'endroit qu'il surveillait depuis trois jours. Ses petits yeux noirs anxieux s'y attardèrent longtemps. Un frisson le parcourut. Sa longue crinière poussiéreuse se hérissa sur son crâne. Ses oreilles, situées très en arrière, frémirent pour mieux capter les bruits environnants. Il leva son petit nez épaté, pratiquement dépourvu d'arête, et huma l'air de ses narines dilatées, qui palpitèrent.

Il décida d'aller voir de plus près les grands sillons que l'igname volante avait creusés sous ses étranges pieds ronds, avant de s'élancer dans l'air. D'un bond, il se leva.

Il mesurait à peine un mètre dix. Il avait le ventre rebondi, les membres nerveux et robustes. Sa poitrine était glabre, mais un fin duvet lui recouvrait le bas du dos, des reins aux fesses. Son arrière-train s'était enduit de poussière grise, au contact du rocher. Son bas-ventre portait une timide toison pubienne d'où émergeait un pénis minuscule, recourbé, étrangement petit par rapport à la taille de l'enfant.

Il avait de grosses rotules rondes. Ses muscles étaient les seules parties charnues de son individu. Il n'avait pas un gramme de graisse sur tout le corps. Le long de son dos, son épine dorsale saillait comme les perles d'un collier et ses omoplates se soulevaient sous sa peau brune, comme la naissance de deux petites ailes. Les pouces de ses pieds, tournés en dehors, frémissaient nerveusement. Ses dix orteils s'agrippaient au rocher, agités d'imperceptibles contractions, comme les griffes d'un oiseau s'apprêtant à prendre son envol.

Intimidé par l'audace de son propre projet, il ouvrit la bouche et émit un grondement — un *rrrh* sourd et guttural, qui vibra comme une menace. Puis il se laissa glisser de son rocher et s'élança, la main droite refermée sur une pierre presque parfaitement ronde. Un lacis de cicatrices, aussi serré qu'un tatouage, lui striait les mains. D'autres balafres, plus larges, lui zébraient la poitrine, le ventre, le dos et les cuisses.

Celle qu'il portait au ventre était de loin la plus profonde et la plus terrible. C'était un phacochère qui l'avait blessé, juste au-dessus du nombril, avant la saison des pluies. La plaie s'était refermée. Il n'en restait plus que cette trace claire, sur sa peau sombre. Quelques centimètres au-dessous, tel un insecte exotique qui se serait endormi là, s'arrondissait le petit puits noir de son ombilic.

Du regard, l'enfant parcourut la savane une dernière fois. Partout où se posaient ses yeux, depuis le pied des rochers jusqu'au fond de l'horizon, il apercevait des têtes de duikers, de topis, de gnous, et d'impalas qui émergeaient des hautes herbes, tels des périscopes. Le claquement des cornes des mâles en train de s'affronter ponctuait l'incessant concert des brames et des meuglements. De la savane semblait s'élever une voix rauque, unique et continue, changeant constamment de registre.

Sur sa gauche, où l'herbe était plus rase, des vautours sautillaient sur le sol et battaient des ailes à grand bruit. Il savait interpréter leur danse : ils attendaient leur heure pour se ruer sur une carcasse, qui lui demeurait pour l'instant invisible. Les lions avaient traqué une proie. Les autres carnivores guettaient l'instant où ils seraient repus, avant d'oser approcher des reliefs du festin. C'était là le privilège des lions. Nul autre fauve ne recevait une telle marque de respect... Mais pour le moment, les lions se gobergeaient, et les oiseaux de proie attendaient l'heure de leur sieste — ce qui laissait à l'enfant le temps d'aller explorer les signes mystérieux qu'avaient laissés derrière eux ces curieux étrangers.

Il baissa la tête et s'engagea parmi les hautes herbes, la main crispée sur sa pierre. L'endroit où s'était posée l'igname volante était situé hors de son territoire. Il se trouvait à quelques sauts de lions à la fois de l'îlot rocheux et du bouquet d'acacias — lieux où il se sentait en sécurité, car les rochers comme les arbres étaient d'excellents perchoirs d'où il pouvait voir venir les gros prédateurs. Tout cela était inscrit dans son corps, tout autant que dans son cerveau. Ses jambes, ses bras, ses doigts et ses orteils, gardaient le souvenir de la façon dont ils avaient escaladé tel arbre ou tel éboulis. Devant un danger, ses sens pouvaient évaluer ses chances de survie avec une fiabilité supérieure à celle d'un cerveau d'*Homo sapiens*, de deux millions d'années plus évolué.

Le périmètre qui s'étendait entre son territoire et l'endroit où s'était posée l'igname volante était nu et donc dangereux. S'il s'y risquait, il n'aurait, pour échapper à l'œil des fauves, que l'abri des hautes herbes qui ondulaient au vent.

Pourtant, en dépit de ces dangers, il devait s'aventurer dans cette zone pour examiner les traces qui subsistaient de son rêve, et en tirer des conclusions.

Le petit chasseur était déjà à quelques encablures des rochers et sous le soleil ardent de l'après-midi, chaque pore de sa peau se dilatait. Il ruissela bientôt d'une suée provoquée tout autant par la peur que par la chaleur. Il fit halte à côté d'une fourmilière géante, une mince colonne de terre qui le dominait de ses six mètres de haut, tel un arbre desséché et bizarrement dépourvu de branches, comme frappé par la foudre. Les fourmis se précipitèrent sur ses pieds, mais il sentait à peine leurs morsures.

Il les aimait bien. C'était dans une fourmilière semblable à celle-ci, qu'il s'était glissé pour échapper à la charge du phacochère, mais les insectes n'avaient pas tardé à le déloger en le harcelant de leurs mandibules acérées. Le phacochère lui avait ouvert le ventre d'un coup de défense, avant de s'enfuir en agitant le petit toupillon blanc strié de noir qui lui terminait la queue, ornement incongru sur cette bête disgracieuse, dont la hure se hérissait de grosses verrues et de deux paires de crocs hideux.

Tandis qu'il se tordait de douleur sur le sol, baignant dans son sang, l'enfant avait envisagé sa mort aussi lucidement que le lui permettait son cerveau de cinq cents centimètres cubes ; et c'est grâce aux fourmis qu'il avait survécu. Il avait d'abord tenté de refermer sa plaie en s'aidant de ses doigts. De grosses fourmis lui grouillaient sur le ventre et le mordaient sans relâche, mais sa douleur était telle qu'il les remarqua à peine. Il avait chassé d'un revers de main celles qui avaient planté leurs mandibules dans les lèvres de la plaie et les têtes des insectes décapités étaient restées plantées dans sa chair. Une bonne partie de l'entaille s'était ainsi trouvée suturée. Il avait rampé jusqu'au point d'eau et s'était enduit le ventre d'une bonne couche de boue. La plaie s'était cicatrisée sans s'infecter. Les fourmis l'avaient ainsi sauvé d'une mort certaine.

Il avait réagi à cette survie inespérée comme l'aurait fait n'importe quel gosse : il s'était empressé d'oublier le péril auquel il venait d'échapper et avait repris ses jeux, comme si de rien n'était — à ceci près qu'il avait conçu une véritable fascination pour les fourmis et tous les autres insectes de la savane. Il aimait observer leurs mouvements. Il notait les différences de leurs formes et de leurs couleurs et les poursuivait comme un lionceau traque les petits rongeurs. A force d'attraper toutes sortes de bestioles et de se les mettre dans la bouche, il avait découvert que certaines étaient comestibles.

Du plat de la main, il écrasa les fourmis qui lui couraient sur les jambes, s'en jeta une pincée sur la langue, et se mit à courir en direction des traces laissées par l'igname volante. A chaque pas, ses longs orteils se déployaient, comme autant d'antennes prêtes à détecter les pièges invisibles qui pouvaient s'ouvrir sous ses pieds et, une fois posés, se repliaient légèrement pour assurer sa prise au sol. L'élasticité de ses petits mollets ronds, à la fois souples et robustes, lui conférait une excellente détente.

Il ne courait pas sans un soupçon d'inquiétude : chaque fois que son pied s'apprêtait à prendre appui sur le sol, un souvenir obscur l'assaillait. Celui de l'époque où ceux de son espèce, poussés par la nécessité, avaient dû faire le choix crucial de la posture bipède. Peu à peu, ils avaient réussi à se redresser, faisant supporter le poids de leur corps à une colonne vertébrale qui n'était pas conçue pour supporter une telle charge — mais c'était leur survie qui dépendait de leur capacité à relever la tête toujours plus haut, et en quasi-permanence, pour que leurs petits yeux ronds puissent surveiller les environs et repérer d'éventuels prédateurs. Ce souvenir persistait obscurément, quelque part dans les tréfonds du cerveau de l'enfant, et sans le support d'aucun mot.

Il posa le pied au fond d'une des ornières qu'avait laissées l'avion, et prit une profonde inspiration. Il étudia les traces. Il était bien ici et maintenant — et son rêve avait bien pris fin, mais ces sillons demeuraient. Son rêve les avait laissés derrière lui !

Il s'assit dans la poussière, perdu dans des pensées qui échappaient au carcan des mots.

Les rêves ne laissaient jamais de trace.

Ils ne laissaient derrière eux que le rêveur lui-même.

Or, le rêveur, c'était lui — et il était bien là.

Mais les traces laissées par son rêve étaient là, elles aussi...

Laissant choir sa pierre, il avança les deux mains bien à

plat, pour tâter la paroi de l'ornière. Une forme qui ne lui était pas familière... La terre s'effrita au contact de ses doigts, et de minuscules particules de poussière roulèrent sous ses paumes.

Soudain, un léger crissement le fit bondir sur ses pieds, la pierre noire au poing.

Ce n'était qu'un petit serpent, un mamba vert, qui se redressait en sifflant, sous le nez d'un serpentaire. Indifférent à ses tentatives d'intimidation, l'oiseau marchait sur lui sur ses longues pattes, forçant le serpent à reculer. Le mamba roula au fond de l'ornière et, en un éclair, le rapace le saisit à la nuque et le cloua au sol d'un puissant coup de serre. Le serpent se contorsionna quelques secondes, avant de s'immobiliser, tandis que l'oiseau lui perforait le crâne de son bec crochu.

Cette victoire d'une créature vivante sur une autre dut éveiller une sorte d'exaltation dans l'esprit du petit chasseur qui laissa éclater sa joie. Tel un animal marquant son territoire, il braqua son petit pénis sur l'ornière et pissa, comme pour mieux affirmer son pouvoir sur les éléments de son rêve.

Sa peur n'était plus qu'un mauvais souvenir. Il avait retrouvé son humeur enjouée. Il se mit en marche, de son pas élastique, en direction des cris d'oiseaux qui provenaient de cette grosse masse, à quelque distance de là. Plus imposante qu'un rhinocéros, elle gisait, immobile dans les herbes, sous la couche de poussière que la tempête avait déposée sur ses flancs.

Il s'arrêta à quelques mètres du Safari Cub retourné, serrant sa pierre. La bête pouvait encore se remettre sur pied et charger — encore que la présence de tous ces oiseaux auprès d'elle fût bon signe. Avant de venir se poser dessus, ils devaient s'être assurés qu'elle n'avait plus aucune force. Sans doute était-elle déjà morte. La main levée, prêt à frapper, il contourna le Safari Cub dans le plus grand silence et avec d'infinies précautions.

Il s'arrêta à quelques pas du toit du véhicule, toujours à l'affût du plus petit signe de vie — le bruit d'un souffle, d'un gargouillis intestinal... En même temps, l'enfant s'efforçait de localiser la tête et la queue de la créature... Mais elle ne ressemblait à aucun des animaux qu'il connaissait. Ça sentait le chaud et la fumée, mais c'était une odeur inconnue, repoussante, totalement différente de celle qui flottait dans l'air après un feu de brousse. Plus étrange encore, aucun insecte, aucun parasite ne s'accrochait à ses flancs.

Centimètre par centimètre, l'enfant en fit le tour. Il glissa un œil dans l'habitacle, qui était vide. Il s'enhardit alors et posa sa main libre sur le toit, sans toutefois relâcher celle qui tenait la pierre. La surface était lisse, plate, inerte. Désagréable au toucher.

Il acheva de contourner le véhicule. Dessous, les conduites d'alimentation et de transmission dégageaient encore une certaine chaleur. Il fronça le nez. Il avait un jour senti des émanations sulfureuses sur un terrain volcanique, et avait conservé le souvenir vague de cette puanteur que vomissaient les entrailles de la terre.

Il nota que la chose ne disparaissait pas. A la différence de l'igname volante, elle demeurait et semblait s'être intégrée au paysage.

Le bruit des becs d'oiseaux qui claquaient, fouillaient, arrachaient, déchiraient, lui attira l'oreille. Il prit soin de rester à distance prudente de l'étrange corne qui faisait saillie hors du cadavre — le pare-chocs avant, plié en deux —, et contourna le groupe de rapaces, avant de découvrir ce qu'ils dévoraient.

Un vautour griffon, les serres plantées dans la poitrine d'un cadavre, s'acharnait sur un œil à demi sorti de son orbite. Deux milans noirs et plusieurs éperviers sautillaient autour de la tête, dans l'espoir de grappiller un lambeau de chair, mais à peine furent-ils à sa portée que le vautour griffon leur allongea un vigoureux coup de bec et agita ses grandes ailes pour défendre son bien. Un instant plus tard, il abandonna son perchoir sur la poitrine, vint se jucher sur le visage sanguinolent et plongea son bec dans la chair tendre du cou. Avec force piaillements, les milans s'attaquèrent aux mains et aux pieds du cadavre, tandis que d'autres affamés tournaient autour du corps, en quête d'une surface de peau nue à becqueter, à travers les vêtements déchirés.

La créature qu'ils étaient en train de dévorer ressemblait à celles de son rêve, sinon qu'elle était morte. Et cette fois encore, le rêve s'était matérialisé dans l'univers de l'enfant. La présence même de ces oiseaux en était la preuve.

Fasciné, il observa avec quelle rapidité les rapaces modifiaient l'apparence du cadavre. Ses yeux eurent bientôt disparu. Deux trous hideux, rouge sombre, béaient à présent dans son visage. La pointe du menton émergeait bizarrement de la chair déchiquetée, criblée de coups de bec. Même mutilé, son nez qui pendait, à demi arraché, était beaucoup plus long que celui de l'enfant. Toute défigurée et sanguinolente, cette créature continuait à ressembler aux autres étrangers, ceux qu'avait apportés l'igname volante.

Ses cheveux se hérissèrent sur sa tête. Le « rrrhh » qui vibrait dans sa gorge se mua en une sorte de hurlement canin et, l'espace d'un instant, l'enfant parut sur le point de se jeter sur le cadavre, poussé par une rage aveugle, pour s'acharner dessus avec plus de férocité encore que les vautours. Ce n'était certes pas la première curée à laquelle il assistait — loin de là. Mais il n'avait jamais rien vu de tel. Ses hurlements mirent en déroute les rapaces, qui s'envolèrent, faisant craquer leurs ailes. Surpris, le garçon tomba à la renverse et bondit aussitôt sur ses pieds. Mais il avait lâché sa pierre...

Il fouilla les alentours du regard — en vain.

Un bruit inconnu le fit sursauter. Une plaque de verre s'était détachée du pare-brise. Elle explosa sur le capot, répandant une cascade d'éclats de verre.

L'enfant avait fait plusieurs fois le tour du véhicule, mais sa pierre restait introuvable. En désespoir de cause, il se tourna vers les acacias qui émergeaient des hautes herbes. Valait-il mieux regagner leur abri à toutes jambes, ou à pas mesurés ? Là-bas, l'attendait sa réserve de pierres, réparties par petits tas au pied des arbres et des buissons. En cas de danger, les troncs d'acacias étaient faciles à escalader, et les rochers étaient tout proches.

Il était dangereux de courir, car ça risquait d'attirer sur lui l'attention des grands fauves, mais c'était aussi plus rapide. Il décida de miser sur la vitesse de ses jambes. D'ailleurs, à cette heure-là, les fauves somnolaient, repus. Il distinguait les relents de charogne chaude qu'exhalaient les carcasses mijotant au soleil, et même le bourdonnement des mouches qui festoyaient dans les entrailles d'antilope répandues sur l'herbe.

Il s'élança donc vers le bouquet d'arbres. Il en était à mi-chemin lorsque la silhouette d'un lion se profila devant lui. Il ralentit l'allure, pour s'assurer de la direction de l'animal. Le félin dressa la tête — bien plus haut que la sienne. C'était un jeune mâle, un vrai colosse d'environ un mètre cinquante au garrot, dont la crinière n'avait pas encore fini de pousser. En quelques bonds, il serait sur lui.

Le lion avait vu l'enfant.

Dans un coin de son cerveau pas plus gros qu'un poing, le petit hominien nota qu'il aurait dû emporter au moins une autre pierre. Derrière le lion, s'agitait le feuillage léger des acacias. C'était son territoire. Il avait trouvé refuge dans ces arbres un nombre incalculable de fois.

Or, l'arc de cercle que décrivait le lion lui en barrait l'accès.

L'exploration des traces de pneus, puis du Safari Cub l'avait fait transpirer. Il mourait de soif. Le lion avait flairé sa présence et lui-même commençait à sentir l'odeur qu'exhalait la toison de l'animal, imprégnée de la boue des points d'eau et du sang de ses proies — à quoi s'ajoutaient les effluves de ses glandes à musc. Le jeune fauve devait être en rut, et cherchait une femelle à couvrir. Demeurait tout de même un semblant d'espoir : le lion arborait l'air placide du félin repu.

L'enfant pouvait soit se figer sur place, soit courir sur le fauve, en affichant l'assurance d'un animal qui ferait plusieurs fois sa taille, et aurait plusieurs fois sa force.

Mais le lion prit l'initiative. Se ramassant sur lui-même, il chargea — énorme, dangereux, mais essentiellement folâtre et pas le moins du monde affamé. Prêt à tuer, certes, mais davantage par jeu que par nécessité.

Le petit hominien voyait arriver sur lui cette masse fauve que chaque bond rapprochait et que rien ne semblait pouvoir arrêter.

Tout à coup, il n'y eut plus de place en lui que pour la peur. Il battit en retraite et prit ses jambes à son cou à travers les hautes herbes, avec un cri strident.

Plusieurs têtes de buffles émergèrent paresseusement des broussailles. L'enfant mit le cap sur leur troupeau, dans l'espoir que la présence de ces montagnes de muscles donnerait à réfléchir au lion et le ralentirait dans sa course. Il poussa un autre cri, un hurlement de désespoir presque humain, qui fit détaler les buffles, dans un envol d'aigrettes garde-bœufs. La bête la plus imposante, un vieux mâle, poussa un mugissement grave, baissa la tête et chargea l'enfant, qui sentit le sol vibrer sous ses pieds.

Ce n'était pas le gros mufle écumant, qu'il craignait le plus — non, l'animal ne se nourrissait que d'herbes et de feuilles. C'étaient ses sabots. Il fit un bond de côté, et s'écarta prudemment de leur course.

Le buffle ralentit, désorienté. Comme l'enfant émergeait de derrière son flanc massif, la queue de l'animal lui cingla la poitrine. Il s'y agrippa, prêt à y planter les dents, s'il avait eu besoin de stimuler l'animal. Mais le buffle fonçait de plus belle, droit devant lui, dans un galop magistral qui arracha l'enfant du sol, pour l'entraîner dans le sillage de l'énorme croupe noire.

Le buffle découvrit soudain le lion qui bondissait vers lui. Sans ralentir sa charge, il abaissa ses lourdes cornes. Le lion infléchit sa trajectoire en un saut carpé qui l'expédia sur le ventre, dans l'herbe sèche, tel un plongeur qui fait un plat. Lorsqu'il se releva, le buffle était déjà loin. L'enfant lâcha la queue du bovidé, roula à terre, sauta sur ses pieds et fonça vers les acacias salvateurs.

Ils étaient faciles à escalader. La quasi-totalité de leur feuillage se concentrait vers leur cime où il s'étalait en parasol. Tout intrus installé dans les branches basses, presque dépourvues de feuilles, se serait donc vu de très loin. Lorsqu'un léopard grimpait dans un acacia, c'était en général avec une antilope qu'il venait de tuer et rien n'était plus facile à repérer sur l'écorce grise des troncs que la proie aux pattes ballantes et le pelage tacheté du félin.

Une quinzaine d'arbres avaient poussé là, en un parallélépipède approximatif. L'enfant ne savait pas compter, mais il avait de bonnes notions des quantités et savait distinguer ce qui était abondant ou rare, important ou insignifiant. La distance qui séparait les arbres variait et entre eux poussaient des buissons qui offraient autant de cachettes supplémentaires. Tout cela faisait du bouquet d'arbres un lieu sûr où il avait de bonnes chances d'échapper aux prédateurs qui pouvaient s'y tenir à l'affût.

En fait, c'était son terrain de chasse favori. Il y guettait les duikers, qui étaient assez bêtes pour revenir paître et ruminer au pied de ces acacias où il avait assommé d'un coup de pierre l'un de leurs congénères, juste avant la saison des pluies. Et les acacias n'étaient qu'à quelques encablures des rochers où il se retirait pour dormir et d'où il pouvait surveiller tout le secteur.

L'enfant vérifia d'un coup d'œil que l'arbre qu'il s'était choisi était inoccupé, puis il enserra le tronc de ses mains et de ses pieds, et s'éleva souplement vers la cime de l'arbre.

Au-dessous de lui, le buffle avait lourdement fait demi-tour, pour rejoindre le gros du troupeau. Quant au lion, lorsqu'il rendit son attention à l'enfant, il n'en vit qu'un trait brun qui tombait d'un acacia, si vite que ses yeux jaunes en restèrent éberlués, fixant stupidement les branches vides. L'enfant atterrit avec un bruit mat et fonça vers un autre acacia, le corps ployé vers le sol. Il ramassa quelque chose au pied de l'arbre et grimpa prestement le long du tronc, tel un insecte se riant des lois de la gravité.

Le fauve approcha de l'arbre au petit trot, mais l'enfant était déjà à califourchon sur une branche, à deux mètres cinquante du sol. Il avait entassé plusieurs pierres noires au pied de cet acacia — sa réserve de projectiles. Et il en avait deux dans la main.

Le lion bondit, la gueule ouverte et manqua la branche de peu. Le bras du garçon se détendit et la pierre partit en direction des crocs du fauve qui luisaient à une petite trentaine de centimètres. Elle manqua sa cible de peu, atterrissant avec un claquement sec sous l'œil de la bête, qui s'affala avec un hurlement de douleur.

Au même instant, s'éleva un rugissement rauque. Le jeune lion s'ébroua, parut hésiter, puis finit par s'éloigner, l'épine dorsale hérissée, la tête basse, la queue fouettant rageusement les hautes herbes. Il rejoignit un grand mâle adulte. Les deux fauves s'éloignèrent ensemble du bouquet d'arbres. Une fois à bonne distance, ils s'affalèrent dans l'herbe et s'assoupirent.

L'enfant était hors de danger. Il leva la tête et jeta vers le ciel un grand éclat de rire. Un rire de triomphe qui brisait l'étau de sa peur, l'inondant d'un sentiment de confiance que ne justifiaient ni ses petites dents courtes, ni ses ongles inoffensifs. L'alerte était passée. Il retrouvait à présent son mode de fonctionnement normal. Il se laissa glisser à terre de branche en branche et détala à toutes jambes pour regagner sa citadelle de roc.

3

Il s'était écoulé une bonne demi-heure, mais la Mercedes se traînait encore dans les embouteillages du centreville en direction de l'autoroute menant à Karen.

Tous ses passagers gardaient le silence. De fait, la décision de Jakub n'avait rien de bien surprenant. Il avait toujours été plus ou moins convenu qu'un jour où l'autre, son fils aîné serait appelé à participer à la vie publique de son pays. Mais à présent, l'heure de la décision avait sonné, et Ngili accusait le coup. Des quatre occupants de la Mercedes, c'était lui qui affichait la mine la plus sombre.

Il va ruer dans les brancards, songea Ken. Il va refuser de se sacrifier, fils aîné ou pas!

Yinka glissa un œil vers Ken. Elle partageait la déception de son frère et elle en voulait terriblement à Jakub, mais ce qui attisait le plus sa curiosité, c'était encore la réaction de l'Américain. Elle ne savait jamais trop sur quel pied danser, avec Ken — elle qui s'était toujours vantée de pouvoir prédire les réactions des Blancs! Il semblait échapper à tous les schémas qui régissaient les motivations de ses frères de race, et en suivre d'autres, n'appartenant qu'à lui.

Les Britanniques avaient accordé son indépendance au Kenya en 1963, au terme d'une guérilla sanglante qui avait duré dix ans. Ngili et elle étaient nés après l'indépendance. Elle avait six ans et son frère huit, lorsqu'on les avait envoyés chez leurs grands-parents, dans le village d'origine de la famille. A l'époque, il était de mise, parmi l'élite noire, d'envoyer ses rejetons redécouvrir leurs racines. Pendant les six années qui avaient suivi, les deux enfants avaient eu peu de contacts avec les Occidentaux. Lorsqu'ils étaient revenus à Nairobi pour achever leurs études secondaires et entrer à l'université, le Kenya était, de tous les jeunes Etats africains, celui qui semblait promis au plus bel avenir. Le chef indépendantiste Jomo Kenyatta (le « Javelot Flamboyant ») était devenu président, et tenait d'une main ferme les rênes du pouvoir, avec l'appui de ses nombreux partisans et amis — dont Jakub Ngiamena, qui s'était illustré dans la guérilla mau-mau sous le nom de Simba, « le Lion », en swahili.

Jakub avait inscrit ses enfants dans les établissements les plus réputés de la capitale, où ils avaient côtoyé les héritiers des derniers représentants de la colonie européenne. Yinka avait eu pour amies des petites Blanches, anglaises pour la plupart. Elle avait été reçue chez leurs parents, qui avaient tous occupé d'importantes fonctions, du temps du Protectorat britannique, mais dont l'étoile avait pâli sous le nouveau régime et qui constituaient désormais une caste de « clingers[1] ». Dans leur grande majorité, les Blancs obéissaient au plus simple des motifs : l'argent. Ils s'accrochaient à ce pays pour y faire fortune. Les autres étaient des scientifiques pour qui l'Afrique était un irremplaçable sujet d'étude, ou de vieux broussards trop attachés à leur chère savane pour tenter ailleurs une hypothétique reconversion. Pour bon nombre d'Occidentaux, qui disait « argent », disait « statut social », « sécurité », « confiance en soi ». Dans la société post-coloniale de Nairobi, la morgue des Blancs reposait sur des affaires juteuses, de confortables comptes en banque ou des exploitations prospères. Pour conserver leurs avantages, les Blancs passaient d'opportunes alliances avec le pouvoir noir. Et malheur au Blanc qui ne pouvait plus compter sur ses appuis gouvernementaux : il n'avait plus qu'à plier bagages. Ce n'était pas plus compliqué...

A voir les Blancs se plier à des règles aussi simplistes, Yinka avait fini par les juger, eux aussi, superficiels, frustes

1. Ex-coloniaux britanniques qui, à l'indépendance, ont décidé de « s'incruster » au Kenya, plutôt que de regagner l'Angleterre. *(N.d.T.)*

et opportunistes. Elle les trouvait à la fois incroyablement dépourvus de subtilité et de profondeur, et ridiculement suffisants, au vu de la précarité de leur situation. A ses yeux, un Blanc qui fût complexe sans puer l'autosatisfaction était une contradiction dans les termes. Une impossibilité en soi.

Or, c'était bien le cas, pour Ken — un spécimen unique, à sa connaissance — car, sans pouvoir se prévaloir d'une fortune digne de ce nom, il agissait toujours avec la plus grande détermination. Il brillait par son assurance, que ne justifiait pourtant aucun appui politique ni aucune source de pouvoir particulière... A moins, songea-t-elle, que l'amitié de Ngili ne lui tînt lieu de tout cela !

Par ailleurs, il n'était pas mal, pour un Blanc. Elle avait eu quelques aventures avec des Anglais, pendant qu'elle faisait ses études de journaliste à Londres — et il lui était plus facile de coucher avec eux que de les regarder. Entre les draps, ils lui faisaient penser à de grosses taupes albinos, aux yeux minuscules. Mais de temps à autre, un amant plus sportif ou plus bronzé lui rappelait le corps « normal » des Africains. Ken était un des rares Européens qui trouvât grâce à ses yeux. Elle aimait son teint hâlé et son menton qui disparaissaient, le plus souvent, sous une barbe de plusieurs jours. Elle avait gardé le souvenir de son odeur, lorsqu'il rentrait d'une expédition sans s'être lavé depuis une semaine... Mais Ngili exhalait un puissant fumet, lui aussi ; et d'ailleurs, ce n'était pas de la saleté, car la brousse n'était pas sale. En brousse, les odeurs restaient naturelles. Les sécrétions étaient successivement séchées par le vent et brûlées par le soleil.

La longévité de l'amitié qui unissait son frère et Ken ne manquait pas de la surprendre. Mais il crevait les yeux que l'Américain avait tout intérêt à la cultiver. Yinka aurait juré que Ken ne lèverait pas le petit doigt pour contrer la décision de son père concernant l'avenir de son frère. Car, même si Ngili devait renoncer à la géologie, le « petit colon » pouvait encore profiter de la protection des Ngiamena !

Pour l'heure, il affichait l'air accablé de quelqu'un qui vient de prendre conscience d'un rude état de fait. *Mzoori !* se dit-elle, amusée. Génial ! Voyons comment notre petit Blanc va sortir de son rêve préhistorique, pour se colleter aux dures réalités africaines.

Ken fixait le dos massif de Jakub Ngiamena. Il s'éclaircit la gorge, et prit la parole :

— Je suis désolé, monsieur, commença-t-il d'une voix rauque et hésitante. Mais... demander à Ngili de rester à Nairobi, reviendrait à anéantir des années d'études et de travail. Surtout au moment où nous venons de faire une découverte qui ne manquera pas de faire du bruit dans notre profession...

— Je regrette, Mr Lauder, mais il semble que vous ne compreniez pas très bien la situation.

Il y avait des années que Jakub ne lui avait pas donné du « Mr Lauder ».

— Je crains, Mr Ngiamena, que ce soit vous qui ne compreniez pas Ngili !

— Ngili est mon fils, Mr Lauder. Nous autres Africains, nous avons une tout autre conception de la famille. Vous avez beau être son meilleur ami, cela ne vous autorise pas à lui faire oublier ses principales obligations.

— Mais Ngili est tout à fait capable de discerner ses propres priorités ! Qu'est-ce qui est préférable, pour ce pays ? Un diplomate de plus, ou un scientifique de renommée internationale ?

— Assez, Mr Lauder ! Notre maison vous a toujours été ouverte, et elle le demeurera, mais vous devez renoncer à vous mêler d'une affaire qui ne vous concerne pas.

Le ton était sans appel. Yinka était médusée de l'audace du « petit Blanc ». Il avait osé intervenir, et avec quelle énergie !

Ken avait l'air déconfit. Sans doute à cause des nuages qu'il sentait planer sur son avenir de scientifique... Il crispa les mâchoires si fort que Yinka crut un instant qu'il allait sauter de la voiture en marche et disparaître à jamais de la vie des Ngiamena. Mais il resta aux côtés de Ngili. Elle se demandait si c'était par pure lâcheté, lorsqu'elle se souvint que sa Land Rover était garée chez eux.

— Vous avez raison, monsieur, cela ne me concerne pas, articula Ken d'une voix sourde. Ngili est assez grand pour décider seul de son propre avenir.

Yinka observa son frère. Il grinçait des dents, sans mot dire. Plusieurs minutes s'écoulèrent, dans un silence pesant. A la crispation des mains de son père sur le volant, Yinka devina qu'il s'attendait à un affrontement. Jakub passa en force entre les voitures pour franchir le dernier bouchon, frôlant plusieurs fois l'accrochage, et s'engagea sur l'autoroute.

Ngili restait muré dans son silence, derrière un masque impénétrable qui le faisait ressembler à une divinité tribale. Il s'était figé, immobile, tandis qu'une même pensée agitait l'esprit des trois autres passagers de la Mercedes : qu'allait-il faire ? Allait-il se plier sans regimber aux ordres de son père ?

Tandis que la grosse Mercedes roulait vers Karen, Ken s'efforça d'organiser ses pensées et de faire un effort de rationalité. Jusque-là, Ngili avait été son passeport, au Kenya. Il avait participé à ses recherches, lui avait ouvert des portes, présenté des gens. Il l'avait fait profiter de sa maîtrise du swahili — et, au besoin, de la fortune familiale. L'atterrissage s'annonçait brutal. Sa cuisse vint heurter le bloc de brèche et les événements de la matinée lui revinrent à l'esprit. Les fossiles, les empreintes et, pour couronner le tout, le corps de ce tueur dépenaillé, près du Safari Cub retourné. Que de mystères, en un seul jour !

Le revolver qu'il avait trouvé sur le cadavre — un Walther — était toujours glissé dans sa ceinture, mais loin de le rassurer, son contact ne faisait qu'exacerber la conscience aiguë qu'il avait de sa propre vulnérabilité.

Il avait rencontré Ngili six ans plus tôt. A l'époque, il travaillait comme barman au Naivasha — là même où les Ngiamena avaient loué une luxueuse suite pour le mariage de Gwee. Il avait pris ce travail pour se payer le groupe électrogène et le purificateur d'eau dont il voulait s'équiper, en prévision de ses futures expéditions. (C'était déjà grâce à ce job qu'il avait acheté sa Land Rover d'occasion.) Un soir, le directeur de l'hôtel lui avait demandé de prendre sous son aile un jeune Kenyan qu'il venait d'engager. Le nouveau collègue n'avait manifestement jamais rincé un verre de sa vie, mais il avait décroché la place grâce à son nom. Il s'appelait Ngili Ngiamena.

Ngili avait claqué la porte du domicile paternel, parce que son père s'opposait à ce qu'il fasse des études de géologie. Il avait besoin d'une piaule et d'un mentor qui lui enseigne le B.A.BA du métier de barman. Ken lui avait proposé un coin du petit appartement qu'il louait sur Tom Mboia Road, et lui avait appris les ficelles du métier : doser les cocktails, laver les verres, vider les cendriers, ranger les chaises, nettoyer les toilettes du bar — et s'incliner d'un air digne en empochant les pourboires. Mais plus intéressant, il lui avait expliqué que, s'il s'abaissait à faire le larbin, c'était, lui aussi, au nom de la science.

Ce détail avait définitivement scellé leur amitié. Ils discutaient de paléontologie en astiquant le comptoir d'ivoire — une véritable pièce de musée. Dans les années trente, les chasseurs de gros gibier qui fréquentaient le bar y taillaient une encoche pour chaque verre de whisky, et réglaient leur ardoise à leur retour de brousse, en cornes d'antilopes ou en peaux de lion — c'est du moins ce qu'affirmaient les légendes dont on abreuvait les touristes et autres amateurs de safaris organisés. Mais ce genre de bobards les laissait de marbre. Leur rêve, à eux, c'était de découvrir un jour une nouvelle Lucy.

Ces tâches subalternes avaient pourtant de bons côtés. Ils avaient libre accès aux courts de tennis de l'hôtel, car le moniteur attitré de l'établissement n'était autre que le cousin de Ngili. Ils pouvaient ainsi jouer gratis en double mixte avec des minettes anglaises, hollandaises, allemandes ou américaines, qui craquaient pour le beau prince massaï et son ami blanc, si bien au fait de l'Afrique mystérieuse. Les matchs se terminaient souvent dans la Land Rover de Ken, puis à l'appartement, où les fossiles entortillés de toile de jute et le fatras de leur matériel paléontologique avaient généralement raison des dernières résistances des filles. Ken tamisait les lumières, Ngili passait les verres et les jupettes de tennis tombaient. Quelques minutes plus tard, le double mixte s'achevait en galipettes et le lendemain matin, Ken et Ngili devaient galoper tout le long du chemin à travers les pelouses du campus, pour ne pas arriver en retard aux cours de Randall Phillips, qui leur enseignait la paléoanthropologie.

Au bout de quatre mois, le père de Ngili avait accepté, temporairement du moins, que son rejeton embrasse une carrière d'homme de science... Mais en Afrique, le temporaire avait souvent tendance à s'éterniser et, quoi qu'il en fût,

Ngili avait réintégré le giron familial, et y avait introduit Ken.

Peu après, lui et Ngili avaient monté leurs premières expéditions, et ça leur était tombé dessus : c'était bien *là*, parmi ces collines sans nom, peuplées de gnous, ou dans l'un de ces innombrables ravins qui s'ouvraient dans le Rift, qu'un Dieu expérimentateur avait jetés, comme dans une gigantesque éprouvette, les gènes de l'humanité. Cette révélation n'avait pas peu contribué à resserrer leurs liens. Ils en avaient été profondément transformés. Une nuit, autour de leur feu de camp, Ngili s'était écrié : « Terminé, pour moi, le tennis et les minettes ! Dorénavant, nous nous consacrerons corps et âme à la science, toujours à la science — et rien qu'à la science ! »

Un chœur de rugissements prophétiques s'était alors élevé, dans les buissons d'alentour, comme pour entériner la profession de foi de Ngili...

Et voilà qu'il devait renoncer à tous ses projets.

— Enfin, nous y sommes ! lança Jakub Ngiamena.

Ils arrivaient à Karen. Comme si des verres déformants leur étaient soudain tombés des yeux, la chaussée défoncée renoua avec l'horizontale. Les trottoirs s'ombrageaient d'acacias ornementaux qui semblaient inciser l'air de leurs feuilles acérées. Les demeures cossues trônaient derrière de pimpantes clôtures de bois ou de fer forgé. Dans les allées s'entassaient des voitures rutilantes — Jaguar, BMW, Toyota... Tout le quartier respirait l'ordre et la sécurité, bien qu'il n'y eût en vue aucun représentant de la loi. Des hommes et des femmes en short et chemise à fleurs arrosaient tranquillement leur gazon ou surveillaient les ébats de leur progéniture dans des piscines hollywoodiennes. Personne n'avait sorti son appareil photo pour fixer son petit Eden sur la pellicule — signe infaillible d'un départ imminent.

Un facteur noir, coiffé du casque colonial réglementaire, officiait paisiblement, glissant le courrier dans les boîtes. C'était le seul Africain en vue. Un ballon jaillit d'un jardin, et Jakub dut écraser son frein pour éviter le gamin hâlé qui se précipitait dans son sillage.

La Mercedes franchit un imposant portail et remonta une allée bordée de marronniers en fleurs. A travers les branches se dessina une façade à colonnades. Au pied de l'escalier du perron poussaient des plants de caféiers, souvenirs du précédent propriétaire, un planteur qui avait fui le pays durant la guerre d'indépendance. Yinka avait longtemps harcelé son père pour qu'il fasse disparaître toute trace de l'époque coloniale mais, comme pour démontrer quelque chose à ses enfants, Jakub avait toujours résisté. « Notre pouvoir a poussé sur un terreau plus ancien », disait-il.

Sur leur droite se dressait un vaste garage, devant lequel attendait la Land Rover, maculée de poussière et légèrement penchée sur ses essieux.

Ngiamena mit pied à terre, tandis qu'accourait Patrick, le vieux majordome, chargé d'un alléchant plateau où s'alignaient de grands verres de jus de papaye. Ses joues, d'un noir profond, étaient sillonnées de scarifications rituelles. Lui aussi était un héritage du régime colonial. Il se plaisait à répéter, sur le mode de la plaisanterie, que les Ngiamena le traitaient avec plus d'humanité que ses anciens maîtres : eux au moins le laissaient se balader pieds nus et en *kikoi*, au lieu de lui imposer la veste blanche et les vernis noirs.

En découvrant les visages fermés des passagers de la voiture, Patrick roula des yeux étonnés, mais il disparut sans un mot dans la maison, dont il émergea quelques instants plus tard avec un T-shirt propre qu'il tendit à Ngili. Les garçons entreprirent aussitôt de transférer dans la Land Rover les paquets de toile à bâche qui contenaient les fossiles.

— On transborde le tout, on avale quelque chose vite fait, et on file montrer ça à Phillips, marmonna Ngili, les yeux baissés, comme pour lui-même. Et pas question que je me pointe lundi matin au ministère des Affaires étrangères !

Il avait beau avoir parlé dans sa barbe, toute l'assistance l'avait entendu. Jakub s'arrêta net sur les marches du perron pour le fusiller du regard.

— Jamais je ne laisserai tomber la géologie ! déclara Ngili à haute et intelligible voix, en évitant soigneusement le regard de son père.

— Ma décision est prise, Ngili ! répliqua Jakub du haut du perron, d'où sa stature paraissait encore plus impressionnante. Dès lundi matin, tu iras suivre un stage à la section diplomatique des Affaires étrangères et dans quelques mois, tu feras partie de la mission kenyane auprès des Nations unies, comme attaché de presse.

Yinka s'était plantée dans l'allée, un verre de jus de papaye à la main. Le mot « presse » dans la bouche de son père tira d'elle un petit rire narquois.

Ngiamena feignit de n'avoir rien entendu. Il descendit l'escalier, et vint se mettre en travers du chemin de son fils.

— Cette fois, la situation de ce pays exige que toute sa jeunesse se mobilise. Le gouvernement estime que...

Ngili fit un pas de côté pour contourner son père et balança d'un geste rageur le paquet qu'il portait et qui atterrit tant bien que mal à l'arrière de la Land Rover, au grand dam de Ken. Ngili fit volte-face et revint vers son père qu'il regardait, cette fois, dans le blanc des yeux.

— Ne me parle pas de ce gouvernement de pourris! C'est eux qui nous ont fichus dans cette panade. Ils ont vidé à leur profit les caisses de l'Etat et ont décrété que le sida n'était qu'un complot international visant à discréditer notre pays auprès des touristes... L'économie s'en va à vau-l'eau, l'administration n'est plus qu'un nid de fonctionnaires corrompus et le braconnage n'a jamais été plus florissant — pas même du temps du sultan de Zanzibar... !

— Désolé, vraiment... fit une voix sonore. On dirait que j'arrive en pleine discussion familiale...

Toutes les têtes pivotèrent. Cyril Anderson remontait la grande allée, une enveloppe à la main. Il salua de la tête tous les Ngiamena, gratifiant Jakub d'un sourire chaleureux.

Ken remarqua immédiatement que le nouveau venu avait troqué son costume de tweed et sa cravate club habituels pour une saharienne kaki, un pantalon de toile et des sandales. Une tenue de safari, autant dire — pas du tout le genre de ce cher Caruso! Qu'est-ce qu'il mijotait... ?

— Mais peut-être pourrez-vous nous aider à régler notre petit différend, dit Jakub, en tendant la main à Anderson.

La longue main blanche veinée de bleu disparut dans la paume rose pâle du Kenyan.

— Patrick! lança Ngiamena, tu nous serviras le café sur la terrasse.

— Bien, *mkubwa*, répondit le vieux boy, qui employait le terme swahili pour « maître », comme du temps des Anglais.

Anderson aussi habitait à Karen. N'apercevant aucun véhicule garé au bas de l'allée, Ken en déduisit qu'il était venu à pied, en voisin. Depuis quand Jakub et lui étaient-ils aussi intimes ? Ngiamena avait entrepris de lui expliquer en détail les causes de la prise de bec — ce qui ne manqua pas de hérisser Ken. Ngili ne pourrait se soustraire à l'appel du devoir. La découverte qu'ils venaient de faire, Ken et lui, attendrait encore un peu. Ce fossile n'avait-il pas attendu des millions d'années... ? Il pouvait patienter quelques mois de plus !

Anderson plissa les paupières. Il glissa un regard curieux vers les paquets que les deux garçons charriaient d'une voiture à l'autre, puis eut un sourire angélique en direction de Ngili.

— Eh bien, on dirait que nous sommes logés à la même enseigne, vous et moi ! lui déclara-t-il.

— Ah oui ? fit Ngili, sur la défensive.

— Le gouvernement vient de me proposer le poste de ministre de la Culture et des Antiquités nationales. Ils viennent de le créer, ajouta Anderson en levant son enveloppe en papier kraft. J'ai là les grandes lignes de mes attributions. Je ne sais trop comment réagir à cette offre.

— C'est un grand honneur, s'exclama Jakub Ngiamena. Et comme ministre, vous ferez merveille !

Cette offre doit être étroitement liée à la défection de Leakey, songea Ken. Tout comme ce spectaculaire changement de style vestimentaire. Il se voit déjà dans les rangers de Leakey, ma parole... Ken serra les lèvres pour ne pas ricaner, jusqu'à ce qu'il s'avise soudain des implications de cette nouvelle — ce qui lui ôta immédiatement toute envie de rire.

Car il reviendrait sans doute au futur ministre de la Culture et des Antiquités nationales de présider la commission qui examinerait les travaux des scientifiques étrangers. Et ce futur ministre ne serait autre que Caruso soi-même !

— Evidemment, si j'accepte, ce ne sera qu'au nom de la science, déclama Anderson, en balayant son auditoire d'un regard souriant. Notre pays est trop important pour la compréhension de la genèse de l'humanité. La stabilité intérieure du Kenya est une condition essentielle pour l'avenir de la paléontologie, et je serais honoré d'y contribuer à mon humble niveau. Mais... — car il y a un « mais » — cette proposition reste très vague quant à l'enveloppe budgétaire dont je disposerai, et se garde bien de définir la manière dont seront nommés mes collaborateurs. Rien ne dit que c'est moi qui les choisirai...

Il serait donc venu marchander? supputa Ken, à part soi. Sinon, je ne vois pas...

— Voulez-vous que nous en discutions? proposa Jakub. Je n'ai pas la moindre idée de vos desiderata mais, si vous m'en faites part et qu'ils sont raisonnables, je pourrai les transmettre en haut lieu...

Avec quelle merveilleuse simplicité tout s'imbriquait! Ken se rappela qu'il devait passer un coup de fil à Randall Phillips. Il accrocha l'œil de Ngili, lui désigna la Mercedes et tous deux se penchèrent à l'intérieur pour empoigner le bloc de brèche. Ils l'en extirpèrent et se mirent en demeure de le trimballer jusqu'à la Land Rover.

— Qu'est-ce que tu vas faire? demanda-t-il à Ngili, comme ils déposaient leur fardeau sur le cuir brûlant du siège arrière.

— Pas la moindre idée, grogna Ngili. T'as lu ce qu'en disent les journaux?

— Ouais. J'ai vu ça chez Théo.

— Et toi, qu'est-ce que tu comptes faire?

— Aucune idée non plus. Mais il faut qu'on se serre les coudes, toi et moi.

— Cette fois, je ne vois pas ce que tu pourrais faire pour moi... fit Ngili. C'est marrant, non? Si on s'en tient à ce communiqué, je pourrais très bien, *moi*, retourner dans le Dogilani, mais pas toi...

— Et si nous échangions nos identités...?

Ngili eut un rire sans joie et rejoignit son père et Anderson.

— Il y a toujours moyen de concilier l'utile et l'agréable, vous savez, lui lança Cyril. Je pourrais organiser une exposition de fossiles à New York, pour redorer le blason du Kenya. Que diriez-vous d'être le commissaire de cette expo, Ngili?

Le jeune homme lui lança un regard impénétrable et haussa les épaules tandis que, passant la tête par une fenêtre, Patrick annonçait que le café était servi.

— Eh bien, Ken, prendrez-vous une tasse de café avec

nous ? demanda Jakub. Mais vous préférez sans doute faire d'abord un brin de toilette... ? ajouta-t-il, débordant de sollicitude, en fixant la chemise froissée de Ken.

De la part de Ngiamena, un appel du pied aussi ostensible était plus que surprenant.

— J'aimerais passer un ou deux coups de fil, si vous permettez, dit-il d'un ton contraint.

— Mais je vous en prie, Ken... Je ne vous montre pas le téléphone... fit Ngiamena, avant de se tourner vers sa fille. Et toi, Yinka ? Tu n'avais pas des projets ? demanda-t-il, d'un ton qui sous-entendait clairement que sa présence sur la terrasse ne s'imposait pas.

— Eh bien, je vais aller essayer mon *kikoi* de mariage — puisque je n'ai pas de coups de fil à passer ! laissa-t-elle tomber, très calme, avant de tourner les talons.

En la regardant s'éloigner et malgré ses idées noires, Ken ne put s'empêcher de penser à une lionne qui partirait chasser en solitaire, bien résolue à ne rien ramener à son vieux mâle grincheux.

Ngiamena avait posé sa lourde main sur l'épaule de son fils. Il le poussa vers la terrasse. Anderson leur emboîta le pas. Il passait devant Ken, quand le vrombissement d'un appareil militaire fit vibrer le ciel de Karen.

— Ils vont finir par s'écraser, ces imbéciles ! Ça fera deux cents victimes d'un coup, grommela Ken.

— Voilà qui abrégerait leurs souffrances... rétorqua Anderson.

Ken le dévisagea, interloqué. Caruso soutint son regard avec un sourire dégagé.

— Alors, qu'est-ce que vous nous rapportez de beau, cette fois, mon cher Lauder ? Que peut bien contenir ce bloc de brèche ?

— Bof, un genre de primate, mentit Ken exaspéré.

— Si par hasard c'était autre chose, n'oubliez pas de venir m'en toucher mot, d'accord ? reprit Anderson, toujours souriant, avant de rejoindre les Ngiamena sur la terrasse.

— Vous avez déterré un fossile avec *quoi ?* s'écria Randall Phillips à l'autre bout du fil.

Ken entreprit de lui décrire leur outillage : la machette, le coupe-chou, la boucle de ceinturon...

— C'est dingue ! Littéralement ! Je donnerais cher pour voir la tête des types de l'Institute of Human Origins, à Berkeley, quand je vais leur raconter ça...

— Mieux vaudrait ne pas trop s'étendre sur cet aspect de l'histoire... Ils seraient capables de refuser de reconnaître l'authenticité du fossile, sous prétexte qu'il n'a pas été déterré dans les règles !

Enfermé dans le bureau de Jakub Ngiamena, Ken collait l'oreille au vieux combiné de bakélite — une autre relique de l'époque coloniale, que Patrick astiquait avec un soin jaloux. Par la fenêtre, on apercevait le coin de terrasse où Jakub, Ngili et Anderson dégustaient leur *kahawa*, le café corsé du Kenya dans des tasses de porcelaine dont le bord incrusté de grains minuscules donnait aux lèvres du buveur la sensation de la présence du café.

Anderson avait sorti le grand jeu. Il s'était penché vers Ngili, ses belles mains traçant de gracieuses arabesques dans l'air. A son habitude, il ne semblait pas douter une seconde de sa capacité de persuasion.

A cinq kilomètres de là, dans un quartier nettement moins huppé, Randall Phillips faillit s'étrangler d'enthousiasme.

— Tu peux m'apporter tout ça ici ? demanda-t-il. Dans deux heures, disons... Nous venons d'avoir une prise de bec, ma femme et moi — elle ne supporte pas la perspective de devoir quitter le Kenya. C'était pourtant une idée à elle... Elle m'a fait une scène pour une histoire de valise que j'avais oublié d'acheter...

— Je peux en acheter une, en venant, proposa Ken. Ça nous permettra d'emballer les échantillons minéraux et les fossiles que nous vous apportons.

— Parfait. Dis donc, paraîtrait que Caruso va être nommé ministre des Antiquités nationales ? Je ferais peut-être mieux de remettre ce voyage à plus tard... Imagine qu'il se décide enfin à lâcher son poste d'administrateur des collections de l'université... Mais je rêve — il préférerait crever sur-le-champ que de lâcher quoi que ce soit ! ajouta Randall, non sans amertume. Allez ! Tant pis ! Je vais retrouver ma Californie, mes gosses vont apprendre à manquer de respect à leurs parents, et Marcia se fera faire un lifting... Et à part ça, Ken ?

Ken entreprit de lui décrire les empreintes circulaires, au sommet de l'éperon rocheux, sans oublier les traces de pas qu'ils avaient découvertes, après la tempête de sable.

Randall Phillips lui prêta une oreille attentive, dans un silence si recueilli que Ken en eut la chair de poule. A la fin de l'exposé, il laissa échapper un *Wow !* qui n'avait peut-être rien de scientifique, mais qui était manifestement senti.

Ken visualisa son ex-prof, avec sa bedaine naissante, son front dégarni, ses verres de myope — un Marine râblé et miro, un tantinet déplumé, et qui s'empâtait. Il avait deux spécialités : la paléontologie animale et l'évolution de l'homme. Il en fallait généralement beaucoup pour l'étonner, et Ken venait de réaliser cette performance à deux reprises, et en l'espace de quelques minutes.

— Tu peux me donner d'autres détails, à l'appui de ton hypothèse ?

— Je crois que je vous ai tout dit. Il semblerait qu'une créature présentant des pieds d'australopithèque, chasse avec des armes de préhominien dans un environnement digne du pliocène. Mes preuves tiennent en quelques photos et en quelques pierres taillées. Les photos sont au labo et les pierres dans ma poche.

Sa main descendit le long de sa cuisse, effleura les pierres à travers la toile de son pantalon et caressa leurs formes.

— *Wow !* s'exclama derechef Randall Phillips. Mais qu'est-ce que tu as bien pu lever, là, nom de Dieu ?

Ken prit une profonde inspiration et se jeta à l'eau.

— Pas la moindre idée de ce que ça peut être — mais j'en ai quelques-unes concernant ce que ça ne peut pas être ! J'ai recensé toutes les hypothèses possibles. J'en vois trois : un enfant sauvage, un indigène isolé de sa tribu, ou un singe anthropoïde d'une espèce totalement inconnue. Et je dois souligner, reprit-il, après une autre profonde inspiration, qu'aucune de ces thèses ne me satisfait. Celle du singe me paraît la moins plausible des trois. Parce que les primates n'ont pas de pieds, et parce que, même s'ils chassent — chose que seuls les chimpanzés font communément —, ils ne se servent pas d'armes de jet.

Il se tut, souffla un grand coup et attendit la réaction de son maître.

— OK, fit calmement Phillips. Ce qui nous laisse le chasseur solitaire et l'enfant sauvage.

— Exact. Supposons qu'il s'agisse d'un chasseur isolé de sa tribu — ce qui serait déjà très bizarre, en soi. Cela n'expliquerait pas qu'il se balade sur les pieds les plus archaïques que j'aie jamais vus! Autre chose : qui que soit cet égaré — j'entends par là, qu'il s'agisse d'un indigène ou d'un scientifique perdu —, pourquoi n'a-t-il pas tenté de nous signaler sa présence, afin d'être secouru? Nous sommes restés trois jours entiers plantés là, au beau milieu d'une savane plate comme le dos de la main. Il est impensable qu'il ne nous ait pas repérés... pour ne rien dire de l'avion! Et à supposer que ce soit un enfant sauvage, comment aurait-il pu survivre dans cette région? fit Ken avec un petit rire nerveux. J'ai fermé l'œil quelques heures à peine, près du tertre où on a découvert le fossile et, en me réveillant, je me suis trouvé nez à nez avec un lion. Les chances de survie d'un enfant seul dans un environnement pareil sont quasi nulles. Enfin, il me semble... Hein, Randall? Qu'en pensez-vous?

— Je pense comme toi. Aucune de ces hypothèses ne tient la route.

Ken respira. Il se sentait tout à coup bizarrement soulagé.

— Alors, de quoi s'agit-il? demanda Randall.

— Ça, mystère... Mais quelque chose me dit que, qui qu'il puisse être, il ne s'est sûrement pas égaré là par accident. Il est dans son habitat naturel.

— Admettons... fit Randall, d'une voix soudain plus grave, comme si son esprit avait plongé dans les profondeurs de ce mystère. Ainsi donc, vous rapportez du Dogilani un fossile humain et les preuves de l'existence d'une créature archaïque — bien vivante, elle. Un fossile, je connais : c'est du palpable, du solide, du datable. Mais votre deuxième trouvaille, c'est quoi exactement? Un nouvel avatar du Yéti au Kenya, c'est ça?

— Randall! s'exclama Ken, piqué au vif.

— Soyons plus clairs... Un gosse peut très bien se perdre dans la savane — tout comme un adulte, d'ailleurs. Mais si cette créature est née dans la savane, il ne peut s'agir d'un individu isolé. Il a forcément une famille. Et là, il faut penser en termes de groupe ethnique... A moins, reprit-il après une pause, que tu essaies de me faire gober qu'un hominien fossile serait revenu à la vie et se promènerait dans le Dogilani... ? Ken... ?

Ken ouvrit la bouche, mais renonça à articuler ne fût-ce qu'un son.

Il avait la sensation d'être happé par les quatre points cardinaux. Aspiré par l'infini, il se retrouva face à une petite créature à la peau brune, accroupie. Cet hominien qui chassait avec ces pierres taillées, le chasseur qu'il ne connaissait que par ses empreintes. La créature leva les yeux vers lui et planta son regard dans le sien.

Ken s'ébroua, sidéré. Il lâcha un son étranglé et reprit péniblement son souffle. La vision s'était évanouie. Pas de panique ! se dit-il. Tu perds un peu les pédales... Fatigue, carences alimentaires, stress accumulé...

Il parvint à se ressaisir :

— Je ne peux guère vous en dire plus, pour l'instant, Randall. Je dois récupérer mes photos, d'ici une heure. On les regardera ensemble...

— Entendu. J'ai hâte de voir ça de plus près ! A propos, tu te souviens de Raj Haksar — ce type qui a longtemps été à la tête du département d'ethno... Tu vois qui je veux dire ?

— Bien sûr, fit Ken en hochant la tête. Us et coutumes tribaux. Rites de passage à l'âge adulte et initiations en tous genre. Il doit être au moins professeur émérite, à l'heure qu'il est...

Il revoyait ce petit Indien maigrelet, ridé comme une vieille pomme, toujours d'une délicieuse courtoisie envers ses étudiants. Raj Haksar.

— Il a pris sa retraite il y a quelques années. Mais il serait peut-être judicieux de lui toucher deux mots de ton histoire — tu vois, au cas où ces empreintes appartiendraient à un gosse temporairement isolé de sa tribu, à l'occasion d'une retraite initiatique, ou d'un rite quelconque...

Ken s'insurgea :

— Une retraite initiatique ! Et puis quoi encore ? Il n'y a pas une seule tribu de recensée dans toute la région !

Il avait déjà envisagé cette possibilité et l'avait résolument écartée. Dans certaines tribus, les adolescents devaient s'isoler dans la brousse ou la forêt, pendant quelque temps, afin de prouver qu'ils étaient des hommes. Ces garçons étaient livrés à eux-mêmes dans la nature et devaient assurer leur propre subsistance. On les autorisait parfois à emporter un arc, ou une sagaie, mais ils partaient généralement les mains vides. Une telle retraite pouvait durer plusieurs semaines, et l'âge des adolescents variait d'une tribu à l'autre. Dans certaines d'entre elles, les garçons pouvaient y être soumis dès neuf ans.

— Je sais, je sais, fit Randall. Mais je dois me faire l'avocat du diable... Et je n'ai pas encore vu tes photos. Enfin, si ces empreintes n'appartiennent ni à un indigène, ni à un singe — eh bien, pour reprendre une formule chère à Sherlock Holmes, ce qu'il reste quand on a éliminé toutes les autres hypothèses, doit être la vérité, quelque improbable qu'elle puisse paraître. Dans le cas qui nous intéresse, c'est la thèse du préhominien. Tu te sens d'aller clamer à la face du monde qu'il reste des préhominiens vivants dans le Dogilani ?

Ken fut pris d'un violent mal de crâne. Il fouilla dans sa mémoire, à la recherche du petit chasseur à la peau brune, mais n'y trouva rien d'autre qu'un fatras d'hypothèses, dont celle de l'existence d'un préhominien vivant. L'énormité de la chose le laissait pantois — et terriblement confus de s'être monté la tête au point d'avoir assené tout cela avec un tel aplomb à son ex-professeur.

— Vous auriez le numéro de téléphone de Haksar ? s'enquit-il.

— Il doit être dans l'annuaire, en espérant qu'il n'est pas mort... Allez, caïd ! conclut Randall, avec humour. Amène-la-nous, ta merveille — et évite de mettre Caruso au courant avant d'en avoir toi-même le cœur net. Il commencerait par te mettre sur la touche — et pour le coup, ce ne seraient pas les prétextes qui lui manqueraient ! — puis il s'arrangerait pour trouver la solution du mystère et jetterait l'ensemble en pâture aux médias, avec lui dans le rôle de la vedette...

— Ne vous en faites pas pour moi, Randall. Je ne suis pas tombé de la dernière pluie.

— Loin de moi une idée pareille ! s'esclaffa Phillips. A tout de suite !

Ils raccrochèrent.

Ken resta un moment à contempler sans la voir une vieille affiche publicitaire victorienne encadrée au-dessus du téléphone. « COMMERCIAL HOTEL NAIROBI. Tarifs modérés. Porteurs revêtus de la livrée de l'établissement, présents à l'arrivée de chaque train. Nos amis du CAP trouveront auprès du PROPRIETAIRE l'accueil qu'ils peuvent attendre d'un VIEIL AMI. »

La maison lui parut soudain étrangement silencieuse. Itina, la mère de Ngili, était sortie faire des emplettes en vue du mariage, en compagnie de Gwee et de Wambui, la vieille nounou qui avait élevé tous les enfants Ngiamena. Un coup d'œil jeté par la fenêtre, en direction de la terrasse lui apprit que c'était au tour de Jakub de monopoliser la parole. Ngili écoutait son père, qui avait posé ses deux mains à plat sur la table. Ken pria pour que Jakub fasse preuve d'un peu plus de compréhension. Il ne parvenait pas à chasser complètement cette idée fixe qui lui trottait dans la tête : *rien à voir avec une retraite initiatique...*

Cette pratique tribale avait fait couler beaucoup d'encre — et elle avait aussi, accessoirement, coûté la vie à plusieurs anthropologues peu réalistes qui s'étaient mis en tête de suivre les garçons à travers la brousse, au mépris des multiples dangers qui les y guettaient : serpents, dysenterie, déshydratation...

Car c'était une épreuve aussi terrible qu'héroïque. Les garçons devaient survivre par leurs propres moyens, en recourant exclusivement à la chasse et la cueillette. Les tricheurs étaient chassés sans pitié de leur tribu. Certains garçons avaient été mis à mort par leurs propres parents pour avoir accepté de la nourriture offerte par des missionnaires ou des explorateurs compatissants. On ne badinait pas avec la tradition !

Ken avait fait de l'ethnologie pendant sa première année de fac. Il n'avait pas oublié les cours de Haksar, ni ces diapositives qu'il leur avait projetées — des gros plans des pieds des adolescents, couverts de poussière, de boue et de sang, avec des plaies purulentes, voire quelques fractures ouvertes. De quoi vous faire dresser les cheveux sur la tête. Mais, loin de condamner cette coutume cruelle, Haksar s'était lancé dans un éloge vibrant de l'endurance des jeunes héros. « Mesdemoiselles et messieurs, notez bien que ces jeunes

Africains qui jouent leur vie dans cette terrible épreuve, comptent parmi les hommes les plus courageux de la planète. Et ils n'ont même pas conscience de leur bravoure, pas plus que leurs pieds, les plus résistants de toute l'espèce humaine, ne tirent vanité de fouler ce sol brûlant, semé d'épines, grouillant d'animaux venimeux. Messieurs dames, les pieds des Africains ont l'héroïsme inconscient de l'homme en marche vers son avenir... »

Haksar avait alors marqué une pause, passant en revue les pieds qui émergeaient des rangées de tables. Dans un brouhaha de raclements de semelles, les étudiants des deux sexes avaient précipitamment renfilé les sandales ou les ballerines dont ils s'étaient en toute innocence débarrassés pendant le cours. Certains d'entre eux n'avaient jamais porté de chaussures avant leur entrée à l'université. Souriant, Haksar avait poursuivi son exposé. Il leur avait expliqué comment les jeunes indigènes parvenaient à survivre, armés de leurs seules mains nues, dans un environnement aussi hostile. Ils pilaient des feuilles ou des racines pour en extraire la sève. Ils pouvaient attendre des heures entières à proximité d'une ruche sauvage dans l'espoir de chaparder quelques gouttes de miel. Surmontant leur dégoût, ils déterraient les proies des hyènes et broyaient les os à coups de pierre pour en tirer quelques grammes de moelle nauséabonde. Ils ramassaient des larves d'insectes et des chenilles, qu'ils écrasaient pour les manger. Lorsque la chaleur dépassait la limite du supportable, ils pissaient dans la poussière et la malaxaient pour en faire une boue qu'ils étalaient à l'ombre d'un arbre, avant de se coucher dessus, seule façon d'assurer un minimum de fraîcheur et d'humidité à leur organisme. Ils gobaient tous les œufs qu'ils trouvaient — y compris ceux des crocodiles où grouillaient déjà les embryons, quand ils parvenaient à s'emparer d'une couvée qu'une femelle avait laissée mûrir au soleil.

Bref, ces héroïques adolescents finissaient par devenir de véritables manuels de survie ambulants. Ceux qui sortaient vainqueurs de l'épreuve transmettaient leur savoir à leurs fils, et, le moment venu, les envoyaient à leur tour en brousse, pour qu'ils puissent en vérifier la valeur.

A la fin du cours, sans se donner le mot, tous les étudiants avaient ovationné Haksar. Mais au détour d'un couloir, Ken avait entendu deux étudiants africains murmurer, entre deux éclats de rire, que le père Haksar était plutôt chouette, pour un vieux « Tandoori », un roteur de curry — insultes racistes qui dataient du temps de la présence britannique. Bien que vêtus de pimpants petits polos et de pantalons kaki au pli impeccable, les deux garçons se promenaient pieds nus dans leurs mocassins. L'un d'eux surprit le regard étonné de Ken.

— Quelque chose qui cloche, mon vieux? avait-il lancé, d'un ton désinvolte.

— Non, non, avait répliqué Ken. Rien de nouveau sous le soleil, à ce que je vois...

Il les avait plantés là, en se demandant si Haksar était au courant de ces appellations non contrôlées que lui décernaient ses étudiants. Roteur de curry... *Tandoori*... Il devait le savoir, forcément. Il avait toujours vécu au Kenya. Il avait enduré toute sa vie les effets des tensions raciales et ethniques. Du temps des Anglais, les Blancs occupaient le haut de l'échelle sociale et les Noirs, le bas. Mais bien que se détestant cordialement, les deux communautés communiaient dans la haine de ceux qui se trouvaient au milieu de l'échelle : les Indiens. Au niveau tribal, la situation n'était guère meilleure. Après l'indépendance, les soixante-dix ethnies constituant la société kenyane et les deux cents tribus de l'Afrique de l'Est étaient retombées dans leurs rivalités ancestrales. Cette région du monde n'était plus qu'un chaudron où bouillonnaient des rancunes tenaces, attisées par la haine, la jalousie et la méfiance.

Bref, se dit Ken, il n'y avait dans le Dogilani aucune tribu susceptible d'envoyer des garçons en brousse.

Enfin... Aucune tribu connue...

Car l'hypothèse qu'une tribu ait pu passer jusque-là inaperçue était hautement improbable. Où aurait-elle pu se cacher? La brousse africaine n'était tout de même pas l'Amazonie!

Sa migraine s'intensifiait. Il se massa les tempes, puis levant les mains à hauteur d'yeux, il fixa ses paumes et les imagina en train de lancer des pierres. Il visualisa ensuite à leur place une main longue et brune. Celle d'un hominien. Elle envoyait un projectile sur une cible, avec cette coordination de la main et de l'œil que ne possédait aucun singe, fût-il anthropoïde — même si certains primates pouvaient, à l'occasion, jeter des branches et des poignées de terre pour manifester leur colère. Car viser impliquait une pratique régulière de la chasse, un pas fondamental vers l'hominisation.

Un nouvel avion survola la maison en faisant vibrer toutes les vitres. A l'autre bout de la pièce, une porte battit et s'entrouvrit lentement. De l'autre côté, on avait allumé une radio. Avant que les vrombissements de l'avion ne les noie, Ken eut le temps de reconnaître des roulements de percussions.

La porte s'ouvrit toute grande, sur une chambre où une jeune femme se tenait de profil devant un miroir — Yinka, vêtue en tout et pour tout d'un slip de coton blanc. Elle grimaça au passage de l'avion, mais resta face à son miroir, les mains chargées de colliers de verre. Elle se passa l'un d'eux au cou, puis en doubla un autre qu'elle enroula autour de son poignet gauche.

Elle avait une poitrine menue. Des seins de jeune fille massaï, qui garderaient leur aspect juvénile jusqu'à ce que sa première grossesse les gonfle de lait. Ils étaient beaux, mais sans rien d'érotique. C'est la vue de ses cuisses qui força Ken à déglutir. De longues cuisses fuselées, dont la peau irradiait un éclat sombre. Yinka ne mesurait pas plus d'un mètre soixante-cinq, mais ses jambes nonchalantes paraissaient interminables. Les cuisses d'une girafe qui, même lancée en pleine course, ne semblait jamais se hâter.

Elle leva un pied, se le cala derrière le genou opposé et resta sur une jambe, immobile, dans la pose chère aux pasteurs massaï surveillant leurs troupeaux. Ils pouvaient demeurer ainsi des heures d'affilée — et, en bonne Africaine, Yinka essayait ses colifichets les seins nus, debout sur une jambe.

Le rugissement de l'avion s'évanouit. Ken discernait à présent les timbres des cinq tam-tams qui unissaient leurs battements, à la radio. Il songea bien à s'éclipser discrètement avant que Yinka ne remarque sa présence, mais il était incapable de faire le moindre geste. Rivé au sol, il contemplait cette nudité candide.

Yinka se retourna et l'aperçut.

Sous son regard, il se transforma en statue de sel, les

joues en feu. Elle l'avait transpercé d'un œil froid, comme à l'aéroport. Puis elle pivota indolemment pour lui faire face. Ses cuisses étaient la perfection même. Un duvet de poils pubiens ombrait sa peau à la lisière de son slip.

— Alors, mon colon... ? demanda-t-elle d'un ton pincé. On mate les négresses à poil, comme au bon vieux temps ?

Elle fit un pas de côté et disparut de son champ de vision, sans toutefois fermer la porte. Il y eut un froissement d'étoffe et elle revint dans l'embrasure de la porte, vêtue d'un *kikoi* blanc, orné d'une frise de guerriers chassant l'antilope.

Elle s'avança. Sa voix était calme :

— Alors, mon vieux... qu'est-ce qui t'arrive ? Tu as trop regardé les galipettes des babouins sur les rochers de la savane, ma parole !

Il eut un petit rire qui sonna faux.

— Epargne-moi tes vannes, et j'envisagerai de te présenter mes excuses. A commencer par tes « mon colon » par-ci, « mon colon » par-là... Je trouve ça moyennement drôle.

Elle l'observa d'un œil glacial.

— Mais je ne... Je plaisante à peine. Tu n'as pas déposé une demande de permis de séjour, peut-être ?

— J'ai *quoi ?*

Il ne pouvait détacher les yeux du *kikoi,* qui lui moulait étroitement la poitrine.

— Tu as déposé une demande de permis de séjour. Je tiens ça de quelqu'un qui bosse au ministère de l'Intérieur. Je pensais que c'était pour obtenir plus facilement tes autorisations de fouilles et tout le tintouin...

— Mais je n'ai jamais déposé la moindre demande de ce genre !

— Ton nom figure pourtant sur je ne sais quelle liste officielle du gouvernement...

— Celle des individus à expulser d'urgence, sans doute... ce qui ne me surprendrait guère, par les temps qui courent !

— Ça te dirait de rencontrer des Américains qui font des études de journalisme ? s'enquit-t-elle tout à trac.

Ken se demanda si elle n'avait pas inventé de toutes pièces cette histoire de liste gouvernementale pour justifier ses taquineries.

— Un mec et deux nanas, poursuivit-elle. Ils sont ici dans le cadre d'un échange culturel. Des Blacks, bien entendu...

— Je suis sûr qu'ils s'amusent très bien sans moi.

— Lui, oui. Pas de problème. Il tombe tellement de filles qu'il ne sait plus où donner de la tête. Mais pour les nanas, c'est pas la joie. Ici, tous les garçons ne rêvent que de se faire une Blanche. Ce qui fait qu'elles sont un peu esseulées. Qu'en penses-tu, mon petit col... euh, excuse-moi. Tu sais, vu les inclinations sexuelles des Kenyans et la frustration qui en découle pour tes compatriotes afro-américaines, tu as tes chances...

— Merci, très peu pour moi... Je préfère encore mater les babouins en rut. Tu sais qu'ils ont des stratégies de reproduction passionnantes !

Il quitta la pièce à grandes enjambées, émergea au sommet du perron et s'arrêta pour humer l'air embaumé de la fin d'après-midi. A sa grande surprise, il entendit les pas de Yinka derrière lui. Elle sortit de la maison et vint le rejoindre. Ils regardèrent ensemble le couchant qui embrasait le ciel.

— Il y a deux choses dont tu devrais t'abstenir, vu la situation, dit-elle au bout d'un moment. La première, c'est d'essayer de sortir tes fossiles du pays. Le gouvernement va durcir la législation en vigueur. Il nous concocte une loi visant à réprimer la mise au pillage de notre patrimoine historique et culturel. Tu imagines bien qu'il a en priorité dans le collimateur toutes les découvertes faites par les chercheurs étrangers. La deuxième chose à éviter, c'est de te mettre mon père à dos.

— La deuxième, j'y avais pensé tout seul — merci ! Quant à la première, c'est bien un truc de ce genre que je craignais. Et quand penses-tu qu'elle entrera en vigueur, cette nouvelle loi ?

— D'ici la fin de la semaine, disons...

Randall Phillips quittait le pays le lendemain. Peut-être réussirait-il à sortir quelques fragments de son fossile, à condition de leur trouver un emballage d'apparence anodine, genre blague à tabac ou boîte à bonbons...

Yinka le fixait de son regard brillant, dont il tâchait en général d'éviter les abîmes.

— Si tu tiens vraiment à retourner dans ta chère savane, il va te falloir persuader Ngili de suivre cette formation de diplomate. Dans ces conditions, tu pourras peut-être demander à Um'tu de te pistonner. Il trouvera toujours le moyen de t'aider !

Ken s'étrangla, en partie parce que ce regard incandescent conférait une sorte d'évidence, voire d'innocence, à cette suggestion.

— Moi, que je fasse ça à Ngili ? Tu rigoles... C'est mon ami. Pas question !

— A toi de voir... Qu'est-ce qu'il a de si bandant, votre squelette ?

— Une véritable bombe sexuelle ! rétorqua-t-il. Imagine que les préhominiens ont découvert l'orgasme il y a deux millions d'années ! Les mâles avaient une masse sanguine plus importante que celle des singes anthropoïdes, d'où des érections plus conséquentes et nettement plus efficaces.

Elle ferma les yeux à demi. Il essayait de la choquer, mais il aurait été incapable de dire s'il avait réussi.

— De leur côté, reprit-il, les femelles se sont dotées d'un utérus effilé et contractile, ce qui lui permettait d'entrer ou non en contact avec le sperme déposé dans leur vagin. C'est l'origine de l'orgasme féminin — les femelles pouvaient désormais concevoir avec le partenaire de leur choix. Si le prétendant leur faisait de l'effet, elles jouissaient. S'il s'avérait décevant, elles restaient de marbre, et bye-bye les espoirs de paternité du mâle !

— Ça s'est vraiment passé comme ça ?

— Je veux, oui ! Tu vois d'ici l'évolution radicale, au niveau de la stratégie amoureuse ! C'est ce qui explique qu'aujourd'hui encore, les femmes sont plus lentes que les hommes à prendre leur pied. Ce n'est pas très démocratique, mais pour l'avenir de l'espèce, c'est excellent !

Elle eut un sourire. Ngili avait quitté la terrasse et venait à leur rencontre.

— Hé, Ngili ! le héla-t-elle. Tu es au courant des théories de Ken sur l'origine de l'orgasme chez les préhominiens ?

Son frère s'approcha d'elle et lui passa le bras autour de la taille.

— Impossibles à démontrer, ou presque — comme toutes les thèses de ce genre. Mais il doit avoir raison sur au moins un point. Il semblerait effectivement que les australopithèques aient adopté les premiers la monogamie, ce qui a eu pour conséquence une amélioration des soins qu'ils apportaient à leur progéniture, d'où un net accroissement de leur population.

— Fascinant ! fit Yinka. Et tout ça sort du cerveau génial de notre Ken national ?

— En grande partie, répliqua Ngili avec un sourire un rien crispé. Moi, tu sais, je ne suis qu'un collectionneur de cailloux !

— Homme blanc, y en a tout connaître ! ironisa Yinka, en petit nègre puis, avec une gravité qui ne lui était pas coutumière, son regard étincelant plongea dans celui de Ken. Dis-moi...

— Oui ?

— Et l'amour... il est apparu quand ?

Il réfléchit. A quelle époque des hominidés avaient-ils commencé à éprouver ce que l'homme moderne baptisait « amour » ?

— Pour simplifier, disons que nos lointains ancêtres l'ont découvert en s'accouplant face à face, plutôt que par-derrière, commença-t-il. La position dite « du missionnaire » les a convaincus de limiter leurs rapports à une seule partenaire plutôt que de prendre toutes les femelles de la horde en levrette, sans discrimination. Faire l'amour face à face a soudé les premiers couples d'hominidés, pour le plus grand bénéfice des jeunes, car les parents monogames se sont associés pour pratiquer la cueillette et la chasse, avec une efficacité accrue...

Sa voix se perdit. Ngili venait de tourner les talons et regagnait la maison.

— Fascinant, répéta Yinka. Tu ne veux vraiment pas que je te présente ces journalistes américaines ? Sûr ?

— Je te remercie, mais non...

Après une brève hésitation, il lui demanda de l'accompagner jusqu'à la Land Rover. Là, il sortit de son paquet le bloc de pierre contenant les rameaux fossilisés et le lui montra. Les yeux écarquillés, le souffle court, elle examina les épines, pétrifiées dans toute leur perfection. Ken remballa soigneusement le spécimen.

— J'aimerais te les offrir. Je veux qu'elles soient à toi.

L'ombre d'un sourire passa sur les lèvres de la jeune femme :

— Sans blague ! Tu te décides enfin à m'offrir des fleurs ?

Il éclata de rire.

— Si on veut... à ma façon... ! Celles-ci tiennent très bien le coup et exigent peu de soins.

— Ça doit coûter une fortune ! Pourquoi me les donner à moi ?

— Disons que j'achète ton silence sur notre découverte, fit-il avec un sourire de connivence. En fait, je ne sais pas trop... ajouta-t-il, redevenu sérieux. Peut-être au cas où Ngili choisirait de devenir diplomate et où je n'aurais pas l'occasion de retourner dans le Dogilani, et... au cas où il m'arriverait quelque chose. Tu auras une preuve matérielle de ce que nous voulions explorer. Une bulle de pliocène, en plein vingtième siècle !

Yinka secoua énergiquement la tête.

— Il ne va rien t'arriver du tout ! Dès qu'il sera calmé, Um'tu enverra un bataillon de rangers dans le Dogilani, pour s'assurer que la région est sûre.

— Super ! grommela Ken. Imagine l'effet d'un tel débarquement sur la faune locale, et sur le site qu'on a découvert... !

— Mais qu'est-ce qu'il a de si extraordinaire, ce coin de brousse, à la fin ? demanda-t-elle, agacée. Ngili fait une tête d'enterrement, comme si d'être privé d'y retourner équivalait à une condamnation à mort... !

— C'est un site exceptionnel, Yinka. On n'était pas arrivés depuis une heure que j'ai découvert un fossile fabuleux. Et dès le lendemain matin, Ngili est tombé sur ces branches pétrifiées. Mais à mon avis, le point essentiel, c'est que cet isolement absolu, allié à des conditions climatiques bien précises, a généré un écosystème remarquablement stable. Le coin n'a pratiquement pas bougé depuis plus de deux millions d'années. Il pourrait y subsister des espèces vivantes qui n'ont pas évolué depuis... bien avant Adam et Eve.

La jeune femme promena son regard sur les paquets de fossiles, en riant.

— Tu rêves... ! ça n'existe pas, un endroit pareil !

— Peut-être. Mais je tiens à retourner m'en assurer de visu.

Elle resta un instant interdite. Quand elle reprit la parole, il reconnut dans sa voix cette nuance de colère diffuse qui trahissait chez elle l'émotion.

— Tu voudrais me faire croire que toute la région et les espèces qui la peuplent ont pu échapper à vingt ans d'observation par satellite ? Tu oublies que toutes les agences de renseignements des Etats-Unis rivalisent de prouesses techniques pour espionner l'Afrique ? Du temps où Amin Dada sévissait en Ouganda, la CIA a photographié chaque pouce de ce pays, sous prétexte que nos voisins avaient fait ami-ami avec l'OLP...

— Je rends grâce à ta véhémence patriotique, Yinka ! Mais permets-moi de te rappeler, quand tu dis « chaque pouce de ce pays », que le pouvoir de résolution minimal d'une image satellite reste de l'ordre de plusieurs mètres. Ces images ne permettent pas de repérer les êtres humains. Vu d'un satellite tournant à près de deux cent cinquante kilomètres du sol, un homme n'est plus qu'un fragment de pixel, une infime partie du point minimal, blanc ou noir, que l'on puisse distinguer d'un autre, dans toute image. Sur une photo satellite, un être humain, un animal ou même un troupeau n'est plus qu'une minuscule tache floue, impossible à identifier.

Yinka redressa son long cou.

— Et qui a dit qu'il n'existait pas d'instruments optiques dotés d'un pouvoir de résolution bien plus élevé, qui seraient classés secret défense ? Car j'imagine que votre CIA ne va pas faire de réclame pour ses technologies de pointe !

— Allez, garde ça pour tes lecteurs, ma belle ! Mais quoi qu'il en soit, je dois retourner d'urgence dans le Dogilani.

C'est ça, bougre d'andouille ! Eh bien, débrouille-toi donc pour y retourner tout seul ! fulmina-t-elle mentalement, excédée par tous ces egos ambulants — son père, son frère, et maintenant ce foutu Yankee...

— Tu viendras au mariage de Gwee ? lui demanda-t-elle en changeant de sujet. On y dansera la danse des moranes. Tu imagines le tableau ? Le Premier ministre en personne, sautillant sur place... et Cyril Anderson dans ses œuvres ? fit-elle, en éclatant d'un rire moqueur.

Sa gaieté était contagieuse et à la pensée de Cyril se trémoussant sur place comme un forcené, Ken se mit à rire, à son tour. Car, s'il entrait au gouvernement, Anderson n'y couperait pas !

La danse des moranes est la danse rituelle qu'exécutent les jeunes guerriers massaï — les moranes — devant leurs futures épouses. Ils font assaut d'agilité et de vivacité pour faire valoir leurs qualités viriles en sautant sur place, le plus haut possible. Les jeunes filles, dont le visage disparaît derrière des kilos de chaînes, de colliers et d'anneaux, les observent à la dérobée en riant, pour tenter d'apercevoir leurs attributs masculins, parfois découverts par un soulèvement de *kikoi*, au hasard d'un bond.

— Je viendrai, promit Ken. Nous danserons ensemble la danse des moranes.

Elle lui saisit tout à coup la main et la serra. Ses doigts étaient frais. Il sentit le sang affluer à son visage. Tandis que la main de la jeune femme lui donnait secrètement ce signe d'intérêt, ses yeux noirs l'avaient à nouveau transpercé d'un regard impénétrable. Puis elle relâcha sa pression, laissant sa main dans la sienne. Ken retint son souffle et lui caressa le bout des doigts, se délectant du contact de cette peau féminine — une sensation qu'il avait failli oublier.

Elle ôta sa main.

Ngiamena et Anderson approchaient du bout de la terrasse, en discutant.

— C'est le meilleur moyen de les impressionner, à New York et à Washington... disait Anderson.

Ken devina qu'il parlait des collections de fossiles de l'Université. Caruso devait concocter une nouvelle expo itinérante...

— Et quand je leur en aurai mis plein la vue, poursuivit Anderson, j'amènerai la conversation sur l'état du pays, et je leur demanderai tout à trac qui compte débloquer des crédits, et à hauteur de quelle somme.

— Cette stratégie me paraît raisonnable. Espérons que ça marchera, fit Jakub.

— Faites-moi confiance, jeta Anderson, imperturbable.

Les deux hommes passèrent devant Ken et Yinka et disparurent dans la maison.

Le marché à ciel ouvert de Muindi Mbingu Road semblait tout droit sorti des *Mille et une nuits*. On y trouvait de tout : fruits, légumes, épices, chèvres et chiens de garde, perroquets et singes, chaises de jardin en bambou, pots de cuivre, casseroles, tapis persans (d'origine et de valeur non garanties), bagues et alliances d'or et d'argent (non poinçonné). Ironie du sort, les étals de boucherie voisinaient avec une rangée de baraques en planches, où officiaient des prostituées. Au-dessus des portes que masquaient des rideaux de douche voletant au vent, des écriteaux de bois indiquaient le nom des dames galantes. Elles étaient rieuses et accueillantes. Vêtues du strict minimum, elles déambulaient dans les allées du marché pour s'offrir une tasse de *kahawa* ou faire quelques emplettes, avant de regagner leur logis, généralement escortées d'un client.

L'une d'elles officiait sous le nom de Madonna. Sa voisine, qui répondait au fin sobriquet de « Annie-guère-de-bouton », arrondissait ses fins de mois en exhibant aux yeux des amateurs avertis son sexe dépourvu de clitoris. Elle avait été excisée à la puberté, dans un village assez arriéré pour pratiquer ce genre de mutilation sexuelle, qui passait pour rendre les femmes fidèles. Bien qu'interdite par la loi, la coutume se perpétuait dans les zones les plus rurales. Faute d'avoir fait d'Annie une épouse modèle, du moins avait-elle aiguisé ses instincts de femme d'affaires, capable de transformer un handicap en une attraction touristique des plus rentables.

Ragaillardis par une bonne douche et un dîner rapide — steak, *githeri* (un plat à base de maïs et de haricots) et *matoke* (une quiche ougandaise à la banane) —, Ken et Ngili arpentaient le marché, en quête de la valise promise à Randall Phillips.

Ken avait demandé à son ami de lui résumer la discussion avec Anderson. Ngili lui expliqua que, soucieux de parvenir à un compromis, son père l'avait pressé d'accepter le poste de commissaire de l'exposition itinérante que projetait Caruso. Ce serait pour Ngili l'occasion idéale de côtoyer la fine fleur de la paléontologie mondiale...

— Mais c'est dérisoire, ce malheureux job de relations publiques, en regard de ce qui nous attend dans le Dogilani, mon vieux ! Nous devons terminer nos fouilles ! Le site qu'on a découvert pourrait se révéler d'une richesse exceptionnelle ! Bien sûr, nous n'avons pour l'instant que quelques pièces du puzzle, mais nous rassemblerons celles qui nous manquent ! J'irai parler à ton père, si tu crois que ça peut faciliter les choses...

— Ça, pas question ! fit Ngili, d'un ton sec. Et je te prie de ne pas te mêler de ça !

— Oh ! C'est pas le moment d'invoquer votre sacro-sainte étiquette ! Notre découverte peut se révéler d'une importance mondiale !

— Tu as ta propre idée de ce qui est important, Ken. Et moi, je ne tiens pas à contrarier mon père.

— Explique-moi seulement en quoi ça pourrait le contrarier ?

A voir les traits figés de son ami, Ken devina qu'il n'en tirerait aucune réponse franche. Et dans un pays livré à l'arbitraire d'un président omnipotent, allez savoir... Peut-être Jakub Ngiamena craignait-il pour son poste ? Cela aurait expliqué cette éblouissante démonstration de vertu patriotique. Restait que... Ngiamena se dédouanait aux dépens de son fils.

Ken avait cru déceler dans la voix de Ngili un début de capitulation. Ecœuré, et inquiet à l'idée de devoir poursuivre seul cette entreprise, il laissa éclater sa colère :

— Tu ne veux pas contrarier ton père — soit ! Mais il se gêne, lui, pour bousiller ton avenir ! cracha-t-il.

— Qu'est-ce que tu en sais, hein ? rétorqua Ngili. Qu'est-ce que tu connais des relations père-fils en Afrique ?

Et, le plantant là, il s'éloigna d'un pas rageur, pour s'arrêter devant un étalage d'articles de voyage. D'un ton sec et en swahili, il demanda à voir divers modèles de valises. Il en choisit une, et se mit à marchander avec opiniâtreté. Ken sortit son portefeuille pour régler la moitié de la somme, mais Ngili repoussa sa main, allongea l'intégralité du prix, et empoigna la valise.

— Ecoute, fit-il d'une voix tendue, comme ils quittaient le marché, on dirait que ma sœur te fait les yeux doux. Est-ce que tu l'aurais encouragée en quoi que ce soit ?

— Quoi ? s'esclaffa Ken.

L'idée d'encourager Yinka lui paraissait du plus haut comique. Elle n'avait jamais eu besoin d'encouragement — elle n'en faisait jamais qu'à sa tête ! Il fut tenté de répondre par l'affirmative à Ngili, mais il devina que son copain n'était pas d'humeur à goûter la plaisanterie.

— Non, je ne l'ai jamais draguée, si c'est ce que tu veux dire, répliqua-t-il.

— Ce doit être ce qui lui plaît en toi !

— Mais non, Ngili — pas comme tu te l'imagines, en tout cas ! fit-il d'un ton conciliant.

Mais il sentait encore sur sa paume la peau veloutée et fraîche de la main de Yinka.

— Eh, j'ai des yeux pour voir ! Si tu crois que j'ai rien remarqué, dans la voiture ! Cette façon qu'elle avait de se retourner vers toi pour un oui ou pour un non, et ces regards qu'elle te coulait ! Alors, un bon conseil, mon vieux : ne l'encourage pas ! Compris ?

— Mais qu'est-ce que tu vas chercher ? Dans la bagnole, elle n'a fait que lâcher un peu de vapeur, au sujet de la situation politique. Sans compter qu'elle est assez grande pour savoir ce qu'elle a à faire !

— Ma sœur est une Africaine ! Et toi, tu es un Blanc — et un Américain, qui plus est ! lança Ngili, d'un ton sans réplique. Ici, on surveille nos sœurs. Toi et moi, c'est différent. On est des hommes, on partage nos intérêts professionnels. Mais toi et elle, vous n'avez rien en commun. Vu ?

Il se dirigea vers la Land Rover d'un pas raide, et attendit en piaffant que Ken le rejoigne.

Mais Ken s'était arrêté devant une sorte d'enclos, fait de cartons d'emballage où s'étalaient des marques d'ordinateurs et de téléviseurs : IBM, Apple, Sony... Une inscription peinte à la main barrait les cartons : JARDIN DE DIEU, JARDIN DE PAIX — AIDEZ-NOUS, PAR PITIE. A l'intérieur de l'enclos, une famille au dernier stade du sida se mourait à petit feu, le visage émacié, le corps couvert de plaies purulentes. La frêle muraille était percée de fentes, par lesquelles les passants glissaient quelques shillings. On entendait les pièces tinter en tombant dans les boîtes de conserve accrochées dessous.

Ken ne s'était pas arrêté dans l'idée de se faire remarquer. Il avait encore en main l'argent qu'il avait sorti pour payer la valise et que Ngili avait dédaigné. Il vit ce jardin de Dieu où rôdait la mort, et ce fut comme si un appel muet reliait les billets qu'il tenait à la main et les trous noirs qui s'ouvraient dans les cartons, comme autant d'yeux morts. Il les roula et les fit passer par l'une des fentes. Un cri de saisissement s'éleva derrière le mur léger et une main invisible s'empara de cette obole inespérée.

— *Ahsante, ahsante sana,* fit une voix d'homme, au timbre fêlé. Merci, merci beaucoup !

Un rire léger s'envola à l'intérieur du jardin de paix. Le rire d'une toute jeune femme.

A côté de la Land Rover, Ngili pria Ken de se presser. Voilà, voilà, j'arrive, bougre d'enfant gâté, râla Ken intérieurement. En grimpant dans la voiture, il était bien décidé à ne pas desserrer les dents de tout le trajet, mais à peine eut-il mis la clé dans le contact, qu'il ne put se retenir :

— Qu'est-ce que ça veut dire, ton délire de tout à l'heure ? grogna-t-il. Je suis ton ami, non ? Comment tu peux me soupçonner de vouloir attirer ta sœur dans mes filets ? D'ailleurs, entre nous, tu appelles ça veiller sur elle, toi ? De mon point de vue, c'est plutôt la traiter en propriétaire ! La priver de la liberté d'aimer qui elle veut — moi ou qui que ce soit d'autre... !

— Ça va, hein ! Tu peux te le remballer, ton petit couplet libertaire ! persifla Ngili, l'air mauvais. Je sais bien que ça fait un tabac, aux States, mais ici, tu peux te le garder ! Ça faisait un bout de temps que ça me démangeait, de te le dire, Ken, mais tu es sacrément naïf. Et d'une arrogance !

— Tu veux savoir ce que tu es, toi ? Un enfant gâté ! Doublé d'un macho à la fois tyrannique et incapable d'autonomie !

Ngili ne répondit pas. La Land Rover s'éloigna du marché. La nuit tombait. A un feu rouge — qui avait rendu l'âme — Ken jeta un coup d'œil à sa montre. Théo devait avoir développé les photos. Il décida de passer à la boutique. Par-dessus la cohue de la rue, il contempla le ciel qu'embrasaient les feux du couchant.

Là-bas, quelque part, plein ouest, l'attendait le Dogilani. Le passé... Oui, décidément rien ne valait le passé ! Que le présent était dérisoire et décevant, en comparaison de ces immensités intemporelles, qui pouvaient tout recueillir, tout accueillir...

4

Le petit chasseur suivit quelque temps une piste qui serpentait dans les rochers puis, s'accroupissant près d'une touffe de graminées, il en sortit une pierre noire qu'il se cala sous l'aisselle gauche.

Ici, il se sentait chez lui. C'était son territoire. Il y avait disséminé ses caches de pierres, réparties en différents points qu'il gardait en mémoire, et chaque fois qu'il en avait besoin, il savait où les retrouver. Aucun prédateur n'était jamais venu y mettre le nez; le seul moment où ils semblaient faire le lien entre lui et ses pierres, c'était lorsque l'une d'elles leur atterrissait dessus. Lancées d'une main sûre, elles avaient un effet dissuasif sur n'importe quel fauve. Le temps que l'animal retrouve ses esprits, l'enfant s'était réfugié depuis belle lurette au sommet d'un arbre ou d'un rocher.

Ses pierres, d'un beau noir brillant, n'avaient rien de commun avec la roche jaune des environs. Lorsqu'il était arrivé dans ce coin de savane, il avait repéré tous ces cailloux sombres, éparpillés sur le sol ou cachés dans les herbes. Durant les mois suivants, pendant qu'il explorait son domaine, il les avait patiemment ramassés et en avait fait des petits tas, dissimulés le long de ses itinéraires habituels, et sur ses lieux d'embuscade. Il en avait toujours à portée de main. Dès qu'il avait abattu une proie, il récupérait celles qu'il avait lancées et les entassait soigneusement. Elles le protégeaient durant son sommeil. Il s'endormait, le poing refermé sur l'une d'elles et à son réveil, il la retrouvait au creux de sa main.

Il émergea des rochers pour s'engager dans l'espace dégagé où les étranges visiteurs avaient suivi ses traces de pas. Ils s'étaient promenés partout, s'étaient penchés sur ses empreintes, avaient examiné ses pierres. A aucun moment, ils n'avaient baissé le nez pour les flairer. Ils les avaient ramassées et les avaient certes regardées sous tous les angles, mais *sans rien renifler*. Ils avaient seulement ramassé, palpé, et regardé.

Il resta cloué sur place, tâchant de se représenter leur image.

Leurs visages. L'expression qui s'y lisait.

Son esprit n'avait pas besoin de mots pour se rappeler cette scène, et il avait très bien perçu leur étonnement. Car il savait ce qu'était l'étonnement — et il avait senti l'intensité du leur : leurs yeux n'arrêtaient pas de cligner, leurs lèvres émettaient des bruits semblables à ceux des touracos.

Cet univers était plein de surprises, mais jusqu'ici, aucune ne l'avait autant sidéré que l'apparition magique de ces visiteurs, et la découverte de ce qu'ils avaient laissé derrière eux. Il s'accroupit, à son tour, près de leurs empreintes : ils avaient des pieds ronds, allongés. Et sans orteils ! L'idée ne lui serait même pas venue que ces creux étaient les traces de leurs pas, s'il ne les avait vus marcher parmi les rochers.

Ses doigts se crispèrent sur sa pierre. Tendu, le cœur battant, avec le vague sentiment de s'exposer à un châtiment, il piétina les étranges empreintes.

Rien ne se produisit.

Il les effaça, puis lissa la poussière de la plante du pied, pour faire disparaître ses propres traces, avant de rejoindre un de ses tas de pierres. Il en tira le briquet qu'il y avait caché. Il avait commencé par le tester comme arme de jet, mais avait vite renoncé à s'en servir pour la chasse. Comme projectile, le cadeau de l'étranger ne valait rien, ce qui n'entamait en rien la fascination qu'il lui inspirait.

Il l'avait laissé plusieurs heures sur un rocher, en plein soleil, et s'était brûlé les doigts quand il avait voulu le reprendre. Il l'avait laissé tomber par terre avec un grognement, furieux de ce mauvais tour que lui avait joué l'étranger. Il avait alors cueilli une feuille dont il avait enveloppé son trésor. L'objet ne le brûlait plus, mais il sentait toujours sa chaleur, à travers la feuille.

L'enfant tâchait vainement de faire la part du rêve, dans les événements de ces derniers jours. S'il s'agissait vraiment d'un rêve, il n'aurait su dire ni quand il avait débuté ni quand il avait pris fin. La veille, quand il avait vu les duikers débouler dans les rochers, il n'avait que le temps d'empoigner une pierre et de la lancer. Le grand mâle qui menait la charge était pratiquement sur lui, mais il avait fait mouche. Stoppé net dans son élan, le duiker avait fait demi-tour, entraînant le troupeau dans son sillage, vers la savane. Son projectile était allé se perdre quelque part dans les broussailles.

Peu de temps après, il avait vu arriver l'étranger, les épaules chargées du cadavre du duiker. Il avait été frappé par la grosseur de sa tête et surtout par son visage, qui lui rappelait celui d'un lion, avec ces yeux bruns, ce mufle rose, cette courte crinière fauve.

L'étranger s'était avancé à découvert parmi les rochers, et s'était arrêté près d'un buisson d'épineux couvert de baies mûres. Il lui avait paru gigantesque. Beaucoup plus grand que tous les animaux qu'il connaissait — à l'exception des girafes et des éléphants, bien sûr. Il avait posé le duiker, avait ramassé sa pierre et l'avait examinée. La première chose qu'il avait remarquée, c'était la tache de sang frais.

Tapi derrière le buisson d'épineux, le petit chasseur l'avait regardé faire. L'étranger avait scruté le feuillage sans remarquer ces deux yeux qui le fixaient, telles des baies aussi sombres que les autres, mais vivantes.

Le lendemain, le visiteur avait fait plusieurs allers retours, avec son compagnon à la peau sombre, pour transporter bien d'autres choses encore, mais il n'avait pas prêté attention à ce qu'ils portaient, parce qu'il n'avait d'yeux que pour les visiteurs eux-mêmes, leurs gestes, leurs expressions. Ils ne flairaient jamais rien. Ils s'étaient toujours tenus sur leurs deux jambes, même quand ils étaient lourdement chargés. Ils marchaient toujours debout, parfois vite, parfois d'un pas plus lent — exactement comme lui.

L'enfant n'avait aucun mal à visualiser mentalement l'inconnu, avec le duiker sur les épaules. Cette posture tout entière tendue vers le haut, si singulière... et en même temps si familière. Il lui suffisait, pour le revoir en esprit, de se laisser aller à cette tentation qu'il avait, d'évoquer son souvenir.

Mais il s'efforçait de ne pas trop y céder, et d'oublier un peu ce qui éveillait en lui ce désir de se rappeler, parce que... il n'y avait jamais eu de créature capable de marcher comme lui, ou de faire quoi que ce soit comme lui. Jamais il n'y avait eu d'autres créatures semblables à lui.

A moins que... Et s'il en existait ?

Il se mit en demeure de penser à quelque chose de totalement connu. Quelque chose qui le replongerait dans le cours normal de sa vie, telle qu'elle était avant l'arrivée des créatures. Il concentra d'abord son attention sur l'abri où il dormait.

Puis il inventoria les trésors qu'il recelait. Sa défense de bébé phacochère, à la pointe acérée. Il pouvait passer de longs moments à jouer avec ; il s'en servait aussi pour se gratter ou pour tracer des signes, dans la poussière, entre les rochers du *kopje*. Et il avait ces pierres, fidèles gardiennes de son sommeil, qu'il disposait autour de lui avant de se coucher. Et cette longue plume de vautour, une grande penne grise striée de noir, effrangée au bout — l'une des choses les plus légères qu'il ait jamais manipulées. Et puis, cet os, blanc et lisse, nettoyé de toute chair, et dont il ne savait plus où ni comment il l'avait trouvé. A tous ces trésors, il allait pouvoir ajouter l'étrange caillou brillant.

Il entreprit d'escalader les rochers. Les rayons du soleil lui bombardaient la tête. Il haletait dans l'air brûlant. Il ralentit l'allure, et sa main relâcha sa pression sur les pierres qu'il tenait.

Il s'arrangeait d'ordinaire pour surplomber toutes les autres créatures de la savane... hormis les oiseaux, évidemment. Il se postait à la cime d'un arbre ou au sommet d'un rocher, et repérait ainsi les prédateurs et les carnassiers. Il savait prévoir leur trajet, et deviner leur humeur. Voir au loin était une règle élémentaire de survie, tout comme se tenir debout. Grâce à cet instinct de survie, si profondément ancré dans son cerveau, et à la parfaite coordination de ses réactions, il parvenait à déjouer pratiquement toutes les embûches et les attaques surprises.

Car son petit corps était une proie tentante pour les fauves, qui l'auraient mis en pièces sans s'émouvoir de ses cris d'agonie. Sa chair tendre ne pouvait opposer à leurs crocs aucune carapace de cuir. Ses os fragiles étaient délicieux à croquer. Il n'avait pour se défendre que de petites dents courtes et plates — inoffensives ou presque — et des ongles insignifiants.

Sa meilleure arme était donc son intelligence, ce cerveau de cinq cents centimètres cubes, capable d'élaborer une stratégie et de la mettre en œuvre.

En gravissant la colline de rochers, il remarqua le rapide changement de la luminosité. Le soleil déclinait. A cette altitude, il sentait les plus infimes variations de couleur et de température bien avant les autres habitants de la savane. Une brise humide et odorante descendait de la montagne, où la brume, jusque-là transparente, s'opacifiait peu à peu pour former une épaisse couronne de nuages.

Si la nuit était assez fraîche, peut-être viendraient-ils lâcher leur eau au-dessus de lui...

Il faisait encore grand jour, mais l'enfant sentait déjà venir l'heure du crépuscule. Dans les hautes herbes, les ombres s'allongeaient et chaque trou du terrain semblait se creuser davantage. Les couleurs des végétaux se mettaient à vibrer, retrouvant l'intensité dont le plein soleil les avait privées. Bientôt, le soleil s'éteindrait lentement, comme chaque soir, et laisserait la savane glisser dans l'inquiétant entre-deux du crépuscule. Ce serait le signal du réveil, pour les chasseurs nocturnes, et, pour les créatures du jour, ce serait l'heure de regagner leur gîte. Certaines verraient l'aube, d'autres non.

L'enfant atteignait le sommet des rochers. Il s'arrêta, leva le nez et parcourut du regard toute la voûte du ciel. A l'horizon, l'air s'était métamorphosé en un grand lac d'or en fusion, qui dévorait peu à peu le disque du soleil. Au-dessus de sa tête, un vautour griffon tournoyait paresseusement, dans les courants d'altitude qui le portaient. Il vira sur l'aile avant de se laisser à nouveau dériver au gré des vents. Plus bas, deux milans noirs décrivaient de grands cercles, tournant la tête pour scruter le sol de l'œil droit, puis de l'œil gauche.

A leur habitude, les rapaces surveillaient les évolutions des prédateurs terrestres. Dès qu'ils les voyaient passer à l'action, ils piquaient vers le sol, estimant avec une précision diabolique le point où les fauves faucheraient leur proie. A l'instant même où les lionnes et les hyènes terrassaient le gnou lancé en plein galop, dans une brève mêlée qui déracinait les buissons et soulevait de gros nuages de poussière, les sentinelles du ciel étaient déjà sur les lieux, prêtes à prélever leur part du festin. L'enfant avait appris à interpréter des signes qui échappaient totalement aux autres hôtes de la brousse.

Il arrivait sur une large corniche, au pied du rocher qui surmontait le *kopje*, lorsqu'il entendit des piaillements ponctués de grognements sonores. Son pouls s'accéléra, tandis que son ventre se nouait, presque aussi serré que lorsqu'il s'était risqué près des traces de l'igname volante.

Une bande de babouins, sur son territoire!

Il se mit à trembler de tous ses membres. Il avait déjà eu affaire à eux. L'une des cicatrices qui lui balafraient le dos était un souvenir d'une bagarre avec un grand mâle, qui lui était tombé dessus, plusieurs saisons des pluies auparavant. L'enfant ne lui avait échappé que de justesse et depuis, il évitait les babouins. Il ne fallait pas espérer les éloigner à coups de pierre : ils se déplaçaient en hordes trop nombreuses. Tous ses projectiles n'y auraient pas suffi.

Il était désagréablement surpris de les trouver là. D'habitude, ils ne s'intéressaient qu'au petit gibier, et les seules proies qu'ils pouvaient trouver dans ces rochers étaient quelques rares lézards, vifs comme l'éclair et terriblement difficiles à attraper. Pourtant, le mâle dominant était occupé à mastiquer un morceau de viande. Trois jeunes mâles, assis à proximité, couvaient leur chef d'un regard gourmant, leurs mufles aplatis remuant au rythme de ses mâchoires.

Le gros babouin s'escrimait à présent sur la tête d'un duiker qu'il tentait d'ouvrir en deux, pour atteindre la cervelle. Les narines du petit chasseur reconnurent le fumet de la viande faisandée. Ce duiker était celui qu'il avait tué quelques jours avant l'arrivée des étrangers. Les singes avaient dû flairer sa piste et la remonter jusqu'au creux de rocher où il cachait sa nourriture.

L'enfant resta figé sur place. Cette invasion le prenait à l'improviste. Sidéré, il regarda les mâles se goinfrer des lambeaux qu'ils défendaient en montrant les dents, environnés d'un nuage de mouches bourdonnantes. Outre les mâles et les guenons adultes, le groupe comprenait des jeunes sevrés et des bébés dont l'excitation allait croissant, à la vue de ces mâles résolus à ne rien partager.

La frustration des femelles et des jeunes les rendait particulièrement agressifs. Quant aux mâles dominants, ils n'hésiteraient pas à se jeter sur tout intrus, quel qu'il soit — à la possible exception d'un lion ou d'un léopard. S'ils s'apercevaient de sa présence, il serait mis en pièces avant d'avoir pu faire un geste.

Mais pour l'instant, ils étaient bien trop occupés — qui à se goberger, qui à lorgner les quelques privilégiés qui mangeaient — pour le repérer.

Son seul espoir de salut était donc dans la fuite.

Il explora du bout du pied la roche qui se trouvait derrière lui. C'était une surface plate et unie. Il recula lentement, sans quitter les singes de l'œil, puis il pivota sur lui-même, prêt à détaler.

Mais il s'immobilisa. En contrebas, deux grands mâles arrivaient vers lui, lui coupant la retraite. Le plus proche grimpait maladroitement sur trois pattes, gêné par un objet d'un blanc immaculé, qu'il serrait dans sa petite main noire. Ses yeux, deux graines sombres, s'animèrent à la vue de l'enfant. Plus bas, d'autres babouins gravissaient les rochers, la queue arquée au-dessus de leur derrière calleux, comme avant de lâcher une crotte.

L'enfant ouvrit la bouche et fit vibrer au fond de sa gorge un *rrrrh* angoissé. Il allait mourir. Sous peu, les babouins déchireraient sa chair à belles dents, comme ils le faisaient à présent de celle du duiker. Dans quelques heures, les rapaces se disputeraient ses os. Il finirait, éparpillé dans la savane... De lui ne subsisteraient que quelques lambeaux abandonnés au soleil à l'endroit où il aurait servi de pâture à ces singes. Ils y pourriraient jusqu'à ce que les prochaines pluies viennent les balayer et iraient alors rejoindre dans le sol les débris organiques de la saison passée...

Il cherchait désespérément le moyen de survivre. Le mâle qui venait en tête découvrit ses longues canines. L'enfant reconnut ce qu'il tenait à la main : un humérus. Son os ! Les babouins avaient découvert son refuge et l'avaient pillé !

L'idée alluma en lui une rage meurtrière. Comme le babouin prenait pied sur la corniche, il l'empoigna par la peau du ventre et le fit tournoyer avec une telle violence que l'animal laissa échapper l'os. Puis, de toutes ses forces, l'enfant projeta le babouin, dont le crâne alla se fracasser contre un rocher, l'éclaboussant de sang et de cervelle. Les derniers spasmes de l'agonie n'avaient pas fini de secouer l'animal, que le petit chasseur l'avait déjà arraché du sol et le balançait comme une massue pour écarter ses autres assaillants. Le cadavre les faucha comme des herbes. Le grondement qui vibrait dans la gorge de l'enfant s'enfla en un ululement strident. Assurant sa prise sur le corps inerte, il fondit sur le mâle dominant dont les canines vinrent se planter dans la fourrure du cadavre, avant de plonger dans l'avant-bras de l'enfant.

La fureur et les cris du garçon redoublèrent. La dépouille qu'il brandissait et qu'il faisait tournoyer au-dessus de lui ne fut bientôt plus qu'une loque sanguinolente. Peu à peu, les mâles reculèrent, encouragés par les piaillements des femelles qui les exhortaient à battre en retraite. Soudain, l'un d'eux bondit sur les épaules de l'enfant et tenta de le prendre à revers, mais ce dernier se jeta à reculons contre le rocher. Avec l'énergie du désespoir, il s'arc-bouta de toutes ses forces contre la paroi, malgré les crocs et les griffes de l'animal qui s'incrustaient dans sa chair. Il sentit son assaillant mollir, puis lâcher prise. Il jeta alors à terre le corps inerte et, se retournant, planta ses petites dents plates dans la gorge du babouin, encore tressaillante.

Ces dents qui déchiraient le cou de leur congénère achevèrent de décourager le reste de la bande. Les singes détalèrent dans un concert de couinements.

Le petit chasseur resta seul au milieu des cadavres. Il était vivant.

C'était la première fois qu'il triomphait d'ennemis d'aussi belle taille. Et il en avait tué plusieurs à la fois! Jusque-là, la supériorité du nombre l'avait toujours dissuadé de se frotter aux babouins. Mais c'était aussi la première fois qu'ils osaient s'en prendre à son abri! La rage avait décuplé son énergie meurtrière.

Il ne reconnaissait pas cette force brutale qui avait surgi en lui, mais il trouvait quelque chose d'à la fois terrible et rassurant à penser qu'il pouvait désormais compter sur elle, en cas d'urgence.

Il scruta les rochers d'alentour. Cette fois, il était bien sorti de son rêve! Il ramassa le long os blanc que le babouin lui avait volé. Mais à peine l'avait-il saisi qu'il le laissa retomber, comme si le lien qui l'unissait à cet objet si familier avait été rompu. Il chercha autour de lui le caillou brillant qu'avait laissé son rêve, mais il resta introuvable. Il s'était volatilisé, et peut-être pour de bon.

Il chercha aussi, et tout aussi vainement, ses pierres noires. Elles avaient apparemment disparu dans la mêlée.

Abandonnant les cadavres qui jonchaient les rochers, souillés de sang et d'excréments, il se laissa glisser vers son abri.

L'entrée de la grotte où il dormait s'ouvrait un peu plus bas, dans une anfractuosité des rochers. Comme il s'y faufilait, l'un de ses pieds dérapa sur une crotte fraîche. Lorsque ses yeux furent accoutumés à la pénombre, il inspecta son gîte. Les babouins ne s'étaient pas contentés de lui voler ses trésors; ils avaient aussi souillé et dispersé le tas de feuilles sèches qui lui servait de litière. Son refuge n'était plus qu'un trou puant, semé d'excréments, inondé de flaques d'urine et de bave.

Il rampa hors de sa tanière, se nettoya le pied contre un coin de rocher plat et regagna la corniche où s'était déroulé le combat. Les rapaces s'attroupaient déjà au-dessus des babouins morts. De quelques coups de pied rageurs, il envoya valdinguer les cadavres qui s'écrasèrent sur les rochers en contrebas. En quelques secondes, les vautours furent sur eux.

L'enfant s'allongea. Ses blessures se réveillaient. La douleur se faisait cuisante.

La lune se leva.

Il s'était étendu sur la corniche, au pied du gros rocher, incapable de trouver le sommeil.

Au sommet de la montagne, le nuage se déchira et de petits panaches blancs dérivèrent lentement vers l'est, telles des graines de coton sauvage dispersées par le vent. L'enfant suivait des yeux ces ombres pâles. On aurait dit des silhouettes voûtées, quittant la crête boisée pour s'aventurer, effrayées et indécises, dans la sombre savane du ciel.

Il baissa les paupières et l'image du visiteur à la peau claire lui revint avec une telle acuité qu'il se remit à trembler. Il était transi de peur mais, en même temps, une part de lui-même aurait voulu retrouver, à son réveil, la créature de son rêve penchée sur lui, son étrange face de lion éclairée par la lune.

Il prit une profonde inspiration. Il dévisagea longuement, en esprit, la créature qui soutenait son regard. Ils s'examinèrent ainsi longtemps, l'un et l'autre.

L'enfant ouvrit les yeux.

Autour de lui tout était calme, mais ses pensées bouillonnaient du désir de revoir cet inconnu. Son appel silencieux monta vers la lune, piquée au milieu du ciel, pour s'étendre jusqu'aux confins de la savane, en une onde de désir qui explora toute l'étendue de son monde, en quête de l'étrange visiteur.

5

— Ça alors... ! Un squelette aussi complet... incroyable !

Armé d'une fraiseuse électrique, Randall Phillips attaquait le bloc de brèche en suivant au mieux les contours du squelette. Il s'interrompit et releva ses lunettes de protection, le temps de reprendre haleine dans cet air échauffé par la résistance qu'opposait ce mortier naturel, vieux de deux millions d'années, à la tête de la fraiseuse.

Ils travaillaient sur une vieille table de cuisine bancale et couverte d'éraflures, que Marcia Phillips — une grande femme morose, dont seule une pointe d'accent trahissait les origines américaines — avait diligemment brossée à l'eau et au savon, avant l'arrivée de Ken et de Ngili. Car il fallait limiter les risques de contamination du fossile. Randall avait déménagé la table dans son garage vide, au sol maculé d'huile de moteur et de traces de pneus. (En prévision de leur départ, les Phillips avaient revendu leurs deux voitures.)

— Cet australopithèque est le plus complet qu'on ait retrouvé à ce jour — et de loin, mes lascars ! La célébrité assurée, autant dire. Qu'est-ce qui nous reste de Lucy ? Quarante pour cent de son squelette, à tout casser... ? Et celui-ci est complet à soixante-dix pour cent... Incroyable !

Ken sentit son cœur s'emballer. Randall venait de comparer leur trouvaille au fossile le plus célèbre du monde !

En 1974, Donald Johanson, qui serait ensuite attaché à Berkeley, avait mis au jour à Hadar, en Ethiopie, le squelette d'un australopithèque femelle, dont l'examen avait prouvé qu'elle marchait sur ses deux pieds, trois millions d'années avant notre ère. Bien qu'on ne disposât que de quelques os de ses pieds, la forme de sa hanche suffisait à attester de sa capacité à se déplacer debout. La seule partie intacte qui subsistât du crâne de Lucy était la mâchoire inférieure, avec les dents.

Les pieds du fossile exhumé par Ken et Ngili étaient toujours enfouis dans le bloc de brèche, mais Randall avait déjà la certitude que, de son vivant, cette femme — car la largeur de son bassin indiquait sans équivoque son sexe — était une bipède.

— Regardez-moi ce genou ! s'exclama-t-il. Le tibia et le fémur viennent s'emboîter dans le prolongement l'un de l'autre !

Ken et Ngili échangèrent un regard radieux.

Le genou en question était un vrai cas d'école. Il aurait pu illustrer un cours d'anatomie comparée. A la différence de celles des gorilles ou des chimpanzés, les jambes humaines constituent de véritables piliers, conçus pour supporter le poids du corps et pour assurer son équilibre en position relevée. Le *gluteus maximus*, un muscle fessier très développé chez l'être humain, contribue puissamment à la verticalité de la colonne vertébrale, et propulse le corps vers l'avant, pendant la marche. Or, toute la conformation du bassin et du genou de leur fossile indiquait que cette créature femelle était parfaitement adaptée à la locomotion bipède.

Chez les grands singes anthropoïdes, certes capables de bipédie occasionnelle, les muscles fessiers se sont pas assez développés pour maintenir longtemps leur épine dorsale en position verticale. Au niveau de l'articulation du genou, leur fémur et leur tibia ne s'emboîtent pas dans le prolongement l'un de l'autre, ce qui leur donne un appui au sol moins stable, et les oblige à marcher les genoux fléchis. D'où cette posture voûtée, qui rend inconfortable la marche prolongée.

Le regard de Ken s'attarda sur les jambes de son fossile. Il pouvait déjà se représenter la créature, dressée sur ses deux pieds. Elle marchait — d'une démarche plutôt gauche, mais qui ne manquait pas d'une certaine grâce... Il examina les dents, usées au contact des feuilles, des graines, des racines... Les lèvres qui les avaient autrefois recouvertes devaient être pleines et charnues, exhalant un souffle parfumé par les plantes dont se nourrissait la créature...

— Alors on rêve, Ken? s'esclaffa Randall. Cette jeune demoiselle te fait de l'effet, on dirait! Attrape plutôt ce marteau!

Ken s'empara d'un marteau de tailleur de pierre dont il inséra la pointe dans la rainure creusée par la fraiseuse. Puis, il fit délicatement levier avec le manche, pour détacher des plaques de brèche.

— Burin! Aiguille! lançait Randall à brefs intervalles, du ton d'un chirurgien réclamant ses pinces ou son bistouri.

Ken et Ngili s'activaient autour de lui. Ils choisissaient l'instrument adéquat et détachaient les fragments de brèche soudés au squelette. La pierre et les os étaient d'une teinte si proche qu'il fallait l'œil exercé de Randall pour parvenir à les différencier. Armé d'une aiguille, Ken fignolait le nettoyage des os en éliminant les derniers grains de terre qui y adhéraient, après quoi Ngili les plongeait dans un seau rempli d'une solution de soude très diluée.

Ils travaillaient lentement, avec une concentration absolue. Chaque geste exigeait une minutie et une précision extrêmes, comme s'ils maniaient un bistouri laser.

Le crâne du fossile était intact, à l'exception d'un fragment de la mandibule. Les omoplates, les os des bras et des mains, la cage thoracique et la colonne vertébrale étaient là, à soixante-dix pour cent. Les côtes gauches étaient enfoncées, comme si le corps avait été broyé par un maillet géant. La hanche et le fémur droits étaient intacts, mais le tibia et le péroné étaient en miettes. Le fémur gauche était sectionné en deux points et le reste de la jambe semblait avoir été écrasé par le même maillet qui avait enfoncé la cage thoracique. Mais la plupart des os pourraient être facilement reconstitués. Ce qui signifiait que cette dame surgie de la nuit des temps était quasiment complète!

— Elle a dû mourir écrasée sous les pattes d'un protorhinocéros ou d'un dinothérium, supputa Ken.

— A vue de nez, je dirais plutôt que son squelette a été endommagé bien après sa mort, fit Ngili. La masse de terre qui la recouvrait a dû se tasser et lui écraser le côté droit.

— Mmmh, approuva Ken. Tu dois être dans le vrai...

— J'ai comme l'impression que les pieds vont nous poser quelques petits problèmes, annonça Randall. Les tibias tombent en poussière au-dessus des chevilles.

Le cœur de Ken, qui n'avait pas cessé de battre la chamade depuis qu'ils s'étaient attelés à ce travail, accéléra encore ses pulsations.

— Vite, voyons l'état des pieds... haleta-t-il, suppliant la chance de ne pas les lâcher — mais l'éventualité d'une déception ne pouvait être écartée.

Or, la preuve incontestable de la bipédie de leur fossile était précisément la morphologie de ses pieds.

— Pas de précipitation! objecta Randall. Regardez un peu ce bassin — notre vénérable Fräulein a dû avoir une sacrée nichée d'enfants. N'est-elle pas splendide? Si opulente, si... généreuse! Vous avez une veine de cocus, mes lascars! Ken, tu ne crois pas que ton photographe a développé les films, à l'heure qu'il est? s'enquit-il pour la énième fois.

Le jeune homme eut un haussement d'épaules agacé. Ngili et lui avaient fait un saut chez Théo, en venant, pour prendre les photos, mais le photographe leur avait demandé de repasser: « Désolé, vieux, mais mes Indiens m'ont commandé des agrandissements supplémentaires. Laisse-moi un numéro où je puisse te joindre. Dès que tes tirages sont prêts, je te passe un coup de fil. »

Ken lui avait donné le numéro de Randall. Mais il était à présent neuf heures passées, et Théo ne donnait toujours pas signe de vie. Ken avait déjà tenté deux fois d'appeler, mais la ligne s'obstinait à sonner occupé.

— Je le rappellerai dans un moment.

— OK, acquiesça Randall. Marteau!

La maison des Phillips était à vendre, mais aucun acheteur ne s'était manifesté. Autrefois résidentiel, leur quartier avait été progressivement colonisé par des *tandooris* à faibles revenus. La bourgeoisie noire montante refusait de cohabiter avec cette communauté d'Indiens, dont l'arrivée dans le pays remontait pourtant à plus de trois siècles. Depuis plus d'un an, le gouvernement multipliait les mesures restreignant leurs activités commerciales et les Indiens étaient de plus en plus nombreux à quitter le pays.

Randall avait déballé tout le matériel de paléontologue qu'il n'avait pas encore expédié en Californie, mais ses brosses étaient déjà parties. Voyant qu'ils allaient en avoir besoin, puisque l'ensemble du squelette était maintenant dégagé, à l'exception des pieds, il posa sa fraiseuse et courut chez un voisin qui peignait des enseignes pour des restaurants — tous *tandooris*, évidemment, le voisin comme les restaurants — pour lui emprunter quelques pinceaux. Pendant qu'il était sorti, Marcia aida Ken et Ngili à faire un brin de ménage sur la grande table de cuisine.

— C'est scandaleux, ce qui arrive à ces malheureux Indiens, fit-elle. Ce sont eux qui ont construit ce pays — plus encore que les Anglais!

— Merci, Marcia! railla Ngili. A croire que, pour vous, nous n'existons pas, nous autres Noirs... Comme aux plus beaux jours de la ségrégation!

— Ça, vous ne devez vous en prendre qu'à vous-mêmes! rétorqua Marcia, avec une âpreté inattendue. Offre-toi un petit voyage en train, Ngili, et compte le nombre de gares où les écriteaux « Réservé aux Blancs » et « Gens de couleur » sont restés à rouiller sur place. Si c'est vraiment le message que le gouvernement de ce pays entend faire passer auprès de la population noire, au nom de quoi serais-je tenue, moi, d'être plus royaliste que le roi?

Elle avait le visage congestionné. Ken discernait l'odeur aigrelette qu'elle exhalait — l'odeur caractéristique d'un corps imbibé de whisky. Car, ce n'était un secret pour personne, Marcia avait un penchant marqué pour la bouteille. Leur couple, à Randall et à elle, ne tenait plus que par la force de l'habitude. Ngili serra les dents et mit le cap sur un canapé au capiton jauni sur lequel s'entassaient des vieilleries, parmi lesquelles un transistor, qu'il alluma. Une voix rauque, étrangement familière, s'éleva. Ngili en resta bouche bée.

— Nous devons resserrer nos rangs dans l'adversité, telle une horde de lions face au danger, disait Jakub Ngiamena. En ces temps où toute la communauté internationale s'accorde à couvrir notre pays d'opprobre, nous devons nous rappeler que nous sommes d'une autre trempe que les autres nations. Nos vieux lions restent les plus sûrs garants de notre avenir et de notre prospérité. J'appelle donc la jeunesse à se ranger derrière le gouvernement et à soutenir l'action de notre président...

Une voix plus jeune intervint, nettement plus moderne dans son élocution.

— Vous venez d'entendre Mr Jakub Ngiamena, Directeur de l'Office des réserves et des parcs nationaux, et membre du Parlement...

Au même instant, Phillips réapparut, muni d'une poignée de pinceaux.

— Tiens, tiens ! lança-t-il. D'ordinaire, ton noble père ne se risque pas dans des déclarations pro-gouvernementales aussi appuyées. Qu'est-ce qui se prépare, Ngili ?

— Rien du tout ! Mon père soutient le gouvernement dont il est membre. Je ne vois pas ce que ça a de si curieux...

Ngili fondit sur la radio et l'éteignit d'un geste si brusque que l'appareil partit valdinguer contre le dossier du vieux canapé.

— Qu'est-ce qu'ils nous mijotent ? insista Randall. Une petite loi martiale, à vue de nez — avec ou sans dissolution du Parlement...

— Mais qu'est-ce que ça peut bien vous faire, à vous ? Demain, vous serez à l'autre bout de la planète...

Ngili n'avait plus son accent de Cambridge. Son anglais avait subitement retrouvé des inflexions plus dures, typiquement africaines. Randall lui posa la main sur l'épaule.

— Ça me fait que tu es un de mes étudiants. Et que je suis navré de voir ton père mêlé à ces histoires, car c'est un type bien. Mais bon, c'est pas tout ça... ! enchaîna-t-il, en ajustant ses lunettes de soudeur. Prêts, les gars ? Voyons ce que cette petite dame cache sous ses bas... !

Le foret reprit sa chanson lancinante. Les fragments de brèche pleuvaient sur le sol.

Il ne leur resta bientôt plus entre les mains qu'un tout petit bloc de pierre. Ken se sentait dans la peau d'un sculpteur s'évertuant à extraire une statue d'un cube de marbre brut. Il exultait de la joie du créateur... Non — ça tenait davantage d'un étrange orgasme. Il allait enfin voir ce qu'il avait si âprement désiré. Tu n'es qu'un vieil obsédé ! se serait esclaffée Yinka. Il se la représenta dans la pièce, assistant à cet exaltant strip-tease de la dame de pierre... Un sourire lui effleura les lèvres.

Eh oui, Yinka ! songea-t-il, imagine un peu... Une Belle-au-bois-dormant qui m'attendait depuis si longtemps, au cœur de ce bloc de calcaire...

La gangue qui emprisonnait le pied droit du fossile se désagrégea en un nuage de poussière grisâtre. Dès que la poussière fut dissipée, ils découvrirent la cheville qui y était enfouie depuis des millions d'années — ou du moins, ce qu'il en restait...

Le pied s'était littéralement pulvérisé sous la pression de la masse de terre qui recouvrait la tombe de l'hominienne. Ngili en oublia son humeur massacrante, et échangea avec Ken un regard navré.

Le jeune Américain se précipita vers Randall pour retenir sa main :

— Mais arrêtez donc cette fraiseuse ! Vous ne voyez pas que vous êtes en train de réduire ce pied en miettes ?

— Il est déjà en miettes, je te signale ! se récria Randall, presque plus déçu que son élève. En poussière, plus exactement ! Si tu penses faire mieux avec ton marteau, vas-y... je t'en prie !

Il arrêta la fraiseuse et recula, les bras croisés.

Ken se pencha sur la table, les mains tremblantes, malade à l'idée de voir s'évanouir sous ses yeux une bonne partie de l'intérêt de leur découverte. Du bloc de brèche initial ne subsistait qu'un fragment oblong contenant le pied gauche du fossile.

Il secoua la tête pour s'éclaircir les idées et la vue, et avec mille précautions, entreprit de faire sauter les derniers fragments de roche, en retenant son souffle.

Sous une croûte externe assez résistante, la brèche était si friable qu'elle s'émietta dès qu'il l'effleura.

Il creusa un peu plus profond, luttant contre une terrible angoisse, et attaqua la gaine de brèche qui se craquela, avant de s'effondrer sur elle-même.

Une chape de silence s'était abattue sur le garage.

Randall émit un « Tsst » de déception, puis il se reprit et, tel un chirurgien réconfortant un patient qu'il vient d'amputer, il entreprit de ranimer le moral de ses troupes :

— Ne cédons pas au découragement, les gars ! N'oublions pas que c'est tout de même la Vénus du pliocène, que nous tenons là — rien de moins ! Elle n'a plus de pieds ? La belle affaire... Elle n'en est pas moins Vénus ! Imaginez un peu le nombre de marbres antiques qui nous sont parvenus sans bras, voire sans tête... Allons, les gars ! Votre australopithèque reste le fossile humain le plus complet que l'on ait découvert à ce jour ! Tenez, regardez ça... fit-il, en s'emparant de l'os iliaque et en désignant un groupe de crêtes irrégulières qui tapissaient la cavité articulaire de la hanche. Vous voyez ça ? C'est un vestige du *ligamentum teres*, le ligament qui relie la tête du fémur au cotyle. Fossilisé ! Il est extrêmement rare de retrouver des tissus non osseux pétrifiés ! A partir de ce seul fragment, on va pouvoir faire tourner des simulations informatiques d'un intérêt capital. Nous allons reconstituer tous les mouvements que permettait cette articulation, et avec une telle précision, expliqua-t-il, en faisant jouer la tête du fémur dans la cavité cotyloïde, que nous parviendrons à déterminer la masse musculaire et la taille des ligaments de votre Vénus. Nous pourrons ainsi calculer la longueur de sa foulée, et son âge, avec autant d'exactitude qu'en analysant l'état de sa dentition !

Il marqua une pause, s'efforçant d'évaluer leur degré de découragement.

— Allez... ne faites pas cette tête ! Votre découverte nous permettra peut-être de résoudre certains des mystères qui entourent les origines de l'homme et l'acquisition de la bipédie.

— Vous savez bien que ce n'est pas possible, fit Ken. Pas sans les pieds...

— Eh oui... C'est le problème... et c'est ce que j'appelle s'y prendre comme un pied... ! fit-il, mais sa blague ne fit rire personne. Allez... vous y retournerez, et vous dénicherez bien d'autres fossiles ! Dans le tas, c'est bien le diable s'il n'y en a pas un qui aura gardé au moins l'un de ses pieds ! En attendant, j'emmène tout ça en Californie, pour le faire dater.

— Vous allez emporter l'os iliaque avec la trace du ligament ? demanda Ken.

— Et comment ! Je suis prêt à me le faire monter en sautoir, pour passer la douane ! répondit Phillips en lui tapant sur l'épaule. Je t'assure que pour moi aussi, c'est une immense déception. Que veux-tu... ça m'a toujours fait craquer, les jolis pieds !

— Tu devrais appeler ton père, fit Ken en se tournant vers Ngili, qui lui renvoya un regard impénétrable. Allez, vas-y ! insista-t-il. Il faut commencer par régler cette histoire avec lui, quoi qu'on décide de faire, toi et moi. Tu te sentiras bien plus léger, tu verras !

Après une brève hésitation, Ngili tourna les talons, sortit du garage et se dirigea vers la maison.

— Parfait ! murmura Randall. Profitons de son absence pour choisir les morceaux de cette beauté que j'emporterai, et les os que je laisserai à ronger au gouvernement kenyan. Ne prends pas cet air offusqué, Ken ! Les trouvailles paléontologiques appartiennent de droit à l'Etat, et tu sais comme moi que Ngili ferait n'importe quoi pour rentrer dans les bonnes grâces de son père. Autant dire que votre découverte risque de faire les frais de la crise politique actuelle !

Avec un pincement au cœur, Ken se rendit compte que Randall venait d'exprimer ses propres appréhensions, dont la mesquinerie le révolta.

— Vous faites une crise de parano, Randall ! Ngili est un scientifique, avant tout.

— Eh oui... comme nous tous — jusqu'à ce qu'on se retrouve le dos au mur ! Ton conseil de téléphoner à son père partait sans doute d'un bon sentiment, mais avoue que ça ne pouvait mieux tomber ! Cette réconciliation ne peut que faciliter tes prochains voyages dans le Dogilani...

Ken sentit ses joues s'empourprer. Randall l'avait percé à jour. Il s'en faisait pour Ngili, certes, mais le conseil qu'il lui avait donné n'était pas désintéressé. Pas complètement.

— A propos, tu devrais me confier la responsabilité scientifique de votre projet, poursuivit Randall. Comme ça, s'il t'arrivait quoi que ce soit, je pourrais orchestrer les protestations de la communauté scientifique internationale pour vous protéger, toi et ton fossile.

Ken réfléchit à toute allure. Randall avait marqué là un sacré point. Pourtant, cette façon qu'il avait de s'imposer sans vergogne... Mais pouvait-il vraiment refuser... ?

— D'accord ! s'entendit-il répondre, surpris de se découvrir ces talents de négociateur, et pas bien sûr d'en être très fier...

— Merci, fit Randall. C'est une sage décision. Ngili devrait demander à son père de mettre le reste de votre fossile en lieu sûr et de faire en sorte que je n'aie pas de problèmes, demain, pour passer la douane, flanqué d'une femme grincheuse, et d'une ribambelle de gosses, avec dans ma valise un crâne et un pelvis du pliocène ! Mais qu'est-ce qui te prend ? ajouta-t-il en voyant Ken arpenter la pièce d'un pas nerveux.

— Vous êtes devenu cynique, Randall. Je n'aime pas ça.

— Moi non plus, si ça peut te rassurer. Mais dis-toi bien que ça arrive à tout le monde, tôt ou tard. A propos, Ken...

— Quoi donc ?

— Ces traces de pas que tu as vues sur les contreforts de la Mau... Tu me disais que votre pilote, là... ce fameux Hendrijks, il a bien dit qu'il en avait déjà observé dans le secteur ?

— C'est ce qu'il prétend. Mais allez savoir, avec lui... C'est un vrai sac à vin.

— Si j'étais toi, je le prendrais entre quat'z-yeux et je tâcherais de lui tirer les vers du nez.

Randall s'interrompit, l'air préoccupé, ce que ne lui était pas habituel. Son index pointa en direction du squelette.

— Et s'il ne s'agissait que d'un subfossile, Ken?

— D'un *quoi ?*

— D'un organisme partiellement minéralisé, mais qui serait en fait plus récent qu'il n'y paraît. Vieux de moins de dix mille ans, par exemple... — auquel cas il ne mériterait pas l'appellation de « fossile ».

— Randall... lequel de nous deux se paie une crise de parano aiguë, là ?

Randall se mit à arpenter le garage, comme Ken le faisait depuis déjà un bon moment.

— Ce squelette est tellement complet que c'en est presque anormal, Ken! Même sans ses pieds, il est intact à soixante-dix, voire soixante-quinze pour cent. Je ne vois vraiment pas comment il a pu résister à l'enfouissement, à la pétrification, aux soulèvements et aux effondrements de terrain successifs, sans même parler de l'érosion — et nous parvenir en aussi bon état...

Randall avait résumé là les diverses étapes de la « vie » d'un fossile dans les profondeurs des couches géologiques, au gré des convulsions de l'écorce terrestre — tremblements de terre et éruptions volcaniques compris. Un squelette humain — matériau éminemment périssable — aurait-il résisté à toutes ces tribulations... ? Et pas seulement l'espace de quelques siècles, mais pendant des millions et des millions d'années! Même avec le renfort des sels minéraux qui avaient imprégné le squelette de cette femme et l'avaient lentement transformé en pierre, il était stupéfiant que ses os aient si bien conservé leur forme et leur apparence, qu'ils ne soient pas retournés à l'état de vulgaires cailloux non identifiables.

Mais Ken avait foi en ce caractère exceptionnel de leur découverte.

— Ça s'explique très bien, d'un point de vue géologique, Randall, répliqua-t-il. Tout le secteur du Dogilani a été très peu affecté par les grands bouleversements et, comme l'ensemble de l'environnement, les couches sédimentaires profondes sont demeurées quasiment inchangées. Vous devriez venir y jeter un œil... On se croirait revenu à l'aube de l'humanité, là-bas. Une véritable plongée dans le pliocène...

— Et ça représente quoi, comme surface, cette plaine?

— Dans les treize mille kilomètres carrés.

— Un groupe de Bochimans n'a besoin que de mille kilomètres carrés, pour survivre, réfléchit Randall à haute voix. Et ils se déplacent beaucoup plus que les autres tribus nomades d'Afrique. Une horde de babouins se contente d'une cinquantaine de kilomètres carrés, et une famille de gorilles de la moitié, à peine. Ce qui signifie... murmura Randall, comme s'il se parlait à lui-même, ce qui signifie qu'il y a là-bas plus de place qu'il n'en faut pour assurer la survie d'une peuplade primitive. Une population descendant de fossiles comme celui-ci. Ces deux événements hautement improbables — la survivance d'un tel groupe humain et le fait que tu sois tombé pile dessus — ont peut-être coïncidé, il y a trois jours, lorsque vous vous êtes posés en ce point précis de la savane. Dès que j'aurai déterminé l'âge de ce fossile, nous aurons un début de réponse.

Ken chercha désespérément à s'assurer qu'il ne rêvait pas. Il regarda autour de lui. Le sol de béton poussiéreux, un placard à outils démantibulé, un canapé au rencard, un vieux poste de radio, un tuyau d'arrosoir enroulé, une tondeuse à gazon. Il leva les yeux. De minuscules moucherons avaient trouvé le moyen de se glisser à l'intérieur des deux ampoules électriques qui pendaient du plafond et reposaient au fond des globes de verre, périodiquement cuits et recuits par les filaments incandescents.

La réalité tenait bon, bien que les propos de Randall fussent aussi sidérants que ce radical changement de cap de ses idées, qui oscillaient du scepticisme complet aux spéculations les plus délirantes.

— Si tu allais récupérer ces photos, Ken... ?

— OK. J'appelle Théo. Ça devrait être bon, à l'heure qu'il est.

Il sortit en trombe du garage, fit le tour de la maison par la cour de derrière et poussa la porte de la cuisine. Installé devant un plan de travail, l'oreille collée au téléphone, Ngili était en pleine conversation, probablement avec son père. Il avait l'air dégagé et, au passage de Ken, il lui fit un petit signe.

Ken sentit revenir sa migraine. Il entra dans une chambre à coucher — un véritable capharnaüm — et s'arrêta net à la vue de Marcia, allongée en travers du lit, toute habillée, près d'une valise ouverte qu'elle n'avait pas achevée. Sur la table de nuit, le téléphone côtoyait un verre de whisky presque vide.

Ken approcha de l'appareil sur la pointe des pieds, décrocha et composa le numéro de Théo.

Occupé.

Il fut pris d'une soudaine inquiétude. Et s'il y avait eu un problème, à la boutique — un incendie, un casse, une descente des ripoux du cru ?

Le mieux était de s'en assurer par soi-même.

6

Les paroles de Randall lui résonnaient encore aux oreilles. Une peuplade primitive aurait-elle vraiment pu survivre, à l'insu du monde entier, sur un tel territoire ? Une idée presque saugrenue, mais qui lui embrasait l'esprit. Le front moite, il écrasa l'accélérateur de la Land Rover. Non... Impossible ! Il était vraiment fou d'imaginer une chose pareille — mais, d'un autre côté... Peut-être étaient-ils à la veille d'une découverte sans précédent... ?

Si une tribu d'hominidés avait survécu dans le Dogilani, cela signifiait que l'*Homo sapiens* actuel n'était pas l'unique espèce humaine de la planète.

Il y avait une autre humanité...

Cette idée le laissait sans voix. Ces hominiens pouvaient être soit les derniers survivants d'une espèce archaïque, soit les représentants d'un rameau distinct de la lignée humaine — mais, dans les deux cas, leur existence même prouvait que l'évolution de l'Homme n'était pas achevée, et qu'elle se poursuivait.

Ken dut freiner brutalement, pour éviter le pare-chocs arrière de la voiture qui le précédait. Ce n'était vraiment pas le moment de jouer aux autos tamponneuses ! Redoublant de prudence, il acheva sans encombres la traversée du quartier indien. Des groupes de jeunes gens en chemise blanche et pantalon sombre déambulaient sur les trottoirs, s'arrêtant pour échanger quelques mots avec des jeunes filles à demi masquées par des jalousies, derrière lesquelles se profilaient les ombres vigilantes des mères.

Dès qu'il atteignit le quartier africain, l'atmosphère changea radicalement. Malgré l'heure tardive, des gosses à moitié nus se poursuivaient sur les trottoirs et tous les bars illuminés déversaient dans la rue une musique tonitruante. La circulation était frénétique. Des jeunes Noirs se baladaient au volant de voitures cabossées, en tétant ostensiblement des canettes de bière.

Brutalement, l'obscurité se fit. Lampadaires, fenêtres et devantures s'éteignirent d'un seul coup, comme si une main invisible avait actionné un interrupteur géant. Seuls brillaient dans la nuit les phares des véhicules qui se traînaient au pas.

Un pick-up percuta le pare-chocs arrière de la Land Rover, mais Ken préféra poursuivre sa route, en priant pour que la situation politique soit étrangère à cette panne de secteur. Soudain, devant lui, le faisceau d'un projecteur géant, braqué à la verticale, creva l'obscurité.

La foule qui se pressait sur les trottoirs parut littéralement médusée. Devant la Land Rover, il y eut une succession de chocs sourds — un carambolage en série. Toute la circulation s'était figée. Ken n'était plus qu'à deux rues de chez Théo. J'aurais aussi vite fait de me garer, et d'y aller à pied, pensa-t-il.

Il fit hurler son moteur pour monter sur le trottoir, se faufila entre deux arbres et bloqua la direction, espérant que la position de sa jeep, coincée entre les arbres, découragerait les voleurs, mais à peine eut-il mis pied à terre qu'il fut pris d'un remords. Replongeant dans la Land Rover, il ouvrit la boîte à gants d'un coup de poing, empoigna le Walther et le glissa dans sa ceinture.

Comme il mettait pied à terre, il aperçut un Noir qui faisait grimper sa Toyota rouillée sur le trottoir, à quelques mètres de là. Le type coupa le contact et descendit. Ken lui décocha un sourire de connivence. Entre automobilistes en détresse... Le Noir, un grand maigre vêtu d'une chemise beige de coupe militaire, lui renvoya un regard glacial et, sans un mot, pointa de l'index la Land Rover, comme pour reprocher de lui avoir soufflé la place. Sur quoi, il tourna les talons et se perdit parmi les voitures embouteillées.

Ken partit le long du trottoir. Il enjamba une flaque d'eau savonneuse, baissa la tête pour éviter le linge mouillé qui pendait aux branches d'un arbre, et reçut en pleine face un faisceau d'une lumière si agressive qu'il eut l'impression d'être radiographié de la tête aux pieds. Et non seulement lui, mais la rue tout entière.

C'était le même projecteur, mais cette fois orienté à l'horizontale, de façon à éclairer la chaussée. Il devait être installé à proximité.

Ken réfléchit. Il était derrière la galerie marchande où se trouvait la boutique de Théo. Il aurait plus vite fait de prendre l'escalier de secours qui débouchait au fond d'un petit parking, à quelques mètres de lui. Ken grimpa les marches quatre à quatre. Arrivé au deuxième niveau, il s'arrêta pour reprendre haleine. Instantanément, une lumière bleutée l'aveugla et il eut à nouveau la sensation d'être bombardé de rayons X.

Plissant les paupières, il s'efforça de comprendre ce qui se passait dans la rue. Un camion de l'armée était garé devant l'entrée de la galerie. Son moteur ronronnait. Un énorme projecteur était monté sur sa plate-forme arrière. Trois militaires suspendus à ses poignées pesaient de tout leur poids pour en orienter le faisceau. Un char avait pris position à côté du camion. Le haut du corps émergeant de la tourelle, le chef de char aboyait ses ordres aux trois soldats qui manœuvraient le projecteur. Le faisceau lumineux balayait lentement les maisons, les cours, les boutiques. Des soldats patrouillaient par petits groupes, hilares, l'arme à la main. Dans la pénombre, des visages noirs apparurent aux fenêtres et dans l'embrasure des portes. Le chef du char leur cria en swahili qu'il n'y avait rien à craindre.

Des visages émergeaient de l'ombre, de plus en plus nombreux, baignés par la lumière bleutée du projecteur qui donnait à leur peau une teinte étrange, tirant sur l'outremer. Le faisceau aveuglant s'arrêta sur la terrasse vitrée d'un petit bar d'où émergèrent plusieurs jeunes femmes, en mini-jupe et talons aiguilles. L'une d'elles esquissa un timide salut de la main en direction des soldats.

— Alors ? Ça te plaît, Nairobi by night... ? fit une voix, à l'oreille de Ken.

Se retournant, il reconnut Théo. Au même instant, le

pinceau du projecteur passa sur eux, noyant d'indigo le visage du photographe. A quelques mètres derrière lui, béait la porte de la boutique, dans laquelle le frère de Théo triait des papiers, à la lueur d'une bougie. Ken signala au photographe que son numéro avait sonné occupé toute la soirée.

— On était en ligne avec notre agent de change, expliqua Théo. Va falloir vendre les quelques actions qu'on s'est mises à gauche, et rapido! Parce que, cette fois, c'est décidé : on lève l'ancre. Dans deux jours, on sera loin!

— Si vite?

— T'écoutes pas la radio? Le président a instauré la loi martiale. Il a invité toute la population à se retrousser les manches, mais on en a ras le bol, de se les retrousser, le frangin et moi — on a tellement tiré dessus qu'elles tombent en loques! Alors on se barre. J'ai l'impression que tout ça fait grincer pas mal de dents — c'est pour ça qu'ils envoient l'armée.

« Se retrousser les manches » était une métaphore héritée de la période coloniale, et que le président semblait affectionner tout particulièrement. Il jurait ses grands dieux qu'il serait le premier à se les « retrousser », mais l'expression avait fini par devenir synonyme de « se serrer la ceinture » — et ce, dans un pays où la population avait déjà la taille passablement étranglée.

— Merde! J'étais au courant de rien... A part ça, tu as mes photos?

— Bien sûr! Attends, je te les apporte. On trimballait des boîtes, quand le courant a sauté, et on a tout fichu par terre. C'est un vrai boxon, dans la boutique.

Théo disparut dans le magasin où dansait la flamme de la bougie. Ken se pencha au-dessus de la balustrade. Une foule de plus en plus dense descendait dans la rue, prudente, mais apparemment ravie de cette animation inhabituelle.

Le chef de char discutait avec des badauds, tandis que les trois soldats maintenaient le projecteur braqué sur la façade du bar. Ken, qui connaissait l'endroit de vue, le soupçonnait d'abriter un bordel clandestin. Les filles qui y travaillaient étaient à la fois trop bien roulées et trop godiches pour être de vraies serveuses.

— Tiens! fit Théo, en lui glissant une pochette dans la main. Tu veux pas entrer une minute? Tu choisis mal ton moment pour traîner dans les rues.

— Tu es sympa, Théo, mais je suis vraiment pressé, là...

Le projecteur s'éloigna du bar et se posa sur la galerie marchande. Ken le sentit sur sa nuque. Un flot de lumière froide inonda le hall et l'escalier de secours. Ken leva les yeux. Là-haut, derrière un énorme fusil automatique, un type l'avait mis en joue.

Ken sentit le souffle lui manquer. Il reconnut le grand Noir à la Toyota, qui s'était garé à côté de lui sous les arbres. Le projecteur balaya le visage de l'homme, qui ferma les yeux.

Ken lâcha un cri et se replia sur lui-même. A côté de lui, Théo avait plongé à terre. Il empoigna le Walther glissé dans sa ceinture, et à la seconde où une rafale de balles jaillissait du canon braqué sur lui, il visa les mains du tireur. L'homme lâcha un cri de douleur. Au même instant, le projecteur se détourna.

Dans la rue, quelques soldats tirèrent des salves de coups de feu en l'air. A quatre pattes, Théo fila dans la boutique, dont il ressurgit, armé d'un impressionnant fusil d'assaut, derrière lequel il paraissait encore plus petit. Il épaula son arme, tout en criant à Ken de dégager, mais il n'eut pas le temps de faire feu. L'homme avait disparu. Théo avança jusqu'au sommet de l'escalier et scruta le parking.

Ken ne se souvenait pas d'avoir lâché sa pochette, mais les photos étaient éparpillées par terre. L'une d'elles voletait encore dans l'air. D'une main tremblante, il l'attrapa au vol et se baissa pour rassembler les autres, avant de rejoindre Théo à toutes jambes.

— Tu l'as loupé, grogna Théo. Fais voir ce truc-là, s'écria-t-il, en lui arrachant le Walther des mains. Mais c'est pas un flingue, ça, c'est un pistolet à bouchon! C'est qui, ce mec? Tu peux m'expliquer ce qui se passe, nom de nom?

Au bout de quelques instants, qui lui parurent interminables, le courant revint et Ken eut tout loisir d'examiner le parking à la lumière des lampadaires. Il était désert.

Planté à côté de Théo, au sommet des marches, Ken tremblait de tous ses membres. Il ne savait que dire à Théo.

— Ce type... c'est à moi qu'il en voulait... Je l'ai croisé tout à l'heure, dans la rue.

— Où ça?

— Là où j'ai laissé ma jeep...

— T'as eu un sacré coup de pot, mon vieux! Tu faisais une superbe cible de fête foraine, devant cette balustrade! Une chance que ce projo l'ait aveuglé, sinon, tu serais mort.

Ken se retrouva dans la boutique, sans trop savoir comment. Il avait le sentiment que quelqu'un d'autre faisait se mouvoir ses mains et parlait par sa bouche. Il régla ses photos et prit congé des deux frères.

— Partir? protesta Théo. Ma main à couper qu'ils t'attendent du côté de ta bagnole! Mais qu'est-ce qui se passe, Ken? T'as traficoté de l'ivoire? Tu es en cheville avec des braconniers?

— Mais bien sûr que non! Tu sais bien que mon seul job c'est la... » La « recherche scientifique », avait-il failli dire, mais le terme lui avait parut bizarrement incongru. « Passons... fit-il. Ne vous en faites pas pour moi. Je vais prendre un *matatu*, si j'en trouve un. Sinon, je rentre à pied.

— Armé de ce joujou?

S'emparant de sa main, les deux frères y placèrent d'autorité un Rhino .38, made in Afrique du Sud. Du sérieux.

— Allez, amène-toi. On va te raccompagner, lui dit le frère de Théo. Et te bile pas, pour ta Land — tu la récupéreras demain matin, là où tu l'as laissée! Elle n'aura peut-être plus de roues ni de batterie, mais elle y sera, t'inquiète! Allez, viens! On va te raccompagner.

Il s'écoula encore deux secondes, dix, cent, mille... Ken était à l'arrière de la voiture de Théo, qui avait pris le volant. La ville était en ébullition. Des chars et des camions militaires avaient pris position aux carrefours. Certains véhicules avaient été transformés en de véritables buvettes improvisées. Les soldats distribuaient des canettes de bière à la population. Des danses s'organisaient pour cesser presque aussitôt. Des groupes arpentaient les rues, brandissant à bout de bras des portraits du président.

— Il ferait mieux de nourrir son peuple, au lieu de le faire picoler, ce connard! grinça le frère de Théo.

Ken pensa à Ngili et surtout à Yinka. Il espérait de tout son cœur que lui serait épargné le spectacle de cette ville affamée et en proie à ce délire.

La pochette de photos était sur ses genoux.

— Toute cette série est floue, sans exception, lui avait annoncé Théo, en désignant les clichés des empreintes sur l'éperon rocheux. Vu la vitesse de l'avion, il t'aurait fallu un film nettement plus sensible. Mais c'est bien des empreintes humaines, ça, pas de problème — parce qu'elles sont régulières... Celles-ci, en revanche, sont impec, avait-il ajouté avec un sifflement admiratif, en montrant les empreintes laissées par la créature de la savane. C'est des traces de quel animal ? Un singe, genre colobe ?

Ken avait souri, trop épuisé pour lui expliquer qu'aucun singe n'avait de tels pieds. Sur plusieurs photos, on voyait aussi l'empreinte d'une de ses bottes — il l'avait fait exprès, pour avoir un élément de comparaison. Les pieds de l'hominidé étaient moitié moins grands que les siens. Des pieds d'enfant. Un enfant qui se serait baladé, pieds nus, en pleine savane.

Il avait posé le Rhino.38 sur ses genoux, à côté des photos. Sa main se referma sur la crosse et serra. Théo avait surpris son geste dans le rétroviseur.

— Eh ! fais gaffe, mon vieux ! C'est sensible, ces petites bêtes... T'amuse pas à nous faire sauter le caisson !

— Tu aurais quelques chargeurs d'avance, par hasard ?

— T'as oublié ? J'en ai mis deux dans ta poche, à la boutique. Eh, Ken ? T'es où, là ?

— Ça va, ça va... !

Demain, je retourne là-bas, coûte que coûte. Si j'arrive à survivre à cette nuit...

Il restait dix mille shillings sur son compte. De quoi convaincre Hendrijks, ou une autre tête brûlée du même tonneau, de le ramener là-bas. *Et s'il refuse, je lui colle ce calibre sur la tempe.*

Il ne tremblait plus.

La voiture de Théo, une Mini Morris du genre increvable, tourna dans la rue de Phillips. Le quartier indien était bizarrement calme. Une voiture garée un peu plus haut leur fit des appels de phares. Ken reconnut la Mercedes 600 de Ngiamena, près de laquelle se tenait son propriétaire, en compagnie de Randall et de Ngili. Théo pila crânement à quelques millimètres du pare-chocs de la grosse allemande. Ken s'extirpa de la Mini.

— Des problèmes ? demanda Ngili qui était accouru.

Autant tout lui dire, songea Ken. Il l'apprendra de toute façon, tôt ou tard...

— Un type m'a tiré dessus devant la boutique de Théo. » Il marqua une pause, le temps d'observer la réaction des trois hommes. « Mais il doit y avoir erreur sur la personne... Ce type a dû me prendre pour quelqu'un d'autre.

Jakub Ngiamena le regardait, sidéré. Randall jeta un rapide coup d'œil par-dessus son épaule en direction de sa maison, apparemment endormie.

— Vous voulez passer la nuit chez nous, Ken ? proposa Ngiamena.

— Merci... Je préfère rentrer chez moi.

— On le raccompagne ! lança Théo, toujours assis à son volant.

Ken demanda à Théo de l'attendre cinq minutes. Il tendit la pochette de photos à Randall, qui s'en empara et disparut dans la maison. Toute l'assistance lui emboîta le pas, hormis les deux frères.

Randall étala les photos sur la table du séjour. Après les avoir examinées, Ngili leva les yeux vers Ken.

— Vu la tournure que prennent les événements, il me semblerait sage de mettre le fossile en lieu sûr. Tu peux t'en charger ? lui demanda Ken.

— C'est ce que nous nous apprêtions à faire, répondit Jakub. Je conserverai les ossements dans mon coffre personnel, jusqu'à ce que la loi martiale soit levée.

— Ne va pas chez toi, fit Ngili, dont les yeux n'avaient pas quitté Ken.

— Comment pourrai-je savoir si c'est bien à moi qu'en veut ce tueur, si je ne rentre pas ?

— Je serais plus tranquille si vous veniez chez nous, Ken, insista Jakub. Je m'en fais déjà pour Yinka... Elle était sortie, quand tout ça a commencé, et elle n'est toujours pas rentrée.

— Non, vraiment... Je préfère aller chez moi.

— Appelez au moins le gardien de votre immeuble, conseilla Jakub. Et assurez-vous que personne ne rôde dans les parages.

— Ça, comptez sur moi... fit Ken. Alors, Randall... Qu'en pensez-vous ? ajouta-t-il, se tournant vers son ex-professeur, qui examinait toujours les clichés.

Phillips eut une moue perplexe.

— Ce que j'en pense...? Eh bien, tout cela me paraît ahurissant, bien sûr — il avait pesé chaque mot... Avec les os et les échantillons de sol que j'emporte à Davis, j'aimerais que tu me confies quelques-uns de tes clichés. Celui où apparaît ton pied, par exemple, pour avoir l'échelle...

Ken réfléchit longuement et choisit deux tirages qu'il lui tendit. Ngili, qui avait gardé les yeux rivés sur lui, dut deviner l'extrême importance que Ken attachait à cette décision. Il contourna la table, pour venir se placer à ses côtés.

— Et qu'est-ce que tu comptes faire, maintenant?

— Retourner là-bas — et le plus tôt sera le mieux. Dès demain, si possible!

Jakub Ngiamena fronça les sourcils. Il allait ouvrir la bouche mais Ken l'arrêta d'un geste :

— Il le faut, Jakub, poursuivit Ken. Je dois y retourner, avec ou sans Ngili. Nous avons fait une incroyable découverte, dans une zone aussi déserte qu'inaccessible, et on nous a tiré dessus. Et il y a une heure à peine, j'ai été victime d'une nouvelle tentative de meurtre — moi qui n'ai jamais eu le moindre problème, dans ce pays!

Jakub l'observait, de plus en plus soucieux.

— J'ai peine à croire qu'il n'existe aucun lien entre ces deux agressions, reprit Ken. D'ailleurs, comment se fait-il que la première ait pu se produire en pleine savane, sur les lieux mêmes où nous venions de découvrir le fossile? Je n'ai pas de réponse à cette question et je ne vois pas comment je pourrais en avoir le cœur net. Mais quelle que soit la solution du mystère, quelqu'un va devoir retourner dans le Dogilani, pour poursuivre les fouilles autant que pour protéger le site...

Il tendit la main vers les clichés et en prit deux, qu'il glissa dans sa poche poitrine. Puis il rassembla les autres, et les remit à Jakub, accompagnés des négatifs.

— La première agression pourrait s'expliquer assez facilement, fit ce dernier en prenant les photos. Imaginez que des malfaiteurs ayant la justice tanzanienne aux trousses aient passé la frontière du Kenya dans un véhicule volé et se soient égarés dans la région. En voyant votre avion, ils ont pu croire qu'ils étaient tombés sur des gardes de la réserve, et décider de les éliminer...

— Je donnerais cher pour que vous ayez raison, fit Ken. Mais quoi qu'il en soit, vu ce que semblent indiquer ces photos, il est désormais impératif de ne pas ébruiter notre découverte, avant de savoir au juste de quoi il retourne.

— Vous pouvez compter sur ma discrétion, répliqua Ngiamena avec un sourire. J'ai bien d'autres soucis en tête, vous savez...! Mais réfléchissez, avant de vous décider. La nuit porte conseil!

— Espérons, fit Ken.

— Et ne t'avise surtout pas de t'envoler pour le Dogilani sans m'avertir, ajouta Ngili, avec un sourire en coin.

— Promis!

— Eh bien, cher ami de mon fils, je vous souhaite une bonne nuit — et à vous de même, professeur Phillips, fit Jakub, avant de sortir, Ngili sur les talons, avec la majesté d'un souverain qui se serait déplacé incognito, accompagné du seul prince héritier.

Randall avait posé sur Ken un regard où la surprise le disputait à l'inquiétude :

— Tu es vraiment décidé à y retourner?

Ken hocha la tête, sans l'ombre d'une hésitation.

— Nom d'un chien... Je dois avoir un fusil, quelque part dans cette maison, fit Randall. Tu crois qu'il serait sage de lui remettre la main dessus?

Théo et son frère déposèrent Ken devant chez lui. Tom Mboia Road était déserte, comme si tous ses habitants s'étaient précipités vers le centre-ville. Théo était arrivé au ralenti, pour laisser à son frère le temps de scruter les voitures en stationnement, le doigt sur la gâchette du fusil. Mais toutes les voitures leur parurent vides et ils n'aperçurent aucune silhouette louche dans les environs immédiats. Théo se gara devant l'immeuble de Ken, dont le hall d'entrée restait éclairé. Les deux frères allaient descendre de voiture, mais Ken leur assura qu'il était inutile de l'escorter jusqu'à sa porte.

Le cran de sûreté du Rhino était en place, mais il suffisait d'un coup de pouce pour le relever... Ken enfouit l'arme dans la poche de son pantalon, et franchit le seuil.

Assis devant une vieille télé noir et blanc, le gardien

regardait un reportage sur les événements du centre-ville, entrecoupé de bulletins d'information où le président était omniprésent. Quelques gosses des rues, que le portier accueillait tous les soirs ou presque, s'étaient écroulés par terre, au pied de son comptoir.

— Bonsoir, Mr Lauder ! Quelqu'un a laissé ça pour vous, fit-il, en lui tendant une enveloppe blanche.

Ken prit l'enveloppe et la palpa. Du beau papier...

— Ah... Qui ça ?

— Un certain Mr Anderson.

Ken resta bouche bée. Il s'éclaircit la voix et demanda si personne d'autre n'était passé — quelqu'un qui lui aurait paru bizarre, mais le portier secoua la tête.

— Ah, non... Enfin, si — il y a quelqu'un qui vous attend, Mr Lauder, répondit-il en tendant la main vers une banquette de bois, dissimulée derrière une rangée de palmiers en pots.

Fouillant la pénombre du regard à travers les feuilles, Ken porta instinctivement la main à sa poche droite. Un corps brun dont la fluidité contrastait avec la raideur inhospitalière du banc, était lové derrière les palmes.

— Salut, mon colon ! fit la voix de Yinka.

7

Se tournant vers la porte, Ken fit signe à Théo, qui l'observait depuis son volant, d'attendre un moment puis s'approcha du banc.

Yinka ne fit pas mine de se lever, mais elle changea de

visage en voyant Ken se pencher vers elle, avec une expression presque fébrile.

— L'ami qui m'a déposé attend devant l'immeuble, dit-il. Il peut te raccompagner à Karen, et j'aimerais que tu rentres avec lui — sur-le-champ! Je me suis fait tirer dessus, il y a une heure à peine. Tu n'es pas en sécurité en ma compagnie. » Puis, s'avisant qu'elle s'était peut-être réfugiée chez lui par crainte de possibles échauffourées, il ajouta : « Ne t'en fais pas... Il n'y a plus de danger. Les rues sont redevenues à peu près calmes. Je vais demander à Théo...

— Laisse, l'interrompit-elle. J'ai une voiture. Mais pourquoi rentrer chez toi, si tu as des tueurs aux trousses — d'ailleurs, qui sont-ils, ces tueurs?

Ken répondit d'un vague haussement d'épaules.

— Mais dis-moi... tu m'as l'air de l'attendre de pied ferme, le prochain assaut! lança-t-elle avec un petit sourire narquois, en se redressant.

Baissant les yeux vers son pantalon, Ken aperçut la crosse du Rhino qui déformait sa poche droite et tenta de la dissimuler en tirant sur le pan de sa veste.

— Qu'est-ce que tu veux, Yinka?

— Qu'est-ce qu'il te raconte dans sa lettre, ce cher Anderson?

— Tu l'as vu?

— J'ai tout vu, derrière mon rideau de plantes vertes, et si tu me fais les honneurs de ton appartement, je te dirai ce qui s'est passé et qui était avec lui.

— Il n'est pas question que tu mettes les pieds chez moi! Rentre immédiatement à Karen. Ton père se fait un sang d'encre.

— Laisse mon père où il est. J'ai trouvé un moyen de t'aider à retourner dans le Dogilani.

— C'est gentil, mais j'ai déjà un début de solution...

Yinka quitta sa pose d'odalisque et, dépliant ses longues jambes avec des langueurs de girafe, se dirigea vers la porte d'entrée. Après une brève hésitation, Ken la rattrapa. Pourquoi pas, après tout? Qu'elle monte chez lui, si elle y tenait tant...! Il fit signe à Théo que tout allait bien et qu'il pouvait y aller.

Le Dogilani... Quel que soit l'arrangement qu'avait mijoté Yinka, il ne pouvait se permettre de le refuser d'office.

— Alors, que t'écrit le grand *bwana* professeur?

Il ouvrit l'enveloppe.

Un bref message manuscrit, sur un luxueux papier à lettres, invitait Ken à passer au bureau d'Anderson, pour discuter de sa prochaine expédition dans le Dogilani — comment diable a-t-il su où nous nous trouvions? se demanda Ken, irrité. Anderson souhaitait avoir de plus amples détails sur la nature exacte de son projet et lui offrait son appui en vue d'expéditions ultérieures. Le crédit dont il disposait auprès du gouvernement rendrait son intervention d'autant plus efficace, en ces temps d'incertitude politique, et surtout si Ken entendait poursuivre ses recherches en toute indépendance. « Car l'heure n'est plus aux cachotteries entre confrères », concluait-il, sur une note enjouée, où Ken décela cependant l'ombre d'une menace. Anderson avait signé de ses simples initiales, « C. A. »

Pendant que Yinka parcourait la note, Ken se livra à quelques conjectures. Anderson était au courant — ou plutôt, il savait sans savoir. Yinka releva la tête et lui rendit la lettre avec une petite grimace d'indifférence.

— Alors? demanda-t-il. Avec qui était-il?

— Avec Raj Haksar, le vieux prof d'ethno. Ils sont passés ensemble à la maison, pas plus tard qu'hier.

— Et qu'est-ce qu'ils étaient venus faire chez vous?

— Dans l'après-midi, comme ça faisait vingt-quatre heures qu'on était sans nouvelles de vous, Um'tu s'est décidé à téléphoner à Anderson. J'étais dans la pièce d'à côté, quand il a appelé, et je l'ai entendu lui dire que vous étiez partis faire des relevés stratigraphiques. Il lui a demandé s'il avait une idée de l'endroit où vous pourriez vous être fourrés. Anderson a dû lui suggérer d'aller voir si mon frère n'avait pas laissé traîner quelques notes, concernant vos travaux en cours, parce que papa l'a fait patienter, pour aller dans la chambre de Ngili. Pendant que mon père farfouillait dans ses affaires, j'ai décroché dans la pièce où j'étais et j'ai écouté — parce que j'aurais donné cher pour savoir où vous étiez passés, moi aussi. Um'tu a réussi à mettre la main sur un paquet de notes et les a lues à Anderson, qui lui a fait répéter certains détails sur la composition de certaines roches. Il en a conclu que vous deviez vous trouver vers les contreforts sud de la Mau. « Dans le Dogilani, probablement... » a-t-il précisé et là-dessus, il a demandé à papa s'il pouvait passer le voir.

— Et alors ?

— Et alors, il a débarqué chez nous une demi-heure plus tard, escorté de Haksar. Papa m'a demandé de leur servir le thé, ce que j'ai fait, en bonne petite fille africaine... Et pendant que je m'occupais de ces messieurs, j'ai assisté à une bonne partie de leur conversation. Anderson n'avait pas l'air de penser grand-chose du Dogilani, mais Haksar, lui, a fait allusion à certaines populations indigènes qui, selon lui, vivraient dans la région. Comme s'il avait craint que vous ne perturbiez leur habitat naturel.

Ken sentit monter en lui un flot d'adrénaline.

— Des populations indigènes ? De quel genre ?

— A ma connaissance, il n'a mentionné aucune tribu précise. Mais bien sûr, j'étais occupée à faire le service... J'ai tout de même cru comprendre qu'il s'agissait de nomades. Haksar a insisté auprès d'Um'tu pour qu'il ne vous parle pas de cette conversation, ni à Ngili, ni à toi.

— Ton père n'a pas tiqué ?

— Si, bien sûr... Au point que Haksar a fini par lui expliquer qu'il comptait se rendre lui-même dans la région mais qu'il voulait à tout prix éviter d'ébruiter son projet, à cause de la concurrence féroce qui règne dans la profession. Toujours est-il que Um'tu a promis de garder le secret. D'ailleurs, tout ça, pour lui, c'était accessoire. La seule chose qui l'intéressait, c'était de vous localiser, toi et Ngili, pour envoyer un avion à votre recherche.

— Et il l'a envoyé, cet avion ?

— Oui. Ce matin, à la première heure. Mais le pilote était presque à court de carburant, quand il a fini par repérer votre appareil. Il a vainement tenté d'établir le contact radio et, en désespoir de cause, a fait demi-tour. » (Effectivement... ! se souvint Ken. Hendrijks avait parlé d'un avion qui les aurait survolés, pendant qu'ils photographiaient les empreintes, lui et Ngili.) « L'aéroport a appelé, quelques heures plus tard, pour nous annoncer que vous veniez de demander l'autorisation d'atterrir.

Elle s'interrompit. Ken semblait perdu dans ses pensées.

Ainsi, Haksar connaissait l'existence de ces curieux habitants du Dogilani. Mais qu'en savait-il, au juste ?

Il tâcha de réfléchir vite et bien : le vieil Indien ne devait pas savoir grand-chose — ce n'était pas un homme de terrain et il n'avait jamais dû mettre les pieds dans le Dogilani... Sans doute avait-il puisé ses informations dans les carnets d'un explorateur quelconque. A moins qu'il n'ait extrapolé à partir de vagues rumeurs. Mais ses « extrapolations » avaient tout de même alléché Anderson, au point de le pousser à rédiger cette lettre... qui avait dû être écrite sous la dictée de Haksar. Ken imaginait parfaitement la scène : Anderson à son bureau, Haksar penché sur son épaule. Un tandem pour le moins surprenant...

Se pouvait-il qu'un explorateur soit allé dans le Dogilani et y ait repéré des tribus d'hominidés ? Si oui, pourquoi n'avait-il pas ébruité cette fantastique découverte ? Ken revit tout à coup le visage du Hollandais et se souvint du conseil de Randall : « Si j'étais toi, je tâcherais de lui tirer les vers du nez... »

Parfait, songea-t-il. C'est ce que je vais faire. Mieux encore : je vais y retourner avec Hendrijks, pour m'assurer qu'il ne bavardera pas à tort et à travers, en mon absence... !

— Viens, Yinka ! fit-il en la prenant par le bras. On monte chez moi...

Il la conduisit vers l'ascenseur. L'ampoule de la cabine avait rendu l'âme depuis belle lurette et les parois de bois s'écaillaient. Il y flottait d'indéfinissables relents. Ken se rapprocha de Yinka pour respirer dans l'aura de fraîcheur qui l'environnait. Elle ne fit rien pour l'esquiver.

— J'ai un plan d'une simplicité évangélique, qui pourrait te permettre de repartir dans le Dogilani, et dès cette semaine, fit-elle, en élevant la voix pour couvrir les grincements des câbles.

— Cette semaine ?

Yinka fit « oui » de la tête.

— Où est le lézard ?

— Aucun lézard ! Tu persuades Ngili de rester bien sagement à Nairobi, avec la garantie de pouvoir reprendre sa place au sein du projet, au titre de co-inventeur à part entière, dès qu'il sera dégagé de ses obligations envers la mère-patrie — d'ici là, espérons que le jeu politique se sera calmé. Moyennant quoi, je m'arrange pour obtenir d'Um'tu qu'il te renvoie dans le Dogilani avec la bénédiction de l'Office des réserves et, si possible, avec une généreuse subvention de ladite administration.

— Ça m'a l'air trop beau pour être vrai... !

— Pas du tout. Mon père craint que son étoile ne soit en train de décliner, auprès du gouvernement. Il est prêt à tout pour rentrer en grâce. Il ne demande qu'à donner au gouvernement des gages de fidélité, et il pense tenir l'occasion rêvée, avec Ngili.

Logique. Cela expliquait du même coup l'attitude globale de Jakub et, en particulier, le ton de son intervention radiodiffusée.

— Je vois quand même un sacré lézard, fit remarquer Ken. C'est que je vais me retrouver seul en pleine brousse...

Tout seul, comme ce gosse.

Yinka avait posé sur lui ses grands yeux noirs, qui scintillaient au rythme du défilement des étages, certains plongés dans une obscurité quasi totale, d'autres dans une pénombre à peine dissipée par de lugubres appliques de cuivre terni.

— Tiens ! Je croyais pourtant que c'était ce que tu voulais... fit-elle.

— Oui, justement. Et toi ? Qu'est-ce que tu veux ?

— Je commence à en avoir soupé, du journalisme à la petite semaine, répliqua-t-elle tout à trac. Tu vas découvrir des choses passionnantes, là-bas. Imagine le reportage que ça pourrait faire ! Je voudrais que tu m'en réserves la primeur ! Et je veux aussi...

L'ascenseur s'immobilisa. Le palier était plongé dans le noir. Les yeux de Yinka étaient deux puits de ténèbres, aussi profonds que la nuit elle-même.

— Je veux avoir l'occasion de te connaître mieux.

— Quel intérêt ?

— Ça, c'est mon problème ! Alors, mon colon, marché conclu ?

Ils restèrent face à face. Au-dessus d'eux, les câbles gémissaient.

— Tu pourrais être dans le Dogilani dès la semaine prochaine...

Fichtre ! se dit Ken, dans moins de huit jours...

— Marché conclu ! Ngili devrait être arrivé, à l'heure qu'il est. Je lui passe un coup de fil.

Il la guida jusqu'à son appartement. La tête lui tournait légèrement et il eut du mal à trouver la serrure. Comme il ouvrait la porte, il entendit Yinka marmonner qu'elle ne voyait vraiment pas pourquoi ils se mettaient dans des états pareils pour un tas de vieux os datant de Mathusalem. En pénétrant dans le petit séjour, elle étouffa une exclamation de surprise, à la vue des deux silhouettes qui se dressaient, dans le plus simple appareil, au beau milieu de la pièce. Un couple d'hominidés.

C'étaient deux australopithèques en plâtre, grandeur nature. Ils mesuraient moins d'un mètre vingt. Leur peau brun clair était couverte d'une courte fourrure. Sous un nez épaté, dépourvu d'arête, leurs lèvres minces s'avançaient en une petite moue. Leur front, bas et fuyant, se prolongeait en un crâne aplati. Dans leurs orbites, profondément enfoncées sous un épais bourrelet osseux, luisaient deux petites prunelles noires. Les plâtres étaient d'un tel réalisme que Yinka dut faire un effort pour se dominer. Encore une facétie de l'imprévisible Lauder...

— Ta petite famille ! railla-t-elle.

Il marmonna quelques vagues explications : l'université avait décidé de rénover le département de paléontologie humaine... il avait récupéré quelques pièces de matériel pédagogique... Il fit tomber à terre le tas de revues scientifiques qui encombraient le canapé, pour faire place à sa visiteuse, et décrocha le téléphone.

Ce fut Ngili qui répondit. Une certaine lassitude perçait dans sa voix, mais il semblait calme et maître de lui. Il approuva globalement le projet de sa sœur, à condition de pouvoir venir voir Ken en avion, une fois par semaine, pour se rendre compte de la progression de ses recherches. Il apporterait du matériel et du ravitaillement et repartirait avec les rapports de Ken. Pourvu qu'il fasse ces allers-retours pendant le week-end, son père n'y verrait sûrement pas d'objection. Ceci mis au point, Ken tendit le combiné à Yinka.

— Bon, d'accord, passe me prendre si ça peut te faire plaisir ! lança-t-elle, après quelques minutes de conversation avec son frère. Oh, arrête ! ajouta-t-elle en riant. Je n'ai plus douze ans !

Ngili avait dû lui reprocher d'être venue seule chez lui. Quelque chose lui disait pourtant que Ngili ne lui passait ce savon que pour la forme. Car il semblait redevenu lui-même, maintenant qu'il avait fait la paix avec son père.

Ah, la paternité... songea Ken. Un des plus troublants mystères de l'humanité...

Il se sentait à la fois éreinté et étrangement apaisé. Il allait retourner dans le Dogilani — rien d'autre ne comptait vraiment. Lorsque Yinka raccrocha, il lui proposa un verre, mais elle secoua la tête. Il farfouilla dans ses placards jusqu'à ce qu'il mette la main sur une bouteille poussiéreuse où restait un fond de Johnny Walker, qu'il se versa.

Il prit une gorgée de whisky en regardant Yinka. Elle s'était levée et lorgnait sous le nez le couple d'australopithèques.

Le mâle était nettement plus velu que sa compagne. La toison de son torse et de son abdomen s'épaississait au niveau du pubis en une véritable jungle dont émergeait le pénis, tel un gros doigt noir. La zone génitale de la femelle était tout aussi bien délimitée. Une pilosité plus clairsemée lui descendait depuis le nombril et venait former un triangle plus dense sur le bas-ventre. Les masses musculaires de ses fesses et de ses cuisses étaient charnues, mais fuselées et dénuées de tout pli de graisse. Hormis le léger duvet assombrissant sa lèvre supérieure — détail qui lui conférait une sorte de sex-appeal animal, aux yeux de Yinka — son visage était pratiquement glabre.

Dans l'ensemble, elle était nettement moins simiesque que son compagnon. Malgré les centaines de milliers d'années qui l'en séparaient, elle préfigurait les femmes actuelles, avec leur rouge à lèvres et leurs déodorants...

Yinka eut un petit rire embarrassé.

— Ils sont mignons, tous les deux ! Ils ont l'air prêts à conquérir la terre entière, observa-t-elle.

— Je serais bien incapable de te dire si c'était vraiment leur intention, mais c'est en tout cas ce qu'ils ont fait, répliqua-t-il, après une deuxième gorgée de whisky.

— Ils sont représentés dans une pose tellement traditionnelle ! Regarde-moi ça... Les rôles sont déjà distribués : lui devant et elle, deux pas derrière son seigneur et maître !

— Ces plâtres ont une quarantaine d'années, fit-il en

haussant les épaules. Mais ceci dit, c'est un fait : la savane du pliocène n'avait rien à voir avec les rues de Nairobi ou de New York. Le mâle était le protecteur, celui qui ouvrait la route.

— Ben tiens ! Le protecteur, le guide — le chef, quoi... Refrain connu !

Sourcils froncés, il se lança dans un véritable cours magistral :

— Les australopithèques femelles étaient loin d'être des gourdes, Yinka. Elles avaient une lourde responsabilité, sur les épaules : assurer la survie de l'espèce. L'idée ne leur serait pas venue de se jeter dans la gueule d'un machérode, pour le seul plaisir d'affirmer leur droit à l'égalité ! Ouvrir le chemin, assumer les plus grands risques, c'était le rôle du mâle. Avoue que la femelle y retrouvait tout de même son compte...

— Evidemment, présenté comme ça... Mais pourquoi le mâle acceptait-il ?

— Parce que pour lui, l'essentiel était de transmettre ses gènes — combinés à ceux de sa compagne, bien sûr —, même si cela impliquait d'y laisser sa peau. Parce que la femelle, elle, risquait sa vie chaque fois qu'elle mettait un enfant au monde.

Yinka médita là-dessus un bon moment.

Lorsqu'elle retrouva sa langue, ce fut pour remarquer d'un ton sarcastique que le sculpteur avait dû s'éclater lorsqu'il avait modelé l'appareil génital de ses sujets... Ken répliqua que les australopithèques avaient amorcé un tournant décisif, pour le comportement sexuel humain. La position même des organes génitaux avait changé. Ceux du mâle étaient devenus plus apparents que chez les autres mammifères, tandis que ceux de la femelle se faisaient pratiquement invisibles. Il était donc logique que la nature ait particulièrement pris soin de mettre en valeur leur nouvel emplacement. Ainsi dissimulé, le sexe de la femelle s'auréolait d'une sorte de mystère, très accessoire, voire inconnu, dans le monde animal — mais essentiel à l'espèce humaine, car il avait favorisé l'apparition de relations monogames.

— A t'entendre, on dirait que l'hominisation a commencé par le sexe... murmura Yinka, souriante.

Ken la considéra, comme s'il hésitait à lui confier un secret.

— Tu veux ma théorie personnelle?

Elle avait posé sur lui un œil brillant de curiosité.

— Selon moi, l'hominisation résulte de cinq mutations majeures. La première est la position de nos yeux, sur le devant et non plus sur les côtés de la tête, ce qui nous a permis d'acquérir une vision tri-dimensionnelle. Résultat : notre odorat n'était plus l'indispensable instrument de notre orientation. La deuxième a été l'adaptation à la vie en terrain plat et dégagé. Nous avons dû apprendre à nous redresser, pour repérer de plus loin les prédateurs que nous ne pouvions ni prendre de vitesse à la course, ni tenir en respect avec nos dents inoffensives. Il était donc vital de garder nos distances, d'où l'importance de la posture verticale. La troisième a été l'utilisation de nos mains, libérées par le passage à la bipédie, pour récolter notre nourriture et la consommer, bien plus efficacement que lorsque nous ne pouvions compter que sur nos dents. La quatrième a été la disparition progressive de notre fourrure. Nous nous sommes dotés de glandes sudoripares dont les sécrétions nous permettaient de réguler notre température et de mieux résister au climat torride de la savane. Le cinquième facteur est la découverte du plaisir, que nos peaux désormais nues ont considérablement aiguisé, conclut Ken, se délectant de la surprise qu'affichait le visage de Yinka.

— Le... plaisir? répéta-t-elle.

— Exact! De tous les êtres vivants, nous sommes ceux dont le corps présente le plus de zones érogènes. Nous possédons tout un réseau de fibres nerveuses spécialisées dans la transmission des sensations voluptueuses à notre cerveau. Je ne perds évidemment pas de vue l'accroissement de notre masse cérébrale, qui nous a permis d'accéder à la pensée abstraite, mais je crois que ce qui nous différencie le plus des autres animaux, c'est avant tout notre capacité à reconnaître ce qui entraîne des sensations agréables. C'est elle qui nous a distingués du monde animal, et qui a peu à peu aiguisé la conscience que nous avions de nous-mêmes.

Yinka promena un regard amusé sur la pagaille environnante.

— Tu n'as pas l'air très préoccupé de ton bien-être personnel, pour quelqu'un qui parle si bien du plaisir... murmura-t-elle. Je te reverrai, avant ton départ pour le Dogilani?

— Sans doute pas.

Il faisait tourner son verre, à présent presque vide, entre ses doigts. Yinka s'en empara et avala les dernières gouttes de whisky, avant de le reposer. Dans le même geste, elle lui passa un bras autour du cou, l'attira à elle, et lui donna un long baiser, sensuel et en même temps curieusement détaché, comme s'il s'agissait d'un test qu'elle lui faisait subir. Il sentait contre lui son corps souple, son ventre plat, ses genoux ronds, et ses seins — qui lui parurent nettement plus lourds et plus tendus que lorsqu'il l'avait vue nue, quelques heures plus tôt.

Puis elle s'écarta de lui et ils restèrent face à face, les yeux dans les yeux. La sonnerie du téléphone retentit. Une seule fois.

— C'est le portier qui m'appelle d'en bas, fit-il, à mi-voix. Ngili doit être arrivé.

— Bonne chance, Ken...

— Au revoir...

Il referma la porte derrière elle.

Assis devant son bureau encombré de papiers, il se passa la paume sur les lèvres, comme pour se persuader qu'il n'avait pas rêvé.

Il se leva, alla s'assurer que sa porte était bien verrouillée, et regagna son bureau, où il posa le Rhino.

Il entreprit de dresser l'inventaire de tout ce dont il aurait besoin. Il retrouva des listes datant de ses précédentes expéditions — nourriture déshydratée, matériel de camping et outillage —, ainsi qu'une carte d'état-major détaillée de l'ouest du pays. Il griffonnait un pense-bête : ne pas oublier l'halazone... — un produit indispensable pour purifier l'eau qu'on trouvait en brousse — quand il piqua du nez sur son bureau.

Quatre heures plus tard, le soleil africain se levait dans une lumière bleutée qui annonçait une journée tout aussi torride que les autres. Mais en filtrant entre les lattes des stores, ses rayons ne dérangèrent pas Ken, toujours écroulé sur sa chaise.

Bien loin de là, le soleil monta au-dessus de la savane, avec la promptitude spectaculaire des aubes africaines. Le petit chasseur était réveillé et se retournait dans son creux de rocher.

Il entendit le piétinement sourd de pieds nus qui approchaient, à la lisière de son rempart de rochers et des graminées, dont les plumets s'agitaient dans la brise matinale.

Plusieurs paires de pieds foulaient le sentier qui contournait le *kopje*, faisant crisser le sable sous leurs gros talons. Leurs orteils longs et écartés leur donnaient une démarche maladroite. Ce bruit de pas scandait le ahanement rauque, presque douloureux, qui montait de leurs poitrines concaves.

Les vibrations sonores que provoquaient ces pieds pataudes et ces souffles laborieux vinrent frapper les oreilles du petit chasseur. En quelques fractions de seconde, son cerveau analysa ces sons. Il bondit, sur le qui-vive, ramassa deux de ses pierres, et risqua un œil par-dessus une arête rocheuse, pour regarder en contrebas.

Dans la brume bleutée que les rayons du soleil n'avaient pas encore dissipée, il distingua des cous massifs et des épaules velues, d'un brun mat, presque noir. Ses mains se crispèrent sur le rebord de pierre. Ses dents s'étaient serrées pour empêcher le moindre murmure de franchir ses lèvres. Il se plaqua contre le rocher. Tout à coup, il lui sembla que sa tête s'était emplie, elle aussi, de brouillard.

Puis les souvenirs affluèrent. Il se rappelait. Il avait déjà vu ces grandes créatures, et il savait ce que signifiait leur présence.

C'est à cet instant qu'il aperçut le briquet. Ce drôle de caillou, ce présent que lui avait laissé l'étranger à la peau claire. Les babouins avaient dû le jeter, quand ils avaient saccagé son abri. Il avait dû tomber hors de leur portée, dans une fente de rocher — là, tout près de lui.

Sa réapparition était un vrai miracle. Un sourire émerveillé s'épanouit sur le visage de l'enfant.

Du bout de l'index, il l'extirpa de la crevasse, avant de plonger dans son abri, dont il réémergea, quelques secondes plus tard, armé de l'os blanc qu'il avait eu la prudence de récupérer. Il glissa le briquet au creux de son aisselle, prit l'os entre ses dents, et s'immobilisa, l'oreille aux aguets.

Les bruits de pas s'étaient momentanément évanouis. Ils résonnèrent à nouveau, et dans plusieurs directions à la fois.

La patrouille se dispersait bruyamment pour fouiller les rochers.

C'était le moment ou jamais, s'il voulait leur échapper. Désormais, les chasseurs velus ne pourraient distinguer ses pas de ceux de leurs compagnons. Ils n'avaient jamais été très habiles à se guider aux sons et à les discerner les uns des autres.

Il lança une de ses pierres sur le sentier, dans la direction opposée au soleil. Il l'entendit rouler sur le sol, aussitôt suivie d'une ruée maladroite. Il courut au bord de la corniche, s'élança dans le vide et atterrit quelques mètres plus bas, au-delà du sentier. Là, il se roula dans les herbes sèches pour attirer leur attention puis, regagnant le sentier, il fila se cacher et attendit.

Plusieurs silhouettes massives traversèrent le chemin, puis revinrent sur leurs pas, dans la plus complète confusion, avant de s'éloigner en direction des hautes herbes, qu'elles se mirent à fouiller.

Il se releva. Après un bref coup d'œil par-dessus son épaule, il contourna sans bruit la base de l'éperon rocheux, et prit ses jambes à son cou, le long de cette citadelle de pierre dont les flancs se prolongeaient vers le nord où ils se fondaient dans les contreforts de la Mau, en une succession de gradins et de corniches étagés.

Le soleil montait dans le ciel et dans la lointaine mégapole, les heures s'égrenaient. Dans la brousse, les divers potentiels biotiques s'affrontaient, chaque espèce accomplissant un pas imperceptible vers la survie ou vers l'extinction...

Quelques heures plus tard, aux alentours de midi, l'ordinateur de Ken se réveilla, et l'écran afficha le résultat d'une recherche qu'il avait lancée sur Internet. Son antique StyleWriter se mit à cracher, ligne à ligne, le texte d'un article de la *Quarterly Review of Biology*. Assis par terre, les mains croisées sur la nuque, Ken fit quelques exercices abdominaux, en surveillant du coin de l'œil le défilement du papier listing.

Le téléphone sonna. Le dos et les épaules encore ankylosés par sa nuit inconfortable, il se leva pour répondre, avec une grimace de douleur.

— Tu offrirais un café à une pauvre journaliste au chômage ? fit la voix de Yinka.

Il masqua sa surprise derrière un éclat de rire.

— Tu es où, là ?

— Au coin de ta rue.

— Il ne me reste plus un gramme de café, mais si tu supportes le thé...

— Va pour le thé. J'arrive !

— Une seconde ! lança-t-il, se souvenant vaguement qu'il avait prévu de consacrer la journée à ses achats de matériel. Tu choisis mal ton moment... Ma piaule est une vraie porcherie !

— Je te donne deux minutes !

— Qu'est-ce que tu fiches dans le quartier ?

— J'avais un déjeuner au Cercle international de la presse — enfin, ce qu'il en reste. Quant à ton bordel, ne t'en fais pas, je suis vaccinée ! Mon frère ne craint personne sur ce terrain, comme tu sais...

Après tout, s'il parvenait à monter cette expédition, ce serait bien grâce à elle...

— Bon, d'accord ! Mais laisse-moi tout de même cinq minutes...

— Deux, et pas une de plus ! Je suis déjà en vue de ton immeuble !

Elle avait raccroché.

Il secoua la tête. L'imprimante s'était tue. Il déchira la dernière feuille de texte, rassembla l'accordéon de papier étalé par terre, et fouilla la pièce pour tenter de mettre la main sur son peignoir — qu'il finit par localiser dans le living, roulé en boule sur une chaise. Il jeta sur le canapé les feuillets qu'il tenait encore, attrapa le peignoir, et fila à la salle de bains en priant le ciel pour qu'il n'y ait pas de coupure d'eau. Le ciel dut l'entendre car, un instant plus tard, il était sous un jet d'eau froide. Il se savonna et s'étrilla vigoureusement, se rinça, s'essuya... Il enfilait son peignoir quand le portier appela pour annoncer Yinka.

Il eut juste le temps de foncer à la salle de bains, et de se brosser les dents à s'en faire saigner les gencives, avant qu'on ne frappe à la porte. Des petits coups rapides, typiquement féminins.

Il ouvrit et Yinka fit son entrée. Elle portait une robe de lin blanc toute simple, avec de fines bretelles et s'était juchée sur des talons aiguilles assortis, qui la faisaient paraître encore plus élancée. Il eut l'impression de la voir pour la première fois.

— *Wow*... quelle élégance !

Il se frotta le menton. Il avait complètement oublié de se raser.

— N'est-ce pas ? Mais tu vois, c'était un genre d'enterrement, ce déjeuner... J'ai tenu à y mettre les formes.

Il reconnut dans sa voix les inflexions qu'elle avait eues dans la Mercedes, au retour de l'aéroport. Une tristesse contrôlée, désenchantée, lucide. Son regard balaya la pièce, avant de s'arrêter sur le couple d'hominiens — qui, au grand jour, redevenaient de simples statues de plâtre.

— Comment va, Yinka ?

— Ecœurée, mais sans plus. Alors, ce thé ?

— Ça vient. Installe-toi.

Il passa dans sa minuscule kitchenette et ouvrit un placard dont il tira deux tasses. Calme-toi, mon vieux... Qu'est-ce qu'elle va croire, si elle te voit trembler comme ça ? Une bouffée de rage l'envahit. Quelle importance, ce que pouvait imaginer Yinka Ngiamena ? Ce doit être la fatigue... Il claqua d'un coup de coude impatient la porte du placard.

— J'ai soutiré à Um'tu la promesse de larguer deux réserves de survie à ton intention, lança-t-elle depuis le living. Du matériel provenant des stocks de l'Office des réserves. Si tu dois rester là-bas un certain temps, tu risques d'en avoir besoin.

Il faillit lâcher la tasse qu'il essuyait avec un pan de son peignoir. Ces « réserves de survie » étaient le nec plus ultra, en matière d'équipement. Elles contenaient tout ce qu'il était indispensable d'avoir en brousse. Au marché noir, des colis volés pouvaient se négocier jusqu'à mille dollars pièce.

— Comment as-tu fait ?

— Oh, je lui ai simplement laissé entendre que sa fille unique et préférée pourrait bien partir en reportage dans le Dogilani, un de ces quatre...

Ken sursauta. Yinka avait ôté ses vertigineux talons et l'avait rejoint dans la kitchenette, sur la pointe des pieds. Son profil se découpait en ombre chinoise sur la fenêtre où s'encadrait un coin du ciel de Nairobi. Elle ne le regardait pas.

— Um'tu va faire parachuter les containers en brousse.

Tu pourras indiquer au pilote les coordonnées exactes des points où il devra les larguer... En cas d'urgence, si tu étais forcé d'en ouvrir un, ça ne te coûtera pas un sou!

Toujours sans un regard pour lui, elle quitta la pièce, ses talons à la main.

De petits jets de vapeur commençaient à fuser du bec de la bouilloire, dont l'émail écaillé laissait affleurer le métal en plusieurs endroits. Il bourra de feuilles de thé une boule qu'il fit infuser dans l'une des deux tasses qu'il avait préparées et posa le tout sur un plateau, avant de rejoindre Yinka dans le living.

Debout devant le canapé, elle parcourait l'article de la *Quarterly Review of Biology*, qui venait de tomber de l'imprimante.

— C'est quoi, ce truc? demanda-t-elle.

Le titre s'étalait en gros caractères romains, en haut de la première page : « Les Mystères de la sexualité féminine : l'arme secrète du combat pour la perpétuation de l'espèce. »

— Bof... de la théorie.

Il transféra la boule dans la deuxième tasse et tendit son thé à Yinka, qui avait laissé retomber le listing sur le canapé, pour s'approcher d'une fenêtre d'où on découvrait une plus large portion du ciel de Nairobi.

— Un peu trop crue, à mon gré, cette lumière... Tu permets?

Elle déroula le store vénitien et revint s'asseoir sur le canapé.

— Alors, mon colon, heureux...? s'enquit-elle, en soulevant sa tasse brûlante.

— Tu parles! Mais, dis-moi un peu... Quel poids de chair fraîche vais-je devoir te livrer en échange de ce petit miracle?

— Il te suffira de rédiger un minuscule rapport sur l'état de la faune locale, pour Um'tu. Une plaisanterie, pour un cerveau comme le tien!

Ken avala une gorgée de thé — trop chaud et insipide. Il regarda les jambes de Yinka, faillit s'étrangler, et ramena son regard sur son visage. Elle avait reposé sa tasse.

— Je suis lessivée, cher petit Blanc!

— La situation politique?

— Ça et le reste. Le journal qui ferme, Gwee qui se

marie... C'était le seul frère que je pouvais prendre comme souffre-douleur et voilà que même ça, je vais le perdre. Et ne parlons pas de toi, qui pars en quête de gloire et d'aventure...

— Parce que je compte tant que ça ?

— A quoi veux-tu que je me rende utile, en ce moment, à part ton expédition ? Allez, parle-moi plutôt des mystères de la sexualité féminine...

— Tu crois que c'est le genre de sujet qu'on aborde autour d'une tasse de thé ?

— Mais j'envisage très sérieusement de me recycler dans le journalisme scientifique !

Son regard attentif et docile d'étudiante modèle l'aurait mis parfaitement à l'aise, sans ses genoux, dont le spectacle le plongeait dans une incoercible fébrilité. D'un ton qui se voulait froid et dégagé, il entreprit de lui expliquer que la sexualité de la femme était devenue de plus en plus énigmatique, au fil de l'évolution. Chez les guenons, les vaches ou les chiennes, les périodes des chaleurs étaient facilement repérables. Les femelles dégageaient une odeur particulière et manifestaient leur disponibilité par un comportement sans ambiguïté, vis-à-vis des mâles. Ce qui n'était pas du tout le cas dans l'espèce humaine, où l'ovulation ne s'accompagnait que d'une légère élévation de température, un signe aussi discret que peu fiable. Et pourtant, ce changement de « visibilité » de l'ovulation — depuis les manifestations ostensibles jusqu'à un secret quasi total — était lié à la nécessité de porter à leur maximum les chances de perpétuation de l'espèce... Il a favorisé la généralisation de la monogamie.

— Eh, minute, fit-elle, d'un air préoccupé. Je ne vois pas en quoi un tel secret favoriserait la monogamie...

— C'est pourtant le cas, d'une certaine façon, parce que cela oblige chaque mâle à une assiduité accrue auprès de sa femelle, s'il veut être le père des enfants qu'elle portera. Parallèlement, cela laisse à la femelle la possibilité de lui faire des infidélités à son insu. Car le partenaire officiel peut très bien être parfait au niveau du gîte et du couvert, mais laisser à désirer pour ce qui est du patrimoine génétique...

Ken se leva et posa sa tasse, trop heureux de se débarrasser d'un objet qui trahissait aussi bruyamment sa nervosité. Puis il se tourna vers Yinka, dont le regard s'était fait encore plus sombre, et qui semblait en proie à une grande tension.

— Certaines études, ajouta-t-il d'une voix mal assurée, ont démontré que les femmes mariées qui ont des aventures extra-conjugales ont davantage d'orgasmes — ce qui peut sembler une lapalissade... Le truc, c'est que, de leur côté, les hommes qui sont dans le même cas produisent plus de sperme... une façon de « noyer » la concurrence de l'époux ou d'un autre rival...

Yinka se leva à son tour et posa sa tasse près de la sienne.

— Mais à t'entendre, on croirait que les femmes sont des monstres de calcul et d'égoïsme... De vraies salopes !

— Je n'ai jamais dit ça ! J'essaie seulement de t'expliquer que dans la savane du pliocène, où le danger était omniprésent, les femelles n'avaient pas le choix. Elles devaient opter pour un opportunisme forcené. Si leur compagnon finissait sous la dent d'un fauve, elles devaient s'en trouver un autre — mais comment le persuader de subvenir aux besoins de la progéniture du précédent ? On peut donc imaginer que leurs infidélités visaient d'abord à nouer des liens secondaires avec d'autres mâles, pour pouvoir se retourner en cas de disparition soudaine du partenaire privilégié. D'ailleurs, attiser la jalousie du mâle était le meilleur moyen de l'inciter à entretenir des... rapports, euh... suivis, bref à cultiver la... relation. Nom d'un chien, j'ai horreur de ce mot ! acheva-t-il, avec un petit rire niais.

— Tu seras revenu pour le mariage de Gwee ? demanda-t-elle.

Le mariage de Gwee ! Il avait complètement oublié. Il se sentit rougir.

— Ah, je vois... ! Tu as décidé de ne pas y aller... Tu ne t'intéresses vraiment qu'à toi-même... !

S'emparant de sa main, elle la pressa entre ses longs doigts, puis elle lui souleva le bras, se le passa autour des épaules, et posa ses lèvres sur les siennes, en un baiser ardent, pimenté d'un rien de gaucherie.

— Je vais te dire, moi, la vérité... murmura-t-elle. C'est que tu ne piges rien aux femmes... alors pourquoi ai-je si peur que tu ne me perces à jour, toi et ton satané esprit scientifique ?

Elle l'embrassa de nouveau, puis s'écarta, les lèvres humides. Cette vulnérabilité pleine d'abandon la dépouillait soudain de sa cuirasse de perfection, faisant d'elle une tout autre femme.

— Et tu as un lit, quelque part, homme-singe? demanda-t-elle.

Elle n'était venue que pour faire l'amour avec lui. Le thé n'était qu'un prétexte...

Du menton, il indiqua sa chambre. Elle pivota et se dirigea vers la porte, en déboutonnant sa robe. Il la suivit. Comme il entrait dans la pièce derrière elle, elle défit sur le côté la fermeture éclair qui moulait sa robe à son corps. Dégageant ses épaules, elle laissa le lin blanc glisser à terre, dégrafa un soutien-gorge minimal qu'elle jeta au hasard et se pencha pour ôter son slip. Elle se retrouva en un clin d'œil dans le plus simple appareil. Elle vint vers lui, longue, mince, toute en jambes.

— Enlève-moi cette loque, souffla-t-elle en tirant sur la manche de son peignoir.

Il le laissa tomber sur le parquet. Il était nu devant elle, précédé d'une érection que la semi-obscurité de la pièce voilait sans la cacher complètement. Il la guida vers le lit. Sur la commode, les contemplait une photo en noir et blanc prise sur le site de leurs premières fouilles et les représentant, lui et Ngili, bras dessus bras dessous, radieux.

Ses seins étaient d'un galbe parfait. Son ventre lisse se terminait en un petit triangle noir, aussi discret que sexy. Elle s'allongea sur le dos et il s'étendit auprès d'elle. Lorsqu'il la prit dans ses bras, elle parut surprise et lui murmura qu'il était brûlant.

— C'est toute la différence entre nous, dans le combat pour la perpétuation de l'espèce! lui chuchota-t-il, les dents claquantes. Nous ne faisons pas le poids devant vous, nous autres pauvres mâles. Nous sommes cousus de fil blanc, face à vos secrets, à vos mystères, à vos savants artifices...

— Chhttt!

Elle le fit rouler sur elle, mais, curieusement, il se sentit incapable de la prendre comme ça, à la hussarde. Pas elle. Pas cette nymphe à la peau sombre, même si ses jambes caressaient les siennes et qu'elle s'offrait, cuisses ouvertes.

— Qu'est-ce qui t'excite — moi ou mes théories?

— Ton courage ! C'est ce qu'il y a de plus craquant en toi.

Les préliminaires furent réduits à leur plus simple expression. Elle était offerte et il la pénétra sans aucune difficulté. Il s'installa en elle, tandis qu'elle le couvrait de baisers, tremblant imperceptiblement comme si elle craignait de souffrir. Il lui demanda dans un souffle s'il lui faisait mal, mais elle secoua la tête avec impatience, comme pour repousser toute distraction extérieure. Elle répondit à ses mouvements, d'abord lentement, puis plus vite. Il se retint, surpris de la violence du désir qu'il avait de la faire jouir.

Il parvint à tenir sa fébrilité en bride, s'interdisant presque de bouger, se contentant d'écouter le souffle de Yinka et de goûter le contact de son corps. Après plusieurs semaines de continence forcée, il laissa libre cours à ses fantasmes, imaginant ce ventre, ces cuisses à vous couper le souffle, cette toison qui se mêlait à la sienne, cette peau surtout, et tout cela ondulant sous son propre corps, plus lourd et plus lent. Elle se cambra et, le temps d'un éclair d'incandescence, hors du temps, ils fusionnèrent l'un en l'autre. Il s'enfouit en elle jusqu'à la garde, jusqu'aux limites de sa résistance, serrant les dents pour ne pas gémir. Elle l'étreignit plus fort et, dans un dernier spasme, son corps s'arracha au sien. Il la sentit plonger du point de tension le plus extrême à l'abandon le plus absolu.

Il se retira, se laissa retomber sur le dos et tourna la tête vers elle. Couchée sur le flanc, elle le fixait de ses yeux immenses. Elle lui posa une main sur la joue et caressa sa barbe naissante.

— Alors... ? C'est comme ça qu'ils faisaient, à l'aube de l'humanité ? chuchota-t-elle.

Il fut à deux doigts de lui répondre : « Oui, mais sans frères possessifs et sans barrières politico-culturelles », mais il préféra garder le silence. *Ce moment ne se présentera jamais plus. Ne le gâche pas*... Avait-elle lu dans son esprit... ? Elle dut sentir, elle aussi, toute la magie mélancolique de cet instant, car elle vint s'allonger sur lui, comme pour lui interdire de penser. Elle scruta son visage d'un œil curieux, avant de murmurer :

— Comment tu fais pour vivre sans femme ?

Derrière cette question se profilait toute l'âme africaine

et son refus de la continence, qui condamne à la stérilité un corps dont la fécondité est la première raison d'être.

— C'est exactement ce que je me demandais, répondit-il en souriant.

Peut-être entendit-elle dans sa réponse quelque chose qu'il n'avait pas eu conscience d'exprimer, car elle vint se lover plus étroitement contre son corps, appuyant son pubis contre le sien à lui faire mal. Sans un mot, ils s'embrassèrent à pleine bouche, yeux grands ouverts, toute pudeur envolée, jusqu'à ce que, de nouveau, leurs sexes se cherchent et s'épousent tout naturellement. Il n'avait plus qu'une idée en tête : il n'y aurait pas de deuxième fois... Cela ranima en lui un désir violent, presque désespéré. Il voulait la pénétrer, la posséder totalement. Il roula sur elle.

Elle tenta de lui résister, mais en vain — il était trop lourd. Elle contracta son vagin, comme pour lui faire payer ce pouvoir qu'il prenait sur elle. Elle lui mordit l'épaule. Il sentit le spasme qui parcourait son ventre et ses seins. Au comble de l'excitation, il se mit à la besogner sauvagement. Elle se mordait les lèvres, et enfonçait ses ongles dans son dos, sans émettre un son. La sueur lui perlait au front.

Lorsqu'ils se séparèrent, pantelants, il l'attira à lui. Il se sentait bêtement ému — amoureux, presque! Il pria pour que ça ne se voie pas. Au bout d'un moment, elle s'ébroua et éclata de rire.

— Tu sais quoi, pithécanthrope de mon cœur...! Je viens de jouir — juste après toi, comme il se doit...

— Tu rigoles...

— Pas du tout. J'ai vraiment joui. Oh, pas le pied géant — mais pas mal quand même! Tu fais ça très bien, ajouta-t-elle, sur le ton de la constatation.

Son détachement le piqua au vif.

— Merci. Madame est trop bonne!

Elle lui posa un baiser sur les lèvres, sauta du lit et se dirigea vers la salle de bains. Il l'entendit ouvrir les robinets de la douche.

Tandis qu'il se douchait à son tour, il lui vint une curieuse impression de déjà-vu, qui le ramena plusieurs années en arrière, du temps où il fréquentait encore l'université. A l'époque, lorsqu'il avait réussi à attirer une conquête dans son lit, ce beau corps nu communiquait son charme à tout ce qui l'entourait : le verre où elle avait bu, la douche qu'elle avait utilisée, le lit où elle s'était couchée avec lui... Tout se nimbait d'une aura magique. Malgré ses talents amoureux — qu'il savait se situer dans une honnête moyenne — et le désir qu'il avait parfois de les revoir, il n'avait jamais pu retenir aucune de ces filles, même celles auxquelles il tenait vraiment. Toutes fuyaient, sous un prétexte ou un autre, devinant en lui ce manque essentiel de disponibilité. Il avait quelques années de plus, à présent, mais rien n'avait pu apaiser sa soif d'indépendance.

La jeune femme qui venait de lui offrir ce qu'elle avait de plus intime se trouvait être aussi celle qui l'envoyait au fin fond de la brousse. Quoi d'étonnant à ce qu'elle garde le silence, après s'être unie à lui avec une telle fougue — peau contre peau, bouche contre bouche, sexe contre sexe — mais sans la moindre certitude de pouvoir un jour mieux le connaître.

Quand il revint dans la chambre, elle avait remis sa robe blanche et s'apprêtait à chausser ses hauts talons. Elle lui demanda de lui faire un peu de thé, mais lorsqu'il apporta la tasse, elle y trempa à peine les lèvres et s'enfuit, après un bref baiser.

Pour se calmer l'esprit, Ken entreprit de mettre un peu d'ordre dans la pièce, et tomba sur un mot qu'elle lui avait laissé.

Cher petit Blanc,

Je me suis conduite en femelle opportuniste, c'est vrai, mais c'était notre seule chance d'échapper, toi et moi, à ce monde divisé en Noirs et Blancs, Kenyans et Américains, mâles et femelles, présent et passé. Evite de te faire tuer et reviens entier, ne serait-ce que pour me montrer comment ça se faisait, à l'aube de l'humanité... !

Elle avait dû commencer sa lettre pendant qu'il était sous la douche. La tasse de thé n'avait été qu'un prétexte pour gagner du temps. Un geste surprenant, de la part de quelqu'un qui n'était jamais à court de repartie !

Lui laissait-elle ce papier pour qu'il puisse emporter quelque chose qui lui viendrait d'elle ?

En temps ordinaire, recevoir d'une femme une telle marque d'intérêt l'aurait fait éclater d'orgueil. Mais là, curieusement, il n'avait pas la moindre envie de pavoiser. Il se hâta d'enfiler un pantalon et un T-shirt. Le temps pressait et il fallait s'occuper du matos, pour l'expédition.

III

CHASSE A L'HOMME

1

Aux alentours de son ancien abri, le garçon pouvait compter sur une quasi-sécurité. Il s'arrêta et s'agenouilla près d'une grosse touffe de yuccas géants, dont il détacha délicatement quelques feuilles. Mettant de côté les plus larges, il tissa une sorte de petit sac, resserré par une lanière tressée, où il pourrait transporter ses possessions — l'humérus, le briquet et son dernier projectile.

Il se passa la lanière en bandoulière et reprit sa route, à la limite des hautes herbes et du rempart de roc.

Il marchait d'un pas égal et résolu, sans même savoir où il allait. De temps à autre, il levait le nez et scrutait le ciel, en quête de l'étrange insecte qui avait emporté les visiteurs, mais il restait invisible, ce qui ne manqua pas de le surprendre. La journée commençait à peine et, avec le crépuscule, l'aube était d'ordinaire le moment favori des insectes.

Un peu plus tard, il attrapa une grosse musaraigne et la mangea, mais il perdit son dernier projectile dans l'aventure. Par chance, il découvrit bientôt une autre pierre, qu'il cogna contre les rochers pour en faire sauter des éclats, selon une forme grossièrement arrondie. Il mit dans sa bouche ce noyau rond, pour activer ses glandes salivaires et apaiser sa soif. Quant aux éclats, dont le tranchant aigu lui servirait à couper, il les glissa dans son sac.

Le garçon se remit en marche vers le nord, sans autre désagrément qu'une petite éructation, de temps à autre. Bien plus tard, comme le soleil s'apprêtait à disparaître à l'horizon, il se jucha sur une crête, méditant sur un éventuel retour de ces grandes créatures, lorsqu'il entendit soudain le bourdonnement de l'igname volante, au-dessus de sa tête. A peine eut-il le temps de l'entrevoir. L'insecte avait plongé dans un nuage. L'idée ne lui vint pas qu'il pouvait s'agir de l'un de ses congénères.

Un sourire de triomphe lui illumina le visage. Jamais il n'avait désespéré de le voir revenir.

Au pied de la Mau, le terrain devenait plus rocailleux. Il s'y formait souvent d'éphémères cours d'eau. Les brumes des sommets se condensaient en de brèves averses, qui aspergeaient généreusement les contreforts.

Le petit chasseur déboucha enfin dans une vaste étendue semée de roches noires, déchiquetées — des plaques géantes de lave solidifiée, qui saillaient en strates profondément clivées, selon des angles fantaisistes. Ce dédale d'affleurements rocheux, de cheminées, de tunnels et d'excavations naturelles était pour l'enfant un fascinant terrain d'aventure, recelant autant de possibilités de jeux que de cachettes.

Se désintéressant de tout autre chose, il laissa choir son sac, avec des exclamations enthousiastes, et se mit à sauter de rocher en rocher, d'un pied sûr et léger. Son corps fut traversé d'une décharge d'énergie qui l'enivra. De loin, on l'aurait pris pour un jeune chimpanzé s'abandonnant sans retenue à la magie du jeu.

Quelques minutes plus tard, les nuages sombres qui s'étaient assemblés au-dessus de la Mau crevèrent en une pluie torrentielle. L'orage se déchaîna. Les rochers devenaient glissants, ce qui ne fit que pimenter davantage les ébats du petit hominien. Insoucieux du danger, il cabriolait de plus belle et bondissait au-dessus des arêtes rocheuses avec des ululements de joie, en une danse frénétique qui n'avait pas de nom et n'en aurait jamais.

Il ne sentait pas les écorchures de ses pieds. Il était tout entier à sa danse, grisé par cette sensation d'invincibilité que venait renforcer chaque nouveau bond.

Un éclair s'abattit à quelques pas devant lui. La décharge d'énergie électrique fit fumer le sol mouillé, autour du rocher qu'elle avait touché. Le choc assourdissant surprit le garçon en plein saut. Il trébucha et tomba, estourbi, du haut d'une plaque de lave, sur une autre qui se trouvait plusieurs mètres plus bas, et où il resta étendu, immobile.

Lorsqu'il revint à lui, la pluie avait cessé. Il se redressa péniblement, dépliant ses membres endoloris, qui lui parurent indemnes. Il se souvint alors de son sac.

Il rebroussa donc chemin et finit par retrouver son bien. Il se baissait pour le ramasser, lorsqu'il resta pétrifié par l'émergence d'un souvenir qui s'imposa à sa mémoire. Les gouttes de pluie séchaient sur sa peau, à présent. En esprit, il voyait cette scène se dérouler devant lui, aussi détaillée que si elle avait appartenu au présent.

Des hominiens des deux sexes fuyaient la savane en direction de ce dédale de roches noires, en quête d'un abri sûr.

Un abri qu'ils n'atteignirent jamais.

Il déambula encore parmi les rochers, jusqu'à l'entrée d'une galerie qui s'ouvrait dans le roc. Il y pénétra, y resta quelques secondes, perdu dans ses pensées, puis tourna les talons et sortit. Il parut ensuite se raviser et s'engagea à nouveau dans la grotte. Il était devant un tas d'ossements que le temps et les prédateurs avaient nettoyés de leur chair. Il les contempla un long moment, en silence, jusqu'à ce que le souvenir s'éloigne de lui et cesse de le hanter.

Une fois de plus, il lui revint l'image des deux étranges géants qu'il avait vus creuser le sol de la savane, pour déterrer ces os. La prévenance presque affectueuse dont ces créatures entouraient les ossements l'avait frappé et lui avait dévoilé des traits de leur âme sans doute inconnus d'eux-mêmes. Car il avait bien regardé les mains de l'étranger à face de lion, tandis qu'elles dégageaient ces os, et avait senti leur patience, leur précision, leur douceur...

Le garçon mit le cap sur une étroite cheminée de lave où il se glissa, avant de s'endormir, épuisé par toutes ces pensées, dans une cavité qui s'enfonçait à quelques mètres au-dessous du sol.

A son réveil, l'aube était claire, encore humide du passage de l'orage.

Il sortit de son abri. Un petit ruisseau s'était formé, non

loin de là. Il courait se jeter à un point d'eau dont l'emplacement était habituellement marqué par des touffes de roseaux. Un groupe de buffles dont la masse brune, impassible, s'estompait dans le brouillard paissait sur la berge. Un gnou d'un troupeau voisin, sans doute agacé par un insecte qui avait cherché à se mettre au sec dans son poil, se cabra soudain et fouetta l'air de ses sabots, avant de foncer la tête la première dans son propre troupeau, comme pour provoquer une débandade. Mais ses congénères se contentèrent de s'agiter mollement.

Le jeune chasseur distingua à nouveau le bruit du gros insecte gris, au-dessus de sa tête. L'appareil fondait droit vers le sol, tel un bourdon géant menaçant d'atterrir. Son apparition sema la panique dans les rangs des gnous, qui se ruèrent vers les buffles. Les placides bovins détalèrent à leur tour, comme à contrecœur, en meuglant leur irritation d'être ainsi dérangés dans leur torpeur matinale.

Devant le vieil Helio Courier de l'Office des réserves nationales, s'amoncelaient des nuages de toutes sortes, depuis les minces rubans arachnéens, jusqu'aux gros cumulus d'un gris plombé. Le pilote noir, un Kenyan, se tourna vers Ngili, assis à ses côtés et lui demanda s'il devait toujours parachuter le container de vivres et de matériel, à l'emplacement prévu par Ken — près de cette avancée rocheuse, au sud de la Mau.

Une semaine s'était écoulée, depuis l'accord passé entre Ken et les Ngiamena. Ngili prit le micro de la radio du bord et appela son ami, qui organisait son campement à une trentaine de kilomètres de cet éperon, non loin du point où ils avaient déterré le fossile, lors de leur premier voyage.

Ken était arrivé la veille au matin, après un éprouvant trajet de quatre jours, depuis Nairobi, dans un camion conduit par un garde de la réserve. Outre ce camion, un autre garde avait pris le volant de la Land Rover de Ken, dont l'avant avait été récemment renforcé par de nouveaux pare-chocs tubulaires anti-buffles.

Ken avait réussi à localiser le tumulus sans l'aide de Hendrijks, dont on était sans nouvelles depuis une semaine. Son téléphone ne répondait pas et aucune lumière ne filtrait de son bureau, dont les stores poussiéreux demeuraient obstinément baissés. Plus surprenant encore, le pilote n'avait même pas appelé pour réclamer son chèque...

— Larguez les containers, avant que le ciel ne se couvre davantage, répondit Ken.

— Mais nous sommes encore loin de l'endroit convenu...

— J'avais fixé ce point au hasard. Parachutez les réserves et relevez leur position. Le parachute est orange vif. Je ne devrais pas avoir trop de mal à le repérer. Terminé.

Au sol, le jeune hominien n'eut même pas l'idée de se cacher. Il était effrayé, certes, mais dans son esprit, la curiosité l'emportait sur la peur. Il se figea donc, le nez en l'air, tandis que l'appareil le survolait. Il vit s'ouvrir dans le corps rebondi du gros insecte gris un orifice d'où tomba un drôle d'œuf, qui descendit vers le sol en tournoyant, suspendu à une grosse fleur orange. Puis la libellule géante disparut au loin, tandis que son œuf s'abattait en grand fracas parmi les rochers. Le parachute mouillé se prit à la pointe d'une plaque de lave dressée. Son orange détonnait si fortement parmi les couleurs environnantes, que le garçon eut à nouveau la sensation de se retrouver au cœur d'un rêve.

Il y eut un grincement. L'œuf était un lourd cylindre gris qui glissait à présent sur le plan rocheux incliné où il était tombé, tirant de plus en plus sur les sangles qui le reliaient à sa corolle orange. Le garçon accourut pour voir ça de plus près. Il suivit d'un œil sidéré la chute de l'objet qui se balançait, suspendu dans le vide. Les courroies, retenues par le parachute, frottaient rudement contre l'arête aiguë de la pierre basaltique et commençaient à s'effilocher. L'une d'elles se rompit. Le surcroît de poids vint s'ajouter à la tension qui s'exerçait sur les autres, lesquelles finirent par céder, l'une après l'autre. Quant au cylindre, il tomba dans une profonde excavation où il disparut.

De lui ne restait plus que cette énorme fleur orange, alourdie par la pluie.

L'appareil s'éloigna des contreforts, en direction du sud-ouest, où il larguerait l'autre réserve de survie.

* * *

— Professeu' Laudah'? Sergent Jonas Modibo, à vos ordres », annonça le minuscule gnome noir. Sa joue gauche portait un tatouage tribal : des points bleu-noir, formant un carré approximatif. « Je suis venu vous donner un coup de main, pour votre camp... Je n'ai repéré aucune trace de braconniers, dans le secteur — à première vue... Mais je viens vous donner un coup de main...

Il devait mesurer quelque chose comme un mètre soixante et parlait avec un fort accent indigène — sans doute pas Kikuyu, songea Ken, l'espace d'un éclair, ou alors Kipsigi, ou Luo? Il était affublé d'une vieille capote de l'armée britannique, dont on avait dû couper une large bande dans le bas, pour l'ajuster à sa petite taille.

Ken l'avait vu arriver et il avait eu peine à en croire ses yeux : comment avait-il fait pour se retrouver là, en pleine savane? L'homme pouvait avoir la cinquantaine. Il portait en bandoulière un vieux fusil Enfield de fabrication anglaise, datant de la Seconde Guerre mondiale, et que retenait non pas une lanière de cuir, mais une ficelle qui lui parut être du crin animal tressé.

Ken avait établi son camp à environ huit cents mètres du tumulus d'où il avait sorti le fossile, à l'endroit le plus dégagé qu'il avait pu dénicher. Il n'y avait aux alentours immédiats que des buissons et des broussailles. Ainsi, il perturberait le moins possible la faune et l'environnement qu'il voulait observer. Il avait une excellente visibilité, dans toutes les directions, y compris vers les crêtes rocheuses et la savane parsemée de bouquets d'acacias, ce qui lui valait en retour l'inconvénient d'être exposé à l'implacable rayonnement du soleil, qui écrasait tout le paysage environnant et lui donnait l'atmosphère irréelle, accablante, d'un cauchemar.

Ken écouta avec attention les explications de Modibo, surgi de nulle part, comme s'il avait traversé la savane sur ces vieux godillots lui arrivant à la cheville et dans lesquels il marchait pieds nus. Selon lui, c'était l'Office des réserves qui avait transmis à un poste frontière, dont Ken ignorait jusqu'à l'existence, l'ordre d'envoyer au « Professeu' Laudah' » un sous-officier ayant des compétences d'éclaireur, à cause des « indésirables » qui étaient venus lui tourner autour, une dizaine de jours plus tôt.

— Et comment l'Office des réserves vous a-t-il contacté, vous, précisément?

— Pas l'Office des réserves, professeu'. Moi, c'est l'armée. Patrouille des frontières... Par radio-téléphone, depuis Nairobi, à mon poste frontière.

— Et comment êtes-vous arrivé jusqu'ici ?

Le poste frontière le plus proche devait être à cent cinquante kilomètres.

— Dans un camion de l'armée, professeu'. Ils m'ont emmené depuis la frontière tanzanienne, jusqu'à environ cinquante kilomètres d'ici. Ensuite, j'ai eu deux jours de marche, pour venir jusqu'ici...

— Et vous avez couvert seul une telle distance ?

— Oui. Repérage des prédateurs, pour votre sécurité, professeu' ! » Jonas Modibo eut un sourire qui se voulait radieux et enfouit une main sombre et griffue dans son vieux pardessus. « Voici mon ordre de mission, professeu'...

Bien qu'il donnât l'impression d'être quasi nu sous son grand manteau, il sortit un livret militaire aussi gros qu'un portefeuille, crasseux et chiffonné, mais qui semblait valide. Il portait une photo ressemblante et dûment tamponnée.

Bouche bée derrière Ken, les rangers délégués par Jakub Ngiamena contemplaient le bonhomme. Sanglés dans leurs sahariennes et leurs shorts kaki, coiffés de leurs pimpants bérets bleu marine, ils l'éclaboussaient de leur élégance — même après deux jours de trajet dans la poussière du désert, et une nuit passée à la belle étoile. Ils tendirent l'oreille lorsque Modibo affirma que « l'ordre était venu de l'état-major, qui l'avait reçu du bureau du superintendant Ngiamena » — il disait « Niamena », avec un fort appui nasal, ce qui suggéra à Ken que cette prononciation devait être celle d'origine, avant que les Ngiamena n'aient émigré vers les villes pour rejoindre l'élite détribalisée.

— Vous avez tout inventé, sergent ! s'écria Ken, dans un sursaut d'incrédulité.

— Sûrement pas, professeu' !

Ken jeta un regard interrogatif en direction des gardes. Pour toute réponse, le chef d'équipe se contenta de hausser les épaules, pour signifier son ignorance de cet arrangement de dernière minute. La veille, lui et ses subordonnés avaient passé au peigne fin les buissons et les champs de roches basaltiques des environs, à pied et en camion. Eux non plus n'avaient pas vu trace de braconniers — pas de traces détectables, en tout cas.

— Et des lions, sergent — vous en avez vu? demanda Ken, pour rompre le silence.

— Oui. Deux mâles. Un jeune et un vieux. Ils suivaient un groupe de... » Les yeux mi-clos, Modibo parut compter mentalement. « Cinq ou six lionnes, je dirais. Avec des lionceaux.

Ken hocha la tête. C'était pratique courante, chez les lions. Ces cossards de mâles venaient rôder autour des lionnes et s'attaquaient aux lionceaux. S'ils parvenaient à tuer les petits en nombre suffisant, les lionnes auraient bientôt de nouvelles chaleurs. Elles ne tarderaient pas à se rouler à nouveau dans la poussière, la queue fouettant l'air, grognant pour appeler les mâles et les presser de leur faire d'autres petits. Car dans leur code génétique, l'instinct de la reproduction supplantait l'instinct maternel, ainsi que la colère ou la douleur temporaire que pouvait leur inspirer la mort de leurs petits. Les mâles reprenaient donc la tête de la troupe et se laissaient nourrir par les femelles, s'adjugeant la plus belle part des proies.

— Avez-vous vu quelque chose qui ressemblerait à ceci? fit Ken, en attrapant un bloc-notes sur lequel il dessina rapidement l'empreinte de l'hominien.

Le petit Noir déguenillé jeta un vague coup d'œil au croquis.

— Non. Pourquoi? Vos visiteurs avaient des pieds difformes?

Du menton, il indiquait l'épave du Safari Cub qui, en une dizaine de jours, s'était étonnamment intégrée au paysage, sous l'action conjuguée de la poussière, des taches de pollen, des insectes écrasés sur la carrosserie et des fientes des oiseaux qui venaient s'y percher.

— Non. Il s'agirait de l'empreinte d'une sorte de... primate.

Le sergent fit mine de ne pas entendre.

— Votre camp est mal situé, professeu', fit-il, d'autorité. Mauvais emplacement. Pile sur le passage des troupeaux. Et justement, y en a un qui arrive en ce moment même... » Il se jeta à terre, l'oreille plaquée au sol. « Exact. On les entend. Il faut déplacer le camp vers là-bas...

La main levée, il indiquait une colline nue, escarpée, au sommet aplati.

Ken sortit ses jumelles et balaya l'horizon à trois cent soixante degrés. Il vit des nuages bas, gonflés de pluie, qui s'amoncelaient sur la Mau, mais rien qui ressemblât au tourbillon de poussière soulevé par un troupeau lancé au galop. Mais bien sûr, s'il avait plu, le sol devait être détrempé, au pied des pentes... Il appliqua à son tour son oreille contre le sol, imité en cela par l'un des gardes. Ils relevèrent la tête en se consultant du regard. Rien. Ni l'un ni l'autre n'avait perçu le bruit caractéristique des sabots.

Modibo le fixait comme s'il avait lu dans ses pensées.

— Attendez, attendez, professeu'! Ils arrivent. Vous n'allez quand même pas risquer tout votre matériel et vos documents, professeu'...!

— Je ne suis pas professeur! explosa Ken. Et il n'est pas question de déplacer le camp!

Dix minutes plus tard, il y eut un appel de Ngili. Depuis l'avion, il avait aperçu un troupeau de gnous et de buffles lancés au grand galop. La vague de panique allait en s'élargissant à partir des étendues de rochers noirs, à présent pris sous une grosse averse, et se communiquait aux autres troupeaux qui s'y joignaient. Ngili ajouta qu'il pouvait s'attendre à les voir déferler dans quelque chose comme une heure.

Quarante minutes plus tard, un fleuve de buffles, talonnés par des gnous affolés, se déversa au pied de la colline où ils s'étaient réfugiés. Après leur passage, Modibo, qui s'était assis dans l'herbe jaune, mâchonnant un biscuit grossier qu'il avait exhumé d'une poche de son pardessus, se leva et s'éloigna sans un mot. Ken le vit faire halte près du Safari Cub, qu'il examina, avant de se couler dans l'habitacle. Il en émergea quelques instants plus tard, brandissant une clé à molette rutilante.

Il revint vers le camp et exposa sa théorie à Ken : ses « visiteurs » étaient des criminels en fuite, venus de Tanzanie. Il arrivait qu'ils tentent de traverser le désert à bord de véhicules volés, en direction de l'Ouganda, où ils pouvaient compter sur une relative tranquillité.

— Voilà l'avion de votre ami... ajouta-t-il.

Ken tendit l'oreille, mais ne discerna aucun bruit de moteur. Quelques minutes plus tard, un petit triangle sombre, qu'on aurait pu prendre pour un rapace en vol plané, se révéla être l'appareil annoncé. Il atterrit en rebondissant sur la piste dégagée par les gardes et les sabots des buffles.

Il doit être télépathe, ce vieux crabe, c'est pas possible ! se dit Ken. Il avait pu reconnaître l'avion, à l'horizon, mais jamais une oreille humaine normale n'aurait distingué d'aussi loin le bruit de la horde. Et comment diable avait-il pu repérer cette clé à molette, dans le Safari Cub, qu'ils avaient fouillé de fond en comble, lui et Ngili ?

La Land Rover cala à mi-pente. Le ranger qui était au volant fit repartir le moteur et la jeep parvint tant bien que mal à gravir la colline, graillonnant comme un vieillard au sommet d'un long escalier.

Modibo se leva, la clé à la main, et déclara qu'il avait été mécanicien dans le temps, à l'armée, et qu'il allait jeter un œil au moteur. Avant que Ken n'ait pu faire un geste, il avait déjà soulevé le capot brûlant et scrutait les entrailles de la machine. Ken se précipita vers lui et rabattit le capot, manquant de peu les doigts de Modibo. Il s'occuperait lui-même de son moteur, et quand bon lui semblerait !

Furieux d'avoir laissé si ostensiblement éclater sa colère, il tourna les talons et regagna sa tente, où un garde lui fit part d'un appel de Nairobi.

Lorsque Ngili parvint au sommet de la colline, le front ruisselant, il trouva son ami, radieux, en grande conversation avec sa radio d'où s'élevait une voix féminine, douce et sonore :

— De loin, c'est plus facile de te le dire, Ken... mais tu es quelqu'un d'exceptionnellement libre. Pour un homme qui ne peut s'abriter derrière le rempart du pouvoir, j'entends — ni derrière celui de l'argent. Je souhaite que ton expédition soit un grand succès...

— Ça, te bile pas pour lui ! s'exclama Ngili, qui était accouru en reconnaissant la voix de sa sœur. Il va sacrément prendre son pied, le bougre, et pas plus tard que cette nuit : il s'en va tout seul chasser le grand fauve !

— Tiens ! Tu es là, toi ? s'étonna Yinka. Qu'est-ce que c'est que cette histoire de fauve ?

— Je ne vais chasser aucun fauve, et sûrement pas cette nuit ! protesta Ken.

Il prévoyait effectivement une sortie de nuit, pour étudier la localisation des bandes de lions et de hyènes, mais il avait l'intention d'attendre que se soit calmée l'agitation qu'avait dû soulever le passage d'un avion à basse altitude, durant ces deux derniers jours. Les inévitables vagues de panique n'en étaient qu'à leur début. Les animaux galoperaient jusqu'aux limites du désert, puis reflueraient par contre-vagues, qui finiraient par se stabiliser lorsque les troupeaux seraient revenus à leur point de départ. Jusqu'à ce que les prédateurs les fassent à nouveau détaler devant eux, provoquant une nouvelle débandade.

Il prit rapidement congé de Yinka, éteignit la radio et se tourna vers son ami :

— Incroyable, ce que tu peux être lourd, toi, quand tu t'y mets... Tu peux me dire ce que c'est, ce fouille-merde, qui nous tombe du ciel ?

Il désignait d'un index indigné le sergent qui, les jambes arquées en pattes de crabe, avait relevé les pans de sa capote pour pisser sur un buisson, révélant qu'il ne portait là-dessous qu'un short douteux.

— Tu veux bien appeler ton père et lui demander de nous débarrasser de cet oiseau de mauvais augure ?

— Tu rigoles ? Tu voudrais que je dérange mon père pour si peu ? Je n'ai jamais entendu parler de ce type, mais ça te fait un garde du corps de plus. Ce n'est pas à dédaigner.

— Je n'ai pas demandé de garde du corps ! Et il était bien entendu que je mènerais cette expédition à ma guise, et en solo !

— Et alors ? Tu n'es pas le seul foutu paléontologue à des centaines de kilomètres à la ronde, peut-être ?

Ken avait lui-même défini son champ d'investigation : un carré de savane de cinquante kilomètres de côté, bordé au sud et au nord par des lignes de falaise, avec des réserves de survie parachutées dans les angles nord-est et sud-ouest. Il explorerait ce secteur à pied, équipé d'une tente légère et d'un jerrycan de cinq litres d'eau, en procédant par bandes de huit kilomètres. Pour couvrir un maximum de terrain, il déplacerait sa base vers la première réserve de matériel, d'abord, puis vers la seconde, et rayonnerait tout autour, aussi loin que le lui permettraient ses forces et son état général.

Ces prévisions étaient extrêmement ambitieuses, et sans doute s'en écarterait-il bien plus tôt que prévu, mais d'un autre côté, c'était le seul moyen de trouver ce qu'il cherchait.

Ngili se reprit :

— Excuse-moi, vieux... mais ce type espère sans doute se faire nourrir gratis pendant deux ou trois jours, après quoi il détalera sans demander son reste... Je ne vois pas en quoi il pourrait te gêner. Non. Ce qui me met hors de moi, c'est tout ce que tu vas découvrir en mon absence !

— Pas de quoi fouetter un chat, si ça se trouve !

— Ça, ça reste à voir ! Et moi, pendant ce temps... !

— Va bien falloir que tu t'y fasses, mon pote ! Mais tu viendras me voir tous les huit jours, comme convenu. C'est tout de même mieux que rien !

— Je sais, je sais ! rétorqua Ngili, avec une désinvolture qui masquait mal sa frustration. Je crois que ma sœur a mis le doigt dessus : tu as une immense liberté de mouvement — bien plus grande que la mienne !

— Eh, que veux-tu ! Tout le monde ne peut pas avoir la chance d'être orphelin — et Yankee, avec ça !

En un revirement inattendu, Ngili prit le bras de son ami, d'un geste toujours plein de fougue, mais à présent empreint d'une grande affection.

— Je sais, je sais, vieux... tu m'excuses, OK ?

— OK.

Ken se leva et s'éloigna.

— Je vais demander à cet oiseau combien de temps il compte me parasiter.

Il n'en eut pas l'occasion. Modibo avait disparu. Ken avisa deux des rangers, qui s'activaient autour du camion qui devait les ramener à Nairobi, et leur demanda où était passé le sergent.

Modibo leur avait conseillé d'avancer l'heure de leur départ, lui répondirent-ils. Une nouvelle vague de buffles allait déferler, encore plus importante que la première. Les sabots risquaient de creuser à la base de la colline de profondes ornières qui rendraient le terrain impraticable. Les gardes étaient visiblement impressionnés par une telle science de la brousse. Ils avaient demandé au sergent depuis combien de temps il connaissait la région. Il avait répondu qu'il était venu dans le coin épisodiquement depuis les années cinquante, « d'abord pendant la guérilla mau-mau, puis comme guide de safari privé, puis comme sous-officier de l'armée... ».

Mais il n'y avait plus trace de lui, ni sur la colline, ni dans la savane environnante. De lui ne subsistaient que quelques miettes de biscuits, et cette flaque séchée, qu'il avait laissée au pied d'un buisson, comme une bête qui tient à marquer son territoire.

Il réapparut pourtant, comme par enchantement, à l'heure du dîner. Les gardes et le pilote s'étaient réunis autour de Ken et de Ngili, et cassaient la croûte dans une ambiance plutôt tendue. Le pilote avait insisté pour avancer l'heure du départ, au grand dépit de Ngili. Ken aussi broyait du noir. Son installation était loin d'être achevée, et il avait compté sur leur aide.

Modibo s'assit et s'octroya une ration qu'il mangea en silence. Il ne s'interrompit que pour annoncer qu'il avait repéré des lionnes accompagnées de lionceaux, dans les environs du camp. Elles s'étaient installées dans un bouquet d'acacias à quelques encablures de là.

— Intéressant, fit Ken. Vous m'accompagnerez, après la tombée de la nuit. Nous les filmerons avec ma caméra à infrarouge.

— Ça, non, professeu' ! J'ai reçu l'ordre de protéger votre camp, pas de filmer les lions.

— Parfait, sergent. En ce cas, nous prendrons nos postes respectifs, dès que nous aurons achevé ce dîner...

— Bien sûr, professeu' !

Modibo recracha un morceau de poulet froid. Ken se leva pour le ramasser et le déposa dans le sac plastique qui tenait lieu de poubelle.

— Règle numéro un, annonça-t-il, ne jamais laisser traîner de détritus dans mon camp.

— Ah. Mille excuses, fit Modibo, avec un empressement ironique. Je vais même venir avec vous filmer les lions, si vous voulez...

— Inutile. Contentez-vous d'appliquer les ordres. Mais, à propos... où sont-ils, vos buffles ? Je ne vois rien venir !

— Ils arrivent, ils arrivent... N'ayez crainte.

— Avant de vous éclipser, vous nous aviez laissé entendre qu'ils allaient nous tomber dessus dans les cinq minutes. Vous avez effrayé tout le monde, et à présent... je n'en vois pas trace, de votre troupeau, lança Ken, à la cantonade, mais plus particulièrement pour les gardes et le pilote.

— Mille excuses, professeu', mais ils viendront, ils viendront. Plus tard.

Modibo cracha une autre bouchée de poulet qu'il ramassa du bout des doigts, avant de la laisser ostensiblement tomber dans le sac poubelle.

— Je vais faire chauffer le moteur, déclara le pilote en se levant.

Le regard du Kenyan ne s'attarda pas sur Modibo, mais Ken savait que son esprit restait fixé sur la horde de buffles annoncée par le sergent, cette horde dont le passage mettrait sens dessus dessous le terrain d'alentour, et le forcerait à prolonger son séjour ici, en compagnie de l'inquiétant farfadet.

Ngili aussi s'était levé. Il détourna les yeux.

— Viens, Ken. Je vais t'aider à couper du bois pour ton feu.

Lorsqu'ils revinrent, chargés de bois et réconciliés par une demi-heure de travail silencieux, sous un soleil encore torride, Modibo s'était à nouveau évaporé.

Il n'y avait toujours rien en vue. Ni buffles, ni gnous.

Les adieux furent brefs. Ken échangea une poignée de main avec le pilote et les gardes, qui partirent en camion, de leur côté. Ngili étreignit son ami dans une affectueuse accolade. « *Kwaheri na kuona* », lui dit-il. Au revoir...

Jamais, durant toutes ses expéditions précédentes, Ken n'avait vécu de double départ. Le camion s'engagea dans la pente en bringuebalant, tandis que l'avion décollait. Quelques minutes plus tard, le gros véhicule n'était plus qu'un point, fonçant vers l'horizon, et l'avion, une petite croix scintillante au zénith d'un ciel encore embrasé. Après la montée, le pilote avait fait demi-tour et était repassé au-dessus du camp, avant de virer en direction de Nairobi. Les ailes de l'Helio réverbéraient l'éclat du soleil et semblaient n'être plus que deux rayons incandescents.

Ken ne put réprimer l'anxiété qui l'avait envahi, en les regardant s'éloigner. L'humanité abandonnait derrière elle l'un de ses membres, et il se trouvait être cet exilé...

Ngili lui avait dit de laisser sa radio allumée, au cas où il aurait repéré Modibo depuis l'appareil — bien qu'il eût la certitude que le sergent était resté quelque part dans le secteur et qu'à son habitude, il referait surface au moment où Ken s'y attendrait le moins.

Ils avaient coupé un petit tas de branches mortes, prêtes à être utilisées pour le feu de camp. Ken n'aurait plus qu'à y mettre une allumette. Mais il devait encore assurer sa sécurité. Il se mit à arpenter de long en large le plateau qui occupait le sommet de la colline, en martelant le sol de ses grosses bottes de brousse, pour déloger tous les rongeurs et les petits mammifères qui pouvaient s'y cacher, ce qui minimiserait le risque d'y rencontrer de gros serpents venimeux, genre *black mamba*, dont la morsure ne pardonnait pas. Quant aux autres créatures potentiellement mortelles, il comptait sur le feu pour les tenir en respect.

La lune se levait, lorsque la radio cracha une salve de crépitements. C'était Ngili. Il n'avait vu personne sur sa route vers le sud. Son appareil arrivait en vue de Nairobi. Il lui souhaita une bonne nuit. Ken se coucha sous sa tente, dressée à quelques pas de la Land Rover. Il s'assoupit, puis se réveilla et se glissa dehors. Il tenait à éloigner la jeep d'une vingtaine de mètres, afin que personne ne puisse lui tomber dessus par surprise, en se faufilant par derrière. Un peu rassuré, il sortit son sac de couchage et s'installa dessus, cherchant à tâtons son Rhino .38, qu'il arma, avant de le poser à portée de main.

Cette atmosphère de suspicion dans laquelle débutait son expédition en solitaire ne lui disait rien qui vaille.

Il se réveilla en sursaut. Il s'était laissé surprendre par le sommeil hors de la tente. Il n'aurait su dire combien de temps il avait dormi.

Rawoo! rugit un lion mâle, à quelque distance. Le cri avait résonné comme une mise en garde venue du fond des âges.

Plusieurs femelles lui répondirent. Ken distingua dans leurs voix une note de colère et de douleur sourde, comme si quelque chose les avait atteintes au plus profond d'elles-mêmes.

Qu'est-ce qu'il peut bien fabriquer, ce nabot? se demanda-t-il. Ordres ou pas, Modibo devait chasser le lion. Il tendit l'oreille, s'attendant à reconnaître le claquement mat de l'Enfield. Le sergent était tout à fait capable de descendre un lion dans l'espoir de fourguer sa peau à des braconniers...

Ken se redressa en s'ébrouant, pour tenter de se dégager de l'étau qui lui enserrait la poitrine. Ce n'était certes pas la première fois qu'il entendait rugir des lions, mais chaque fois, leurs cris lui donnaient froid dans le dos. Une peur viscérale, ancestrale, et dont il n'avait pas à rougir, car elle avait quelque chose de génétique.

— On dirait qu'ils ont attrapé quelque chose! fit soudain la voix de Modibo.

Ken fut tellement surpris qu'il faillit tomber à la renverse. L'inquiétant sergent s'était agenouillé dans l'herbe, à moins d'un mètre de lui, son fusil posé à portée de main. Il avait levé les bras, crispant ses doigts écartés, pour évoquer les griffes des fauves.

— Ils ont attrapé quelque chose...

— Quoi? souffla Ken.

Le sergent fixa le vide devant lui, comme s'il hésitait à parler.

— Ça, j'en sais rien. Mais leur proie ne crie pas. Pas un bruit. Peut-être qu'ils ont dégoté un cadavre...

Ken tressaillit. Et si c'était cet enfant...

Du calme, du calme, se morigéna-t-il. Pas de panique... Mais il ne pouvait empêcher ses pensées de s'emballer. Etait-ce l'enfant, déjà mort? Abattu par Modibo, peut-être...?

Le sergent laissa retomber ses mains, avec un détachement qui alerta Ken. Ses doigts approchaient insensiblement du Rhino .38, qui était déjà presque à sa portée.

Mais Ken aussi avait une arme, près de lui. L'Enfield.

Il compara mentalement la longueur de son bras et de celui du sergent : il ne suffirait pas de dégainer plus vite que l'adversaire, il faudrait aussi s'emparer le premier de son arme.

— Alors, toujours pas de troupeaux? railla Ken. Qu'est-ce qu'ils fabriquent, vos buffles?

Les paupières de Modibo papillotèrent dans la pénombre, comme si la question l'avait désarçonné.

La main de Ken plongea en avant et s'abattit sur le canon de l'Enfield. Le sergent, dont les petits yeux restaient rivés sur Ken, n'avait pas prévu le coup. Lorsqu'il abaissa sa main, elle ne rencontra que de l'herbe. Ken avait déjà empoigné son fusil.

— Venez, sergent. Allons voir ce que ces lions ont attrapé !

Il s'était endormi adossé à un sac plein de matériel. Un angle saillant lui labourait le dos — il reconnut les arêtes de ses lunettes Starlight à infrarouge, qu'il avait laissées dans ce sac à dos, avec une pelle et une radio de secours. Il ramassa le sac, le fusil et le Rhino .38, et bondit sur ses pieds.

— Vous avez vraiment besoin de tout ça ? demanda Modibo, toujours à genoux, et qui le regardait, les yeux levés, tel un lutin malfaisant qui viendrait de s'éveiller à la vie.

Ken le trouvait bien plus dangereux que tous les lions de la savane réunis.

— Eh, vous allez où, comme ça, professeu' ? Vous me laissez ici, seul et sans armes ?

— Aucun fauve n'escaladera cette colline pour vous attaquer, sergent — ce n'est pas à vous que je vais l'apprendre ! marmonna Ken, à la fois surpris et soulagé par cet aveu de couardise.

Plus il étudiait ce visage, cette barbe clairsemée, cette moustache et ces tatouages, plus il avait le sentiment d'être encore très loin de la vérité, concernant le petit homme.

Toujours à genoux, Modibo éclata d'un rire dont la véhémence jurait avec son ordinaire circonspection :

— Le *mzungu* devient fou, ma parole... ! fit-il en utilisant, peut-être par mégarde, le terme swahili péjoratif pour dire « Blanc ».

— Comme vous dites, sergent, répliqua Ken. Complètement fou. Mais nous en reparlerons à mon retour...

Il s'éloigna à reculons, plantant là le sergent, toujours immobile.

Commençons par tirer au clair cette histoire de lion, se dit-il. Il ne s'aperçut qu'il s'était endormi avec ses bottes qu'en sentant le sol crisser sous leurs semelles. Une chance, d'ailleurs — et dans l'ensemble, la chance lui avait plutôt souri, jusqu'à présent. Puis il se retourna, jeta le sac sur son épaule et partit en courant dans la nuit.

Quelque part devant lui, une lionne exhala un cri de chagrin et d'indignation, qui fut repris par un chœur à plusieurs voix : celle de cette première lionne, celle d'une autre, et celle d'un mâle. On eût dit qu'ils luttaient pied à pied, croc contre croc.

Sans ralentir l'allure, Ken fouilla dans son sac dont il sortit ses lunettes à infrarouge, et les chaussa.

La brousse était à présent d'un vert phosphorescent. Les yeux des animaux lui apparaissaient comme autant de flammèches verdâtres, ainsi que les crocs qui étincelaient entre les babines retroussées. L'horizon s'embrasait d'un souffle d'ambre vert tombant du cosmos. Les étoiles elles-mêmes brillaient comme autant d'yeux. Des yeux innombrables, au regard figé, calme, terrifiant. Immobiles et inertes, tels ceux des ancêtres disparus, ils fixaient pour l'éternité l'étrange planète qu'ils avaient quittée. Ken fut parcouru d'un frisson dont il n'aurait su dire s'il était causé par la fatigue ou par l'effrayante vision du monde que lui transmettaient ses lunettes. Les acacias approchaient, tressautant au rythme de ses pas précipités, qui modifiaient l'angle de vision de l'appareil. Un concert de rugissements tonitruants retentit soudain. La peur le cloua sur place.

Les lions s'étaient agglutinés au pied d'un acacia. Ils déchiraient à belles dents quelque chose qui ressemblait à un petit corps brun.

Ken s'élança vers eux en hurlant. « HOOO ! » Le cri avait jailli de sa gorge comme malgré lui. Il se débarrassa de son sac et se retrouva avec à la main l'Enfield dont la crosse trop légère et le canon trop lourd ne lui auraient pas permis de viser correctement. Il le laissa choir à terre et empoigna la crosse du Rhino.38.

Là-bas, au milieu des lions, le corps brun s'était soulevé, puis était retombé, pour se soulever à nouveau, tiraillé de toutes parts entre les grosses pattes des fauves. Ken tremblait d'horreur à l'idée qu'il pût s'agir du petit hominien.

— HOOOO ! vociféra-t-il encore, en forçant l'allure.

Il ne pouvait prendre le risque de tirer dans le tas de lions, sous peine d'atteindre leur proie. Glissant son arme dans sa ceinture, il chargea les félins les mains nues, puis ramassa au passage quelques pierres qu'il leur lança. Il levait le bras pour lancer un caillou, lorsque son geste s'arrêta à mi-course. Deux lionnes assiégeaient un acacia voisin. Elles sautaient vers les premières branches en feulant, comme alléchées par quelque chose qui se serait réfugié dans cet arbre.

Il braqua ses Starlight sur cette étrange danse, puis il scruta le feuillage, trop touffu pour qu'il puisse distinguer ce qui attirait ainsi les lionnes. Dans les hautes branches, il devinait pourtant une forme sombre, arrondie, calée sur une fourche, sans pouvoir dire s'il s'agissait d'un singe accroupi, d'un nid géant, ou d'une excroissance de l'écorce.

A présent, les autres lions se mouvaient en silence. Le corps qu'ils se disputaient avait manifestement cessé de vivre. Il n'y avait plus rien à faire, rien à sauver. Un grand mâle s'éloigna de la mêlée avec entre les dents un lambeau sanglant. Ken en eut le souffle coupé. Il lui avait semblé reconnaître un membre humain.

Mais c'était, en fait, le cadavre d'un lionceau. A terre gisait une lionne, à demi dévorée, elle aussi. Deux autres mâles achevaient l'ouvrage. Les autres femelles entreprirent de rassembler les lionceaux survivants en les poussant du museau, sans ménagement, et au besoin, d'un bon coup de patte.

Ce n'était pas l'hominien.

Les deux lionnes frondeuses renoncèrent à assiéger l'acacia pour rejoindre le gros de la troupe. Dans la lumière ambrée de ses lunettes, Ken distinguait nettement le nuage de poussière que soulevaient leurs queues. Il se demanda quel animal, à présent niché en toute sécurité dans le feuillage, avait bien pu les mettre dans cet état. Les mâles restaient en arrière pour achever leur festin. Ils reviendraient sûrement rôder autour de cette horde, mais pas ce soir-là, ni dans les jours à venir. Ils garderaient quelque temps leurs distances, lézardant sous les acacias, placides, jusqu'à ce que la faim les pousse à nouveau à attaquer leurs congénères.

Ken resta un moment immobile, contemplant le repas des lions, tandis que les lionnes s'éloignaient sous la lune, de leur pas élastique. Une trêve dans l'éternelle tragédie de la toute-puissance de l'instinct...

Il revint sur ses pas pour récupérer l'Enfield et son sac. Comme il se penchait pour les ramasser, il jeta par hasard un coup d'œil du côté de son camp, sur la colline, et fut aveuglé par un rayon lumineux si violent et si inattendu qu'il ne put réprimer un cri de douleur. Ce n'était pas un faible rayon de lune, ni le scintillement d'un croc qu'avaient capté là ses Starlight, qui amplifiaient soixante-dix mille fois la lumière ambiante. Non, il s'agissait d'une source électrique.

Il tomba à genoux, paupières serrées, ôta ses lunettes et les laissa pendre sur sa poitrine, au bout de leur courroie. Puis il cligna doucement les yeux en direction de l'obscurité environnante.

Là-haut, la lampe dansait autour de la forme anguleuse de sa Land Rover. Comme ses yeux s'accoutumaient à la pénombre, il distingua le capot, relevé. Puis la lampe s'éteignit. Il entendit le choc d'un objet lourd sur une surface de métal.

Il empoigna son sac et ses armes et rebroussa chemin à toutes jambes. En arrivant en vue du sommet de la colline, il aperçut la jeep, dont le capot était à nouveau baissé, et se demanda s'il l'avait vraiment vu ouvert, quelques instants plus tôt, ou s'il avait rêvé. Puis la lampe se ralluma.

Modibo était au volant. Il tenait à la main la clé anglaise qu'il abattait à toute volée sur quelque chose, provoquant ce bruit métallique.

Ken se figea, réfléchissant à toute allure et il comprit soudain : Modibo était le conducteur du Safari Cub qui les avait attaqués, le week-end précédent — ça ne pouvait être que lui. Il s'était enfui dans la savane, et...

Il jeta un bref coup d'œil autour de lui, repéra un buisson où il cacha l'Enfield, au cas où Modibo aurait essayé de le lui reprendre par la force. Il passa le canon du Rhino dans sa ceinture et approcha à pas de loup de la Land Rover. Comme il atteignait la portière, il avança sans bruit la main vers la poignée et l'ouvrit d'un coup.

La colonne de direction était complètement démantibulée. Des lambeaux de plastique pendaient du côté où on l'avait éventrée et l'on apercevait les boulons de raccordement qui brillaient comme des os fraîchement mis à nu par une fracture ouverte. Modibo s'acharnait sur l'arbre de direction. Il tentait de dévisser les boulons qui la raccordaient à la transmission.

Le sergent pivota et frappa Ken à la tête avec sa clé, d'un geste si vif et si violent que Ken s'effondra sur lui. Ses narines furent aussitôt assaillies par la puanteur du vieux bouc — un mélange de mauvaise haleine, de nourriture avariée et de graisse rance, dont Modibo se pommadait peut-être les cheveux... Ces remugles aidèrent Ken à garder sa lucidité. Il sentit un liquide chaud et visqueux lui dégouliner le long de la tempe. Il en goûta la saveur au coin de ses lèvres et vit son sang avant de l'avoir eu sous les yeux : tout lui apparaissait à présent à travers un voile rouge.

Baissant la tête, il esquiva un deuxième coup, puis un troisième. Il parvint à s'emparer de la clé et l'envoya valser à plusieurs mètres. Puis il empoigna le sergent par le cou, le tira hors de la jeep et lui décocha, de toutes ses forces, un direct du droit qui le cueillit au menton. Le coup avait projeté Modibo contre la carrosserie. Ken referma les mains autour de son cou moite et se mit à le secouer. Un goût de sang lui emplit la bouche.

— Pourquoi ? éructa-t-il, et surtout qui ? Dis-moi qui t'envoie !

Modibo s'affala, inerte, mais dès que Ken le lâcha, le sergent lui décocha à l'estomac un coup de genou qui l'envoya au tapis. Puis il fit volte-face et passant sur le corps de Ken, chercha à tâtons la clé anglaise. Ken avait le cœur au bord des lèvres. S'il n'arrêtait pas ce démon, il était mort. Il étendit le bras et le saisit par un pied. Modibo se dégagea, lui laissant à la main son godillot puant, et détala, secoué d'un rire mauvais. Ken empoigna son Rhino.38 et grimpa dans la jeep. Là, il s'essuya le visage d'un revers de main, avec un sourire ensanglanté. Ça, pas question ! Pas question de laisser Modibo prendre le large. Il avait réussi à s'échapper, après la charge du Safari Cub et, le soir même, Ken avait échappé de justesse à la mort, devant chez Theo.

Il mit le contact. Le moteur répondit. Lorsqu'il tenta de manœuvrer le volant, la colonne de direction émit un abominable grincement, mais les roues obéirent. Modibo n'avait pas eu le temps de saboter l'arbre. Il alluma les phares et s'élança sur ses traces. Devant lui, à quelques centaines de mètres, il pouvait voir le grand pardessus qui balayait le sol. La jeep dévalait une pente défoncée de profondes ornières, dans lesquelles elle rebondissait, constamment à la limite de l'adhérence.

Ken enfonça la pédale de frein, qui s'écrasa au plancher

sans répondre. Il insista plusieurs fois, mais elle refusait de remonter.

Il ne lui restait plus qu'à se cramponner au volant, ce qu'il fit.

Modibo avait dû sectionner le tuyau du liquide de frein. Il suffisait d'un bon couteau — chose que devait receler son inépuisable pardessus. Et il avait fait diligence : les freins avaient rendu l'âme au premier coup de pédale. La Land Rover devait répandre dans son sillage une véritable marée noire sur les cailloux millénaires de cette colline...

Elle ferraillait comme un vulgaire seau de fer-blanc, en faisant d'effrayantes embardées.

Toutes ces images se disputaient son esprit avec les obstacles et les pièges du terrain, les trous noirs qu'il franchissait à tombeau ouvert, en projetant sur son passage de grandes giclées de graviers. Il poussa un cri pour se purger de ces idées parasites et pour mieux se concentrer, il s'interdit même de regarder le pardessus kaki dont il se rapprochait peu à peu. Il se cramponna au volant, à la pente, à la vie.

Il ne lui fallut pas plus de deux minutes pour dévaler la colline, dont l'ascension avait exigé cinq fois plus de temps, mais ces cent vingt secondes lui parurent ne jamais devoir prendre fin.

Il tenta d'utiliser le frein moteur — en vain. Au pied de la pente, la jeep filait à près de cent à l'heure. Les roues heurtèrent un rocher sur lequel elles rebondirent, projetant Ken la tête la première contre son pare-brise. C'est à peine s'il sentit le choc, occupé qu'il était à observer Modibo, qui s'était immobilisé au pied de la colline, presque au garde-à-vous, sa capote bâillant sur sa poitrine nue. Il souriait de toutes ses dents.

Ken lui aurait volontiers tiré dessus, s'il avait eu les mains libres. Il le frôla de son pare-chocs et le photographia une dernière fois mentalement, s'efforçant d'enregistrer le moindre détail, le moindre indice qui lui permettrait de retrouver sa trace.

Car la partie ne faisait que commencer. Il avait survécu à la première manche. Sa jeep ne s'était pas renversée, n'avait pas explosé, ne l'avait pas réduit en chair à pâté...

Alors... qu'est-ce que le sergent trouvait si réjouissant ?

La Land Rover rugit dans la savane. Ses phares éclairaient à présent un océan de cornes. Voilà donc ce qui faisait jubiler le sergent. Les buffles trottinaient dans la fraîcheur de la nuit, paisibles — pour l'instant. Leurs cornes emplissaient la savane, à une quinzaine de mètres du pied de la colline.

Sauter, ou rester dans sa jeep folle ? Ken n'eut même pas le temps de choisir. Il vit ses tubes anti-buffles heurter de plein fouet l'un des grands bovins, dont les cornes, largement écartées, semblaient lui entraîner la tête vers le sol. Le buffle fut projeté en l'air et retomba telle une baleine bondissant hors de l'eau, dans le flot noir de ses congénères. Le troupeau vibra sous le choc, comme une plaine ébranlée par un tremblement de terre. La Land Rover s'enfonça dans la marée des buffles.

CRUNKKK ! !

Du côté gauche, une paire de cornes avait heurté la carrosserie cabossée, juste au-dessus de la roue arrière. Le pare-chocs latéral vola en miettes. Sur la droite, une femelle protégeant son veau chargea avec ses cornes, plus acérées et mieux dirigées vers l'avant, en direction du pneu droit. D'instinct, Ken braqua et fit tourner l'avant, pour présenter à la femelle l'extrémité du pare-chocs, qui entailla le cou de l'animal. Ken hurla de toutes ses forces.

La semaine précédente, il avait subi deux agressions, et avait chaque fois réussi à s'en tirer avec un pied de nez à la mort. Mais cette fois, c'était plus grave — d'où la joie de Modibo.

Qu'il reste dans la jeep ou qu'il saute, il était fichu. De lui ne subsisteraient que quelques lambeaux sanglants, peut-être calcinés par un feu de moteur et puant le cambouis. Les buffles malmèneraient la jeep et la feraient tanguer jusqu'à ce qu'ils aient réussi à la renverser. Ensuite, le feu se déclarerait et...

Et ils détenaient toutes les preuves de sa découverte.

Sous la violence du choc, il sentit se hérisser tous les poils de son corps. Qui qu'ils puissent être, ils savaient. Ils étaient au courant de sa découverte. Ils connaissaient son adresse ou n'avaient eu aucun mal à se la procurer. Il avait rédigé un rapport détaillé, concernant les fossiles et les empreintes. Il conservait ce texte sur une disquette, rangée dans un tiroir dont il avait gardé la clé sur lui. Mais il suffisait à ses poursuivants de forcer sa porte, de retrouver ce tiroir et de le défoncer. Il avait bien déposé les négatifs des photos d'empreintes dans un coffre, à la banque, mais même cette précaution ne lui garantissait pas une totale sécurité.

Quant à ses outils de terrassement, qui étaient autant de preuves attestant sa découverte, il les avait tous laissés au camp... Nombre d'entre eux étaient dans ce sac qu'il avait si bêtement balancé, quelque part près du sommet de cette colline qu'il ne reverrait jamais. Ils s'étaient bel et bien débarrassés de lui ! Et ils avaient fait main basse sur toutes ses preuves...

Ils. Mais qui étaient ces *ils* ?

Et pourquoi étaient-ils à ses trousses ? A cause du fossile ? Ou à cause des empreintes...

La colère horrifiée que lui inspirèrent ces pensées lui rendit un peu d'énergie. Ses chances de survie avaient beau être minces, le jeu en valait sacrément la chandelle !

A chaque instant, d'innombrables cornes venaient secouer la jeep. Le véhicule avait dérivé vers une autre partie du troupeau, où les animaux étaient plus petits, mais plus nerveux. Abaissant leurs cornes, ils attaquaient plus insidieusement la carrosserie, qu'ils criblaient de coups. C'étaient pour la plupart de jeunes femelles protégeant leurs petits. *Whack, bang, boom !* Les coups pleuvaient de toutes parts sur le véhicule. Six ou sept mères avaient rapidement compris comment elles pourraient en venir à bout. Elles avaient formé un cercle et s'étaient mises à cogner ensemble à l'avant, à l'arrière et des deux côtés. La jeep tanguait comme une carcasse de poulet qu'une bande de chiens se disputeraient.

Toutes les vitres latérales étaient déjà en miettes. L'une des portes arrière était sortie de ses gonds, ce qui avait malencontreusement ranimé le plafonnier agonisant. La petite ampoule clignotait à présent, empêchant Ken d'y voir plus de deux secondes d'affilée. Quant aux phares, ils avaient jeté l'éponge depuis belle lurette. Ken n'avait plus qu'une idée : échapper à ces furies.

Il lui restait encore un peu d'essence. Le volant et la

transmission fonctionnaient toujours. La radio du tableau de bord n'avait pas encore rendu l'âme, mais il ne prit ni le temps ni le risque d'envoyer un signal de détresse que Modibo aurait été le premier à intercepter, puisqu'il devait avoir fait main basse sur tous les appareils du camp. Une minute ne se serait pas écoulée qu'il aurait déjà alerté ses complices pour qu'ils viennent le massacrer. Enfin... si les buffles ne s'en étaient pas déjà chargés !

Il grimaça un sourire. Finalement, cette mer de cornes était le meilleur des camouflages. A condition d'en réchapper, bien sûr.

Il actionna l'accélérateur et se colleta avec le volant qui répondait mal — soit parce qu'un des boulons de la transmission avait fini par lâcher, soit parce qu'un cadavre de buffle bloquait les roues. Il tira de toutes ses forces en accélérant à fond, et...

Peu à peu, la Land Rover quitta le groupe des femelles pour revenir au cœur du troupeau. Il suivait le courant, à présent. De temps à autre, un coup de corne venait encore ébranler la carrosserie, mais les buffles le laissaient fuir à leur rythme, comme s'ils avaient fini par l'accueillir dans leur mouvement. C'était sa seule chance. Se laisser porter par le flux, que sa présence stimulait en retour. Si tout allait bien, il échouerait très loin de là, très loin des tueurs qui pouvaient se lancer à ses trousses. Mais pour cela, il fallait tenir jusqu'au matin. Lorsque la jeep tomberait en panne sèche et que les buffles la retourneraient comme une coquille de noix, mieux valait qu'il fasse jour. Jusque-là, il devait se fondre dans le troupeau, et en devenir l'âme.

La portière arrière, à demi arrachée, claqua sur ses gonds, déclenchant de furieux clignotements du plafonnier — allumé, éteint, allumé, éteint... Il ne voyait plus devant lui que par à-coups. Il écrasa l'ampoule d'un coup de poing, et en fut quitte pour quelques éclats de verre qui lui labourèrent la main. Mais il avait réussi : il avait eu sa peau, à cette saleté !

Il se coula à nouveau dans le troupeau et se laissa dériver sous la lune, au gré de leur course folle.

2

Il laissa s'écouler des heures qui lui parurent éternelles. Enfin, il manœuvra pour obliquer sur la droite. Une ligne rouge ourlait l'horizon comme une balafre dans la peau d'un fruit mûr. Devant lui, le brouillard s'opacifiait. Les nuages s'amoncelaient au nord-ouest, au-dessus de la savane. Au loin, la Mau disparaissait presque entièrement dans la brume.

Dès que la jeep fit mine de ralentir, les cornes l'attaquèrent par derrière. Ken pria pour que le troupeau l'abandonne près d'un bouquet d'arbres — le meilleur camouflage si ses poursuivants envoyaient un avion à sa recherche. Il envisagea de sauter du véhicule mais autour de lui, les vagues brunes formaient un tapis compact, animé d'imprévisibles ondulations. Des arbres approchaient. Il s'efforça de reconnaître leur essence, pour se faire une idée des caractéristiques du lieu. Un obstacle naturel qui lui demeura invisible catapulta la jeep en une grande embardée. Un éclair l'aveugla, tandis qu'il se sentait propulsé dans les airs, avec son véhicule. Sa tête heurta violemment le plafond.

La Land Rover se coucha sur le côté et, instantanément, plusieurs paires de cornes attaquèrent, avec une vigueur que redoublait l'élan du troupeau. Celles qui vinrent frapper le toit s'y fichèrent solidement.

Les buffles traînèrent sur plusieurs centaines de mètres le véhicule encorné dont le poids les ralentissait. Enfin, telle une pierre coulant au milieu d'un torrent, la Land Rover s'immobilisa. Dans l'habitacle, son conducteur gisait, inconscient, plus mort que vif. Le fleuve des buffles s'écoula de part et d'autre et finit par disparaître au loin.

Plusieurs heures s'écoulèrent encore. L'homme évanoui s'ébroua, toussa, ouvrit les yeux et se colleta avec la porte. Il parvint à la décoincer, mais lorsqu'il tenta de mettre pied à terre, ses genoux se dérobèrent sous lui. Il tomba la tête la première, et se traîna sur quelques mètres avant que ses forces ne l'abandonnent. Il s'immobilisa à nouveau, évanoui.

Il avait perçu des pépiements. L'air palpita au-dessus de son visage en une sorte de frou-frou. Des oiseaux-mouches... songea-t-il. Il cligna les paupières et ouvrit les yeux, malgré la croûte de sang qui les scellait.

Il était étendu sous un buisson, dont il distinguait les petites feuilles et les fleurs, d'un bleu délicat. Lorsqu'il essaya de se hisser sur ses pieds, une violente douleur lui cisailla la cheville. Il se laissa retomber près du buisson et renonça à s'appuyer sur cette cheville. La douleur l'avait fait émerger de la torpeur où l'avait plongé le choc.

Le léopard femelle venait de mettre bas. Son ventre encore distendu pendait sous son corps fuselé. Elle n'avait pratiquement rien mangé de toute la semaine, hormis une proie minuscule et le placenta de ses petits. La faim féroce qui lui tordait les entrailles l'avait poussée à sortir en plein jour.

Elle s'avança à découvert, entre deux grands arbres dont les fruits mûrs jonchaient le sol. Les gazelles ne tarderaient pas à venir s'en repaître, disséminant les graines au loin dans leurs déjections... Elle pouvait compter sur la présence de quelque proie. Elle approcha à pas feutrés, mais la faim était trop forte. Elle salivait, sans parvenir à réprimer le *grrr* sonore qui lui faisait vibrer la gorge.

Ken crapahuta laborieusement en direction de la Land Rover renversée, dans l'espoir d'y retrouver son revolver. Il avait entendu et reconnu la mère léopard avant même de l'avoir vue. Aucun autre animal ne produisait ce ronronnement guttural. Lorsqu'elle entra dans son champ visuel, Ken remarqua du premier coup d'œil son ventre ballottant et les tétons roses de ses mamelles gonflées, dans la fourrure malmenée. Cette récente maternité rendait l'animal doublement dangereux.

Rendant grâce au ciel de ce qu'il n'eût rien d'autre de cassé, il avança, mètre par mètre, enfonçant ses ongles dans le sol. Il était très faible, mais gardait l'esprit clair. Il lui restait une chance, une toute petite chance de s'en sortir... s'il réussissait à mettre la main sur son Rhino.

La mère léopard se ramassa sur elle-même, surprise, la queue battant ses flancs, puis elle se releva et huma l'air qui lui arrivait, envoyant un coup de patte exaspéré vers un oiseau-mouche qui était venu bourdonner sous son nez. Comme tout félin digne de ce nom, elle avait horreur d'être déconcentrée juste avant une mise à mort. Les sucs gastriques qui affluaient dans son estomac lui remontaient dans la gorge. Elle salivait de plus belle. Avec un grognement d'impatience, elle laissa tomber un gros flocon d'écume.

Ken avait atteint l'avant de la jeep. Les extrémités latérales des tubes anti-buffles avaient été tordues puis brisées comme de vulgaires fétus de paille. La carrosserie était criblée de coups de cornes ressemblant à s'y méprendre à des impacts de balles, quant aux pare-chocs, ils avaient disparu. Des phares ne subsistaient plus que deux orbites de métal vides.

Par inadvertance, il prit appui sur sa cheville blessée. La douleur fulgura jusque dans son cerveau. Une sueur glacée perla à son front, et se mêla au sang qui lui barbouillait le visage. Sa tête n'était plus qu'un horrible masque.

Il voulut s'agripper aux pare-chocs tubulaires pour se redresser, mais à nouveau la douleur le cloua au sol. Il ne pouvait ni se relever, ni même ouvrir les portières cabossées.

Le fauve n'était plus qu'à quelques mètres. Il devait friser les quatre-vingt-dix kilos.

Ken porta fébrilement la main à sa ceinture, et y trouva le coutelas en forme de baïonnette qui lui servait à couper du bois. Il le tira de sa gaine de cuir et réfléchit à la meilleure position pour faire front.

Couché, il n'avait pas la moindre chance de venir à bout de l'animal — à moins de le frapper au cœur. Mieux valait s'adosser à ce qui restait du pare-chocs et l'attendre assis. Il parvint tant bien que mal à s'y traîner, se retourna et se laissa choir contre la jeep. Là, il replia les jambes et attendit, la main crispée sur son couteau.

La mère léopard s'était recroquevillée à deux mètres de lui, prête à bondir. Il s'était imaginé pouvoir attendre l'assaut décisif en gardant la tête claire, mais la fixité des yeux dorés qui le dévoraient du regard avait eu raison de son calme relatif. Elle s'aplatit au sol. Il n'en voyait plus que la tête, et cette langue rose pâle qui allait et venait sur les babines, humectait les moustaches, claquait sur la petite truffe noire... Ce claquement était plus qu'il n'en pouvait supporter. Il ouvrit la bouche.

— HOOOOO ! hurla-t-il d'une voix caverneuse, profondément humaine.

Il avait crié si fort, que même parvenu à bout de souffle, il continua à grogner entre ses dents. Fermant les yeux, il repoussa le léopard de toutes les forces de sa pensée.

La bête recula, momentanément intimidée. Il prit le couteau entre ses dents, se cramponna aux tubes anti-buffles et se mit à nouveau sur pied. Evitant de transférer son poids sur sa cheville blessée, il parvint à se hisser dans la jeep en l'escaladant par le côté. La portière avait été arrachée. Il se laissa basculer à l'intérieur, sans voir trace de son arme.

Comme il inspectait à tâtons les différentes cavités du tableau de bord, ses doigts rencontrèrent un objet froid qu'il tira vers lui. Une bouffée d'espoir lui explosa dans le cerveau.

C'étaient ses lunettes à infrarouge.

Il les laissa retomber dans l'habitacle et reprit ses recherches. Rien. Pas d'arme. Elle avait dû être catapultée à l'extérieur au moment du grand choc.

Et il avait épuisé son potentiel de cri.

A quelques mètres de là, le gros chat l'observait, assis sur sa queue tachetée. Sans s'en rendre compte, Ken s'était appuyé sur l'une des portières, démantibulée et repliée sur elle-même. Dans un fracas métallique, la tôle martyrisée se redressa, le projetant à l'extérieur. Il s'écroula et roula sur lui-même. Le fauve s'élança aussitôt, comme s'il n'avait attendu que ce signal.

Un coup de patte déchira le devant de sa chemise. Il vit fondre vers son visage le petit nez de velours noir et vomit le hurlement le plus véhément jamais produit par son gosier, comme s'il crachait son dernier soupir à la gueule du fauve.

La mère léopard s'ébroua, et secoua la tête assourdie par le cri. Otant sa patte de sa poitrine, elle battit en retraite. Il se dressa sur son séant, pris d'un incoercible tremblement qui l'agitait des pieds à la tête. Devant ses yeux, l'image du fauve vibrait dans un flou envahissant.

L'imminence de la mort le plongea dans une sorte de délire. Il n'y avait pas de Ciel à prier, au-dessus de lui, mais il rejeta la tête en arrière dans un geste de supplication où il avait mis toute son humanité.

Et il vit au-dessus de lui un visage. Pas celui d'un enfant, non. Un adulte — teint foncé, front bas et fuyant, bouche lippue, longs bras — qui descendait de l'acacia presque à l'aplomb de sa tête. Il avait la musculature puissante d'une créature habituée à la vie arboricole. Il ouvrit la bouche, comme s'il avait décidé de venir crier à ses côtés, pour l'aider à mettre le fauve en fuite.

Un peu plus haut, dans les branches, deux autres hominiens tendaient les bras, comme pour retenir leur compagnon trop curieux et l'empêcher de trahir leur cachette. Ken eut à peine le temps d'apercevoir les deux autres visages dans le feuillage. Sa bouche s'ouvrit pour pousser un autre cri, mais il n'en jaillit aucun son. La créature qui venait vers lui, les lèvres réunies en entonnoir, émit un long ululement si strident et surtout si pénétrant, que le léopard fit un bond en arrière, se fouettant les flancs d'une queue exaspérée et perplexe. La créature poussa alors un second hurlement, encore plus puissant, qui figea net toute activité aux alentours. Les oiseaux-mouches eux-mêmes se turent et semblèrent s'évaporer.

Elle attendait, se détachant clairement sur le fond vert des feuilles. Ken examina la forme de sa boîte crânienne, très proche de celle d'un chimpanzé, et estima — mais ce n'était qu'une supposition — qu'elle pouvait contenir cinq cents centimètres cubes d'encéphale. Elle était surmontée d'une saillie osseuse, discrète mais bien visible : la crête sagittale qui renforçait les points d'insertion de ses puissants muscles maxillaires.

Ça ressemblait fort à un hominidé.

Un sourire courut sur ses lèvres parcheminées : tu les as vus, Lauder ! Le rêve d'agonie idéal, au bon moment, dans des conditions... rêvées...

Les deux autres créatures avaient rattrapé leur camarade aventureux. Elles refusaient de le laisser prendre de tels risques dans un combat qui ne le concernait pas. C'était un geste généreux, pour protéger un congénère idéaliste de la sympathie que lui inspirait cet étranger, face à son destin.

Ken n'aurait su dire s'il était victime d'une hallucination ou si le monde entier n'était plus qu'un immense mirage. La vision dura encore quelques secondes, puis les deux habitants des cimes hissèrent leur compagnon, qui révéla un arrière-train on ne pouvait plus humain — aucune trace de queue, de callosités ischiatiques ni d'excroissances, comme sur un derrière de singe.

Ils disparurent tous trois, engloutis par le feuillage, laissant Ken à son allégresse. Il était à deux doigts de s'évanouir, mais plus rien n'importait à ses yeux : *Tu les as vus... La vie t'aura fait cet ultime cadeau. Tu les as vus ! Tu peux mourir en paix...*

Même si ça n'avait été qu'un mirage, il avait le sentiment de devoir la vie à cette créature. Le léopard avait fait demi-tour et s'éloignait du bouquet d'acacia, en poussant des grognements furibonds, en quête d'un gibier moins exotique.

Il rampa vers la jeep, s'y hissa et referma sur lui la porte démantibulée. L'espace d'un instant, il eut le sentiment que la chance pouvait encore tourner.

Il passa les minutes qui suivirent à fouiller l'habitacle, sans pour autant retrouver son arme. Son esprit refusait d'accepter cette idée : seul, blessé, handicapé et, pour couronner le tout, désarmé... A la faveur d'un bref moment de lucidité, il comprit que c'était la déshydratation qui lui donnait cette conduite maniaque et irrationnelle. Ce moment passé, il se remit à chercher compulsivement son arme. Puis il se traîna dehors et pressa son front contre la terre, dans l'espoir de calmer un peu le tourbillon de ses pensées et les violents élancements qui lui transperçaient le crâne.

Peut-être le Rhino était-il tombé quelque part dans les buissons d'alentour, propulsé par le choc, mais toujours chargé et prêt à l'emploi ?

La douleur qui lui cisaillait la cheville le dissuada de partir à sa recherche.

Il avait retrouvé ses clés dans le fond de la jeep. Il tournicota le petit anneau qui lui servait de porte-clé, pour en ôter la clé du contact, qu'il glissa dans sa poche poitrine, fermée par une glissière. Quant aux autres — celles de son appartement, du coffre à la banque et de son tiroir de bureau —, elles allèrent rejoindre son portefeuille et son permis de travail kenyan dans la poche arrière de son pantalon.

Ces quelques gestes l'avaient épuisé. Il se laissa choir dans l'herbe. Sa cheville était de la taille d'un œuf d'autruche. La douleur l'élançait jusque dans le genou et dans la cuisse. Il devait serrer les dents pour ne pas crier. Il n'avait rien absorbé depuis seize bonnes heures. Il n'avait qu'une chose à faire, pour améliorer son sort : se reposer.

Puis il retrouva son couteau dans l'herbe, à quelques centimètres de l'endroit où il gisait. Il ne se souvenait plus du moment où il l'avait laissé tomber. Il roula sur le côté, la main agrippée au couteau, l'esprit encore imprégné des images de son hallucination — car il ne doutait pas que c'en fût une. Jusqu'à ce cri strident... Mais c'était sûrement la plus belle vision que puisse avoir un anthropologue avant de rendre l'âme, décida-t-il en refermant les yeux.

Il avait l'impression de n'avoir dormi que quelques minutes, mais le soleil s'était couché et il gisait toujours près de la jeep.

Il n'avait donc rien mangé ni bu depuis maintenant vingt-quatre heures. La brise du soir vint le rafraîchir. Sa conscience s'éclaircissant, il entreprit de dresser mentalement la liste de ses handicaps. Il n'avait pas la moindre idée de l'état de sa cheville, qui avait encore enflé, ni de celui de sa Land Rover. Même si elle était encore en état de marche, il fallait commencer par la remettre sur ses roues, et il eût été bien incapable d'un tel exploit... Il se souvint que le véhicule était équipé d'un treuil électrique alimenté par la batterie, et d'un câble fixé derrière les tubes anti-buffles, sur une potence d'acier. S'il parvenait à amarrer le câble à une grosse branche d'acacia, et à actionner le treuil, il avait de bonnes chances de redresser la jeep. Il ne se rappelait plus s'il avait laissé le jerrycan d'essence à sa place, dans le coffre sous le siège arrière, et il n'avait aucun outil pour réparer les freins...

Mais, pire : il n'avait rien à se mettre sous la dent, pas une goutte d'eau, et rien qui puisse lui indiquer sa position. La boussole était restée au camp, avec tout le matériel.

Il regrettait amèrement tous les outils qu'il y avait laissés, tous ses appareils si sophistiqués et si fiables... Tous perdus ! Sa tente, son sac de couchage, sa trousse à pharmacie, ses lampes, sa provision de piles — sa montre, qu'il avait ôtée de son poignet et glissée dans une poche de son sac de couchage... Ses lunettes de soleil, ses jumelles, son appareil photo, ses objectifs, ses cartes, sa poêle à frire, sa batterie de cuisine, et jusqu'à ce sac de plastique plein de petites serviettes humidifiées, pour la toilette... sans parler de ses provisions — il avait tout prévu, depuis la soupe en sachets et les boîtes de corned-beef, jusqu'aux flocons de céréales, et aux tablettes de sel. Et les cachets pour purifier l'eau... !

Il avait emporté dans ses bagages tout l'attirail de la civilisation moderne, et avait tout perdu en l'espace de quelques heures !

De toutes ces pertes, celle de sa montre était la plus voyante — et littéralement, parce que les chiffres luminescents de son cadran digital émettaient une lueur rassurante dans l'obscurité. Dans la brousse, l'heure n'avait que peu d'importance, mais il vouait un attachement presque mystique à cette quantification du passage du temps. Souvent, lorsqu'il voyait la nuit descendre sur un paysage grandiose et désolé, il regardait l'heure pour déterminer le moment exact où le soleil avait disparu derrière l'horizon, abandonnant la scène aux prédateurs nocturnes.

Et voilà... même ça, il devait y renoncer, comme à toutes les autres inventions humaines.

Il n'aurait su évaluer la distance qui le séparait du camp. Il avait plusieurs fois consulté le compteur kilométrique, durant sa longue fuite, mais les chiffres lui étaient sortis de la mémoire. D'ailleurs, le kilométrage n'avait que peu de sens, si l'on ne tenait pas compte de la direction du déplacement, et le tableau de bord de la jeep n'avait pas de boussole. De jour, il aurait pu se repérer au soleil, et aux crêtes de la Mau — si sa cheville s'était un peu calmée, et s'il avait pu sortir du bouquet d'arbres.

Il savait qu'on pouvait survivre cinq ou sept jours sans rien manger, même avec ce soleil qui vous faisait mijoter à petit feu, et perdre vos sels minéraux à toute allure. Mais sans eau, il ne pouvait espérer tenir plus de soixante-douze heures, grand maximum. Sa lucidité s'en irait la première, puis ses forces physiques l'abandonneraient graduellement. Il serait assailli par des hallucinations visuelles et auditives, des idées bizarres, des pulsions suicidaires.

D'abord, trouver de l'eau... puis atteindre l'un des containers largués par Ngili.

Puis il se rappela Modibo et ses ricanements. Le sergent n'avait pas encore réussi à le tuer, mais il était en fort bonne voie. Il venait s'ajouter à la liste des autres dangers. Il pouvait se lancer sur ses traces, avec ses complices. Ken se souvint du Safari Cub. S'il s'agissait d'une bande organisée, ils devaient avoir bien d'autres véhicules...

Pas de panique, Lauder ! se morigéna-t-il. Pour Modibo, il devait être mort et toute la faune locale avait besoin de boire, pour vivre. Il y avait donc forcément de l'eau à proximité. Il n'avait pas de tablettes d'Halazone, pour la désinfecter, mais ce ne serait pas la première fois qu'il boirait de l'eau croupie, dans un trou de vase... Ça lui vaudrait sans doute une bonne diarrhée, mais il survivrait. Il atteindrait ce trou d'eau... même à quatre pattes — et même en rampant, au besoin.

Quelle connerie... ! murmura-t-il dans le noir.

Il tenta vainement de s'endormir, mais impossible de fermer l'œil. Il s'efforçait de fixer ses pensées sur des points positifs. Il se remémorait, par exemple, la position des réserves, généreusement financées par Jakub Ngiamena, qui attendait de lui, en retour, un rapport hebdomadaire sur la flore, la faune et l'état du terrain des zones qu'il explorait.

Jakub Ngiamena.

« J'ai reçu mes ordres de l'armée », lui avait dit Modibo. « L'armée nous a retransmis les directives du superintendant Ngiamena... »

Le sergent Modibo. Le superintendant Ngiamena.

En un sursaut, il tenta de se hisser sur ses pieds, mais la douleur lui arracha un cri. Il avait pris appui sur son pied blessé. Il se relaissa choir lourdement, songeant soudain que, si c'était bien le service de Ngiamena qui avait transmis ces ordres à ce poste frontière, il se pouvait que Jakub Ngiamena ait lui-même commandité son... son exécution.

Lorsque son esprit rapprocha le repoussant nabot du puissant Massaï, majestueux et paternel, il eut l'impression que son crâne volait en éclats.

Non... il déjantait, là — et sérieux! Ou alors...

Il se lança dans de fébriles spéculations. Qu'est-ce qui aurait pu empêcher Ngiamena de désirer sa mort? Il était blanc, américain, étranger... C'était une mauvaise influence pour son fils, une tentation dangereuse pour sa fille, et il venait de découvrir un inestimable trésor, dans un pays pauvre, traversant une période de nationalisme forcené...!

Une sueur froide lui inonda le dos.

Yinka lui avait laissé entendre que le vieux patriarche était confronté à de graves difficultés. Les Ngiamena risquaient de tout perdre : leur statut, leur fortune, leurs privilèges. Seul un geste éclatant en faveur de leur pays pouvait les aider à surmonter cette crise. Et quel meilleur moyen de prouver leur fidélité à la nation, que de récupérer ce trésor tombé aux mains d'un intrus — un agent de l'étranger, s'empresseraient-ils de prétendre!

La douleur, l'affaiblissement et la déshydratation le faisaient délirer. Sans oublier le choc nerveux. A sa place, n'importe qui se serait mis à voir des complots partout, se dit-il. Ngiamena, un assassin? Le vieux lion avait certes combattu les Anglais, mais ça remontait aux années cinquante... quoique...

Ken songea avec un frisson que les lions eux-mêmes — ces symboles universels de la générosité et du courage, qui apparaissaient sur tant d'armoiries et de monuments — n'étaient eux aussi que de pitoyables assassins, cruels et lâches, prêts à dévorer leurs propres petits, n'hésitant pas à déposséder leurs femelles de leurs proies et n'acceptant de partager la nourriture qu'une fois repus. Des tueurs cossards et puérils, qui empestaient la charogne.

Il huma l'air, s'efforçant de déterminer si Simba Ngiamena puait comme un vrai lion... Mais aussitôt, Ngiamena se transforma en sa propre fille. « Nous sommes bien d'accord, mon cher Lauder? »

Yinka. Elle qui avait le parfum et la fraîcheur d'une fleur, la limpidité d'une eau vive... Dans son délire, Ken mêlait à son souvenir ce douloureux besoin d'eau... Yinka, eau...

Son nom ne signifiait-il pas quelque chose comme source claire, dans un dialecte local...?

Yinka s'était transformée en Ngili, Ngili qui répétait, d'une voix lugubre et lourde de ressentiment : « Ce qui me met hors de moi, c'est tout ce que tu vas découvrir en mon absence! » — puis, « Tu n'es pas le seul foutu paléontologue à des centaines de kilomètres à la ronde, peut-être? »

Et ça, c'était vrai. Une étincelle de rationalité lui éclaira l'esprit. Si Modibo avait mordu à l'hameçon, et s'il avait filé, convaincu d'avoir mené à bien sa mission, il était désormais le seul être humain sur ces trente mille kilomètres carrés. Vivant, mais seul.

Et si déshydraté qu'il aurait dû cesser de transpirer depuis déjà longtemps. Pourtant, il sentait toujours cette eau glacée qui lui dégoulinait du front, dans l'air froid de la nuit. Il priait pour que le cauchemar prenne fin, mais ça continuait, et de plus belle...

Si c'était Ngiamena qui lui avait envoyé ces tueurs, ce qui était fort plausible, quel avait pu être le rôle de Ngili?

Ngili. Non, non! protesta-t-il à la face de la nuit. Tout mais pas ça, Seigneur...! Son meilleur ami, celui qui lui avait sauvé la vie dix jours plus tôt, dans l'avion, en survolant l'éperon rocheux... Non! Ngili était son ami, et le serait toujours, en dépit de la réaction ombrageuse qu'il avait eue en découvrant l'intérêt que lui portait Yinka — s'il était vrai qu'elle lui portait un quelconque intérêt.

Yinka.

Il goûtait encore son baiser sur ses lèvres... son souffle dans sa bouche... Il eut soudain conscience que c'était son propre palais qu'il sentait : sec, assoiffé, aussi aride que les étendues environnantes. Il arracha l'un des boutons de cuivre de sa chemise et le glissa dans sa bouche. Le goût en était amer, un goût de vert-de-gris, mais le contact du métal contre ses muqueuses les fit réagir en sécrétant quelques gouttes de salive.

C'était Yinka qui l'avait persuadé d'accepter ce marché. Elle aussi avait dû tremper dans la combine. Ils étaient tous de mèche...!

Mais lui... Pourquoi, lui? Il était innocent. Pourquoi un tel acharnement contre lui?

Peut-être justement parce qu'il était innocent, tout autant que le peuple africain, perverti et détruit par des siècles de tueries, de pillages et d'une impitoyable tyrannie imposée par l'étranger. Toute l'histoire de l'Afrique n'était qu'une longue suite d'atrocités.

Il se redressa sur son séant, dans le noir, secoué de tremblements convulsifs. Il admettait avec tristesse que ceux qu'il avait si longtemps cru ses amis, et qui se révélaient à présent les ennemis les plus implacables, avaient de bonnes raisons d'en vouloir au reste du monde — et de s'en venger.

Car depuis la nuit des temps, on avait semé chez eux les graines de la vengeance. Depuis que les premiers esclaves noirs avaient été vendus à Thèbes, à Byzance ou à Rome. Puis vinrent les Arabes, les Turcs, les Anglais, les Hollandais, les Français, les Allemands, les Portugais, les Américains. Pas une nation qui ne les ait pillés, spoliés, exploités, fouettés, garrottés, avant de les enfourner dans des bateaux de malheur où les prisonniers enchaînés, n'ayant même pas le recours de sauter par-dessus bord, mettaient fin à leurs souffrances en retenant leur souffle jusqu'à la mort — un exploit qui laissait perplexe la médecine occidentale...

La haine était donc pour les Africains une sorte de deuxième nature. Un mode de vie, une façon de s'adapter à leur histoire. Et voilà qu'ils se déchargeaient d'une parcelle de cette haine sur sa misérable personne. Car ils avaient le droit de haïr, et d'une haine que rien ne pourrait apaiser — ni ces parodies de démocratie, ni la manne des touristes qui venaient visiter les réserves.

Ses tremblements se firent si violents qu'il dut croiser les bras sur sa poitrine et se recroqueviller, le front sur les genoux, pour tenter de se contrôler. Il avait commis une grave erreur en acceptant comme un dû toutes ces faveurs qu'ils lui faisaient, leurs invitations, leur appui. Il avait pris pour un gage d'amitié ce qui n'avait jamais été qu'une trêve. Avec ce pieux optimisme des Anglo-Saxons, il s'était imaginé qu'une telle page pouvait se tourner.

Eh bien, qu'il se détrompe ! En essayant de leur enlever les os de leurs ancêtres, il avait profané tout ce qu'ils avaient de plus sacré et, sans même savoir pourquoi on l'avait condamné, il savait qu'il méritait sa punition...

Son sang bouillait dans ses veines. Son cerveau était

chauffé à blanc. Il se coucha et ferma les yeux. Lorsqu'il les rouvrit, les premières lueurs du jour éclairaient l'horizon. Il vit scintiller une paire d'yeux, au-dessus de sa tête, dans un grand acacia. Ils étaient placés sur un plan frontal, et bien écartés, comme des yeux humains. Ils s'immobilisèrent quelques secondes, fixés sur lui, puis il y eut un bruissement de feuilles et ils disparurent.

Tu hallucines, songea-t-il, mais cette vision avait infléchi le cours de ses pensées. Il se sentait un peu moins désemparé. La première urgence, ce n'était pas l'eau, se dit-il. La première des priorités, c'était de marcher.

Il se leva et, sautant à cloche-pied, approcha de l'acacia, ce qui lui prit plusieurs minutes par mètre. Une liane s'enroulait à l'une des racines. Il glissa le pied entre la liane et la racine, comme dans un nœud coulant puis, suant sang et eau, il se laissa choir. Sa cheville blessée restait prise dans ce nœud coulant, immobilisée. Il tira avec précaution.

Il y eut un craquement du côté de sa cheville, comme si l'os démis avait soudain réintégré l'alvéole qui lui était destinée. Il se mordit la lèvre jusqu'au sang et tira encore. A la douleur se mêla une curieuse sensation de soulagement. Il dégagea sa cheville du nœud de lianes, suça le sang répandu sur sa lèvre inférieure — un goût apaisant — et tenta de poser le pied par terre. Il pouvait se tenir debout sans souffrir le martyre.

Il put même faire quelques pas. Ce n'était pas encore parfait, mais ça restait supportable. Il avait réussi à réduire son entorse. Sa cheville ne tarderait pas à désenfler. Il venait de remporter la première manche dans la bataille qu'il avait engagée contre la folie. Il ne lui restait plus qu'à persévérer.

Car, qui sait — peut-être cette conspiration n'existait-elle que dans son esprit... ?

Il tendit l'oreille. A présent, chaque murmure, chaque stridulation, chaque lointain feulement lui paraissait sublime de beauté. L'une de ces gigantesques lucioles d'Afrique vint virevolter près d'un tronc d'arbre, avec son abdomen qui clignotait comme les feux de position d'un avion. Elle se posa sur l'écorce et se mit à clignoter de plus belle, pour appeler un conjoint. Sa lumière, d'un jaune vif, la faisait paraître aussi grosse qu'un roitelet. Une seconde bestiole vint se poser près d'elle et clignota en mesure, mais d'une lueur plus pâle, dont la nuance tirait sur le vert.

Le soleil se levait. Ken songea qu'il aurait bientôt dépassé le cap des trente-six heures sans eau et sans nourriture. Il était pourtant toujours en vie — et peut-être avait-il réellement *vu* les créatures de son rêve...

Il se réveilla aux alentours de midi, avec une clarté d'esprit qui l'effraya. Il avait de l'eau à portée de main...

Dans le radiateur de la jeep!

Il se traîna jusqu'au véhicule et découpa le cuir des sièges où il se confectionna une gourde de fortune. Puis il rampa vers l'avant de la Land Rover et dévissa le bouchon de vidange du radiateur d'une main fébrile. Car cette chance ne se représenterait plus. Il ne devait pas perdre une seule des précieuses gouttes d'eau rouillée qui tomberaient du radiateur. Il en coula peut-être vingt-cinq ou trente centilitres — à peine le contenu d'une boîte de bière. Les yeux mi-clos, il en but la moitié. Sa gorge et sa langue devaient être aussi sèches que du papier de verre, car il ne lui trouva aucun goût.

Mais peu à peu, il sentit lui revenir un semblant de force.

Il sortit du bouquet d'arbres en boitillant et se figea sur place, consterné. Il pensait apercevoir la Mau à quelques kilomètres, en face de lui, vers ce qu'il pensait être l'est... Mais le massif montagneux n'était plus qu'une taupinière. Estompées à l'horizon et décolorées par la distance, ses pentes semblaient dérisoires. Elles se profilaient sous un ciel obstrué de nuages, presque au nord, et à une bonne journée de marche du point où il se trouvait. Les buffles l'avaient entraîné vers le sud, aux portes du désert de la frontière tanzanienne.

Mais il se sentait mieux. Il avait la tête plus claire et il pouvait se mouvoir presque normalement. La situation n'était plus désespérée. Il revint, clopin-clopant, et retrouva le jerrycan de réserve, dans le coffre de la jeep. Il transvasa l'essence dans le réservoir, puis il amarra le câble autour d'une grosse racine, avant d'actionner le treuil.

Le câble émit d'abominables grincements et la racine fut à deux doigts de céder, mais l'ensemble tint bon. Bientôt, la jeep se redressa et se retrouva sur ses quatre roues, en état de marche, quoique toujours sans freins... Eh bien, il conduirait lentement et, pour refroidir le moteur, il lui suffirait de s'arrêter.

Il fit tourner le treuil en sens inverse, pour enrouler le câble et s'assura du bon fonctionnement du moteur en le faisant démarrer plusieurs fois de suite.

Tout à coup, il tendit l'oreille. Aux alentours, les arbres lui parurent curieusement calmes.

Il jeta un coup d'œil entre deux acacias, au hasard. Un véhicule avançait, presque au pas, dans la savane. Un autre Safari Cub.

Non...! Ne me faites pas ça... supplia-t-il silencieusement, s'adressant à ses yeux lourds de fatigue, en qui il avait si peu confiance.

Mais il avait beau les écarquiller et les frotter, le Cub ne s'évaporait pas. Il entendait même son moteur, à présent.

Au-dessus de lui, une branche qui s'agitait bruyamment le força à lever la tête et, à nouveau, il fut bien forcé de voir ce qui lui parut on ne peut plus réel — et qui l'était peut-être.

Une silhouette sombre avançait vers le bout d'une branche, jusqu'à ce que celle-ci ploie sous son poids. Puis elle se pencha en direction de la savane, comme une vigie. Un long bras brun et velu, que terminait une main effilée s'éleva. La main vint se placer en visière devant les yeux, en un geste si cocasse que Ken ne put réprimer un petit gloussement silencieux qui éveilla une crampe dans son estomac vide. Ce geste était si extraordinaire, si humain avant la lettre, de la part d'une telle créature, que Ken en oublia pendant un moment de suivre des yeux le Safari Cub qui approchait.

Il aperçut ensuite une autre créature — peut-être celle qui avait poussé ce terrible cri pour chasser le léopard, la veille au matin... Elle était assise à la fourche de deux grosses branches, et ses yeux, agrandis par la peur, faisaient la navette entre Ken et le Safari Cub.

Le véhicule s'arrêta soudain. Ken avait porté sa main au-dessus de ses yeux, pour se protéger de la lumière trop crue. Il compta quatre hommes : trois Africains et un Blanc. Ils descendirent du Safari Cub et s'accroupirent, comme s'ils cherchaient les traces de la Land Rover, sous celles des buffles. Le troupeau avait sauvagement piétiné le terrain.

Modibo lui-même aurait eu du mal à retrouver ses traces... et justement !

C'était bien lui, là-bas, trop loin pour que Ken puisse distinguer ses traits — mais il avait reconnu la démarche en crabe, et le grand pardessus kaki.

Il entendit un son qui provenait d'en haut. Un gémissement sourd, exprimant la peur. Une idée lui traversa l'esprit : « Si je ne rêve pas, je viens d'entendre le premier son de l'âge de pierre... ! » Mais il n'avait plus la force de s'en émouvoir.

OK, songea-t-il confusément, ces fumiers te font peur. Je connais un moyen de les éloigner, de vous protéger...

Il passa son couteau dans sa ceinture, prit sa gourde de fortune et monta dans la jeep. Il retrouva ses lunettes à infrarouge qui avaient dû sortir de sous le siège lorsqu'il avait retourné la Land Rover, puis, s'installant au volant, il mit le contact.

Les quatre hommes étaient encore trop loin pour pouvoir distinguer le ronronnement de la jeep qui leur demeurait invisible, car dissimulée par les arbres. Lorsqu'elle émergea du bouquet d'acacias, elle avait déjà pris de la vitesse, et leurs yeux ne la localisèrent que lorsqu'elle fut bien plus loin, au large des arbres. Dans un chœur nourri de jurons, ils remontèrent dans le Safari Cub et s'élancèrent sur les traces de la jeep qui fonçait à fond de train. Elle filait loin devant eux, lorsqu'elle fit une grande embardée, sans doute à cause d'un rocher qu'elle avait dû heurter de plein fouet. Elle parut décoller du sol et disparut dans un trou. Quelques secondes plus tard, une déflagration déchira l'air. Une épaisse colonne de fumée et de débris s'éleva avant de s'effondrer sur elle-même, sous les ovations des passagers du Cub.

— Radical, le coup des freins ! ricana l'un des Noirs.

Il était vêtu d'un treillis délavé, grossièrement reprisé et d'un bonnet de tricot jaune. Les autres aussi portaient des uniformes ou des treillis en loques, dépareillés, trop grands ou trop petits de plusieurs tailles.

Le Blanc n'eut pas l'air très impressionné.

— Radical, mon cul ! Trois jours plus tard ? Bon ! Allons vérifier qu'il est bien mort, cette fois...

Il leur fallut un certain temps pour retrouver la petite ravine, enfumée par l'explosion. On ne distinguait rien à l'intérieur du véhicule retourné, qu'enveloppait un nuage de fumée noire.

Le sergent huma l'air torride qui lui fouettait la figure et se retourna lentement. Se penchant vers Hendrijks, il lui murmura à l'oreille, le plus bas possible, pour éviter que les autres n'entendent, qu'il ne sentait pas l'odeur de viande grillée...

— Le *mzungu* a peut-être réussi à sauter... Mais vous inquiétez pas, chef : y a qu'un seul point d'eau dans tout les secteur, et y a pas de danger qu'il le trouve. Mort ou pas, c'est du pareil au même !

— Mort ou pas ? fulmina Hendrijks. Qu'est-ce que tu me sors là, putain !

Il fouilla l'incendie du regard. Un semblant de brise chassait la fumée. On pouvait à présent y voir quelque chose. Effectivement, il ne distingua pas de corps dans l'habitacle calciné — mais le conducteur avait encore pu rouler entre le siège avant et le tableau de bord...

De colère, Hendrijks ôta son chapeau et le fit claquer sur sa cuisse, rabattant vers son visage un nuage de poussière qui lui arracha une quinte de toux. Il crut voir un rictus narquois tordre la vilaine trogne de Modibo.

— Filez à sa recherche ! hurla-t-il. Et plus vite que ça !

— Non, répondit Modibo sans sourciller. On rentre, maintenant. On n'a plus d'eau...

— Et s'il s'en est sorti ?

Le vent emporta sa voix, avec la fumée.

— Il va mourir, répliqua Modibo.

— Ça, j'espère bien — parce que sinon, je reviens l'achever de mes propres mains... grommela Hendrijks.

Modibo regagna le Cub. Ses deux compagnons lui emboîtèrent le pas. Hendrijks lança un dernier regard au-delà du trou et de la colonne de fumée. A cent mètres de là, commençait une zone d'affleurements rocheux qui émergeaient de la fumée rabattue par le vent, et s'étiraient jusqu'aux premiers contreforts de la Mau.

Il était hors de question de l'explorer seul. Il fit demi-tour et rejoignit Modibo.

Ken avait assisté à la scène depuis le sommet d'une petite butte embroussaillée où il s'était caché. Il avait parfaitement entendu les paroles de Hendrijks... « Parce que sinon... »

Ses tremblements s'intensifièrent, au point que les lunettes à infrarouge pendues à son cou se mirent à cliqueter contre le rocher, presque en mesure. Il dut porter la main à sa poitrine pour étouffer le bruit, en regardant s'éloigner ses bourreaux.

Que pouvait bien fabriquer Hendrijks en leur compagnie ? Pourquoi avait-il fait alliance avec Modibo ? Pourquoi voulait-il sa peau ? Lui, un chercheur qui ne s'intéressait qu'aux fossiles, aux hominiens... En quoi sa mort pouvait-elle lui être d'un quelconque profit ?

Il tressaillit en se rappelant que Jakub Ngiamena avait vu le pilote en tête-à-tête avant de leur recommander ses services, à lui et à Ngili, pour se rendre dans le Dogilani. « Offrez-lui une caisse de whisky, et laissez-le faire... il connaît son boulot... »

Et c'est en sa présence qu'ils avaient déterré le fossile. Ils avaient maintes fois fait allusion à la valeur de cette découverte, à tout ce qu'elle pourrait changer dans leur vie...

Etait-ce vraiment à cause du fossile ? Le mobile semblait un peu trop subtil, pour Hendrijks — et pour Modibo, donc ! Selon les propres termes de Ngili, le pilote n'était jamais qu'un « porc de Hollandais volant », une sorte de coursier de la brousse. Il échangeait ses services contre une poignée de dollars qu'il s'empressait d'aller boire dans les bars de Nairobi, avant de cuver sa cuite dans des chambres d'hôtels borgnes, jusqu'au contrat suivant. Quant à l'autre...

Ken eut soudain le sentiment qu'il cherchait surtout à se rassurer, en s'efforçant de minimiser les dangers que représentaient Hendrijks et Modibo. Que savait-il d'eux, en fait ? Rien — ou si peu. Et la première des questions demeurait sans réponse : pourquoi ?

Que se passait-il ? Pourquoi cet acharnement contre lui ? A qui profiterait sa mort ?

Il résolut de laisser s'écouler la journée, caché à l'ombre, et de ne repartir qu'à la nuit tombée. La plupart de ces affleurements rocheux aboutissaient à la Mau, et c'était là qu'il trouverait de l'eau. Il n'avait qu'à suivre ces crêtes.

Il se retourna pour contempler ce bouquet d'arbres où il venait de passer près de quarante-huit heures. Les acacias lui parurent d'une beauté presque magique. Surnaturelle.

Après le coucher du soleil, il but les dernières gouttes

qui restaient dans sa gourde improvisée, dont il lécha consciencieusement les parois humides. Puis il se laissa rouler sur le dos. Les nuages s'effilochaient. Quelques étoiles commençaient timidement à scintiller.

La fraîcheur de l'air nocturne et ces quelques gouttes d'eau l'avaient requinqué. Il se sentit plus gaillard que ces derniers jours, malgré la faim qui lui tenaillait l'estomac. Le brouillard s'était un peu levé. La Mau était bien là où il s'attendait à la voir. Peut-être pouvait-il espérer atteindre ses premiers contreforts et retrouver la réserve de survie qui l'attendait là-bas.

Il se mit en marche avec ses lunettes à infrarouge qui lui permettraient de voir arriver tout danger potentiel. Il se sentait léger sur ses pieds, quoique terriblement affaibli.

Bien plus loin, sous les rayons blafards de la lune, il atteignit un amoncellement de roches sombres qui dressaient devant lui leurs formes tourmentées. Elles composaient un paysage si fantastique et si biscornu, qu'il les soupçonna un instant de n'être qu'une nouvelle hallucination. Il approcha et s'assura de leur présence matérielle en y posant la main.

Un curieux claquement lui parvenait du sommet d'une plaque d'obsidienne inclinée. Il grimpa sur un rocher, en contrebas de la source de ce son, et tenta d'approcher, pour comprendre.

C'était le parachute. Levant la main, il put palper le tissu de nylon. Les lanières qui le rattachaient au container de métal avait été sectionnées. Sa réserve d'eau, de nourriture et de matériel avait disparu.

Il inspecta à tâtons l'état des lanières. La section des courroies de nylon était si nette, si précisément tranchée, que la situation lui parut claire. Ils étaient passés par là, avaient coupé les lanières et subtilisé ses réserves, parachevant ainsi le sabotage de ses freins et la chasse à l'homme dans la brousse, dans le but avoué de lui donner le coup de grâce si besoin était.

Et ce larcin, c'était le coup de grâce ! D'ailleurs, peut-être étaient-ils restés dans les parages, pour assister à son agonie et s'assurer qu'il n'en réchapperait pas... Il n'y avait aucune issue.

Désespéré, à bout de force, il se recroquevilla sur lui-même et laissa s'écouler une bonne partie de la nuit. Pourquoi la mort ne se décidait-elle pas à venir ? Elle était pourtant très en retard sur son horaire...

Il tâcha dévaluer le nombre d'heures qui lui restaient avant l'aube. Privé de sa montre, il perdait peu à peu le sens du temps.

Il tenta de se relever et y parvint. La lune s'était levée. Elle était presque pleine et inondait de ses rayons les rochers basaltiques. Flageolant sur ses jambes, il mit le cap sur des arbres qui poussaient à quelque distance de là. Sous l'un d'eux s'étalait une flaque de ce qu'il prit d'abord pour des fruits noirs. Il s'écroula au pied du tronc et découvrit qu'il s'agissait de noix de mungongo. Comestibles. Une excellente source de protéines. C'était même la base de l'alimentation de toutes les tribus indigènes.

N'ayant rien sous la main pour les casser, il en coinça une entre ses molaires et parvint à faire céder la coquille. Dans sa hâte, il avala la noix entière, sans même la mâcher, et s'étouffa. Il ne reprit souffle qu'après une longue quinte de toux.

Il s'obligea ensuite à mastiquer patiemment la seconde, aidé en cela par une étrange réaction émotionnelle. Chacune de ces noix représentait un certain nombre d'heures de survie. A sa grande surprise, il reconnut en lui ce désir forcené qui le tenaillait : vivre...

Ses yeux s'étaient emplis de larmes. Il mastiqua, avala, se pourlécha les lèvres et attaqua une troisième noix. Il était en nage. Il dut se lever pour aller pisser contre un arbre, comme si toutes ses fonctions vitales, ranimées par l'espoir de la survie, s'étaient tout à coup rétablies.

Il revint sous l'arbre providentiel, s'y assit et mangea encore plusieurs noix, arrosées de quelques gouttes de sang qui avaient jailli des coupures de ses lèvres et qui leur donnaient une saveur curieusement épicée, à la fois suave et salée.

Levant la tête, il aperçut d'autres noix. Aucune tribu ne devait s'aventurer dans le secteur : toutes les noix auraient été récoltées. Pour le moment, l'arbre était donc sien, et il avait encore au moins un repas d'assuré...

Il revint s'allonger près des rochers et s'endormit en se demandant vaguement si ces arbres et ces rochers avaient conscience de l'abriter, lui qui leur tombait du ciel, environné de cet étrange cocon d'espace-temps. Il se réveilla au lever du soleil, toujours affamé, mais plus vigoureux et l'esprit plus clair. Il revint s'installer sous l'arbre, ramassa d'autres noix et s'en régala, émerveillé par cette saveur si délicieusement monotone.

Puis il se leva et entreprit d'inspecter les alentours. Le brouillard matinal s'était épaissi et s'enroulait autour des arbres et des rochers.

Il se figea soudain. Il avait entendu des pas...

Hendrijks... se dit-il.

Au fil de la nuit, la menace qu'il faisait planer sur sa vie était devenue encore plus angoissante que Modibo lui-même.

Le bruit se précisa. Il fouilla ses vêtements en loques, en quête de son couteau, lui mit la main dessus, l'empoigna...

Les pas s'étaient évanouis dans la brume.

Il fit quelques mètres. Il avait réussi à se sustenter un peu. S'il voulait survivre, il devait poursuivre et trouver de l'eau.

Il s'enfonça dans le brouillard, la main toujours cramponnée au manche de son couteau, écarquillant les yeux pour tenter de s'y retrouver, parmi les silhouettes grises qui l'environnaient. La brume commençait à se lever. A moins de quatre cents mètres de là, il découvrit un petit vallon, parsemé d'acacias et au fond duquel coulait un filet d'eau embourbé, qui se jetait un peu plus loin, dans une grande flaque croupie.

Oubliant tout le reste, il abandonna son couteau pour plonger la tête la première dans l'eau saumâtre, sans un regard pour les épines, les cadavres d'insectes, les lambeaux d'algues gluants. Et il but. Comme si ce n'étaient pas seulement sa bouche et sa gorge qui aspiraient le précieux liquide, mais aussi ses poumons, son cœur, ses reins... tout son être.

Son esprit visualisait clairement ce fluide qui se répandait en lui. Bien que sale et empestant la vase, il irriguait ses cellules, les régénérait, leur rendait vie. Il ne sentait même plus le contact de l'eau sur ses joues. Il buvait, buvait encore, ne relevant la tête que pour reprendre souffle — et il buvait à nouveau, sourd et aveugle à tout le reste.

C'est alors que le bruit de pas retentit à nouveau, tel l'écho sous-marin qui se serait répercuté dans les profondeurs de la mare.

Il releva la tête, dégoulinant. Le bruit approchait. Il n'eut que le temps d'empoigner son couteau et de se tourner légèrement de côté pour regarder. Quelque chose avait émergé du brouillard, lancé à toute allure. Ken fléchit le bras en arrière pour affermir sa prise sur son couteau. Une masse noire, qui lui parut énorme, plongeait vers lui. Puis elle obliqua et fondit droit sur l'eau, à demi masquée par des buissons d'agaves sauvages dont les fleurs rouges et bleues prenaient une nuance gris pâle dans le brouillard matinal.

Ken entendit un long bruit de succion continue. Son poursuivant était apparemment aussi assoiffé que lui. Avec un peu de chance, il serait tout aussi affaibli...

Il rampa le long de la rive, le couteau à la main, puis se releva sur un genou et se pencha en avant, pour risquer un œil par-dessus les buissons. Il aperçut un dos nu. C'était un enfant, un garçon étonnamment petit. Dans les longues mèches de sa tignasse, grises de poussière, s'entortillaient des brindilles et des épines d'acacia. Il buvait en soufflant bruyamment, sans même sortir les lèvres de l'eau. Puis il releva la tête et promena son regard aux alentours, avant de replonger vers l'eau, où il immergea à nouveau sa bouche. Il but longtemps, toujours sans cesser de respirer.

De profil, ses lèvres s'avançaient en une longue moue, d'une avidité cocasse. Son nez était plat, presque dépourvu de toute arête osseuse, mais avec d'amples narines mobiles, animées d'une vigoureuse pulsation. Ken en déduisit immédiatement que le garçon était à la fois attentif, alerte et capable de détecter les odeurs inhabituelles.

Mais ce qui avait cloué Ken sur place de stupeur, ce n'était pas cet incroyable profil; c'était cette façon de boire.

Aucun humain actuel ne peut boire sans cesser de respirer. Notre larynx est placé trop bas dans notre gorge. En pénétrant dans la trachée en même temps que le flux d'air, le liquide nous étoufferait. Seuls les singes peuvent boire et respirer simultanément, tout comme les nouveau-nés dont le larynx reste quelques mois en position haute — ou comme, supposait-on, les australopithèques.

Mais l'enfant avait manifestement dépassé l'âge de nourrisson, et ce n'était pas un singe : il était arrivé en courant sur ses deux pieds, en position parfaitement verticale. C'était donc un hominidé, capable de boire en respirant, comme un australopithèque.

3

Sans même prendre le temps d'y réfléchir, Ken bondit sur ses pieds et commit une bourde monumentale. Il s'élança vers l'enfant en s'écriant : « *Hujambo ! Habari ?* » Bonjour ! Comment ça va ?

Le gamin plongea aussitôt vers les buissons d'agaves, en dépit des épines acérées qui lui égratignaient la peau. Entre deux touffes de feuilles, son petit œil noir jaugeait l'étranger, qui fit un pas en avant et chancela. Un galet rond lui avait heurté l'épaule droite. Il tomba en roulant sur sa chemise crasseuse. Le gamin bondit hors du buisson et lui fila sous le nez comme une flèche.

Son poing s'était serré contre sa poitrine brune. De ses lèvres jaillit une sorte de sifflement. L'effroi faisait palpiter ses narines. D'un bref coup d'œil à l'enfant, Ken avait évalué son angle facial : quarante-cinq degrés, cinquante maximum, entre la ligne de son front et celle reliant sa lèvre supérieure au lobe de son oreille.

Ça y est, je me remets à halluciner... !

Il porta son poignet à ses dents et se mordit de toutes ses forces. La douleur le fit frémir.

Une paire de fesses brunes, aussi luisantes que si elles avaient été copieusement enduites d'huile, fila vers les acacias et disparut.

Ken se précipita dans le sillage du gamin, qui s'était réfugié au plus profond des arbres. Ken dut bientôt s'arrêter et se retenir à une branche basse pour ne pas tituber. Son cœur battait la chamade. Il n'était pas suffisamment remis pour pouvoir courir comme un lapin.

Il sortit du bosquet d'acacias et entreprit d'extirper de ses avant-bras et de ses vêtements les épines qui s'y accrochaient. Il se massa le pectoral là où la pierre l'avait frappé.

Il aperçut par terre le projectile : un caillou noir, encore tiède d'avoir été longtemps serré dans ce petit poing résolu...

Et me revoilà en train de lui piquer ses armes ! songea Ken avec un sourire en coin. Ses armes, ou ses instruments de chasse...

Des instruments ? Si c'était le cas, ce ne serait pas un australopithèque, mais un *Homo habilis* à part entière. Un être humain, capable de concevoir des outils et de les construire.

Il s'assit près de la rive et tenta de revivre mentalement la scène. Combien de temps avait-elle pu durer ? Deux, trois minutes ? Cinq ? Pendant combien de temps le gamin était-il resté accroupi près de la mare ?

Il se hissa sur ses pieds et revint vers les acacias sans se soucier du bruit qu'il pouvait faire — le vacarme de ses bottes avait déjà dû alerter tout le voisinage. Il était trop éberlué pour se refréner ou pour prendre de plus amples précautions. Les tueurs ne devaient pas être dans les parages, sans quoi le petit hominien ne serait pas sorti à découvert, comme il l'avait fait pour venir boire à cette mare, comme un enfant qui se réveille assoiffé après un trop long sommeil.

Le sol était sec et sablonneux, autour des acacias. Ken y retrouva quelques traces, mais trop imprécises pour pouvoir les interpréter comme des empreintes. Il se souvint d'avoir laissé tomber quelque part en chemin ses lunettes à infrarouge et son couteau, qu'il risquait fort de ne jamais retrouver. Cette idée futile l'effleura et lui sortit de l'esprit, comme tant d'autres...

Au-delà des herbes, s'élevait une vaste étendue d'affleurements rocheux, et de rocs amoncelés, scindés et sculptés par le vent et le soleil. Le gamin pouvait être n'importe où, là-dedans — caché à quelques mètres, ou déjà bien loin.

Ken était arrivé dans une sorte d'enclos naturel, grossièrement rectangulaire, que les rochers ceignaient de toutes parts. Il se laissa choir sur ses genoux et découvrit tout autour de lui, sur le sol, des pierres noires semblables à celle que lui avait lancée le garçon. Il les compta — neuf. Elles étaient petites, mais denses, sans doute de la roche basaltique. Cette petite clairière minérale devait être pour l'enfant une sorte de magasin, sa remise à outils. Ces pierres auraient pu être détachées de leur bloc d'origine et façonnées voilà des millions d'années, ou peut-être à peine quelques heures plus tôt. Car, comme ses pierres taillées, ce gamin appartenait au passé. Un passé lointain, mais qui restait miraculeusement incrusté au cœur du présent.

Ken ressentit soudain le besoin d'agir, d'accomplir un acte qui puisse l'aider à se libérer un peu de toute cette tension. Il aurait voulu exprimer d'une façon ou d'une autre l'énormité de tout ceci. Il avait franchi un seuil invisible, à moins qu'il ne soit tombé dans un trou du continuum temporel, dans un éternel présent, mêlant sans distinction l'actuel et le passé, sans vraiment appartenir ni à l'un ni à l'autre.

Il ne savait que faire. La pensée de ces tueurs qui l'attendaient peut-être encore, tapis quelque part dans le coin — même s'il sentait s'éloigner leur menace — l'aida à reprendre pied dans la réalité. Il se laissa glisser, adossé à la paroi rocheuse et s'assit par terre.

Le soleil se forait un passage dans le brouillard. Le ciel retrouvait peu à peu sa limpidité. Il serait facile, à présent, de le repérer depuis un avion... Mais ça aussi, ça lui paraissait ridiculement dénué de sens.

Il était maintenant convaincu que c'était bien des hominidés qu'il avait vus dans les branches, pendant son face-à-face avec la femelle léopard, et non des chimpanzés, ni des colobes. Et s'il y avait un gamin, les adultes ne devaient pas être bien loin — les siens, sa tribu...

Il devait retrouver sa clarté d'esprit, coûte que coûte. Chacun de ses actes pouvait être lourd de conséquences. Il était le représentant de l'humanité civilisée, et de toute la science moderne, nom d'un chien! Ce n'était pas le moment de perdre le nord!

Relevant la tête, il aperçut le petit qui revenait vers lui.

Et cette fois, ce qui lui sauta aux yeux, ce furent les innombrables balafres qui lui zébraient le corps.

L'enfant s'était immobilisé, à découvert, l'œil fixé sur l'étranger. Les cicatrices de ses bras, de ses cuisses et de ses épaules semblaient depuis longtemps guéries. Toutes avaient dû être causées par des écorchures ou des plaies superficielles, à l'exception de celle qui lui traversait le ventre. Mais celle-là aussi paraissait cicatrisée. Ken songea qu'elle avait dû s'étirer à mesure que grandissait l'enfant. Sans doute ne saurait-il jamais ce qui l'avait provoquée...

Il y avait au moins une chose de sûre : ce gosse avait vécu seul pendant un certain temps et avait survécu.

Ken avait ouvert la bouche mais il préféra, cette fois, garder le silence. Toute parole aurait été à la fois superflue et absurde.

Il contemplait le gamin avec le sentiment d'avoir mis le pied dans une brèche de l'espace-temps. Il regardait ce petit visage, ce menton prognathe, cette bouche aux lèvres bien dessinées, dont la nuance plus rose tranchait sur le brun clair de la peau. La lèvre supérieure s'ombrait d'un léger duvet et la tignasse noire présentait quelques mèches décolorées — par le soleil sans doute, se dit Ken, amusé de constater que ces cheveux dont le modèle datait de plusieurs millions d'années étaient tout aussi sensibles que les siens aux rayons lumineux.

L'enfant était d'une carnation plutôt claire. Génétiquement parlant, l'organisme de ces premiers bipèdes de la savane n'avait pas encore eu le temps d'apprendre à synthétiser la mélanine à haute dose pour résister aux rayonnements nocifs.

Les yeux de Ken s'émerveillaient de chaque détail de cet être miraculeux : le nez épaté, dont les narines, de taille modérée mais bien arrondies, humaient l'air ambiant avec une curiosité affairée, ce mouvement de soufflet qui animait la frêle cage thoracique... L'enfant haletait, essoufflé par l'émotion autant que par sa course. Les joues pleines, les arcades sourcilières un peu proéminentes, le front bas, qui se plissait de temps à autre, comme sous l'effet de préoccupations soudaines, le petit poing serré sur une autre pierre noire, avec une précision que Ken perçut immédiatement. Le pouce s'appuyait fermement sur l'arête visible du projectile, les jointures fléchies pour assurer une préhension à la fois souple et ferme, bien différenciée de celle des singes. Les autres doigts venaient enserrer la pierre en une pince incurvée, adaptable et vigoureuse. Le dos de la main portait un fin duvet, tout comme les bras et les jambes, mais le corps restait presque totalement glabre. En revanche, ses cheveux qui se terminaient en mèches plus claires, enduites de boue séchée, formaient une épaisse crinière.

Les yeux de Ken ne s'attardèrent pas sur les pieds qui lui parurent bien conformés, ni sur les orteils, démesurément longs. Le pénis, incurvé vers le bas et encore gris d'avoir traîné dans la poussière pendant que le gamin rampait sur le ventre, pendait sous un petit pli adipeux — la seule trace de graisse que l'on pût déceler, sur ce corps longiligne.

Le soleil brillait à présent, au-dessus de cette scène inouïe. L'enfant n'était plus qu'à deux ou trois mètres de lui, et les millénaires qui les séparaient semblaient fondre à vue d'œil.

Ken fouilla sa poche et en tira son trousseau de clés, qu'il fit tinter au bout de ses doigts.

Le gamin bondit en arrière, le bras relevé, brandissant sa pierre à hauteur d'épaule. Il avait avancé les lèvres en une moue cocasse et attendrissante, mais qui se voulait féroce.

Ken fit encore tinter les clés, puis les laissa tomber à terre.

Cette fois, l'enfant fit demi-tour et s'élança vers la paroi de roc, qu'il escalada d'un pied sûr. Comme il grimpait, Ken aperçut la pigmentation plus claire de ses talons.

Il avait disparu. Ken s'élança à sa poursuite et vit l'enfant atterrir à quatre pattes de l'autre côté de la paroi, avant de bondir sur ses pieds et de courir vers le dédale de lave noire. Il avançait à longues enjambées souples et bien droites, sans aucune trace de déhanchement ou de mouvement latéral.

De temps à autre, il se penchait comme pour se mettre à l'abri derrière les hautes herbes. Pendant une bonne minute, Ken suivit des yeux sa silhouette menue, puis l'enfant se retourna et, après un dernier regard, parut se volatiliser dans le dédale basaltique.

Ken hésita à courir dans son sillage, dans l'espoir de provoquer une autre rencontre. Que signifiait ce qu'il venait de vivre ? Il avait la sensation de sortir d'un rêve étrange.

Il s'avisa, ébahi, qu'il n'avait aucun appareil de mesure, aucun instrument d'enregistrement — pas même un crayon, ni un vulgaire calepin ! Il avait bel et bien laissé derrière lui toute la technique moderne.

Ce gosse qui doit avoir sept ou huit ans, tout au plus, est plus aguerri et mieux adapté à son environnement que je ne le suis, du haut de mes vingt-huit printemps ! se dit-il. Car il avait bien conscience que son impuissance face à ce qui l'entourait n'était pas l'effet d'un simple concours de circonstances. Ce n'était pas parce qu'il se trouvait égaré loin de son camp, après avoir plusieurs fois échappé de justesse à la mort, qu'il était si désemparé. Non, il se sentait profondément et radicalement démuni, devant les forces naturelles qui auraient dû être ses alliées.

Il avait évalué l'âge de l'enfant à sept ou huit ans, d'après sa taille. Mais sa sûreté de geste, l'aisance avec laquelle il évoluait dans cette savane, et seul de surcroît, l'inclinait à revoir ce chiffre à la hausse. Onze, douze ans, peut-être... D'ailleurs, il y avait de fortes chances pour que ses estimations soient radicalement fausses, dans un sens comme dans l'autre. Si ce garçon était d'une espèce différente de la lignée humaine actuelle, sa race pouvait très bien avoir son propre calendrier des étapes de la vie, une autre façon de délimiter l'enfance, l'adolescence, la maturité...

Ken ouvrit sa chemise. Un gros bleu s'était formé là où l'avait frappé le projectile. Il se massa la poitrine, puis revint vers ses clés et les récupéra. Elles n'avaient manifestement pas inspiré confiance au petit hominien.

Va falloir trouver mieux, si tu veux l'apprivoiser, mon vieux !

Il aperçut alors l'enfant, qui sortait des rochers. Il filait à toutes jambes, le buste incliné vers l'avant, dans la posture caractéristique des bipèdes, avec l'air concentré de quelqu'un qui a une affaire urgente à régler. Ken ne put réprimer un sourire. Tous les petits garçons du monde avaient décidément fort à faire — et celui-ci ne faisait pas exception !

Mais l'enfant ne revint pas vers la muraille rocheuse. Il

jeta un bref coup d'œil en direction de Ken avant de s'enfoncer dans les hautes herbes qui l'engloutirent aussitôt.

Escaladant la paroi rocheuse, Ken courut sur ses traces. Les herbes commençaient déjà à se relever, masquant le sillage de l'enfant. Dans une bouffée de panique, il craignit d'avoir à nouveau perdu sa piste.

Merde! râla-t-il à part soi. Tu parles d'une attitude scientifique! T'es même pas capable de prendre les plus simples précautions...

Relevant la tête, il balaya le ciel et les alentours du regard, pour s'assurer que Hendrijks et les autres ne revenaient pas à la charge. Mais tout semblait désert, jusqu'à l'horizon. A première vue, ils étaient bien les seuls hôtes de cette savane, lui et le gamin...

Il pressa le pas, en voyant les hautes herbes qui se relevaient déjà, devant lui. Pas une seconde à perdre!

Le point d'eau n'était guère plus grand qu'un terrain de tennis. Les herbes et les roseaux y poussaient si dru que Ken fut surpris de se retrouver soudain à mi-cuisses dans l'eau verte, après s'être frayé un chemin dans une dernière touffe de roseaux. La mare semblait assez profonde. Les récentes pluies avaient dû faire monter le niveau de l'eau. Une volée de touracos, de grives et de fauvettes prit son essor. Une bouffée d'air frais et humide vint lui rafraîchir le front.

Un gros rhinocéros blanc se prélassait au beau milieu de la mare, comme s'il eût été dans sa baignoire personnelle. Cette masse de muscles de plus de deux tonnes avait la réputation d'être un grand timide, doublé d'un solitaire endurci. A l'approche de Ken, ses petites oreilles s'agitèrent. Le colosse débonnaire entreprit de se hisser sur la berge opposée, moins envahie par la végétation, et s'en fut, en soufflant comme une forge. Il dépassa au petit trot trois buffles endormis et une antilope mâle, noire, dont la barbiche replongea aussitôt vers l'eau verte.

L'autre rive était couverte de buissons fleuris, pris d'assaut par une nuée d'oiseaux-mouches en quête de pollen. Jusque-là, Ken n'en avait vu que dans les forêts, mais ceux-là semblaient s'être bien adaptés à la savane. Ils étaient plus nombreux que les fauvettes et les étourneaux. L'enfant s'était étendu à proximité, sur une petite plage de boue sablonneuse.

Quand le rhino s'était hissé sur la berge, le gamin s'était contenté de s'écarter de son chemin en roulant sur le côté, tel un employé de zoo habitué de longue date aux clowneries de ses gros pensionnaires...

Ken souffla, lui aussi, oubliant qu'il enfonçait dans la vase jusqu'à mi-cuisses. Il avait retrouvé l'enfant. Le rêve se poursuivait.

J'ai peut-être une chance de le rattraper, s'il n'essaie pas de m'entraîner dans une grande partie de cache-cache. Mais sinon, c'est sans espoir... inutile de prétendre rivaliser avec cette boule d'énergie!

Il eut le sentiment que le gamin l'avait observé depuis un certain temps. Ses réactions étaient un peu trop détendues; il s'accommodait trop aisément de la présence de cet intrus. Mais quand aurait-il pu l'observer? Lors de son premier séjour dans la savane, peut-être... avec Hendrijks et Ngili. Cela se passait plus de trente bornes au sud... Il avait peine à imaginer que le petit (s'il s'agissait bien du même enfant) ait pu parcourir une telle distance et réapparaître juste sur son passage, trente kilomètres plus loin. Peut-être s'agissait-il d'un autre garçon?

Les pieds du petit hominien avaient laissé des empreintes toutes fraîches dans la boue de la rive. Ken les compara mentalement à celles qu'il avait photographiées. Elles semblaient identiques.

Plusieurs pierres étaient disposées sur la boue luisante, en face de l'enfant, qui en choisit une, puis la reposa; il en prit une seconde, qu'il délaissa à son tour, avant de se décider pour une troisième — le tout avec la concentration passionnée d'un collectionneur devant ses pièces ou ses timbres, tous équivalents aux yeux d'un profane, mais présentant pour leur propriétaire de subtiles différences qui les lui rendaient uniques.

Le gamin se leva, une pierre à la main et mit le cap sur un point bien particulier. Son regard revint ensuite vers Ken et il parut se raviser. Il arpenta un moment le terrain, puis lâcha la pierre et se mit à quatre pattes, examinant aussi attentivement qu'un physicien surveillant un noyau atomique à deux doigts de la fission.

Une citation de Darwin revint à l'esprit de Ken : « Toutes les créatures sont sujettes à l'émerveillement, et presque toutes à la curiosité... » Eh bien, celle-ci semblait osciller sans cesse entre ces deux émotions. Tout à son étude du sol, l'enfant esquissa un petit sourire, fronça les sourcils, les arqua, les fronça à nouveau et sourit encore. Ken observait, fasciné, les efforts de compréhension du petit hominien. Depuis la première fois qu'il l'avait aperçu, la pensée, sous toutes ses formes, lui avait paru imprégner la physionomie du gamin : la curiosité, le choix, l'alternative, l'hésitation, le doute, la certitude, la détermination, l'attention passionnée du joueur... Et si son encéphale avait tout de même dépassé les cinq cents centimètres cubes... ?

A présent, le garçon semblait se délecter du plaisir de l'étude pour l'étude. Peut-être avait-il l'habitude de se plonger dans d'intenses méditations dont il tirait des révélations aussi soudaines qu'extraordinaires... ? Le regard qu'il lança à Ken, lorsqu'il releva la tête, frappa ce dernier en un incroyable télescopage temporel. La connexion s'était établie entre eux instantanément, d'une façon miraculeusement directe et intime.

Le gamin regarda Ken, qui lui sourit.

« Reviens sur terre, Lauder », murmura-t-il entre ses dents, en sortant de l'eau saumâtre, pour contourner la mare en direction de la petite plage où se trouvait l'enfant. « Il n'est pas là pour te donner matière à théoriser. Il est là, point ! Quant à toi, tu aurais intérêt à faire table rase de tout ce que tu crois savoir, et à réapprendre à vivre dans l'instant, puisque tu sembles en être devenu incapable. »

Vivre dans l'instant... Pas si simple ! Ken s'était toujours flatté d'être plus pragmatique que ses collègues, moins tatillon, moins enclin aux vaines spéculations. Il fronçait les sourcils lorsqu'on le traitait de *cow-boy*, mais en un sens, il revendiquait ce statut de pionnier. Il voulait être un découvreur, un homme d'action, bien plus qu'un théoricien. Il aurait toujours le temps de théoriser, plus tard, lorsqu'il n'aurait plus la force de courir le monde... Et ce qu'il pourrait dire de la préhistoire s'appuierait alors sur sa propre expérience. Jamais il ne s'abaisserait à ressasser les idées d'autrui ! Il avait souvent rêvé de vivre un tel moment — une expérience ou une observation qui engendrerait en lui une multitude d'idées inédites, mais, pour l'instant, il devait s'interdire toute abstraction, pour se consacrer à l'aspect le plus pratique de l'énigme qu'il avait sous les yeux : combien d'individus de la souche de ce gamin pouvait-il y avoir dans le secteur ? Pourquoi restaient-ils invisibles, tandis que le garçon lui offrait ce prodigieux one-man-show ? Comment pourrait-il garder le contact avec cette infatigable boule d'énergie, dans l'état d'épuisement où il se trouvait ? Et comment réagirait le fameux « cow-boy », si Hendrijks et sa bande refaisaient surface ? Comment les sortirait-il de ses griffes, lui et sa découverte ?

Comme Ken approchait, le garçon le regarda par-dessus son épaule luisante de sueur. Il était visiblement pourvu de glandes sudoripares hyperactives, ce qui le rendait dépendant de l'eau. En restant dans son sillage, Ken était sûr d'en avoir toujours à portée de main.

Le gamin serra les lèvres et les paupières dans une mimique de concentration ou de mise en garde. Ken s'exhorta, une fois de plus, à maintenir une certaine distance, entre eux, pour ne pas l'effaroucher. Il s'accroupit à quelques mètres de lui, tandis qu'un tourbillon de questions se déchaînait dans son esprit. Quel âge pouvait-il avoir... ? Entre cinq et sept ans, à en juger par cette curiosité ludique et cette tendance à s'émerveiller de tout. Mais à son exubérance joueuse, le petit hominien alliait l'agilité et la maîtrise d'un garçon de dix ans. S'il était vraiment seul, dans cette savane, sa survie tenait du miracle. Non, il devait avoir le même âge que cette plaine, que ces rochers... Il avait hérité d'une jeunesse éternelle, capable de se régénérer à chaque instant, comme toute la nature environnante.

Ken examina plus en détail le petit corps et surtout les longs orteils, les pouces interminables, qui s'écartaient nettement de l'axe du pied. Lorsque l'enfant se tenait debout, ses pieds ressemblaient à d'étroites mains, pourvues de doigts écourtés et d'un poignet hypertrophié qui, tout en restant un poignet, avait déjà l'allure générale d'une cheville.

Ken avait peine à croire qu'un pied aussi primitif puisse marcher et courir avec une telle aisance. Que pouvait manger ce garçon ? Il devait y avoir pas mal de nourriture à glaner dans les parages, songea-t-il, en sentant sur sa tête les rayons du soleil, tandis qu'une brise apaisante venait lui caresser la nuque. Derrière lui s'étendait une prairie luxuriante qui contrastait avec l'aridité du reste de la savane, de l'autre côté de la barre rocheuse. Cette portion de prairie nichée dans une poche des contreforts de la Mau s'étirait en une longue bande verdoyante, bien mieux irriguée que la savane où il avait trouvé le fossile. Les nuages qui couronnaient en permanence le massif montagneux devaient maintenir un bon niveau d'humidité dans l'atmosphère. En ce moment même, alors que le soleil était déjà haut dans le ciel, les crêtes disparaissaient dans le brouillard et, sur les pentes, les forêts ressemblaient davantage à une jungle qu'à une savane. Tant par sa flore que par son climat, la région était un véritable petit Eden, ce qui impliquait, sur le plan pratique, qu'on devait y trouver aisément de quoi survivre — tant sur pied qu'à l'état de charogne.

Le gamin rassembla ses pierres et s'en fourra deux sous l'aisselle gauche, les maintenant avec son bras. Ken jaugea au passage le fuseau musculaire bien développé de son biceps. Le garçon tourna les talons et s'éloigna, laissant dans son sillage une ribambelle de ces précieuses empreintes, pour lesquelles Ken se serait damné, une semaine auparavant.

Ken lui emboîta le pas, en lorgnant par-dessus les herbes. Devant lui, le gamin surveillait des bandes d'oiseaux qui prenaient leur essor et se dispersaient pour se rassembler un peu plus loin, quelques instants plus tard. La présence de grands oiseaux trahissait celle d'une carcasse, ou de félins endormis — car ils s'assoupissaient parfois sur les lieux mêmes de leur dernier festin. Un vol d'oiseaux plus petits indiquait un point d'eau, où ils trouvaient de l'herbe et des mollusques à picorer.

Quelques minutes plus tard, ils arrivèrent près d'une mare plus vaste et plus limpide, aux rives à la fois moins régulières et plus sablonneuses que la première. Le gamin laissa tomber ses pierres et se mit à courir, les cheveux au vent, les yeux rivés au sol, avant de plonger sur quelque chose.

Ken parvint à trotter, lui aussi, sur quelques mètres, mais bien plus laborieusement. Il rattrapa l'enfant au moment où il se relevait, les mains agitées d'une sorte de pulsation. Il avait capturé une grande musaraigne qui pouvait bien mesurer trente-cinq centimètres, de la tête à la queue. Son long museau, à présent inutile, se repliait, impuissant. Le gamin frappa l'animal du tranchant de la main, puis lui cogna la tête contre le sable, mais les chocs contre cette surface meuble ne suffisaient pas à tuer la musaraigne. Il dut la frapper encore à plusieurs reprises. Enfin, la proie lâcha un petit couinement d'agonie. Le garçon se laissa tomber à genoux et attendit qu'elle se fige, après quelques soubresauts. Puis il promena son regard aux alentours.

Il localisa d'abord Ken, avant de porter la musaraigne à sa bouche et d'y planter les dents.

Non content d'avoir magistralement démontré son adresse, le petit chasseur y avait gagné le droit de se sustenter — une action complexe, doublement gratifiante !

Ken s'assit au bord de l'eau. Le soleil cognait impitoyablement sur sa tête nue. Plongeant ses mains dans l'eau, il s'aspergea les cheveux et attendit.

Le petit hominien mastiquait, déchirait et mordait à belles dents. Ses incisives étaient plates. Les canines dépassaient des autres dents, mais à peine. Celles d'un primate évolué auraient été bien plus longues, pointues et entrecroisées. La dentition du petit ne ressemblait décidément pas à celle d'un singe. De fait, à le voir dans cette posture, assis les pieds enfouis dans le sable, le seul point commun qu'on aurait pu lui trouver avec un primate supérieur était ce front bas et fuyant qui dénotait une capacité crânienne réduite — mais qu'est-ce qui prouvait que l'efficacité d'un cerveau se mesurait à son volume ?

Ken souriait aux anges — à l'enfant, à la mare, à cette petite bande de bécasses qui pataugeaient dans l'eau, fouillant la vase de leurs longs becs effilés. Il étendait les jambes avec un soupir d'aise, l'esprit vacant, lorsqu'il sursauta, à nouveau sur le qui-vive : l'enfant approchait. Du bout des doigts, il avait prélevé dans le ventre de la musaraigne un morceau visqueux, sanguinolent. Le lambeau fendit l'air dans sa direction, au bout des petits doigts bruns.

Cadeau... !

Ken cligna les yeux devant le morceau gluant et hésita. L'accepter établirait entre eux un lien plus profond. Il surmonta son dégoût.

C'était mou, et onctueux, encore tiède de la vie qui venait de le quitter.

Le gamin le dévorait des yeux.

Pas de panique, se dit Ken. Suffit de faire semblant...

Il porta donc le morceau à sa bouche, sous l'œil attentif de son hôte, l'effleura du bout des lèvres, et eut soudain envie d'y goûter — tandis qu'un spasme de répulsion lui retournait simultanément l'estomac.

Il déglutit plusieurs fois, à vide. C'était une source de protéines fraîches, et il n'avait rien mangé depuis si longtemps, hormis ces quelques noix... Enfin, de la nourriture! se dit-il. De quoi survivre plusieurs heures de plus... ou de quoi attraper une bonne intoxication alimentaire!

Allez... juste une petite bouchée... s'exhorta-t-il. La musaraigne est un insectivore, nom d'un chien! Pas un carnassier, et encore moins un charognard... En fait, la chair de cette musaraigne devait être plus saine et plus proche de ce que le corps humain était conçu pour absorber, que la plupart des poulets en vente dans les supermarchés américains. Il avait bu l'eau de cette mare, et il n'en était pas mort. Ses entrailles ne donnaient aucun signe de rébellion, pour l'instant...

Après de longues hésitations, il mordit dans le morceau.

Une petite bouchée, insipide ou presque, glissa le long de son œsophage, et la seule pensée de cette viande crue faillit le faire vomir. Puis, comme son estomac avait l'air de s'en accommoder et que cette première bouchée lui avait stimulé l'appétit, il envisagea d'en prendre une seconde. Juste une petite! Peut-être aurait-il mieux fait d'y renoncer, mais il était au bord de l'inanition et il avait cette source d'énergie à portée de main...

Il mordit encore, mâchant consciencieusement, pour en extraire le jus tiède, qui lui emplit la bouche. La viande était tendre et fade, plutôt digeste, à première vue... De la diététique de l'âge de pierre!

Un instant plus tard, une vague de dégoût le submergea. Il bondit sur ses pieds et tenta d'atteindre un buisson derrière lequel il aurait pu se cacher, pour vomir, mais il tomba à genoux à mi-chemin, régurgita les deux bouchées dans un flot de suc gastrique, et se décerna mentalement un zéro pointé pour ses capacités d'adaptation. Certains avaient survécu dans le désert, en rongeant leurs semelles ou leur ceinture, en dévorant des rats, des oiseaux, des insectes, voire leurs camarades défunts... Mais très peu pour lui ! Il ne ferait jamais partie du club !

Il s'essuya le menton d'un revers de manche et revint en titubant, honteux, affamé — et terriblement démoralisé.

Le gamin était là où il l'avait laissé. Il attaquait le crâne de la musaraigne, dont les os craquaient sous ses dents. Il n'éprouvait manifestement aucun scrupule devant le corps d'une autre créature morte. Pour lui, ce n'était que de la nourriture...

Le petit hominien récupéra le morceau dédaigné par Ken et l'engloutit. Puis il s'avança paresseusement vers l'eau et but à longs traits. Ken prit de l'eau au creux de sa main et but à son tour, en une nouvelle tentative, plus mesurée, cette fois, de s'adapter à la vie sauvage.

L'enfant émit un rot sonore, se frotta le ventre d'un geste repu et rassembla ses projectiles.

Quelques instants plus tard, ils se remirent en marche, le gamin de l'âge de pierre ouvrant le chemin pour l'homme de l'ère moderne. Il trimbalait ses projectiles avec une aisance si naturelle que Ken en déduisit qu'il avait appris à les manipuler depuis son plus jeune âge. Ils devaient provenir de cet amoncellement de roches volcaniques noires. Nulle part ailleurs il n'y avait de gisements basaltiques, aux alentours. Preuve que ces pierres qu'ils avaient vues la première fois, lui et Ngili, trente kilomètres vers le sud, avaient bien été transportées sur une longue distance — ce qui suffisait à en faire de véritables outils. Et l'usage de tels outils, par exemple pour la chasse, faisait de leur utilisateur un *Homo habilis* à part entière, dont l'espèce n'aurait dû apparaître, selon les manuels d'anthropologie, qu'à l'époque où le cerveau humain avait dépassé les sept cent cinquante centimètres cubes.

Mais le cerveau qui le précédait de quelques pas, pivotant à droite et à gauche pour surveiller les buissons environnants, ne pouvait dépasser les six cents centimètres cubes, et il était même possible qu'il se situe très nettement en dessous, selon l'épaisseur de la boîte crânienne. Il gagnerait sans doute encore un peu en volume, lorsque l'enfant approcherait de l'âge adulte, mais sûrement pas assez pour franchir la barre des sept cents.

Les membres déliés du gamin le classaient dans l'espèce particulière d'australopithèques que l'on avait baptisée *gracilis* et dont le squelette était plus légèrement charpenté que ceux de leurs cousins *robustus*. Certains théoriciens supposaient que ces deux branches cousines s'étaient livré un combat sans merci, au cours de l'évolution, mais ni les Graciles ni les Robustes n'atteignaient la capacité crânienne considérée comme le minimum requis pour être capable de construire des outils et de les utiliser avec discernement.

Ken réprima un petit rire. Il n'avait que faire de ces histoires de capacité crânienne ! Il avait sous les yeux un *habilis* dans le corps d'un *gracilis*, qui relevait manifestement d'une espèce à part entière — et Dieu savait combien de lignées d'hommes-singes avaient pu coexister, rivalisant ou coopérant, s'intercroisant au fil des générations, jusqu'à l'apparition du modèle *sapiens*, d'où était issue sa lignée, comme celle de Ngili, et qui avait supplanté tous les autres.

Ken se sentait plein d'une affectueuse curiosité pour ce gamin qui marchait devant lui, ruisselant de sueur. Il devait perdre ses minéraux à une vitesse époustouflante et devait donc se sustenter en permanence. Tu dois être une véritable usine à métaboliser la bouffe, mon bonhomme ! pensa Ken en regardant les talons ronds s'élever et se poser rythmiquement, sous les fesses luisantes de sueur. La petite tête tanguait à droite et à gauche, comme pour mieux suivre à l'oreille le rythme de ses propres pas.

Ils allaient vers les roches noires. Ken aperçut la corolle orange du parachute, avec les courroies blanches qui tranchaient violemment sur la couleur sombre des roches. Cette image lui rappela celle de Hendrijks, et il sentit se réveiller en lui ses angoisses de la veille.

Puis ils arrivèrent près de l'arbre à mungongo. Apercevant son couteau au pied de l'arbre, il en déduisit que ses poursuivants n'étaient pas passés dans le coin. Avec un soupir de soulagement, il leva la main, paume relevée, et le garçon s'arrêta.

Il lança le couteau dans les branches pour en faire tomber des noix. Plusieurs dégringolèrent. Il en prit une, l'ouvrit du bout de son couteau, la coupa en deux et en offrit une moitié au garçon, tout comme ce dernier lui avait offert la viande. La petite main brune approcha. Ken sentit le bout des longs doigts musculeux effleurer les siens. Le gamin fourra la noix dans sa bouche et mâcha, puis il fit la grimace et recracha le tout, aspergeant son voisin de salive.

Tiens ! On dirait que tu n'es pas fana de ma cuisine, mon petit vieux, s'esclaffa Ken, à part soi. Pas plus que moi de la tienne !

L'enfant le regarda, sourcils froncés, puis lui rendit son sourire, découvrant deux rangées de dents éblouissantes. Ils éclatèrent de rire en chœur.

Il n'aimait donc pas ces noix, qui faisaient pourtant les délices de toutes les tribus de cette région d'Afrique... Peut-être à cause de sa vie en solitaire, ou alors de son stade d'évolution... ? Mais les expressions de l'enfant, le rayonnement de son sourire, la confiance qu'il lisait dans son regard, eurent vite raison des velléités théorisatrices de Ken. Il était si heureux qu'il dut se faire violence pour ne pas tendre la main vers l'enfant, pour lui donner une petite tape affectueuse, ou le serrer dans ses bras.

Doucement, Lauder. Evite tout ce qui pourrait l'effaroucher... !

D'autres questions se posaient. Où étaient ses parents ? L'enfant le mènerait-il vers ses semblables adultes, ou vers un genre de gîte ou d'abri ? Pourquoi avait-il parcouru la trentaine de kilomètres, qui les séparait du site du fossile ?

Il espérait pouvoir répondre un jour à ces questions — mais un jour aussi lointain que possible, parce que les heures qu'il vivait dans la solitude de cette savane, en compagnie de cet incroyable enfant tenaient du miracle. Il acceptait avec émerveillement ce cadeau du sort et s'efforcerait de le faire durer.

Il vint s'asseoir sous l'arbre à mungongo, et, après un moment d'hésitation, le gamin le rejoignit, à bonne distance. Lui aussi semblait apprécier ces moments d'intimité qui lui donnaient l'occasion d'observer son visiteur — ce qu'il faisait avec une attention au moins aussi intense que celle que lui portait Ken.

Ce dernier ne prit pas garde au sommeil qui le gagnait. Il s'affala sur le côté et, le temps de reprendre ses esprits et de cligner les yeux, il se retrouva seul.

Il n'a pas voulu prendre le risque de me montrer son gîte, se dit-il. Mais pas de panique... demain, le soleil se lèvera.

La prochaine fois, nous nous mettrons ensemble à la recherche des « oiseaux à miel », ces petits passereaux blanc et brun ou vert olive, qui se nourrissaient de cire et de larves d'abeilles. En les prenant en filature, on finissait toujours par aboutir à une ruche sauvage, accrochée à une branche. Les tribus nomades enfumaient les abeilles pour prendre le miel, laissant habituellement quelques rayons de cire, pour remercier les oiseaux.

Je vais t'apprendre deux ou trois tours qui te feront faire l'économie de quelques millénaires de progrès techniques... ! se dit Ken, épuisé mais heureux, en souriant aux buissons déserts.

Ce n'est qu'à la tombée de la nuit que se déclarèrent les premiers symptômes de la diarrhée.

4

Du fond de sa misère, Ken en appelait au grand Dante : pourquoi l'immortel poète avait-il oublié, dans sa description des enfers, les tourments qu'endurent les malheureuses victimes des dysenteries africaines... !

En deux heures, ce devait être la sixième ou septième fois qu'il s'accroupissait pour évacuer un flot puant. Entre deux accroupissements, il s'écroulait à même le sol, terrassé de fatigue et de douleur. Sentant le contrôle de ses sphincters lui échapper de plus en plus, il se résigna à ôter son pantalon, qu'il abandonna dans l'herbe.

Selon toute vraisemblance, l'eau saumâtre de la mare devait être le responsable de ses maux — bien qu'il eût aussi quelques soupçons, quant à la viande de musaraigne crue... Par une cruelle ironie, cette diarrhée risquait de le déshydrater encore plus radicalement que la soif, et s'il voulait survivre, il en serait bientôt réduit à boire à nouveau de cette eau croupie. Outre son pantalon, il n'avait sur lui qu'une chemise, un caleçon et les chaussettes de laine qu'il portait dans ses bottes de randonnée. Il se débarrassa de tous ses vêtements, pour ne pas les souiller, et en fit un petit tas, dans l'herbe, rendant grâce à la nuit de venir jeter un voile pudique sur son humiliation.

Entre deux crises, il se couchait sur le dos et se massait doucement le ventre en murmurant des paroles apaisantes pour conjurer le mal. « Allez, quoi... murmurait-il pour ses entrailles, soyez sympas... ! Vous ne trouvez pas que vous m'avez assez puni comme ça... »

Mais ses boyaux ne voulaient rien entendre. Il souffrait le martyre, comme si un poinçon chauffé à blanc s'était foré un passage dans les profondeurs de son ventre.

La lune s'élevait, à présent et, loin de s'espacer, les crises se multipliaient. Une forte fièvre le prit, avec des frissons si violents qu'il se mit à claquer des dents. Il pensa à mastiquer de l'herbe ou de l'écorce, pour calmer son estomac, ou le distraire, mais il n'avait même plus la force d'arracher une poignée d'herbe, ni de se traîner jusqu'aux arbres.

Il sentit venir le moment où il ne pourrait plus s'accroupir, et où il devrait rester là, affalé dans ses déjections. Pour couronner le tout, la soif revenait à la charge, lui embrasant la bouche, la gorge, l'œsophage. Sa poitrine n'était plus qu'un grand brasier, que chaque souffle ne faisait qu'attiser. Il s'entendit délirer à haute voix. Il donnait une conférence... parlait du passage à la posture bipède, répondait aux questions de son auditoire... Puis les questions tarirent et il se retrouva agenouillé près de la mare — il buvait. Le point d'eau semblait rétrécir à vue d'œil. La prochaine fois qu'il ramperait jusque-là, il n'y resterait sans doute plus une goutte.

Il s'éloigna sur ses jambes flageolantes, un peu requinqué. Enfin, les crises s'espacèrent. Une toutes les heures, puis toutes les deux ou trois heures... Plus tard dans la nuit, il parvint à mettre la main sur son caleçon et à se glisser dedans, mais son pantalon et sa chemise restaient introuvables. Ses membres étaient si douloureux que le simple fait d'enfiler son caleçon lui tira des gémissements. En tentant de rejoindre l'arbre à mungongo, il se retrouva quelque part, dans un bout de savane aride qu'il ne reconnut pas, sous une lune fantomatique. Il se sentait si faible et si accablé qu'il n'eût pas été surpris de sentir son cœur lâcher. Puis il perçut une sorte de roulement, comme si des tam-tams s'étaient déchaînés, tout autour de lui. Mais ce n'étaient pas des tambours qui battaient la chamade... c'étaient de grosses gouttes de pluie, qui venaient paresseusement s'écraser dans la poussière.

Les brouillards de la Mau descendaient vers la plaine en une grosse averse, peut-être la dernière de cette saison.

Encore bouillant de fièvre, il s'allongea, les yeux clos, la bouche ouverte, pour recueillir ces gouttes insipides qui se frayaient un passage dans sa gorge et le faisaient suffoquer.

La pluie balaya ce qui lui restait de conscience et le plongea dans un sommeil comateux, que ne traversait aucun rêve.

Lorsqu'il revint à lui, il gisait dans une sorte de niche obscure et exiguë. Il respirait un air frais, mais imprégné d'une odeur aigrelette, qui lui rappela celle des déjections des chauves-souris, dans les grottes. Peut-être s'était-il écroulé dans une sorte de terrier ou de tunnel, qu'il avait souillé comme il avait dû souiller l'herbe du point d'eau... ? Il n'en avait aucun souvenir. Sa fièvre semblait tombée, mais il était encore très faible.

Dans les ténèbres environnantes, il distinguait une lueur dont il ne pouvait déterminer la source. Il était allongé sur le dos. Ses entrailles semblaient lui accorder un répit, mais il aurait été bien incapable de lever ne fût-ce qu'un bras. Il sentait sous ses doigts le contact d'un sol spongieux et humide, une sorte de terre battue.

Il eut vaguement conscience de l'évolution progressive de la source lumineuse, au fil des heures qui glissaient sur lui, comme les siècles sur une momie prisonnière de son sarcophage. Lorsqu'il put enfin s'arc-bouter sur un coude, ce fut pour étouffer un cri de douleur : son crâne avait heurté un plafond de roc.

Il rampa tant bien que mal en direction de la lueur, dans l'espoir de s'extraire de cette niche, de déboucher dans un espace plus vaste et plus haut de plafond. Comme il explorait la voûte rocheuse, il y découvrit une ouverture ronde, d'où tombait une lumière grise et qui se révéla être l'orifice inférieur d'un puits vertical. Cette cheminée s'abouchait à la surface par un trou dissimulé dans des buissons.

Là-haut, le soleil jouait dans les branches, les nimbant d'une lueur ambrée. La tanière ne se trouvait sans doute qu'à un mètre ou deux au-dessous du sol, mais ce cylindre de roche, qui avait dû être autrefois une cheminée d'émanations volcaniques, lui parut trop haut et trop difficile à escalader.

Il n'en était pas moins soulagé de constater qu'il n'était ni prisonnier, ni enterré vif. Car cette cheminée n'était certes pas infranchissable. Il lui suffirait d'attendre le temps qu'il faudrait, et de reprendre quelques forces...

La lumière qui tombait du trou se faisait de plus en plus vive. Elle illuminait la grotte, à présent. Sur le fond gris sombre du sol, un creux semblait avoir gardé l'empreinte d'un corps endormi, avec, à proximité, deux objets.

Il étendit une main hésitante. Ses doigts se refermèrent sur un os blanc, long, qu'il reposa aussitôt, avant de rencontrer le deuxième objet. Son briquet.

Celui qu'il avait perdu lors de son premier voyage. L'enfant l'avait ramassé, et il savait que c'était le sien... Ce gamin le connaissait donc bien mieux qu'il ne l'avait supposé, ce qui expliquait du même coup l'aisance avec laquelle s'était établi leur premier contact, et cette confiance qu'il avait lue dans le regard de l'enfant... Cette grotte devait être pour lui une sorte de tanière. Il ne percevait nul signe de vie, nulle trace de qui que ce soit d'autre. L'enfant était seul. Il avait vécu livré à lui-même depuis une dizaine de jours, au minimum, et sans doute davantage. Il chassait le jour, mais devait passer ses nuits ici, dans cet abri sûr. Non pas qu'il ait eu besoin de se cacher, mais il devait se mettre hors de portée des prédateurs — voire d'éventuels ennemis. Ken ne put réprimer un petit sourire ému, en songeant que le gamin lui marquait là une grande confiance. Il lui faisait partager son refuge.

Il ramassa l'os pour l'observer de plus près. Un humérus

humain. Pourquoi le petit le gardait-il près de lui ? Etait-ce un outil ? Une sorte de jouet ? Une relique provenant d'un parent défunt ? Ouvrant son briquet, il en fit jaillir une petite flamme bleue, qu'il éteignit aussitôt, satisfait. La maîtrise du feu le rétablissait dans ses pouvoirs et ses compétences d'*Homo sapiens*.

Un éblouissant flot de lumière se déversa tout à coup dans la tanière. On avait écarté les branches qui obstruaient l'entrée de la cheminée. Puis la source de lumière fut interceptée par une masse, un corps qui avait entrepris de descendre, s'aidant des quatre membres. Levant les yeux, Ken aperçut une face qui lui parut énorme, avec une paire d'yeux très rapprochés. La créature progressait dans la cheminée en rampant, et en ponctuant chacun de ses gestes de grommellements sourds — *mmmhff, mmmhff*...

Ken n'avait plus la force de paniquer. C'est la fin... se dit-il. Une brève lutte, entre un animal affamé et lui, qui n'était déjà plus qu'un fantôme, un semblant de combat dans le noir, à six pieds sous terre et à l'insu du monde des vivants... Puis il essaya d'identifier l'animal aux bruits qu'il émettait. Ce n'était ni un félin, ni un primate.

C'était l'enfant.

Il parut surpris de retrouver Ken à l'autre bout du terrier, à plusieurs mètres de l'endroit où il l'avait laissé. Il poussa un cri et laissa tomber quelque chose qu'il tenait entre les dents. C'était le corps d'un hérisson, que le gamin avait dépouillé de sa peau, ne laissant qu'une petite touffe de fourrure, au-dessus de la queue.

Ils restèrent un moment assis, face à face dans la pénombre, comme pour se jauger mutuellement, puis l'enfant se retourna et se précipita vers la cheminée, qu'il escalada.

Il revint quelques minutes plus tard, par le même chemin, mais cette fois, il se mouvait sur trois membres, car sa main droite tenait une grande feuille palmée où roulaient quelques centilitres d'eau.

Dans cet espace confiné, cet enfant était presque encore plus étonnant pour l'oreille que pour l'œil. La promiscuité rendait Ken d'autant plus sensible à chacun de ses gestes. Le gamin ne tenait pas en place. Il déposa la feuille entre ses mains et s'assit en face de lui, en se dandinant avec fébrilité, la poitrine agitée d'un halètement sonore — *haah, haah, haah* — qui reflétait l'empressement qu'il avait mis à s'acquitter de cette tâche vitale : lui apporter de quoi boire et manger.

Le gamin secouait la tête de gauche à droite. Il éternua et renifla, humant l'air comme pour apprécier la façon dont les odeurs de Ken se mêlaient à celles de son gîte. Il avança sa longue main qui, dans cette lumière indirecte prenait une teinte caramel foncé, presque noire, et désigna le hérisson. Ken percevait ces relents de sang et d'entrailles déchiquetées, qui lui retournaient l'estomac, mais il serra les dents et reprit le contrôle de ses émotions, ce qui n'était pas une mince victoire! Il se sentait peu à peu redevenir lui-même.

L'enfant dut percevoir cet impalpable changement, car il se figea sur place, l'espace d'un instant, le temps d'observer l'expression de son hôte.

Puis il se remit à s'agiter. De son index effilé, il montrait l'eau scintillante, dans la grande feuille, puis le hérisson, qu'il poussa vers Ken d'un geste qui lui parut empreint d'un soupçon de cruauté — mais si cruauté il y avait, c'était celle de la savane, dénuée de toute malveillance et uniquement dictée par les impératifs de la survie.

Le message était on ne peut plus clair : le gamin voulait savoir si Ken comptait manger le hérisson, et lui signifiait que, dans le cas contraire, il s'en chargerait volontiers — car il avait encore un petit creux! Ken étouffa un rire silencieux, avant de comprendre que l'agitation de l'enfant pouvait avoir une autre explication. Dans ce terrier, le petit hominien pouvait voir en lui un agresseur potentiel. A la surface, il pouvait toujours compter sur la vigueur et la vivacité de ses jambes, pour lui échapper, en cas de besoin — mais ici, Ken avait pour lui la supériorité de sa taille.

Il éclata de rire. Un réflexe nerveux, soudain imité par l'enfant, qui pouffa à son tour.

Son larynx, trop haut placé pour émettre des vibrations sonores propres à la parole, produisait un son grêle et aigu, mais c'était bel et bien un rire, un tantinet crispé et dénué d'humour, mais bien humain. Un vrai rire. Le gamin lui répondait, un peu à la manière d'un monsieur guindé qui se retrouve coincé dans un ascenseur en panne en compagnie d'un inconnu...

Continuons à l'amuser, se dit Ken et, s'emparant de la feuille, il se creusait déjà la cervelle pour trouver une idée de gag, lorsqu'il éternua au beau milieu de la petite flaque d'eau qui lui sauta au visage et lui éclaboussa la poitrine. Le gamin avança ses lèvres charnues et son menton effacé en une moue cocasse et émit une sorte de ululement aigu. Furieux, Ken lécha la feuille, puis ses mains humides, et se suça la lèvre pour recueillir la moindre goutte égarée. L'enfant riait à gorge déployée, à présent, par salves de petits gloussements. Trempé et déçu, Ken capitula et partit à son tour d'un grand éclat de rire.

Il aurait donné cher pour avoir un magnétophone sous la main... Mais l'absurdité de cette idée le fit s'esclaffer mentalement. N'était-il pas entré de plain-pied dans l'âge du pliocène... Qu'aurait-il fait ici d'un magnétophone... ?

Non. Ce qui importait pour l'instant, c'était de rire. Il avait maintes fois observé l'expression de la joie ou du contentement chez les animaux. Il leur arrivait d'être d'humeur allègre, ou farceuse, mais ils n'avaient pas d'humour, à proprement parler. Entre eux, les chimpanzés pouvaient se jouer de bons tours, voire des blagues assez élaborées. En cas de succès de leurs stratagèmes, ils laissaient exploser leur joie, mais l'humour en tant que moyen de communication leur était inconnu. C'était une caractéristique strictement humaine.

Toujours secoué de rire, Ken fit un geste en direction du hérisson, pour indiquer au gamin qu'il pouvait le manger.

L'enfant se jeta dessus d'un mouvement si instinctif et si animal que Ken eut un sursaut de recul. Les yeux écarquillés par l'effort, le gamin entreprit de gober le ventre du hérisson. Ken retenait son souffle. Il aurait voulu pouvoir le mettre en garde : « Doucement... mastique bien... ne prends pas de si grosses bouchées... ! »

Il vit un morceau énorme, à peine mâché, se frayer un chemin dans la gorge de l'enfant, qui dut se marteler la poitrine pour l'avaler.

Le morceau était passé. Ken poussa un soupir de soulagement.

Il ne restait plus du hérisson qu'un petit tas d'os sanglants. Quant à celui qui l'avait dévoré, il ponctua son festin d'un rot satisfait.

Ken se remit à rire et le garçon fit chorus à sa gaieté, avec cependant une nuance de surprise, car il ne savait pas au juste ce que Ken trouvait si drôle. Mais il tenait à se joindre à sa joie, comme un hôte soucieux de ne pas laisser son invité rire seul.

Impossible ! s'insurgea Ken, pris d'un soudain accès d'incrédulité. Ce gosse a trop de ressources, trop de possibilités d'adaptation pour le stade d'évolution que je lui suppose... J'ai dû complètement me gourer, sur son compte !

Il a pourtant cet angle facial caractéristique du singe, et ce prognathisme de la mâchoire, d'autant plus visible quand il mange. Et ses pieds... !

Singe et petit d'homme — ou l'inverse ? Mais quoi qu'il fût, l'enfant n'était pas un rêve. Il existait bel et bien. Il était là, bien vivant, en face de lui... et ce ne pouvait être le simple produit du hasard. Jamais le hasard n'aurait pu rassembler en une seule créature autant de traits archaïques. Un homme actuel aurait certes pu présenter un front bas, des mâchoires massives, des arcades sourcilières saillantes, des doigts particulièrement longs aux mains ou aux pieds — mais jamais tous ces traits à la fois !

Il aurait donné cher pour pouvoir lui demander où étaient les siens. Mais sans mots, comment formuler une telle question ? Peut-être devait-il renoncer définitivement à lui communiquer rien de précis... Cependant, le gamin s'était remis à s'agiter. Ken avait déjà remarqué qu'il pouvait fournir une attention intense, mais ponctuelle et limitée dans le temps.

Après avoir abandonné les restes du hérisson, il s'était relevé, avec un claquement de langue et avait entrepris d'escalader l'entrée de la grotte.

Va prendre l'air, mon bonhomme... On a besoin de se dépenser, à ton âge ! songea Ken, et il secoua aussitôt la tête, éberlué d'avoir eu cette pensée digne d'un vieux croûton. Il n'avait que vingt-huit ans, que diable ! Mais pour un hominien, vingt-huit ans, c'était le troisième âge dépassé... !

Il avait perdu tout sens du temps et se laissait dériver au fil des heures. Il s'assoupissait, ouvrait un œil, se rendormait... et peu à peu, ses forces lui revinrent.

Le matin succéda à la nuit. Il distingua ce petit jappement qui lui rappela le cri d'un chiot joyeux. Le gamin était de retour. Il descendait la cheminée de lave, les dents serrées sur un gros tubercule vert. Il sauta les trois derniers degrés et se laissa tomber sur le sol de la grotte, fléchissant les robustes articulations de ses genoux. Ses longs pieds effilés atterrirent avec une étonnante sûreté de geste. Il lança le petit éclat de rire qui était devenu pour eux une sorte de rituel de reconnaissance mutuelle, au fil de ses allées et venues, pendant le long sommeil entrecoupé de Ken. Le convalescent y répondit par un gloussement. C'était leur façon de se saluer.

L'enfant vint s'installer près de lui et planta les dents dans le tubercule, pour lui montrer qu'il était comestible. Jusque-là, à sa connaissance, le gamin n'avait mangé que des animaux qu'il avait tués de sa propre main, et il semblait connaître les vertus d'au moins une sorte de végétaux. D'où tenait-il ce savoir? De ses semblables? Aurait-il pu découvrir tout cela tout seul? Difficile d'en juger...

Sous son écorce, la racine verte avait une saveur amère, aqueuse et semblait peu nourrissante, mais Ken avait besoin de reprendre des forces. Il n'en laissa pas une miette — pas même la peau. L'enfant retournait déjà vers l'embouchure de la cheminée...

— Apporte-m'en d'autres, Longs-Pieds! lança Ken d'une voix douce, mais distincte.

Le petit le dévisagea puis tourna les talons et entreprit de remonter vers la surface. Il n'avait pas eu l'air effrayé par sa voix, ni même surpris. J'ai dû parler dans mon sommeil, se dit Ken. Délirer, peut-être, sous l'effet de la fièvre...

Il s'en voulait d'avoir préjugé des réactions de l'enfant. Il ne fallait décidément jamais rien tenir pour acquis. Détends-toi, Lauder! Enlève ta casquette d'anthropologue, bougre de crétin! Si les lobes frontaux de ce gamin sont moins développés que les tiens, c'est parce qu'il n'a pas besoin d'un immense potentiel de mémorisation ni d'abstraction, dans un tel environnement. C'est l'unique raison d'être de ces lobes et, à son stade d'évolution, il n'en ferait pas grand-chose. De quoi a-t-il besoin de se souvenir, qui soit indispensable à sa survie? D'un très petit nombre de notions... et pourquoi irait-il se lancer dans des spéculations abstraites?

Sur quoi a-t-il besoin de théoriser? D'ailleurs, avoue que l'anthropologie classique, celle qui considère les préhominiens comme des singes mal dégrossis, t'a toujours fait doucement marrer... Et estime-toi heureux de pouvoir observer *in vivo* un « longs-pieds » spontanément doué d'un potentiel d'adaptation aussi inattendu...

Il s'interrompit. Il avait toujours eu en horreur le « voyeurisme » scientifique, et se refusait à tomber dans ce travers.

Chaque fois qu'il se retrouvait face au petit, il n'était plus Ken Lauder. Il était à la fois au-delà et en deçà de lui-même. Il était devenu un individu indéterminé, confronté à un autre individu, tout aussi indéfini, et leurs interactions relevaient non plus de l'analyse, mais de l'osmose. Il se laissait peu à peu imprégner par tous ses sens. Il absorbait le garçon par les yeux, le nez, les oreilles, et même la peau. Et le petit l'absorbait, lui aussi, en retour.

Demeurait cependant une source d'inquiétude : la crainte de voir Hendrijks émerger de ces roches noires. Comment parviendrait-il à lui échapper, cette fois?

Il souhaitait ardemment que les tueurs aient renoncé à leur chasse à l'homme.

— Je préférerais que tu ne nous voies pas sous notre pire jour, dès le début, Longs-Pieds, marmonna-t-il dans l'obscurité protectrice de la grotte. Même si tu dois un jour découvrir les vices de l'*Homo sapiens*, que ta découverte soit au moins progressive...

L'écran de feuilles s'écarta et quelque chose tomba près de lui avec un bruit mou. C'était son pantalon, froissé, mais relativement propre, car sans doute lessivé par la pluie. Le gamin avait dû le retrouver, et il le lui rapportait, juste au moment où ses forces commençaient à lui revenir.

Ken se hissa sur ses pieds. Il se sentait encore un peu fébrile. La tête lui tournait. Il avait dû laisser pas mal de kilos dans l'aventure... Il parvint à enfiler une jambe de pantalon, puis la seconde, et retrouva, non sans un certain plaisir, ce sentiment de sécurité et de puissance que confèrent ses vêtements à l'homme moderne. Il remit le briquet dans sa poche. Bien sûr, ce n'était qu'un innocent objet, que l'enfant avait recueilli, mais c'était précisément ainsi que commençait l'aliénation du monde sauvage — par les objets.

Il rassembla ses forces et parvint à grimper. Il n'avait pas franchi plus de cinquante centimètres dans la cheminée, qu'il entendit le vrombissement d'un avion. Il s'arrêta et tenta d'évaluer le nombre de jours qui avaient pu s'écouler depuis le départ de Ngili.

Son ami était parti un dimanche soir. Ken avait ensuite erré pendant deux jours, puis il avait rencontré le gamin. Il avait dû passer encore deux jours, voire trois, à lutter contre la fièvre — tout cela ne faisait pas une semaine... Ngili devait revenir le dimanche suivant pour renouveler ses réserves et prendre son premier rapport d'étude du terrain.

L'avion se rapprochait. Il reconnut le bruit du moteur...

C'était le Beech Lightning — l'avion de Hendrijks.

Il resta un moment immobile, à mi-chemin de la sortie, puis il s'efforça de grimper plus vite. Les parois de la cheminée étaient curieusement glissantes, et il avait du mal à y trouver prise. Les idées s'emballaient dans sa tête. Où avait pu rester sa chemise? Hendrijks risquait de l'apercevoir, depuis l'avion... Et ses lunettes à infrarouge? Il avait dû les perdre peu après avoir découvert le parachute... un autre indice de son passage. Il se maudit de ne pas être parti plus tôt à leur recherche.

Il songeait aussi au petit. Que lui réservait l'avenir? Peut-être le gamin serait-il forcé d'assister à sa capture et, qui sait? à son assassinat... Pire, Hendrijks et ses hommes pouvaient lui mettre la main dessus, à lui aussi, ou le tuer... Car il ne voyait vraiment pas ce « porc de Hollandais volant » se donner la peine de ramener ce spécimen unique au département de Paléoanthropologie de l'université!

Non. Ils lui lieraient les poignets et le traîneraient, comme un animal sauvage, sous les gros rires des hommes de main, jusqu'à leur campement, ou leur poste frontière...

Il parvint à se hisser jusqu'à l'entrée et rampa à l'extérieur. Il tituba, ébloui, en débouchant au grand jour.

Le gamin avait entendu le bruit du moteur, lui aussi. Il l'attendait avec une impatience passionnée.

Car cette fois l'étranger était arrivé sans sa grande libellule grise, ce qui était plutôt décevant. Mais voilà que le fabuleux insecte l'avait suivi...!

Il se planta, le nez au ciel, comme un gosse qui attend un jouet promis.

Ces quelques jours avaient déjà été une avalanche de nouveautés. Vu de près, cet étranger était encore plus fascinant qu'il ne se l'était imaginé. Avec lui, il allait chaque jour de surprise en surprise!

Il avait sursauté en le voyant s'extirper de la grotte, avec son pantalon chiffonné. La bouche de l'étranger produisait toutes sortes de bruits bizarres. Il haletait et lançait des sons furieux, sillonnant les alentours en battant les buissons, comme s'il cherchait quelque chose. Il était parti à toutes jambes vers la bande de prairie, le champ de lave, l'arbre à mungongo et le trou d'eau.

Alors, lui, il lui avait emboîté le pas.

Le bourdonnement de l'appareil se rapprochait. Ken ne parvenait qu'à grand-peine à garder son sang-froid. Il tenta d'user du pouvoir apaisant de sa voix :

— Tout va bien, mon petit vieux... c'est rien ne t'en fais pas...

Il songea un instant à lui parler en swahili, et non plus en anglais — mais quelle différence? Les mots glisseraient sur l'enfant, quelle que fût leur origine.

— Ce n'est qu'un jeu idiot, entre différentes tribus de *sapiens*. Tu sais... une guerre intestine...

Un cuisant sentiment de culpabilité lui inspira soudain l'envie de courir à découvert et de se livrer. Mais sa mort elle-même n'aurait pas été une garantie de sécurité et de survie pour le petit hominien.

Il lui fallait une arme. Peut-être retrouverait-il son couteau, quelque part aux alentours de la grotte? Mais ça resterait très insuffisant.

Il me faut une arme...

D'instant en instant, le bruit de l'avion fluctuait, comme si l'appareil avait volé en rase-mottes, en décrivant des boucles entre chaque bouquet d'arbres.

Il n'avait pas retrouvé sa chemise. La pluie avait fait gonfler les ruisseaux, ravinant la terre qui n'était pas maintenue par les racines des buissons. Sa chemise avait dû être emportée au loin, mais il n'avait pas le temps de s'en assurer.

Le vrombissement du Beech Ligthning approchait encore. Il devenait urgent de se cacher, lui et le gamin.

Il fouilla dans sa poche.

— Tiens, regarde, Longs-Pieds, murmura-t-il en sortant son briquet.

Le petit hominien reconnut la pierre luisante que l'étranger tenait entre ses doigts et dont il frottait du pouce l'extrémité grise.

Longs-Pieds connaissait le feu, sous la forme d'incendie de brousse, mais il voyait pour la première fois cette petite langue de lumière jaune et bleu. L'étranger l'approcha de son propre visage et l'éteignit en lui soufflant dessus, avant de la faire réapparaître, comme par magie. Il l'approcha du visage de l'enfant, pour lui faire sentir la tiédeur vive de la flamme, et l'entraîna vers l'entrée de la grotte. Sur un fond obscur, la flamme semblait redoubler d'éclat.

La chemise avait été emportée par un petit torrent de boue, sur plusieurs kilomètres. Tour à tour déployée puis roulée en boule par les caprices du courant, elle avait recueilli au passage un chargement de branches mortes mêlées de mottes de terre, avant de s'arrêter, formant un barrage derrière lequel s'était formée une flaque.

Le lendemain, vers le milieu de la matinée, la pluie avait cessé. La chemise gisait dans la boue, gonflée et embourbée comme le cadavre d'un animal noyé.

Un marabout vint se poser près d'elle et la retourna d'un bec curieux. Il tira sur une manche et insista quelques instants, avant de comprendre qu'elle ne recelait rien de comestible, puis il s'en désintéressa et partit chercher fortune ailleurs.

Au fil des heures, la flaque sécha sous les rayons du soleil qui montait à l'assaut du ciel.

Dans la grotte, Ken passa et repassa l'index au travers de la flamme. Il eut juste le temps d'en sentir la morsure. Subjugué, le gamin le dévorait des yeux.

Il voulait démontrer à l'enfant que ce petit jeu était sans danger, mais Longs-Pieds se faisait prier pour essayer à son tour.

Parfait, parfait... songea Ken. Plus l'expérience traînait en longueur, plus augmentaient leurs chances de voir s'éloigner l'avion.

Mais il fallait économiser le carburant. La réserve d'essence du briquet ne durerait pas indéfiniment. Il devait ménager cette source directe de feu. Comment prolonger le jeu sans gaspiller l'essence ?

Au même instant, le gamin avança la main, et Ken guida son petit pouce brun, étonnamment robuste et musclé pour sa taille, vers la molette. Réprimant le frisson qu'avait provoqué en lui ce premier contact physique, il appuya sur le pouce de l'enfant...

La première tentative fut infructueuse. La petite main s'était crispée et avait appuyé trop fort. Le briquet avait chauffé. Le gamin retira sa main et le laissa tomber à terre. Avec une infinie patience, Ken le ramassa et reprit l'expérience, tout en surveillant d'une oreille attentive les allées et venues de l'avion, au-dessus de leur tête.

Il s'efforçait d'analyser la situation de la manière la plus pragmatique. Il n'avait pas trouvé la réserve de survie, et l'autre colis avait été parachuté à l'autre bout de sa zone d'étude. Pour l'atteindre, il lui faudrait plusieurs jours de marche, pratiquement toujours en terrain découvert. Il avait désormais la certitude que les tueurs étaient à ses trousses.

Il fallait donc trouver une solution. Il ne pouvait compter ni sur le deuxième container, ni sur le rendez-vous prévu avec Ngili — en supposant que son ami était étranger à ce complot. Que se passerait-il, s'il manquait ce rendez-vous ?

Son seul espoir de salut était ces étroites vallées boisées qui plongeaient entre les éperons rocheux de la Mau. Elles étaient suffisamment encaissées et sinueuses pour qu'il puisse s'y déplacer à l'abri de toute surveillance aérienne. Les tueurs devraient le poursuivre à pied, ce qui multiplierait ses chances de les semer.

Il me faut une arme... Je ne peux pas attendre les mains nues l'assaut du prochain fauve qui s'avisera de s'en prendre à nous.

J'ai besoin d'une arme, et je dois m'en fabriquer une... !

Le briquet brûlait ses dernières gouttes d'essence. La flamme s'essoufflait. Il fallait trouver autre chose à enflammer, avant la panne sèche.

Le gamin lui prit des mains le briquet allumé, la gorge vibrant d'un ronronnement où la méfiance le disputait à l'émerveillement. Ken déchira l'une des poches de son pantalon, à présent parfaitement sec, et l'approcha de la flamme. Le sourire de l'enfant s'illumina. Le tissu avait pris feu, et la petite flamme bleue s'épanouit avec un éclat jaune d'or.

L'enfant restait silencieux. Seuls ses yeux écarquillés témoignaient à présent de son émotion. Leurs globes d'un blanc d'opale scintillaient dans la pénombre, avec cette légère iridescence rougeâtre, autour de leurs pupilles dilatées.

Ken sursauta. Le gamin avait reculé de deux pas et s'était laissé choir sur le sol, à quatre pattes, le visage levé, dans une posture de reddition et de soumission. Ken lâcha le tissu enflammé et s'assit à terre. Le gamin roula sur le côté. Il vint s'asseoir près de lui, épaule contre épaule, s'appuyant sur lui dans un mouvement d'effroi, mais aussi de confiance, comme si son contact lui avait donné la force d'affronter le feu.

Ils restèrent ainsi, immobiles, rivés aux flammes qui finissaient de s'éteindre, chacun ayant conscience du regard de l'autre, accrochés à cet être fragile de lumière qui finissait d'agoniser sous leurs yeux.

Ken était en nage, mais il rayonnait. Gagné ! exulta-t-il, à part soi. J'ai gagné sa confiance !

Une confiance absolue, qui ne passait pas par les mots, mais par la qualité si particulière de cet instant. Une émotion dont l'intensité les avait fait vibrer à l'unisson, au plus profond d'eux-mêmes.

Etait-ce un tour que lui jouait son imagination? Le bourdonnement de l'avion lui parut plus lointain.

Enfin, au bout d'un certain temps, il cessa de l'entendre. Le bruit du moteur s'était complètement évanoui.

En milieu d'après-midi, une main noire aux ongles douteux se referma sur le haillon qu'était devenue la chemise. Modibo ramassa le vêtement alourdi de boue et l'étudia sous toutes les coutures.

— C'est fait, il est mort... mort ! s'exclama Hendrijks, en esquissant un pas de valse d'une grâce éléphantine.

Il avait avancé la main vers la chemise, mais Modibo l'ôta de sa portée. Hendrijks repoussa son chapeau sur sa nuque, découvrant un front rougeaud, zébré par la marque du chapeau.

— Mais il est mort — non? vociféra-t-il, incapable de réprimer plus longtemps sa fébrilité.

Voila cinq jours qu'il sillonnait la brousse en gardant un œil sur ses acolytes, la main toujours près de son Sig-Hammerli. Il ne s'était jamais accordé plus d'un quart d'heure de sommeil d'affilée, comme il l'avait vu faire aux babouins et aux oiseaux de la brousse. Il avait payé Modibo et ses congénères pour cinq jours de chasse à l'homme, mais il se maudissait de ne pas avoir pensé à emmener au moins un autre Blanc. De toute sa vie, il n'avait jamais passé de pires nuits. Ces négros auraient pu l'égorger et s'emparer de son avion, pour le revendre!

— Alors...? Parle, nom de nom! tonna-t-il, à l'adresse du sergent.

Modibo avait déployé la chemise et l'approchait de ses petits yeux noirs et de son nez épaté, comme pour la flairer. Puis il la lâcha.

— Mort? Faut voir... fit-il d'un air songeur. Y a pas de sang, sur cette chemise. Non, ça, je ne crois pas...

— T'oublies la pluie! Elle a pu les laver, les taches de sang...!

— La pluie... peut-être, mais d'un autre côté, ça lui a permis de boire, s'il avait soif.

Hendrijks en aurait trépigné de rage. Jetant un coup d'œil du côté des premières collines, il aperçut un chacal, assis à découvert, à mi-chemin des contreforts embrumés, la langue pendante, accablé de chaleur, mais avec dans l'œil une étincelle où Hendrijks crut discerner une lueur de sarcasme.

— Il essaie peut-être de nous rouler, comme avec la jeep... fit Modibo, en grattant son mollet gauche encroûté de poussière du bout de sa botte droite.

— Mais où est-il passé, alors, hein? rugit Hendrijks.

Il ôta son chapeau, mais au lieu d'en fouetter ses vêtements, il le balança dans un buisson, d'un geste rageur. Il y eut soudain un sifflement provenant de sous le chapeau et Hendrijks, qui s'était précipité pour le récupérer, fit un bond en arrière : un petit boomslang, un serpent cracheur, s'était lové sous les branches, juste sous le chapeau. Dérangé dans sa sieste, il fila, tandis que Hendrijks se précipitait sur lui pour lui écraser la tête d'un coup de talon. Mais il manqua sa cible. La bête se dressa sur sa queue, la gueule grande ouverte, menaçante. Ses crocs luisants aspergèrent les jambes et la bedaine d'Hendrijks d'un nuage de venin. Des rires fusèrent dans son dos. Il sauta de côté, pour se mettre hors de portée du serpent, et fit volte-face, la main sur son holster.

Les rires cessèrent net. Hendrijks lorgna la tache de venin qui assombrissait sa chemise, paniqué à l'idée que le poison puisse traverser le tissu et attaquer sa peau.

— Y a qu'à laisser sécher, patron ! Ça ne risque rien, fit Modibo, qui avait perçu l'angoisse du Hollandais.

Mais l'accalmie fut de courte durée. Hendrijks piaffait à nouveau.

— Tu crois vraiment que le *kaffir* aurait pu revenir par ici et retrouver Lauder... ?

— Le *kaffir* ? reprit Modibo, non sans une pointe d'ironie.

Les trois faces brunes s'étaient tournées vers Hendrijks, les yeux rivés sur lui. Il se mit à bafouiller :

— Euh... oui — le géologue, là... Ngiamena, je veux dire.

— Non, répliqua Modibo, en crachant entre ses incisives inférieures. Ils forment une putain d'équipe, le *kaffir* et le *mzumgu*.

Modibo avait encore à l'esprit la vivacité avec laquelle Ken avait couru derrière le Safari Cub, le fusil à la main, tandis que Ngili galopait sur ses talons en criant : « Les pneus ! Tire dans les pneus ! »

— Ça, oui... Putain d'équipe ! Assez bonne pour s'en prendre à nous et nous liquider... ! précisa le sergent, en se délectant des changements successifs d'expression sur le visage du Hollandais.

Hendrijks déglutit, et sa salive lui eut un arrière-goût bilieux.

— Et s'il s'en est tiré, demanda-t-il, où est-ce qu'il a pu se fourrer, à ton avis ?

— Par là...

Du doigt, Modibo avait indiqué la forêt qui couvrait les pentes de la Mau.

— Et alors?

— Et alors, peut-être qu'il y laissera sa peau, mais peut-être pas... et alors, ça sera à nous d'y passer!

Conformément aux prévisions du sergent, Hendrijks s'abstint de tout commentaire et préféra changer de sujet.

— Tout le monde dans l'avion! leur enjoignit-il. Je vous ramène au camp.

— Et vous, vous allez où?

— A Nairobi, répondit Hendrijks, d'un ton lourd de menaces.

Quand il voulut le remettre, son chapeau claqua comiquement du bec. Les épines du buisson en avaient déchiré la coiffe sur toute sa largeur.

Les Africains savaient d'instinct quand ils pouvaient se payer la tête du gros Blanc, et quand il valait mieux s'en abstenir. Là, ils préférèrent jouer la carte de la prudence. L'un d'eux ramassa son fusil qu'il avait laissé glisser à terre, et la petite troupe s'ébranla en direction du Beech Lightning.

Hendrijks resta en arrière, perdu dans ses pensées. Il scrutait les pentes de la Mau, la ligne de crête... L'espace de quelques instants, le brouillard se déchira, révélant un fragment d'un vert intense, qui lui accrocha l'œil.

Il se résolut enfin à tourner les talons et se mit en route, secouant la tête comme pour en chasser des images indésirables ou de mauvais souvenirs.

La chemise de Ken gisait toujours dans la poussière. Il se pencha pour la ramasser, la roula en boule et se la fourra sous le bras, avant de regagner l'appareil.

5

Lorsqu'ils eurent épuisé les joies et les surprises de leur jeu avec le feu, ils se risquèrent hors de la grotte. Ken retrouva son couteau à cent mètres de l'entrée de l'abri. Il devient urgent de trouver du gibier... songea-t-il. De la viande — cette mine de protéines, qui avait donné aux premiers hominiens l'énergie nécessaire pour abandonner l'abri des forêts, où ils grignotaient constamment des graines et des feuilles, et pour partir à la découverte des grands espaces. Il se serait damné pour un morceau de viande... Même cuite à la va-vite — voire crue!

Il se surprit à imaginer un énorme steak tartare bien juteux, dont le sang lui dégoulinerait au coin de la bouche...

Incroyable! Rêver d'une entrecôte! Je n'en suis tout de même pas réduit à ça!

Et pourtant, si.

Il grimpa sur une éminence rocheuse et promena son regard à l'horizon, dans toutes les directions, pour tenter d'apercevoir l'avion. Il n'en vit pas trace.

Redescendu de son perchoir, il ouvrit le chemin à l'enfant, contournant les rochers, avant de s'engager dans la première des vallées ombragées qui s'enfonçait dans les éperons rocheux. Ils explorèrent ainsi une, deux, trois vallées.

La quatrième leur agréa. Ils firent halte sous un abri de verdure. L'inquiétude de Ken allait croissant: la nuit tombait et ils n'avaient toujours pas d'armes.

Le gamin ne semblait pas s'en soucier. La présence de son compagnon suffisait à lui occuper l'esprit.

Au début, l'étrange géant ne s'était déplacé qu'avec la plus extrême lenteur, comme s'il avait été épuisé et presque incapable de mettre un pied devant l'autre. Puis, il l'avait trouvé dans la boue, inerte, sous la pluie. Il l'avait traîné à grand-peine jusqu'à la cheminée et l'avait mis à l'abri dans sa grotte, ce qui lui avait fourni l'occasion d'apprécier le poids de toute cette masse de muscles dont l'étranger ne semblait pas faire grand usage... Ensuite, le géant avait longuement dormi, émettant de temps à autre des bruits inouïs.

L'enfant était sorti de la grotte et s'était posté à quelque distance de là, pour tenter d'imiter ces sons — mais en vain. Cet étranger à la peau claire était décidément une intarissable source d'émerveillement, pour l'œil comme pour l'oreille... et pas seulement!

Ils exploraient à présent cette petite vallée isolée, et l'étranger avait manifestement retrouvé des forces. Il se mouvait plus vite, et d'un pied plus sûr. L'enfant commençait même à le trouver beau, à sa façon, et rassurant. Il savourait un plaisir purement mental : se rappeler à tout instant qu'il était en train de vivre des événements d'une palpitante nouveauté.

La nuit précédente, il s'était éveillé dans la grotte et avait eu un frisson de joie en se souvenant qu'il n'était plus seul. Le lendemain, il vivrait la suite de cette incroyable aventure, avec son curieux compagnon — et cette seule pensée l'avait fait jubiler dans le noir.

Ken ronflait paisiblement, près de lui, ce qui confortait le gamin dans son pressentiment que, sous certains aspects, l'étranger se rapprochait assez de... de sa propre espèce. Mais les étranges sons que Ken avait balbutiés dans son sommeil n'avaient pas tardé à ébranler cette intuition. Ça n'avait décidément rien à voir avec ceux qu'émettaient les siens.

L'enfant s'était recouché, sans pouvoir trouver le sommeil. Ces jeux, ce spectacle permanent, cette succession de surprises toujours renouvelées, lui faisaient galoper l'esprit. Toute la journée, il était passé par tous les stades de l'émerveillement, tel un lionceau qui, en batifolant dans l'herbe, découvre tout à coup le bout de la queue d'un énorme lion.

Et maintenant, il savourait le deuxième acte : revivre tout cela par la pensée.

Il avait suivi l'étranger jusqu'à un bouquet d'arbres où les éléphants avaient déraciné un acacia et plusieurs châtaigniers sauvages, trois semaines plus tôt. L'enfant s'était assis dans l'herbe en toute confiance, la « pierre-à-feu » à la main, tandis que Ken escaladait une grosse branche basse tombée à terre, dont il détachait des rameaux pour allumer le feu. Ça risquait de lui prendre un certain temps, avec ce simple couteau, mais il n'avait pas le choix. Déjà, la nuit se préparait à engloutir la vallée.

Ken alluma le feu avec le briquet agonisant et une autre poche de son pantalon, qu'il avait déchirée. Il se penchait pour ramasser une brassée de bois sec, lorsqu'un cri suraigu, jailli de la gorge du gamin, lui vrilla dans les tympans.

L'enfant s'était levé et piaffait, bouche bée, près des flammes qui s'élevaient. Ken se creusait vainement la cervelle pour comprendre ce qui lui avait fait pousser ce hurlement.

Il se précipita vers le gamin, craignant qu'il se soit fait piquer par une bête venimeuse. Mais non... l'enfant était manifestement indemne. Il se mit à s'affairer autour du feu, animé d'une agitation fébrile, pour alimenter les flammes. Sans cesser de glapir et de se démener comme une petite furie, il se laissa choir à terre et entreprit d'extirper des touffes d'herbes qu'il jetait dans le brasier, bientôt suivies par des branches vertes, arrachées aux buissons environnants. Le feu dégageait une abondante fumée noire et menaçait de s'éteindre. Le gamin prit alors ses jambes à son cou, alternant les hurlements et les moments de calme relatif, où il reprenait souffle et se mit à fouiller le sous-bois des alentours, en quête de nourriture pour le feu.

Tout était bon : un vieux nid qui pendait d'une branche, une liane morte, tombée à terre, puis une autre — bien verte, celle-là —, des coquilles de noix sauvages, piétinées par les éléphants, une grosse motte de terre truffée de termites. Il balançait tout cela dans les flammes, puis attendait, les yeux rivés au foyer, sautant sur place et s'envoyant de grandes claques pour chasser les termites de ses bras et de ses épaules, sans même leur accorder un regard : il n'avait d'yeux que pour le feu.

Il était en nage. Ses prunelles étincelaient d'une lueur d'abord frénétique, mais qui s'adoucit graduellement, jusqu'à ne plus refléter que son désir de jeu. Il ne criait plus, mais s'agitait toujours. Sa danse exprimait à présent le soulagement, comme s'il avait réussi à exorciser une peur ancestrale : celle des incendies de brousse qui ravageaient les plaines d'Afrique. Cette terreur diffuse avait dû rester longtemps tapie dans l'esprit du petit hominien. Elle avait imprégné sa chair et ses os, comme un tragique souvenir.

Et à présent, il s'en déchargeait en célébrant sa survie face au feu, et le pouvoir qu'il avait su prendre sur lui. Manifestement calmé par cet accès d'exubérance, l'enfant repartit dans les buissons, en quête de combustible. Ses mains plongèrent dans l'herbe et en sortirent un grand lézard à col noir qu'il précipita dans le brasier. L'animal se tordit un instant en couinant, puis s'immobilisa, asphyxié. L'odeur de chair rôtie éveilla au creux de l'estomac de Ken un spasme de faim et un message clignota dans son esprit : Attention ! source de nourriture inespérée ! ! !

Il s'accroupit et s'efforça de récupérer le lézard, du bout d'un bâton, mais l'animal s'était enroulé autour d'une branche, dont il ne put le détacher. Sa gorge et son ventre explosèrent tout à coup en une pétarade sonore. Le parfum de la viande grillée assaillit les narines de Ken, submergeant tout autre sentiment pour l'innocent animal.

Son esprit semblait revenu à un stade instinctif : il n'était plus qu'un homme affamé, flanqué d'un gosse surexcité... devant un feu qui se nourrissait d'autres vies pour protéger les leurs, dans la brousse noyée de ténèbres — et l'espoir d'un hypothétique repas, pour le lendemain.

Dans sa frénésie, l'enfant se mit à bondir au-dessus des braises. La douleur lui arracha un cri. Il s'était brûlé le pied. Plissant les paupières, il reprit de plus belle son jeu de saute-mouton, jusqu'à ce que Ken laisse choir son couteau dans l'herbe, pour le ceinturer de ses deux bras. Ils roulèrent à terre. Le gamin était toujours en proie à sa frénésie d'action. Il battait l'air de ses mains et de ses pieds, hurlant d'un rire mêlé de quelques sanglots. Ken le tenait par la taille. Il parvint à le calmer un peu en lui maintenant le front contre sa poitrine, dans un geste d'apaisement affectueux. La vigueur du petit corps qui se débattait entre ses bras le sidéra.

Il ne relâcha l'enfant que lorsque les flammes eurent suffisamment baissé. Le gamin avança alors vers le feu d'un pas chancelant et, comme pour apposer son sceau sur sa conquête, il lui pissa dessus.

Ils n'avaient pas eu le temps de chasser et avaient donc le ventre creux.

Ils s'installèrent dans la chaleur du feu, l'homme taillant une longue branche de châtaignier bien droite, tandis que l'enfant observait la danse des flammes, le visage illuminé de toutes ces émotions indicibles que le feu éveillait en lui. A un moment, il se détourna des flammes pour fouiller du regard la pénombre du sous-bois. Les yeux d'une chouette brillaient dans un arbre. Le vol d'une chauve-souris fit un instant palpiter la nuit au-dessus du feu, avant de sombrer à nouveau dans le néant des ténèbres. L'enfant connaissait bien ces cris stridents qui déchiraient l'air nocturne, mais cette chauve-souris qu'illuminaient les flammes était pour lui une image inédite, tout comme le vol saccadé de ce gros insecte dont les ailes accrochaient la lumière, ou ce nuage de moucherons attirés par le feu... Et le sol, tout autour — un humus pourtant bien ordinaire, mais où les flammes faisaient surgir un kaléidoscope magique d'ombres et de couleurs qu'il voyait pour la première fois.

Absorbé dans sa tâche, Ken jetait de temps à autre un coup d'œil vers le gamin. Cet émerveillement était un bon signe. Excellent, Longs-Pieds... ! Je crois que tu as tout ce qu'il faut, dans cette petite boîte hirsute qui te sert de caboche !

Ken sursauta. La lame lui avait entamé le doigt. Il porta l'index à ses lèvres et suça la coupure. Bien joué, Prométhée ! Voilà ce qu'il en coûte de voler le feu aux dieux ! Estime-toi heureux de ne pas y laisser un morceau de ton foie !

Dans ce pays, le feu n'avait jamais dû faire l'objet d'une guerre entre les tribus. Il était toujours à portée de main, ici, puisque le soleil le faisait naître spontanément dans les broussailles. D'ailleurs, les hommes n'en avaient ressenti la nécessité que lors des premières périodes glaciaires, quand ils avaient dû apprendre à le dompter pour s'approprier sa chaleur et faire cuire leur viande — d'énormes quartiers de mammouth qu'il leur fallait faire dégeler...!

Le bois jaune du châtaignier miroitait à la lueur des flammes. La branche se transformait peu à peu en un épieu digne de ce nom...

Lorsque Ken eut terminé, il fit glisser l'arme quasi finie vers les pieds de l'enfant, qui l'attira à lui et fit courir ses doigts sur le bois poli, avant de s'en désintéresser, à nouveau subjugué par le feu.

Fabriquer un épieu, c'était une chose. S'en servir risquait d'être nettement plus compliqué. Ken avait peine à s'imaginer galopant derrière une proie... il lui faudrait lancer son arme, manquer plusieurs fois sa cible sous l'œil critique de son jeune compagnon... Il sentit soudain une vague d'incrédulité le submerger.

Impossible! hurla-t-il mentalement. Tout ça ne peut pas m'arriver... Il avait le sentiment qu'il lui suffirait de fermer les yeux et de les rouvrir pour renvoyer au néant le petit hominien.

Une telle chose est impossible — impossible...! Ça n'a pas pu m'arriver, se répétait-il.

A présent, ils devaient se trouver à quelque trente kilomètres du site où ils avaient découvert le fossile, Ngili et lui. De ce tumulus où lui était venu pour la première fois ce genre d'idée : Ça ne peut pas m'arriver!

Or, tout cela lui était bel et bien arrivé.

Le choc aurait été plus facile à absorber, s'il avait eu sous les yeux non pas un individu isolé, mais plusieurs — une famille ou une tribu à laquelle il aurait pu confier l'enfant. Et ensuite...?

Tôt ou tard, il devrait laisser le gamin et repartir, s'avoua-t-il. Aller reprendre sa place dans le monde civilisé, parmi les siens. Mais pour l'instant, il ne voyait aucune trace des semblables de Longs-Pieds — et peut-être n'existaient-ils pas. Peut-être étaient-ils seuls, tous les deux, dans cette savane... Il ne pouvait se défaire de cette étrange idée qui revenait régulièrement le hanter.

Elle en entraînait une autre, écrasante, par la responsabilité qu'elle impliquait : que ferait-il, si tel était le cas? Comment devait-il réagir, en tant qu'homme de science et en tant qu'être humain, à cette incroyable rencontre?

Me voilà dans un beau pétrin... songea-t-il, et pas seulement à cause de Hendrijks.

Mais il y avait cela, aussi — évidemment !

Si seulement il avait pu effacer en lui tout souvenir de ce qu'il avait vécu avant ces quelques derniers jours ! Il avait survécu, ses forces lui étaient revenues. Il avait trouvé un compagnon fascinant — quelle merveille... ! A présent, ne lui restait plus qu'à oublier d'où il venait et ce qui l'avait amené ici. Quelle libération, quel soulagement ! Il pouvait désormais se fondre dans l'objet de son étude, délivré de toutes ses obligations d'homme de science et s'immerger en plein pliocène, sans autre souci que d'exister, jour après jour.

Le gamin s'était recroquevillé près du feu, les yeux mi-clos, le regard toujours rivé aux flammes. Ses paupières s'alourdissaient peu à peu. Après un dernier papillotement, elles s'abaissèrent pour de bon. Ken s'était couché sur le dos et s'apprêtait à affronter une nuit de sommeil entrecoupé. Il dormirait comme un homme des cavernes — deux minutes de vigilance, pour dix ou vingt de repos. Se laisser doucement dériver, puis s'ébrouer, la main prête à empoigner son épieu... Scruter la pénombre, alimenter le feu, se rendormir, pour se réveiller quelques minutes plus tard...

Il fut pris d'une peur soudaine. Le silence s'était fait oppressant. Etait-il resté trop longtemps sans parler ? Mais qu'aurait-il pu dire ? Le gamin ne l'aurait pas compris. Il faudrait pourtant trouver un moyen de communiquer avec lui... Pour l'instant, il n'en avait pas la moindre idée.

Nous allons chasser, résolut-il. Dès demain.

Chasser.

En elle-même, cette perspective lui parut magique. Elle n'avait pas besoin de mots pour s'imposer à son esprit, avec une précision au moins aussi aiguë que celle des concepts verbaux.

Chasser !

6

A Nairobi, la semaine suivante, fut institué un couvre-feu qui prenait effet dès huit heures du soir. Mais les patrouilles de soldats ne le firent appliquer que l'espace de quelques jours. Après quoi, les fausses dispenses se multiplièrent, en majeure partie distribuées par l'armée elle-même. Aux principales intersections, des barrages contrôlaient les automobilistes et pénalisaient ceux qui présentaient de fausses attestations. Evidemment, les traditionnels bouchons et carambolages ne tardèrent pas à revenir et, tandis que les patrouilles s'affairaient au centre-ville, la vie nocturne s'épanouissait de plus belle dans les quartiers périphériques.

— Laissez-moi passer ! s'écria Cyril Anderson. Je vous donnerai le double de l'amende...

Il avait sorti la tête de sa Land Cruiser Toyota et apostrophait le lieutenant de la police métropolitaine. Sa dispense était on ne peut plus authentique — il l'avait obtenue sur simple demande, auprès du ministère de l'Intérieur — mais il piaffait derrière son volant depuis maintenant plus d'une demi-heure. Il aurait donné n'importe quoi pour pouvoir échapper au nuage de gaz d'échappement qui flottait sur ce boulevard.

Le policier lui enjoignit d'attendre son tour, ce qui signifiait, en clair, qu'il allait revenir dans quelques instants et que, moyennant une petite rallonge, il pourrait le laisser repartir. De sa voix la plus shakespearienne, Anderson proféra un retentissant juron, puis il décrocha son téléphone portable et composa un indicatif d'outre-mer, suivi d'un numéro qu'il avait fini par apprendre par cœur, pour l'avoir appelé un nombre incalculable de fois, ces deux derniers jours.

Lorsque la réceptionniste de l'hôtel Mayfair, à Londres, décrocha, Anderson lui demanda si sa femme était dans sa chambre et, dans le cas contraire, s'il était possible de la faire appeler dans le hall, le bar ou le restaurant de l'hôtel. Puis il attendit, rongé d'une impatience croissante. Il n'avait pas réussi à avoir Corinne au bout du fil, de toute la journée — pas plus que la veille. Elle restait introuvable, quelle que fût l'heure. Il sursauta donc lorsqu'il entendit sa voix limpide et calme.

— Cyril ? Je savais que c'était toi. Tu as de la chance de me trouver dans ma chambre. J'allais repartir. Je suis invitée à un cocktail, en compagnie du président du congrès.

— Mais tu t'amuses comme une petite folle, ma parole... !

Il y eut quelques secondes de silence, puis :

— Tu ne crois pas que c'est un peu mon tour, de m'amuser, après toutes ces années que j'ai passées à attendre ton retour, lorsque tu sillonnais le monde, de colloque en symposium... ?

Il savait qu'il aurait dû lui opposer des paroles d'apaisement, du genre : « Mais bien sûr, ma chérie... et c'est ta première intervention importante en public, alors profites-en bien. Je suis heureux de savoir que tu t'amuses... » mais quelque chose lui disait qu'un vent de rébellion soufflait dans l'esprit de sa femme. « A mon tour de rire, à présent ! » semblait-elle lui lancer au nez. Quoi qu'il fasse, quoi qu'il dise, elle le retournerait contre lui, en invoquant le déséquilibre de leur relation — toutes ces années où il avait fait ci et ça. Maintenant, à elle la liberté ! Le droit de parcourir le monde à sa guise. Il fut à deux doigts de sortir de ses gonds, de lui crier qu'elle souffrait d'une amnésie sélective, que sans lui, elle ne serait rien — et qu'il ne l'avait épousée que pour son physique. Quel plaisir ç'aurait été, de lui clouer ainsi le bec, de la remettre à sa place ! Mais même ça, il ne pouvait plus le faire. La dernière fois qu'il avait usé de cet argument massue, elle lui avait vertement rétorqué qu'elle, elle ne l'avait épousé que pour faire carrière et qu'il était grand temps pour elle d'y songer sérieusement, à cette fameuse carrière, parce que, sur tous les autres plans, sa vie conjugale n'avait guère tenu ses promesses! La riposte avait été bien plus accablante que le coup initial.

Il avait battu en retraite, mais cet instant de vérité avait radicalement changé l'atmosphère de leurs relations. Il avait vainement tenté de déterminer le moment auquel son aura d'homme de science avait cessé de lui en imposer. Bien sûr, Corinne n'avait pas été la première étudiante qu'il avait entraînée dans son lit. Il en avait fait soupirer bien d'autres, que son envergure faisait frémir d'un respectueux enthousiasme. Enfin... c'est ainsi qu'il avait interprété leurs soupirs. Car un doute insidieux s'infiltrait dans son esprit, à présent... Quelle que fût celle qu'il aurait choisi d'épouser, peut-être aurait-elle de toute façon fini par se rebeller contre lui, et par revendiquer son indépendance, tout comme Corinne. Et s'il avait eu tort de considérer ses exploits amoureux comme la mesure de sa puissance virile...? Peut-être n'était-ce qu'une sorte de mise en scène, un plateau où ses étudiantes venaient mimer l'orgasme dans ses bras, tandis que dans la vraie vie, elles préféraient l'éprouver avec des petits morveux bien montés, tels que ce Lauder, ou que ce Ngiamena...

Depuis six ans qu'ils étaient mariés, la jalousie n'avait cessé de le tenailler. Cette liaison, qu'elle avait eue avec Lauder... Bien sûr, ça s'était passé bien avant qu'il ne l'ait remarquée, mais il ne pouvait se rappeler sans un pincement au cœur ce petit « Mais voyons, ça n'avait rien de sérieux, très cher... » qu'elle lui avait jeté, de ce ton un poil trop enjoué. Elle mentait. Même si leur liaison n'avait duré que quelques semaines, Lauder avait compté, pour elle... Quant à lui, son mari, elle l'avait disqualifié, avant même leur première nuit! Enfin, objectait son orgueil, c'est tout de même elle qui avait pris la décision de larguer Lauder — mais son orgueil refusait de voir la réalité en face. Sans cette fabuleuse opportunité qu'Anderson représentait pour elle et pour sa carrière, Corinne lui aurait préféré Lauder. Elle avait immolé son jeune amant sur l'autel de ses ambitions.

Et voilà qu'elle s'était envolée pour Londres, où elle participait à un symposium international sur l'accroissement du volume cérébral durant la genèse de l'humanité. Il commençait à sentir à quel point sa présence lui manquait, même s'il ne pouvait plus compter sur ses exploits virils pour la ramener vers lui, et même si l'espoir d'expériences partagées avait depuis longtemps fait long feu... restait la terrible force de l'habitude.

Maintenant qu'il la savait en compagnie d'un inoffensif spécialiste de l'évolution — un Français qu'il connaissait de longue date — il n'écoutait plus que d'une oreille.

— C'est absolument fascinant, poursuivit-elle. Plusieurs interventions m'ont paru directement inspirées de ce que tu me disais l'autre soir, après le dîner. Lebenson a présenté une analyse génétique de l'accroissement de la masse cérébrale en fonction de l'évolution du régime alimentaire. Fidos et Oppelman ont même produit une allométrie de la circulation sanguine cérébrale en fonction des changements climatiques.

— Tsss... des Allemands ! l'interrompit-il. Les chercheurs du tiers-monde n'en feront qu'une bouchée, de leurs théories qui suggèrent que c'est en Europe que le cerveau humain a atteint son poids et son volume maximum !

— Ce n'est pas ce que je voulais dire, très cher — ces types s'échinent sur des idées que tu as eues depuis longtemps. C'est toi qui devrais présenter leurs travaux !

Il voyait parfaitement où elle voulait en venir.

— Ce n'est qu'un ramassis de rats de laboratoire, Corinne. Tu ne voudrais tout de même pas que je m'abaisse à faire équipe avec eux !

— Il y en a tout de même quelques-uns d'intéressants, dans le lot. Lebenson, par exemple. Il présente non pas un, mais deux sujets. Sa seconde intervention s'intitulera « L'optimisation des composants neurologiques chez les primates supérieurs ». Il tente d'établir une sorte de parallèle entre le cerveau des singes et les problèmes que pose la miniaturisation des circuits dans un ordinateur !

— Je te prie de m'épargner ces fadaises technologiques. Ah... ce jargon qui contamine notre discipline ! Je le supporte de moins en moins ! » Il eût été plus exact de dire : « je m'y perds de plus en plus », mais pour rien au monde il ne lui aurait concédé cet atout. « Cherche plutôt une fondation qui s'intéresse à mes travaux, ou un programme international que je pourrais diriger... Sinon, tu me fais perdre mon temps...

— Pardon ? Tu oublies que c'est toi qui m'as appelée ?

Et figure-toi qu'en ce moment même, je fais patienter le président de ce congrès, pour t'écouter me parler de tes petits problèmes... ! (Ses petits problèmes ! S'il avait pu le faire par téléphone, il l'aurait étranglée avec plaisir.) Et où en seront les recherches de Ken ? enchaîna-t-elle, l'air de ne pas y toucher.

A travers le brouillard des gaz d'échappement, Anderson aperçut un attroupement, sur le trottoir. Une dizaine d'hommes, et quelques femmes, coiffées de turbans, dont la tête et les épaules tressautaient selon un rythme régulier, comme s'ils frappaient quelqu'un qu'ils auraient coincé au milieu de leur mêlée. La justice était passée aux mains de la foule.

Une fatalité, aux yeux d'Anderson. D'ailleurs, ces derniers temps, lui aussi s'était senti dans la peau de cet inconnu qu'on molestait : lessivé, laminé, en butte à une volée de coups qui lui pleuvaient de partout. Le coup de vieux, bien sûr — il attendait avec angoisse les résultats de son dernier examen prostatique... Les coups de Jarnac de la politique locale, et maintenant, les coups bas de Corinne...

— Mais je ne vois pas pourquoi tu continues à me parler de ce Lauder ! s'insurgea-t-il.

— C'est toi qui n'arrêtais pas de m'en rebattre les oreilles ! Ce spécimen qu'il avait ramené... tu le trouvais si intéressant, avant même de connaître le résultat des tests définitifs ! Tu as demandé à Ngili si Lauder était reparti seul dans le Dogilani, et Ngili s'est contenté d'esquiver la question, sans rien démentir.

— Et alors ?

Il sortit son portefeuille et fit un rouleau serré de tous les billets qu'il contenait. Le flic approchait.

— Ken a une veine incroyable, très cher. Bien plus que nous deux réunis ! Mais peut-être peux-tu encore prendre le train en marche... S'il est parti seul au fin fond de la savane, il va se heurter à de sérieux problèmes. Tu devrais aller le rejoindre, et lui proposer de l'épauler. En échange, le titre de coordinateur scientifique te reviendra de plein droit. Comment pourrait-il te refuser ça !

— Ne dis pas de bêtises, Corinne. Il a déjà dû l'offrir à Phillips, depuis belle lurette... » Avec un frisson, il s'imagina un instant en pleine savane, en compagnie de ce jeune loup devant qui son expérience du terrain ne pesait pas bien lourd — sans même parler de son tonus physique et psychique, ou de son potentiel d'adaptation. Grands dieux ! Pour rien au monde... ! « Lauder ne peut se passer de Phillips, fit-il, en agitant le rouleau de billets en direction du flic. La théorie a toujours été son talon d'Achille.

— Précisément. Or, sur le plan théorique, tu enfonces Phillips — et de loin ! D'ailleurs, il est à l'autre bout du monde, en ce moment. Ken a désespérément besoin d'un théoricien qui lui serve de garant, face à la communauté scientifique — et toi, tu as besoin d'éléments concrets sur lesquels théoriser.

— Mais Lauder... pourquoi lui, Seigneur ? Un type incapable ne serait-ce que de...

— Arrête, Cyril ! Ken n'a pas besoin de se payer de mots, lui. Il connaît parfaitement son boulot — et il le fait.

Formule terrible de concision et de justesse, songea Anderson, réprimant une bouffée de rage. Il laissa pendre sa main par sa portière et le flic le délesta de l'argent. Il aurait voulu pouvoir exploser dans son téléphone portable, mais il se contenta de se vidanger les poumons.

— Demander à quelqu'un d'autre de m'associer à sa découverte, ce serait déchoir, éructa-t-il. Ce sont mes collègues qui demandent à collaborer à mes travaux, jamais l'inverse !

— Comment pourrais-je te convaincre ? insista-t-elle, bien résolue à ne pas perdre patience.

— Mais qu'est-ce que tu lui trouves de si exceptionnel, à cette découverte, à la fin ?

— Allons, Cyril ! En toute bonne foi, tu es le premier à avoir flairé le lièvre.

Il grimaça, accablé par cette belle logique, mais il voyait poindre l'ombre d'une chance de sortir de l'impasse où piétinait leur couple, et il s'empressa de la saisir au vol.

— Parfait. Il faudra que nous en reparlions. A quelle heure me rappelles-tu, demain ?

— Si je te propose une heure, tu répondras invariablement que tu seras débordé à ce moment-là, et tu m'en imposeras une autre... » Une pointe d'agacement avait percé dans sa voix par ailleurs parfaitement calme. « Toi et ta manie de la manipulation, très cher... !

— Je ne vois pas ce dont tu parles, répliqua-t-il d'un ton sec.

Elle avait raison — et après? L'essentiel n'était-il pas d'avoir toujours le dernier mot?

— Vers midi, ce sera parfait, ma chérie. Je déjeunerai à la cafétéria des professeurs. Ça te va, Corinne?

Le flic avait empoché l'argent et faisait signe à un autre automobiliste de faire marche arrière pour laisser passer Anderson. A l'autre bout du fil, Corinne lui opposait un silence où il sentit planer un cruel mépris.

— Ça te va? explosa-t-il dans son portable. Corinne...!

Silence. Avait-elle raccroché?

— Corinne...

La ligne sonna occupé. Il raccrocha d'un geste las et accéléra si sèchement que le flic recula en chancelant contre une autre voiture. Il grimpa sur le trottoir, la main appuyée sur le klaxon, pour faire déguerpir toutes ces faces noires qui s'écartaient sur son passage, en lui crachant des injures.

En dépit de tous ses efforts pour l'oublier, son esprit revenait inlassablement vers elle. Il s'essuya le front d'un revers de manche. La sueur lui dégoulinait sur le visage. Les taches allaient marquer, sur le lin blanc... Elle lui avait raccroché au nez! Que fallait-il en conclure? Rappellerait-elle, le lendemain, ou devrait-il téléphoner aux quatre coins de Londres, pour lui remettre la main dessus?

Il lui fallut manœuvrer vivement, pour éviter une tranchée ouverte dans le trottoir. Il avait renversé le panneau qui indiquait les travaux. La voiture fit une embardée qui eut au moins le mérite de le ramener à la réalité. Il lâcha un peu l'accélérateur, jeta un coup d'œil dans son rétroviseur, puis se redressa sur son siège, pour se regarder. Et il retrouva le Cyril Anderson qui lui était familier. Cette épaisse chevelure blanche, élégamment coiffée, ce regard pénétrant... Dans la pénombre de la voiture, ses cheveux se nimbaient d'un reflet luminescent. Bien que creusé d'un réseau de petites rides, son visage exhalait l'assurance et l'autorité de l'âge mûr. Il s'identifia à nouveau avec cette image rassurante que lui renvoyait le miroir. Une sommité de sa profession, un homme accompli, menant sa carrière comme sa vie — de main de maître.

Mais elle lui avait raccroché au nez.

Anderson avait sorti de sa poche un papier où était notée une adresse. Il s'était éloigné du centre-ville, et roulait à présent dans le dédale des petits bâtiments misérables qui avoisinaient l'ancienne gare. Il flottait dans tout le secteur une atmosphère de dérive et de désespoir dans laquelle les chromes rutilants de sa Land Cruiser détonnaient violemment. Il se gara dans la cour intérieure du Nyassa Motel, descendit de voiture et ferma ses portières.

Son oreille fut aussitôt attirée par des gémissements suggestifs qui couvraient le brouhaha des radios et jusqu'au bourdonnement, pourtant agressif, d'une tondeuse à gazon, curieusement toujours en service, malgré l'heure tardive.

Un livreur de pizzas le dépassa, chargé d'une pile de cartons plats, proclamant : « PIZZAS BUCCI, LES MEILLEURES DE TOUTE L'AFRIQUE ! »

Son papier à la main, Anderson mit le cap sur une porte et frappa, tandis que le livreur frappait, lui aussi, mais à celle d'à côté. Elle dut s'ouvrir, car les gémissements fusèrent de plus belle.

Quelques secondes plus tard, ce fut celle où avait frappé Anderson qui s'entrebâilla, dévoilant la face rougeaude d'un gros type vêtu d'un T-shirt douteux, à encolure en V.

— Professeur... ! fit l'homme, avec un sourire mielleux. Je commençais à me demander si vous viendriez !

— J'ai bien failli ne pas pouvoir, Mr Hendrijks, répondit Anderson.

Son regard avait balayé la chambre par-dessus l'épaule du pilote, s'attardant un instant sur le lit, qui occupait le coin gauche, au fond de la pièce. Sur une table ronde, qu'éclairait une lampe suspendue au bout d'une chaîne, il aperçut un carton de pizza vide, et les reliefs d'un repas hâtif. Hendrijks s'écarta, l'invitant à entrer, mais Anderson se planta sur le seuil.

— J'ai bien réfléchi, depuis notre premier entretien, Mr Hendrijks. Il est hors de question que je vous verse la somme que vous réclamez.

Leur première entrevue s'était tenue dans l'arrière-boutique encombrée du magasin de Zhang Chen, lieu de rendez-vous suggéré par Hendrijks.

— Entrez, entrez, professeur ! Nous n'en avons que pour une minute, et j'ai de nouveaux éléments. De quoi vous faire changer d'avis !

— Non. Sans façons ! J'étais venu vous dire que votre proposition ne m'intéresse pas. D'ailleurs, je vous demanderai de cesser de m'appeler, et même de m'écrire.

— Eh ! Une minute, *Verdomma* ! » Hendrijks dut se rendre compte qu'il avait élevé le ton et proféré un juron, car il se radoucit aussitôt. « Excusez, fit-il avec un petit gloussement. J'ai l'habitude de parler fort, à cause de... — du pouce, il indiquait la chambre voisine. Ils tournent des films porno à longueur de journée, voyez, et leur boucan m'arrive par les conduites de la climatisation. Leur matériel de prise de son doit être tellement pourri qu'ils sont obligés de donner de la voix... Allez, professeur... juste une minute, je vous en prie...

— Soit. Mais pas une de plus, concéda Anderson en se décidant à franchir le seuil.

Hendrijks referma la porte derrière lui, puis revint vers la table. Il repoussa le carton de pizza d'un geste impatient. La boîte glissa de côté, révélant un objet métallique. Anderson reconnut un pistolet démonté, dont le chargeur, ouvert, laissait apparaître le cylindre cuivré de la première balle. L'idée que Hendrijks aurait pu empoigner l'arme et la braquer sur lui traversa l'esprit d'Anderson, mais le Hollandais se contenta d'amener dans la lumière deux photos posées sur la table. Puis il abaissa la suspension, pour permettre à son visiteur de mieux examiner les clichés. Des empreintes d'hominidé, parfaitement nettes.

— Ces photos ont été prises par Lauder, expliqua-t-il. Voyez la botte qui apparaît, là au coin... ? C'est la sienne.

— Et vous-même — vous les avez vues, ces traces ?

Hendrijks hocha la tête et Anderson dut s'éclaircir la gorge.

— Et les... les spécimens vivants... ?

Hendrijks opina à nouveau du chef. Le visage de son interlocuteur s'était empourpré.

— Combien étaient-ils ?

Le pilote garda le silence.

— Où les avez-vous vus ?

Hendrijks gloussa et agita l'index sous le nez d'Anderson, comme l'eût fait un adulte, face à un enfant. Non, non, non... ! Il ne saurait rien de plus tant qu'ils n'auraient pas convenu d'une somme. Et, même avec l'argent en poche, Hendrijks ne lui indiquerait pas les coordonnées du lieu. Il se chargerait de l'y emmener, dans son avion.

— Et pourquoi avez-vous choisi de vous adresser à moi ?

— Parce qu'ils n'arrêtaient pas de parler de vous — Lauder et Ngiamena. J'ai immédiatement compris que vous étiez l'homme à informer de cette découverte. Ils ont prononcé votre nom dans l'avion, à l'aller, et à plusieurs reprises, une fois sur place.

— Vous n'êtes pas très coopératif, fit remarquer Anderson, en se raclant la gorge de plus belle. Pourquoi irais-je me fier à quelqu'un qui s'est approprié ces informations par des moyens inavouables — car vous les avez volées, n'est-ce pas !

Hendrijks étouffa un nouveau ricanement. Non, non, non... ! Il n'avait rien volé du tout. Il lui avait suffi de s'adresser au directeur d'une certaine banque où Lauder possédait un coffre, en indiquant que son client ne lui avait pas réglé ce qu'il lui devait pour un voyage d'une semaine. Le directeur avait accepté de le laisser jeter un œil dans le coffre de Lauder.

— Et il s'est vraiment exécuté de bonne grâce ? s'étonna Anderson, entre deux raclements de gorge.

— Oh, je peux être très convaincant, quand je veux ! grinça Hendrijks, qui avait entrepris de remonter les pièces détachées de son Sig-Hammerli. Vous ne vous êtes pas demandé comment j'avais réussi à me procurer votre numéro, professeur ?

Anderson sursauta. Effectivement, ce détail lui avait échappé. Son numéro était sur liste rouge.

— Simple visite à la compagnie du téléphone, fit Hendrijks, tout sourire. Il m'a suffi de discuter trois minutes avec un cadre, et... les cadres sont payés au lance-pierre, dans ce genre de boîte ! Voyez-vous, professeur, vous n'avez pas le genre de ressources qu'il faut pour contrer un type de la trempe de ce Lauder. » Hendrijks achevait d'assembler son arme. « Je parierais que vous n'êtes même pas capable de vous servir d'un pistolet... — il remit le chargeur en place. Pas plus que de remonter une piste, ou de trouver un point d'eau dans la savane. J'ai lancé quelqu'un sur les traces de Lauder. Un pisteur hors pair. Un certain Modibo, un as du braconnage. Il est dans l'armée, maintenant, mais ça ne l'empêche pas de persévérer dans sa première branche...

Hendrijks se retourna pour ouvrir un tiroir qui résista. Il

dut poser son arme, le temps de tirer la poignée à deux mains. Il exhuma une chemise de toile beige froissée et délavée, qu'il jeta sur l'arme et le carton à pizza.

— Cette chemise est à Lauder. Nous l'avons retrouvée, moi et mes hommes, à quelques kilomètres de la Mau.

— Il serait mort, selon vous ?

— A notre avis, non. En fait, nous pensons qu'il aurait pu être recueilli par cette tribu d'hominiens.

Anderson souffla un grand coup.

— Parfait. Dans quel secteur se trouve-t-il ?

Il savait très bien où était Lauder. Lorsque Ngiamena l'avait appelé, inquiet de la disparition de son fils, ses soupçons s'étaient aussitôt portés sur le Dogilani et Ngiamena le lui avait confirmé dès le lendemain. L'avion de surveillance de la réserve avait bien localisé les deux jeunes hommes dans cette zone. Où Lauder aurait-il pu être, à présent, sinon quelque part par là ?

— Le prix de mes informations varie, selon la nature de notre accord, professeur. Remonter la piste de Lauder, c'est une chose. Le mettre hors d'état de nuire... — Anderson eut une grimace horrifiée, qui fit s'épanouir le sourire de Hendrijks — c'est plus cher, mais ça reste abordable.

— Je ne vois vraiment pas de quoi vous parlez...

— Je parle tout simplement de liquider Lauder, ricana Hendrijks. Le rectifier. Le dessouder. Le rayer de la surface du globe. Cinq mille dollars — une misère, autant dire !

— J'ai besoin d'y réfléchir, fit Anderson. Je n'ai jamais eu à prendre une telle décision.

— Vous m'étonnez ! s'esclaffa Hendrijks. Vous ne devez pas rencontrer tous les jours des problèmes de ce genre, dans votre branche ! Mais envisagez plutôt les choses sous l'angle de la guerre. Lauder est votre ennemi et il menace votre territoire.

— Mais c'est de meurtre que vous me parlez là, Mr Hendrijks... !

— Ecoutez... vous vous débarrassez de Lauder et vous récupérez sa découverte, comme sur un plateau. Le prix vous paraît trop élevé ? OK. Descendons à quatre mille.

Les services de ce type sont décidément plus économiques que les tiens, mon amour... se dit-il, songeant à Corinne. Quatre mille dollars l'hominien sur pied !

Il se pencha au-dessus de la table.

— Et vous ne craignez pas d'être... inquiété, poursuivi — arrêté, peut-être...? Et si j'allais témoigner contre vous?

— Dans ce pays, personne ne sera arrêté ni jugé avant belle lurette, professeur! Une nouvelle équipe se prépare à prendre le pouvoir, et j'y ai mes contacts.

— Vous oubliez que Lauder a été mon élève, Mr Hendrijks!

— L'Histoire nous offre parfois de brèves périodes de répit, durant lesquelles les voleurs ou les assassins cessent d'en être. Ces occasions sont relativement rares, Mr Anderson, et vous avez la chance de pouvoir profiter de l'une d'entre elles.

Comme Hendrijks se penchait pour ramasser la chemise de Lauder, restée sur la table, la main d'Anderson se détendit en direction du Sig-Hammerli, qui venait juste d'émerger de l'étoffe. Il s'en empara, l'arma d'un revers du pouce et l'enfonça sous les côtes du Hollandais. La graisse de sa panse étouffa la détonation aussi efficacement qu'un silencieux.

Hendrijks flageola sur ses genoux et partit à la renverse, comme au ralenti. Il s'affaissait quand l'une de ses épaules heurta le dossier d'une chaise, ce qui freina sa chute et le fit se replier en chien de fusil. Il dut rendre l'âme avant même d'avoir touché le sol. Anderson avait entendu parler de la surprise qui se lisait sur les traits des victimes d'une mort violente, au moment où leur cerveau enregistrait l'ultime déception de leur existence. Mais le visage de Hendrijks n'exprimait rien de tel. Il avait pris un masque de stupeur hébétée, comme s'il avait d'ores et déjà accepté son sort.

Anderson garda un instant l'arme à la main, puis la déposa près du corps.

Il laissa s'écouler encore quelques secondes. Il s'attendait à être pris d'une vague de nausée, mais pas du tout. Le visage de Hendrijks eut un dernier spasme. Ses yeux roulèrent dans leurs orbites et l'air s'échappa de ses poumons en un macabre sifflement. Balayant la pièce du regard, Anderson approcha du climatiseur et le mit en marche. Des gémissements en provenance de la chambre voisine envahirent aussitôt la pièce.

Tout cela lui avait semblé si simple...

Restait à essuyer le pistolet.

Il approcha du lit et tira sur les draps, gris de crasse et imprégnés de relents qui le firent suffoquer. Il battit en retraite vers la salle de bain. Une serviette douteuse pendait au lavabo. Il avança la main mais ne put se résoudre à la toucher. Mâchoires crispées, il leva les yeux vers le miroir dont la surface constellée de taches d'oxydation lui renvoyait son visage, rongé par ces milliers de moisissures. C'était bien lui, Anderson, cet homme à la mine avantageuse, qu'il connaissait si bien. Scrutant son propre visage, il n'eut aucun mal à accepter ce qu'il était devenu. Le plus difficile était encore de manipuler les répugnants objets personnels de sa victime.

Il empoigna la serviette en réprimant un frisson de dégoût, revint dans la chambre et essuya le revolver. Une rengaine idiote lui trottait dans la tête. Tout cela avait été si facile... si faciiile!

Le cadavre n'était pas encore celui de Lauder — mais, patience...

Il abandonna le pistolet près du corps et la serviette par terre, puis entreprit de fouiller les placards et les tiroirs en quête d'autres indices : des photos, des notes... Il ne trouva rien de bien intéressant. Sur une carte du Dogilani, une croix rouge indiquait un emplacement particulier, dans la savane. Il l'étudia un instant, avant de conclure que cette croix coïncidait parfaitement avec ses propres déductions quant aux coordonnées des formations rocheuses dont Ken et Ngili avaient établi la stratigraphie, à proximité immédiate des premiers contreforts sud de la Mau. Repliant la carte, il la glissa dans sa poche intérieure, ce qui lui fit penser à examiner ses habits.

Il ôta sa veste. Aucune trace de sang, pas plus que sur ses autres vêtements. Il s'émerveilla de l'efficacité magistrale avec laquelle il avait réglé cette affaire. Il avait limité les bruits, les risques, les dégâts de toute sorte — et jusqu'à l'épanchement de sang.

Si-fa, si-fa, si faciiile!

Tout le reste serait à l'avenant, décida-t-il.

Il fallait tout de même observer un minimum de prudence. Il essuya scrupuleusement toutes les surfaces où ses mains avaient pu se poser — la table, les placards, les tiroirs, qu'il referma. Il pensa abandonner la serviette sur place, mais un accès de paranoïa lui fit changer d'avis. Il la fourra sous sa veste, puis poussa l'interrupteur de l'épaule et sortit.

Il fouilla du regard le parking désert, en direction de sa Land Cruiser. Il savait à présent qu'il irait dans le Dogilani, qu'il irait tuer Ken Lauder. Et que ce serait tout aussi facile.

Il dressa mentalement la liste de tous ceux qui avaient eu vent de la découverte. Ngili. Randall Phillips. Raj Haksar.

Car Haksar l'avait récemment appelé, pour lui raconter une curieuse histoire. Il se serait lui-même rendu dans le Dogilani, autrefois — il avait obstinément refusé de préciser à quelle date — et il y aurait observé d'étranges autochtones qui avaient couru se réfugier dans la forêt dès qu'ils s'étaient sentis observés. Le vieil hurluberlu avait refusé net de lui fournir de plus amples détails.

Anderson l'avait écouté d'une oreille distraite. Ce qui l'intéressait, lui, c'était avant tout les fossiles, et Haksar n'avait rien trouvé de tel. Juste une bande de sauvages non répertoriés... Soudain, l'idée d'une espèce fossile, d'une tribu de préhominiens, lui traversa l'esprit. Il ne pensait même plus à Hendrijks. Il se figea sur le seuil de la chambre, bouche bée devant la porte ouverte. Il la tenait enfin, sa découverte !

Haksar aurait-il publié quelque chose concernant cette tribu... ?

Anderson se retint de justesse de courir vers sa voiture pour téléphoner au vieil Indien et lui poser la question — mais ce n'était pas parce que tout semblait lui sourire qu'il fallait tenter le diable, en péchant par précipitation ou par négligence...

Haksar lui avait demandé son aide. Il lui avait proposé, en termes voilés, de retourner dans le secteur en sa compagnie. Que voulait-il, au juste ? De l'argent, comme le Hollandais ? L'assurance de pouvoir éliminer des rivaux potentiels ?

Il s'esclaffa. Haksar était un vieillard gravement affaibli par le diabète, et en qui il ne parvenait pas à voir un danger, ni même un véritable obstacle.

Sérions les problèmes, se dit-il.

Dès le lendemain matin, il rendrait visite au vieil homme, lui demanderait des précisions sur ce qu'il avait observé, puis il partirait pour le Dogilani — et supprimerait Lauder.

Ça devenait urgent. Eliminer Lauder. L'é-li-mi-ner.

Il jubilait à la seule idée de sa découverte (car il se l'était déjà appropriée) et de ses immenses retentissements, dont il commençait à peine à apprécier la portée. Ça lui était tombé dessus comme un mystérieux arrêt du sort — dont le corollaire était l'élimination de l'ex-amant de sa femme.

Et ça, ce serait si-fa, si-fa, si faciiile... Il s'avisa tout à coup qu'il se trouvait encore sur le seuil de Hendrijks, et tira la porte derrière lui.

Celle d'à côté restait close. Sur le paillasson, s'amoncelaient des cartons de pizzas vides. Tout à coup, les gémissements cessèrent et une voix demanda une dernière prise, sous un autre angle — la dernière de la soirée.

Anderson rejoignit sa voiture d'un air dégagé. La carrosserie était intacte et aucun pneu ne manquait à l'appel. La chance était décidément de son côté...

Il s'installa, alluma les phares et fit démarrer le moteur, notant au passage que ses mains ne tremblaient pas sur le volant, pas plus que son pied, sur l'accélérateur. Il avait même cessé de se mordre la lèvre inférieure. Il manœuvra avec un calme olympien et sortit du parking.

Il longea quelques minutes une voie ferrée désaffectée dont les traverses torturaient les pneus de sa Land Cruiser, avant de balancer la serviette de Hendrijks dans de vagues buissons, par la portière. Après quoi, il fit demi-tour, en direction du centre-ville.

Il songea un instant à rappeler le Mayfair Hotel, pour laisser à Corinne un message sibyllin, du genre « Si-fa, si-fa, si faciiiile... ! ».

Non. Ç'eût été prématuré. Il le ferait, peut-être, mais seulement après s'être occupé de Haksar — et, mieux, de Lauder !

IV

LE CHANT DE LA SAVANE

1

Tous les matins, ils se réveillaient sensiblement à la même heure — pour autant que Ken puisse en juger, sans montre. Il commençait à oublier ce que c'était que de vivre au rythme des horloges. Ici, le temps n'était pas découpé en heures, minutes et secondes... Il consistait en une alternance de périodes de trêve et de danger, où l'on était tantôt chasseur, tantôt chassé, et où il fallait à la fois ne pas manquer sa proie et ne pas en devenir une.

Leur réveil suivait un cérémonial quasi immuable. Le jour se levait, transformant l'obscurité en un magma gris où éclataient progressivement des myriades de couleurs. Les premiers oiseaux se mettaient à gazouiller, et un souffle frais descendait des pentes de la Mau, apportant une brume humide qui faisait tousser Ken.

Le bruit de sa toux tirait l'enfant du sommeil, parfois en sursaut. Ses paupières papillotaient vivement, et ses yeux noirs balayaient les alentours.

A la vue de Ken, un sourire s'épanouissait sur sa petite trogne brune. Il étirait les bras puis, de ses poings fermés, se frottait vigoureusement les yeux, tout en décochant une série de ruades que Ken esquivait de son mieux.

Venait ensuite le rituel du rot. Pas le rot de satiété d'un ventre plein, mais le simple rejet, provoqué par le changement de position, de l'air emprisonné dans son estomac. Puis la faim se faisait sentir. Le plus souvent, l'enfant sautait sur ses pieds et se précipitait sur les reliefs de leur dernier repas, qu'il avait soigneusement recouverts d'une couche de terre, la veille au soir. L'ordinaire de son petit déjeuner se composait de morceaux de viande grouillants de fourmis.

Avant d'attaquer sa viande, l'enfant soufflait vigoureusement dessus pour en déloger les insectes. S'il en avait la patience, il prenait le temps de les ôter un à un, du bout des doigts. Ken, lui, se contentait d'écraser un os pour en sucer la moelle.

Au fil des jours, Ken avait remarqué que peu d'animaux dédaignaient les charognes. Bien que le blaireau ait la réputation de ne se nourrir que de miel sauvage, la zorille d'insectes et d'œufs, et la mangouste de lézards et de serpents, aucun d'eux n'aurait renoncé à un lambeau de viande sous prétexte qu'il n'avait eu ni à se battre, ni à chasser, pour l'obtenir. Pour les carnivores de la savane, la viande, souillée ou pas, était avant tout une source vitale de protéines.

Ken s'accoutumait aux effluves des carcasses pourrissantes et trouvait même vaguement plaisantes les exhalaisons douceâtres de la viande faisandée. Dans la brousse, les seuls parfums agréables étaient ceux des fleurs ou des fruits — rares touches de douceur dans le puissant cocktail d'odeurs de la savane, si âpre et pénétrant que même les grandes pluies ne parvenaient pas à le chasser : crottin d'antilope, urine délimitant le territoire des lions, des hyènes et des chacals, arbres calcinés par les feux de brousse, charognes, vase croupissante des trous d'eau, poussière immémoriale.

Ken prenait peu à peu conscience de l'acuité qu'avait acquise son odorat. Son nez, qui était de taille modeste comparé aux naseaux de la plupart des animaux, mais qui paraissait démesuré, à côté de celui de l'enfant, lui était devenu aussi indispensable que ses yeux. Il percevait tout différemment, jusqu'à ses odeurs corporelles. Il apprenait à se rendre réceptif aux signaux qu'elles lui transmettaient, et se moquait bien de savoir à quand remontait sa dernière douche... !

Cela devait faire une dizaine de jours, peut-être douze, qu'il était dans la brousse, mais ce chiffre lui semblait vide de sens... Il passa une main dans sa barbe, acceptant cette preuve irréfutable du temps écoulé, mais incapable de faire le lien entre cette quantité et le déroulement de ses journées dans la savane. Ici, le temps n'existait pas, du moins dans ses divisions abstraites. Les jours et les nuits se décomposaient en cinq grandes périodes :

1) réveil et préparatifs pour la chasse,
2) chasse,
3) repas à base de gibier, puis longue sieste durant les heures chaudes,
4) crépuscule, moment angoissant consacré à la recherche d'un endroit sûr où passer la nuit,
5) sommeil.

A part ça, il passait le plus clair de son temps à observer l'enfant, à veiller sur lui, à le protéger. Il ne vivait que pour s'imprégner de lui, pour le comprendre et l'intégrer à son moi d'homme moderne — enfin, à ce qu'il en restait...

Ils avaient deux préoccupations majeures : manger et dormir.

Et pour manger, il fallait d'abord éviter d'être mangés.

Ken apprenait à échapper à une succession ininterrompue de crocs, de cornes, de sabots, de défenses, de dards et de mandibules. La nuit, quand il fermait les yeux, il voyait redéfiler cette foule de dangers auxquels il avait été exposé au cours de la journée. Une collection impressionnante — sans compter ceux qui l'avaient frôlé à son insu...

Longs-Pieds, lui, plongeait littéralement dans le sommeil... Pour lui, cette existence n'avait rien que de très ordinaire, mais pour Ken, c'était une véritable épreuve de survie dans des conditions limites.

Mais, bien adaptés ou pas à la vie sauvage, ils étaient tous deux condamnés à fuir le danger et à s'y exposer en permanence. Car ils devaient chasser, ce qui requérait beaucoup de temps et d'énergie — et, de la part de Ken, une sorte de prière muette à la chance, pour qu'elle daigne leur sourire.

Jusque-là, leur arsenal de chasse s'était limité aux projectiles de l'enfant. Ken avait fabriqué un deuxième épieu, mais ils continuaient à leur préférer les pierres. Longs-Pieds ne se déplaçait jamais sans en emporter une ou deux mais si, par extraordinaire, il était surpris les mains vides, il pouvait toujours compter sur les réserves qu'il avait disséminées sur tout leur territoire de chasse.

Avoir en permanence des pierres à portée de main impliquait de choisir certains endroits bien précis pour les entreposer, et de les mémoriser. Moyennant quoi, Ken se familiarisait rapidement avec la topographie de la région et les habitudes de la faune locale. Ils étaient sûrs de retrouver leurs pierres là où ils les avaient laissées : à moins de les placer juste à l'entrée d'un terrier ou d'une tanière, ou au beau milieu d'une voie de passage très fréquentée, aucun animal ne s'y intéressait. L'important était de disposer judicieusement leurs caches : pas sur le passage direct du gibier, mais suffisamment près tout de même pour s'assurer une chasse fructueuse.

Leurs activités ne se bornaient pas à cela. Comme ils ne pouvaient se nourrir exclusivement de viande, ils passaient de longues heures à récolter des noix de mungongo et tout un assortiment de baies, de graines et de racines, afin de varier leurs menus. Par prudence, ils goûtaient au préalable tout ce qu'ils ramassaient — méthode hautement empirique, mais seule capable de leur éviter l'intoxication ou l'empoisonnement. Dans le doute, mieux valait n'absorber qu'un petit échantillon, et attendre...

A l'exception de quelques tubercules gorgés d'eau, l'enfant n'avait d'ailleurs pas l'air de connaître beaucoup de plantes comestibles, et Ken subodorait que lui et les siens devaient être essentiellement carnivores.

Outre leur nourriture, il leur fallait aussi trouver de l'eau — ce précieux liquide, dont le seul nom avait toujours été pour Ken synonyme de ruisseaux limpides et de lacs transparents, jusqu'à ce qu'il soit acculé à boire dans des trous d'eau souillés d'insectes morts, de vase et de débris végétaux. A moins de tomber par hasard sur une flaque au creux d'un rocher, après une averse, l'eau de la savane n'était jamais ni claire, ni pure. Mais elle conservait tout de même son statut de « source de vie » : faute de la boire, ils auraient été assurés de mourir de soif.

Il n'aurait jamais pu se faire à cette eau-là, sans Longs-Pieds. Un jour qu'il se tordait, en proie à une troisième crise de diarrhée aiguë, l'enfant lui avait apporté une boulette d'argile qu'il lui avait fourrée dans la bouche. Trop faible pour protester, Ken l'avait avalée, puis s'était laissé retomber dans l'herbe, épuisé.

Contre toute attente, le remède avait fait effet. Ses entrailles s'étaient calmées. Il avait remercié le gamin d'un sourire et, tout joyeux, celui-ci avait filé vers la berge d'un filet d'eau presque tari, y avait raclé un peu de glaise qu'il s'était mis à mastiquer avec application. Puis il était revenu vers lui et avait recraché sa bouchée pour la lui glisser entre les dents, en l'encourageant d'un regard éloquent : « Allez, avale ! », semblait-il dire. Il s'était mis à mâcher cette deuxième boulette, un peu dégoûté mais conscient qu'un lien nouveau venait de se tisser entre eux.

Sans l'enfant, il aurait toujours ignoré les vertus apaisantes de cette argile. Mais Longs-Pieds ne pouvait tenir ce savoir que de ses semblables. Où pouvaient-ils bien être ?

Très rapidement, il avait pu recommencer à manger de la viande. Dans la journée, il l'avalait crue, mais le soir, il profitait de leur feu de camp pour faire griller un peu du gibier qu'ils avaient attrapé. La cuisson laissait peut-être à désirer, mais elle améliorait tout de même son ordinaire. Certains soirs, il arrivait qu'il n'ait pas l'énergie d'allumer du feu et, à moins d'avoir fait une abondante récolte de noix, il était réduit à mâchonner un bout de viande crue, avec autant d'appétit qu'un *Homo sapiens sapiens* épuisé mastiquant un morceau de pizza froide. Mais avec, de temps en temps, le secours d'une boulette d'argile, son estomac s'adaptait tant bien que mal à ce rude régime alimentaire.

L'épisode des boulettes d'argile avait scellé un pacte entre Ken et l'enfant. Ils veillaient mutuellement l'un sur l'autre — autre activité essentielle.

Côté hygiène, rien n'était simple, non plus. Bien sûr, rester propre se réduisait essentiellement à s'essuyer la bouche après manger, et à se torcher le derrière avec les feuilles et les touffes d'herbe qui leur tombaient sous la main. Mais, dès qu'ils quittaient leurs rochers, ils devaient rester vigilants. Ken avait appris à se soulager sans exposer ses chevilles ou son arrière-train à la morsure d'un insecte ou d'un serpent, et en tenant à distance les hyènes et les chiens sauvages qui n'attendaient qu'un moment d'inattention pour se jeter voracement sur ses excréments, comme ils le faisaient pour leurs propres déjections et celles des autres espèces.

C'était grâce à ces éboueurs naturels que la brousse restait propre...

Vivre à l'heure du pliocène était si éprouvant qu'au milieu de leur journée, Ken et l'enfant avaient besoin d'un temps de repos complet. Comme d'un commun accord, ils se laissaient choir et s'installaient dos à dos. Ils pouvaient ainsi surveiller les environs, à l'affût du moindre frémissement des hautes herbes trahissant l'approche d'un carnivore. Ken sentait les petites vertèbres pointues de Longs-Pieds s'enfoncer dans ses côtes. Parfois, le gamin laissait sa tête — étonnamment lourde pour son faible volume — tomber sans ménagement sur son épaule. Mais jamais il n'avait pour lui le moindre geste d'affection ou de tendresse. La seule occasion où il avait fait preuve à son égard d'une certaine sollicitude, c'était pendant qu'il gisait dans sa grotte, rongé par la fièvre.

Son mode de communication ordinaire était la bourrade ou le coup de pied. Pour l'arrêter ou l'empêcher de faire quelque chose, l'enfant lui empoignait brutalement le bras. Quand il était très excité, ou qu'il voulait le faire changer de direction, il se jetait de toutes ses forces contre lui. Il n'hésitait pas à lui arracher un morceau de viande des doigts, avec une brusquerie qui frisait l'agressivité mais qui n'était, de sa part, qu'une marque de confiance de plus.

Et Ken se sentait totalement désarmé par cette confiance. Si rudes soient-ils, il en était venu à attendre ces brefs contacts — le prochain coup de pied ou de coude de l'enfant, le choc de sa nuque contre son épaule. D'ailleurs, le gamin était bien incapable de lui faire mal : Ken avait sur lui non seulement un net avantage de taille et de poids, mais aussi celui de deux millions d'années d'évolution, qui faisaient de son corps une machine de muscles parfaitement rodée. Et malgré les quelques kilos qui lui manquaient, il était en pleine forme.

Il était tellement efflanqué qu'il en était au dernier cran de son ceinturon — qui n'avait d'ailleurs plus grand-chose à retenir : son pantalon, décoloré par le soleil et raide de boue séchée, partait en lambeaux. On aurait dit une peau morte qui se serait inexplicablement entêtée à adhérer à son corps. Le reste de son équipement était à l'avenant. Ses lacets de chaussure n'étaient plus que des chapelets de nœuds. Quant à ses sous-vêtements et à ses chaussettes, ils avaient fini par exhaler une telle odeur qu'il les avait abandonnés quelque part dans la savane, où ils devaient à présent servir de nid à une famille de souris. Il avait perdu son chapeau de brousse, ce qui le forçait à cligner des paupières du matin au soir, pour protéger ses yeux. Il devait aussi supporter la douleur cuisante d'un coup de soleil généralisé. Il avait en particulier le nez à vif... D'où l'hypothèse farfelue qu'il avait échafaudée un jour — que si le nez des hominidés était resté aussi court, c'était pour éviter les coups de soleil. Il avait regretté de ne pouvoir partager la plaisanterie avec l'enfant.

Il n'avait plus un pouce carré de peau qui ne soit une mosaïque de bobos, d'égratignures, de cloques et de crevasses. Certains jours, il avait l'impression que sa langue doublait de volume. Son entorse était guérie, mais sa cheville restait douloureuse car il ne cessait de la solliciter. Il la massait chaque soir et, devant le regard de l'enfant, Ken songeait que ce geste tout simple se passait d'explication. Deux millions d'années d'évolution n'y faisaient rien : une cheville foulée était une cheville foulée.

Un matin, l'enfant le réveilla d'une de ses ruades coutumières, qui le cueillit en plein sur la malléole. Réprimant une bordée de jurons, Ken se redressa en sursaut et huma l'air. Des lions...

Il bondit sur ses pieds, affolé. Depuis plusieurs nuits, ils dormaient dans des rochers, sur une corniche tapissée des cendres chaudes de leurs feux. L'enfant s'agita, se retourna sur le ventre, et se rendormit.

Impossible qu'il n'ait pas senti l'odeur des fauves, lui aussi : l'odorat de Longs-Pieds n'avait rien à envier au sien. Avait-il décidé qu'ils ne couraient aucun danger dans l'immédiat ? Ou se sentait-il rassuré par la présence du grand étranger ? Si tel était le cas, songea Ken, il compromettait sérieusement ses perspectives d'avenir.

Ken contempla le petit visage endormi et sentit ses mains se crisper sur son épieu. Une réaction instinctive. Inutile de tergiverser des heures... Rien ne l'arrêterait : il lutterait jusqu'à son dernier souffle pour protéger l'enfant, et sauver sa propre peau...

L'odeur de fauve assaillit de plus belle ses narines et un rugissement à peine perceptible s'éleva. Le son paraissait venir de loin — à moins qu'il n'ait été étouffé par la brume.

Il sentit s'élever en lui un sentiment de solidarité avec tous les humains, passés et présents, qui s'étaient jamais mesurés avec les grands carnivores. L'homme contre le félin. Le combat le plus long et le plus cruel qu'avait eu à livrer l'espèce humaine pour sa survie... Il s'y trouvait à présent engagé, et il était bien décidé à se battre pour assurer l'avenir de sa race.

Une onde de peur lui noua les tripes et lui enserra la poitrine. Ses mâchoires s'étaient serrées comme un étau.

L'instinct de survie prit le dessus. Il fallait localiser l'ennemi, déterminer sa distance et sa force. Il fallait le voir. Et pour cela, il devait trouver le poste d'observation le plus élevé possible. Il s'élança à l'assaut du surplomb rocheux, s'aidant de son épieu comme d'un bâton d'escalade.

Comme il prenait pied sur le sommet du rocher, la brume lui envahit les narines et il ne put réprimer une quinte de toux, qui risquait de trahir sa présence. L'odeur des lions mâles flottait dans l'air.

Si seulement j'avais encore mes jumelles, nom de Dieu... !

Ses yeux allaient devoir les remplacer.

Il attendit, le cœur battant.

Lentement, des ombres se dessinèrent à travers la brume. Deux masses jaunâtres prirent forme, puis deux taches indistinctes, d'un brun sombre, se précisèrent — deux têtes de lion, couronnées d'une crinière hirsute. Deux mâles adultes. Ils avançaient droit vers les rochers, d'un pas majestueux.

Deux lions. Et à jeun !

Leurs ventres ballottaient, flasques et vides, entre leurs épaules et leurs hanches ondulantes. Les yeux de Ken explorèrent la savane, dans l'espoir d'apercevoir une antilope qui pourrait détourner l'attention des fauves. Une proie, une seule, et ils resteraient léthargiques et indifférents plusieurs jours durant — délai qui leur suffirait, à lui et l'enfant, pour émigrer vers un autre territoire...

Brusquement, dans l'épaisseur de la brume, autre chose se matérialisa. Quelque chose de si inattendu et de si saisissant, que son cœur en sauta un battement.

A une cinquantaine de mètres à droite des deux lions, s'étirait une bande jaune, noyée de brume, tel un banc de sable mouvant, frémissant — vivant. Le brouillard la faisait paraître homogène, mais ce n'était qu'une illusion.

Il parvint à distinguer des bêtes isolées qu'il tenta de compter : une, deux, trois... Les silhouettes paraissaient danser au-dessus d'une masse compacte, couleur miel. A l'extrême droite, la brume commençait à se dissiper. Quatre, cinq, six...

C'était un groupe de lionnes adultes, sept ou huit, peut-être, entourées d'un nombre indéterminé de lionceaux. Au ras du sol, les petits devenaient d'instant en instant plus distincts, eux aussi : des boules de poils dorées, marquées de cinq points d'un brun plus soutenu — les yeux, la truffe, et les oreilles.

Et là, pas une seule crinière. Aucun mâle adulte...

Le groupe se dirigeait droit vers les rochers et les contreforts de la Mau. Le seul obstacle qui se dressait sur son chemin était un grand trou d'eau, en forme de L irrégulier, aux berges envahies d'herbes, mais totalement dépourvues de roseaux ou de buissons. C'était à ce trou d'eau que Ken et Longs-Pieds allaient boire. C'était *leur* trou d'eau.

Il va falloir changer de quartier aujourd'hui même, se dit-il. Et jouer serré, pour nous sortir de ce guêpier...

Bien que le danger se fît plus pressant de seconde en seconde, Ken s'attarda un instant à admirer les lionnes, à travers la brume qui se levait — le roulement fluide de leurs épaules, l'élégance de leur cou, ce charme étrangement féminin de leur démarche élastique.

Il s'arracha à sa contemplation, secoua la tête, fit volte-face et se cogna à l'enfant, qui était là, les yeux brillants, la bouche entrouverte, encore haletant de son escalade. Trois jours plus tôt, Ken avait taillé un autre épieu, en avait durci la pointe au feu, et l'avait offert à l'enfant. L'épieu neuf luisait dans sa petite main brune. Ses lèvres se fendirent d'un large sourire qui anéantit en une fraction de seconde les deux millions d'années d'évolution qui les séparaient.

Le gamin se retourna et observa les lions avec une étincelle dans le regard. Puis il jeta un coup d'œil à Ken et à son épieu, tel un soldat qui se préoccuperait de l'équipement de son frère d'armes. Son expression était tellement

« moderne » que Ken se dit, une fois de plus, qu'il ne lui manquait que la parole. Mais à son habitude, l'enfant remplaça les mots par des sons. Son *rrrh !* familier monta de sa gorge, suivi par un *eeeee !* de surprise et de défi. *Eeeee,* des lions ! *Eeeee,* il y en a beaucoup. *Eeeee,* et si on allait les voir de plus près, pour s'amuser... ?

— Eeee ! fit Ken, en une piètre imitation de l'enfant, qui le regarda d'un air perplexe avant de sourire.

C'est ça, moque-toi de mon accent... ! semblait-il dire. Puis le gamin fit volte-face et s'élança vers le pied du rocher.

— Doucement ! protesta Ken. Attends, mon petit vieux ! Il vaudrait mieux mettre une bonne distance entre nous et ces lions ! On...

Mais l'enfant dégringolait d'un pied léger l'escalier naturel que formaient les rochers. Il disparut. Ken lâcha un juron, empoigna son épieu et se laissa tomber de rocher en rocher, dans son sillage. Il voyait déjà les lions bondir sur le gamin et le mettre en pièces avant qu'il ait eu le temps d'intervenir. Avec quoi... ? Sa grosse voix et cet épieu ridicule ?

Il se mit à courir, trébucha et s'affala, se releva d'un bond et repartit de plus belle. Je vais me rompre le cou à jouer les anges gardiens pour ce petit maniaque de la chasse — qui s'est d'ailleurs très bien passé de ma protection jusqu'ici... Il glissa à terre et atterrit sur l'étroite bande d'éboulis qui longeait la base de leur forteresse naturelle, formant un couloir entre le rocher et le mur des graminées.

Pas trace de l'enfant.

Il tapa du pied, exaspéré. Cavaler derrière un mioche, pieds nus dans des godasses gluantes de transpiration, avec une cheville amochée... Cette fois, la coupe était pleine. Il capitulait. Qui pourrait supporter plus de trois jours d'affilée ce genre de montagnes russes... ? Et si ce fichu gamin tenait à finir dans la gueule d'un lion, eh bien, ça le regardait !

Il se retourna.

L'enfant se tenait derrière lui, une paupière mi-close, comme dans un clin d'œil. Ken posa son épieu et lui tendit les bras, prêt à l'empoigner pour filer le mettre en lieu sûr. Mais quelle sécurité pouvaient-ils espérer trouver ici, à moins d'unir leurs ressources pour déjouer les pièges de la brousse ?

L'enfant s'élança dans l'étroit couloir, se retourna le temps d'agiter le bras parallèlement à la paroi rocheuse pour indiquer à Ken la direction qu'ils devaient prendre pour contourner les lions, puis repartit au galop.

La manœuvre était audacieuse, mais Ken se fiait à l'instinct de son jeune ami, pour qui l'heure de la chasse avait manifestement sonné.

— OK, Longs-Pieds ! haleta Ken. Allons chasser de quoi déjeuner... Ou servir de déjeuner à des fauves !

Jamais encore les deux lions n'étaient venus aussi près de la Mau. Cela faisait une semaine qu'ils s'en approchaient par petites étapes. Le plus vieux boitait d'une blessure infligée par une lionne, qui avait vaillamment défendu ses petits. Malgré cette blessure qui les ralentissait, les femelles qu'ils suivaient n'avaient pu les distancer : elles devaient régler leur allure sur celle de leurs petits, dont certains n'avaient pas quinze jours.

La troupe des lionnes se composait de deux groupes différents, qui avaient fusionné après avoir été victimes des attaques des deux mangeurs de lionceaux, et leur cohabitation était trop récente pour que les femelles aient établi des rapports de hiérarchie définis ou accordé leurs tactiques.

Si elles s'étaient liguées contre les deux mâles, elles auraient aisément découragé leurs poursuivants, mais les lionnes n'étaient pas toutes dans les mêmes dispositions vis-à-vis d'eux. Celles qui avaient perdu leurs petits étaient le maillon faible du groupe : elles étaient de nouveau en chaleur et leur instinct les poussait vers les mâles. Elles laissaient derrière elles un sillage de signaux olfactifs dont le sens était on ne peut plus clair, pour les deux lions. Ils s'enhardissaient donc, peu à peu, et prenaient leur mal en patience.

Quinze jours de jeûne leur avaient terni le poil. Leurs babines, d'ordinaire d'un noir luisant, se crevassaient. La faim les tenaillait autant que le rut, et ils se seraient volontiers taillé la « part du lion » dans les proies des femelles, ces infatigables chasseuses. A elles échoit la rude tâche d'assurer la subsistance du groupe et, à moins d'être un vieux solitaire, aucun lion ne prend jamais la peine de chasser.

Ce matin-là, dès le point du jour, les deux mâles en maraude avaient fait retentir la savane de leurs rugissements, forçant les femelles à rassembler leurs petits et à se remettre en route. Ils s'étaient alors tus et étaient partis dans le sillage du groupe, espérant, sous couvert de la brume, traquer et tuer quelques lionceaux attardés.

Les lionnes surveillaient leurs portées respectives d'un œil inquiet, s'arrêtant dès qu'un petit disparaissait dans le brouillard. Désorientés et effrayés, les lionceaux suivaient tant bien que mal leur mère en miaulant et en éternuant, mais quelques-uns risquaient de se laisser distancer...

Les mâles s'étaient insensiblement rapprochés, l'oreille aux aguets. Dès qu'ils entendaient les couinements d'un petit, ils bondissaient dans cette direction à travers le rideau de brume, alléchés, mais l'œil toujours à l'affût de l'apparition d'une lionne.

Le vieux lion s'immobilisa et attendit, sans bruit, jusqu'à ce que deux miaulements distincts lui révèlent la présence de deux lionceaux égarés.

Un puissant bâillement découvrit ses crocs de carnassier, longs d'une bonne dizaine de centimètres. Après quoi il s'aplatit dans l'herbe, allongea la patte sur le sol et se mit à ramper silencieusement. Sa patte s'insinua parmi les herbes jusqu'à ce qu'elle rencontre un minuscule bébé lion.

C'était une femelle à la fourrure tachetée, toute en tête, avec une petite queue arquée, terminée en pointe.

Elle ne savait pas ce qu'était ce mystérieux animal presque aussi grand qu'elle. Ça semblait inoffensif... Elle avança sa petite patte vers la grosse, avec une curiosité joueuse, puis se releva et, les yeux brillants comme deux billes de mercure, bondit sur l'apparition, en frétillant de la queue.

Le mufle du vieux mâle fondit aussitôt sur elle et la cloua au sol, l'échine brisée. Elle n'eut que le temps de pousser un petit cri d'agonie. Les crocs du fauve se plantèrent dans sa gorge.

Un lionceau de moins — et une chance de plus d'affermir sa domination sur les femelles.

Sur la droite du lion, tout près, un autre petit appelait sa mère. Ses cris, plus forts et plus graves, étaient ceux d'un lionceau. Peut-être déjà sevré.

Le tueur s'aplatit à nouveau dans l'herbe et avança la patte...

Comme sa sœur, le lionceau fut attiré par cette grosse boule de poils. Il allait bondir joyeusement vers elle, lorsqu'il leva la tête. Une gueule béante avait surgi de la brume. Deux rangées de crocs claquèrent dans le vide, le manquant de peu. Le lionceau se dressa maladroitement sur ses pattes de derrière, plus surpris qu'agressif. Le vieux mâle sentit vaguement les petites griffes qui lui labouraient le nez, puis ses crocs se fichèrent dans la chair tendre.

Alertées par le remue-ménage, les lionnes accouraient à la rescousse, mais trop tard. Le jeune mâle les suivait, à distance respectueuse. En boitillant, le vieux lion s'enfonça dans les hautes herbes et s'y tapit à nouveau.

La mère des deux petits s'avança à découvert, les oreilles couchées, poussant des rugissements désespérés. Elle découvrit le cadavre de sa fille, puis le corps décapité de son fils. Il lui fallut une bonne minute pour comprendre que sa portée comptait deux membres de moins. Mais elle avait deux autres lionceaux, là-bas, loin devant, avec le reste du groupe. Elle se résigna à faire demi-tour et s'élança vers la Mau, ses cris de détresse retentissant à travers les derniers lambeaux de brume.

Comme les premiers rayons du soleil inondaient la savane, Ken vit la mère disparaître au loin et le lion boiteux mettre le cap sur un groupe de buissons, en titubant comme un ivrogne. Là, il se mit à se gaver de feuilles et de brins d'herbe, sous le regard hébété du jeune mâle. Mais le vieux lion savait ce qu'il faisait : avant longtemps, il se figea, en proie à une terrible nausée, ouvrit un énorme four et régurgita la tête fumante du lionceau, qu'il avait avalée telle quelle. Ken et Longs-Pieds la virent jaillir de la gueule du tueur et rouler dans l'herbe, gluante de bave.

Les relents qu'exhalait la petite tête imprégnée de sucs gastriques se répandirent dans l'air de la savane, dispersés par le souffle frais qui descendait des pentes de la Mau. L'odeur putride dériva en direction d'un troupeau d'antilopes qui sommeillaient encore, perchées sur leurs pattes grêles. Elle frappa les narines des singes qui se réveillaient dans leurs arbres, et celles d'une compagnie de phacochères qui prenait son bain de boue matinal. Pour tous les habitants de la savane, c'était une sinistre mise en garde — et une raison de plus de redouter les lions.

Ken jeta un coup d'œil à l'enfant, des lèvres duquel s'échappait un son qu'il ne lui avait encore jamais entendu proférer. Ni message d'alerte, ni manifestation de curiosité, c'était un grondement prolongé, un *uuuurrrggghhh* viscéral, si lourd de haine et de fureur que le petit hominien en devenait effrayant. Une pensée traversa Ken : si, au vingtième siècle, les défenseurs de la faune sauvage étaient fondés à militer pour la survie des grands fauves, à l'heure du pliocène, tout ce qui avait à peu près forme humaine ne pouvait que se révolter contre les griffes et les crocs les plus meurtriers de la nature...

Or, les seules armes défensives qu'ils pouvaient opposer à ces griffes et à ces crocs, l'enfant et lui, étaient leurs misérables épieux et leurs deux cerveaux.

Il posa la main sur l'épaule nue de l'enfant, qui leva la tête vers lui. Son masque de haine s'évanouit, remplacé par une expression beaucoup plus pragmatique : « Qu'est-ce qu'on attend pour se mettre en chasse ? » semblaient dire les deux prunelles noires.

Tournant les talons, l'enfant s'élança à toutes jambes dans l'étroit couloir d'éboulis. Ken n'avait plus qu'à le suivre, comme d'habitude...

Ils laissèrent les lions derrière eux, et continuèrent d'avancer à un train soutenu. Ils avaient une bonne trotte en perspective, pour atteindre un autre trou d'eau. C'était une petite mare, essentiellement fréquentée par quelques espèces d'herbivores et relativement sûre, car ses berges de vase molle, où ne poussaient ni buissons, ni grandes graminées, décourageaient les félins : tout prédateur qui approchait était immédiatement repéré. Du fait que les fauves s'y montraient rarement, les animaux qui venaient boire à cette mare étaient devenus moins vigilants. Ken avait toujours pensé que ce serait l'endroit idéal pour faire leurs premières armes, si un jour ils décidaient de chasser à l'épieu.

Excellente occasion de lui donner sa première leçon ! se dit-il, avec un frisson d'excitation — aussitôt tempéré par la pensée qu'il s'apprêtait à transmettre un savoir qu'il était loin de posséder. Jamais il n'avait lancé un épieu de sa vie. Bah ! Il se formerait sur le tas...

Il éclata de rire. J'aurais cent fois moins le trac si je devais me produire devant les pontes des départements de Paléontologie et d'Anthropologie au grand complet, plutôt que devant ce gamin de huit ans, au cerveau gros comme le poing. Après tout, ça ne doit pas être sorcier. Je vais me débrouiller, songea-t-il, sans cesser de courir. Je l'ai vu, *lui*, tuer des duikers à coup de pierres... Et qu'est-ce qu'il fait ? Il profite de ce qu'ils boivent pour s'en approcher sans bruit par derrière et il balance ses cailloux. Il n'essaie même pas de viser... Il se contente de prendre tout le fichu troupeau pour cible. Les bêtes s'affolent et détalent et, dans la panique, c'est bien le diable si une femelle affaiblie ou un petit ne se fait pas piétiner. Il ne lui reste plus qu'à ramasser la victime. Ce n'est pas de la chasse de haute précision, mais ça marche.

Je n'aurai qu'à adopter ce genre de tactique et laisser faire la chance. L'avantage, avec les antilopes, c'est qu'elles ne fuient pas droit devant elles. Elles ont tendance à décrire un arc de cercle pour rejoindre le gros du troupeau et regagner leur coin de pâturage. Il suffit d'anticiper le plus précisément possible leurs mouvements tournants et d'en profiter... Car, vu notre vitesse de pointe, nous n'avons pas l'ombre d'une chance de les rattraper à la course...

Tout est dans le coup d'œil. La précision du lancer. Viser juste et ne pas rater son coup, c'est ça l'essentiel. Ne pas rater son coup !

Ça doit être faisable.

Putain, Longs-Pieds ! Les trucs que tu me fais faire ! songea-t-il. Mais, tout essoufflé et trempé de sueur qu'il était, il continua de sourire de toutes ses dents. Son trac n'était plus qu'un souvenir et il se sentait l'âme d'un chasseur du paléolithique, planté, l'épieu en main, au milieu d'une plaine regorgeant de gibier.

La chance me sourira...

Ils patientèrent un bon moment avant de voir se profiler un grand koudou. Il était seul. Majestueux, la tête couronnée de ses longues cornes spiralées, il approcha de l'eau. Sur ses flancs, son pelage gris strié de blanc ondulait à chaque pas, comme une tunique flottante. L'animal posa sur les deux humains un regard impassible.

Tu n'as pas le droit de le rater! songea Ken.

Facile à dire... Le koudou était impressionnant — un mâle adulte pratiquement aussi grand que lui —, il n'avait jamais chassé à l'épieu de sa vie et il savait que s'il manquait sa cible, l'enfant pigerait immédiatement qu'il y avait de sérieuses lacunes dans le savoir-faire de son mentor. Il *devait* réussir.

Allez, Ken, un petit coup de pensée positive! C'est infaillible. Tu *peux* le faire. Ne rate pas ton coup. NE RATE PAS TON COUP.

Il leva l'épieu, conscient de la tension de chacun des muscles de son épaule et de son coude.

Il gonfla ses poumons, expira à fond, inspira de nouveau. Quelques pas d'élan et... *Whaaa!* L'épieu s'envola au-dessus de la mare. Une douleur fulgurante lui vrilla le coude, mais il l'ignora. Là-bas, le koudou avait pris la fuite, mais l'épieu lancé à sa poursuite fendit l'air sans dévier de sa course et vint se planter dans le gras de l'épaule gauche de l'animal.

La bête fit volte-face et détala au galop, l'épieu fiché dans son flanc, telle une monstrueuse troisième corne placée là par quelque bizarrerie de la nature. Ken se tourna vers l'enfant, dont le visage s'illumina d'un sourire d'orgueil. *J'ai réussi!* jubila-t-il. Une joie absolue, primitive, l'inonda, comme si elle avait sommeillé en lui depuis deux millions d'années.

Brusquement, l'épieu roula sur le sol et le koudou piqua vers la savane ventre à terre, précédé de ses cornes spiralées.

L'enfant sur les talons, Ken fit le tour du trou d'eau en courant et ramassa son arme.

La pointe était rouge de sang. Longs-Pieds lui arracha l'épieu des mains et l'amena à quelques centimètres de son visage : ce n'était plus, soudain, un vulgaire morceau de bois, mais une arme efficace, capable de donner la mort à distance.

Avec un « *Eeeee!!!* » strident qui s'acheva en une cascade de rire, il se mit à se passer frénétiquement l'épieu d'une main dans l'autre, en le frappant de ses paumes. Puis, de ses longs doigts, il effleura la pointe luisante de sang et lança à Ken un regard éperdu d'admiration.

En dansant d'excitation, il trébucha sur son propre épieu, qu'il avait laissé tomber dans l'herbe. D'un coup de pied, il le repoussa négligemment vers Ken. Le sien, désormais, c'était celui qu'il tenait. Celui qui venait de manifester de façon si éclatante ses pouvoirs.

Ken s'éloigna le long de la berge. Il avait besoin d'être seul, de mettre un peu d'ordre dans ses idées... Mais l'enfant lui emboîta le pas.

Un vrai toutou... se dit Ken, avec un sourire. Ce gosse me rend complètement gaga ! Pourtant, une majorité de mes contemporains n'y verraient qu'un gamin crasseux, difforme, simiesque et gauche — repoussant, peut-être... Lorsque Darwin avait ramené une indigène de son voyage en Patagonie, au siècle dernier, l'Angleterre victorienne l'avait accueillie pour le moins fraîchement... Celle qui était pour le grand Darwin une fascinante beauté primitive, n'était aux yeux de ses compatriotes qu'une demeurée aux pieds plats et aux seins tombants... un utérus ambulant. Arrachée à son milieu naturel, la pauvre femme était devenue une bête curieuse, qu'on allait voir comme un phénomène de foire...

Mais le moment était mal choisi pour philosopher sur les mérites comparés de la civilisation et de l'état de nature. L'épisode du koudou n'avait fait que décupler son envie d'une véritable partie de chasse à l'épieu avec l'enfant. Ils se remirent donc en route et aperçurent bientôt des duikers qui paissaient, entre des bouquets d'arbres.

Les bêtes étaient grasses à souhait. La bande de poils jaunâtres qui marquait leur dos s'évasait en triangle sur leurs croupes rebondies. Ken leva son épieu et fit mine de le jeter. Aussitôt, l'enfant l'imita et, brandissant son propre épieu, se rua vers les duikers.

Ken s'élança derrière l'enfant, dont les pieds laissaient des empreintes étonnamment profondes pour un gamin de sa taille. Ses mollets saillaient, comme si chaque foulée exigeait d'eux une considérable dépense d'énergie. Ce qui expliquait peut-être, se dit Ken, qu'il se fatigue si vite et qu'il absorbe de telles quantités de nourriture et d'eau...

Au même instant, Longs-Pieds lui jeta un coup d'œil par-dessus son épaule, puis obliqua vers la droite en agitant le bras en direction des animaux. Le message était clair : l'enfant lui demandait de contourner les bêtes par la gauche et les rabattre sur lui, vers la droite. Excellente tactique, mon petit vieux !

Déjà, le troupeau avait senti leur présence. Plusieurs mâles, postés en sentinelles, dressèrent la tête sans cesser de mastiquer, puis l'un d'eux poussa un mugissement retentissant. Aussitôt, les femelles se retournèrent, grattant la terre du sabot. Ken leva son épieu et se rua en avant. Instantanément, le troupeau se dispersa. L'espace d'un instant, il crut qu'il allait pouvoir les rattraper à la course. Une bête à la croupe particulièrement dodue perdait du terrain sur ses congénères. Pourvu que Longs-Pieds soit à son poste ! songea-t-il. Devant lui, l'animal fit une embardée, exposant son flanc. Ken entrevit un œil effaré. Il eut une seconde d'hésitation et laissa son épieu retomber.

Le temps de se ressaisir, la bête était loin. Hors d'haleine, larmoyant dans un nuage de poussière, Ken renonça à la poursuivre.

Là-bas, les duikers lancés au grand galop passèrent auprès d'un groupe de buissons. Ken ne vit pas l'enfant. Il ne distingua que l'épieu qui fendait l'air et disparaissait entre deux bêtes. Prises de panique, les autres changèrent brutalement de direction. Un mâle s'abattit et fut instantanément englouti par les sabots de ses congénères. Le troupeau revenait droit sur Ken, à présent. Il aurait facilement pu abattre un autre duiker, mais il aperçut l'enfant.

Longs-Pieds était debout. Une fraction de seconde plus tard, il s'effondra, comme fauché sur place. Ken oublia tout — la chasse, les duikers, sa fatigue — et se mit à courir, fou d'angoisse et de colère.

Qu'est-ce qu'il avait bien pu fabriquer ? Il était si frêle, si vulnérable... Pourquoi ne se relevait-il pas, nom de Dieu ?

Il fonça vers les buissons, évitant en catastrophe les duikers qui chargeaient dans la direction opposée, et s'arrêta à la vue d'un tourbillon de poussière, au milieu duquel l'enfant se démenait, aux prises avec la bête qu'il avait vue tomber. Ce sacré gamin avait réussi à lui planter son épieu dans le cou ! L'animal mourant se débattait avec l'énergie du désespoir, au bout de l'épieu auquel se cramponnait Longs-Pieds. L'enfant refusait de lâcher prise, et le duiker refusait de mourir sans livrer un dernier combat.

Il fallait tirer Longs-Pieds de là, et vite. Sans réfléchir, Ken plongea au milieu du nuage de poussière. Un des sabots de l'animal frappa de plein fouet sa cheville foulée. Il se jeta à l'aveuglette dans le corps à corps, atterrit sur l'encolure du duiker, s'y agrippa comme un forcené et parvint à contenir ses mouvements désordonnés. L'enfant voulut se relever, chancela et retomba lourdement — blessé ou simplement étourdi ?

Ken et lui tentaient encore de se dégager du cadavre du duiker quand, du nuage de poussière, surgit une tête que la crinière qui l'auréolait faisait paraître plus énorme encore.

C'était le plus jeune des deux lions.

Là-bas, près des rochers, les lionnes faisaient halte avec leurs petits sur les bords du trou d'eau et les deux mâles, poussés par la faim, s'étaient résignés à se mettre en quête d'un vrai repas. Le jeune lion, trop affamé pour partager avec son aîné, avait apparemment décidé de chasser seul.

Il s'était tapi dans les hautes herbes, d'où il surveillait le troupeau de duikers, et attendait que la chance lui amène une proie facile à portée de griffes, lorsqu'il avait aperçu la bête, agitée des derniers soubresauts de l'agonie. Il était accouru, confiant dans sa force : il lui suffirait de l'achever...

Un humain se dressa brusquement à côté du duiker qu'il convoitait. Puis apparut une deuxième silhouette, similaire, mais plus petite. Ils semblaient chasser ensemble. Une vraie aubaine ! Leur présence rendrait l'aventure d'autant plus amusante, et justifiait même qu'il se fende d'un vrai rugissement...

Une seule pensée traversa l'esprit de Ken, tandis que sa main se crispait sur son épieu : NE RATE PAS TON COUP !

Du haut de ses cent vingt centimètres, Longs-Pieds vit le volume du lion tripler en un clin d'œil. Les crocs luisants de salive, les naseaux écumants... Il étouffa un petit gémissement. Ce lion qui fondait sur lui était trop gros, et trop rapide. Mais il était trop tard pour fuir.

Pour une fois, il fut pris de court : il se plaqua contre Ken, terrifié, tandis que son ami levait son épieu.

L'enfant redressa la tête.

Avec une lenteur extrême, Ken pointa son épieu droit sur la tête du fauve, l'abaissa légèrement en visant la gueule, le descendit encore d'un rien. NE RATE PAS TON COUP...

Il n'avait pas le droit à l'erreur. Plus le lion approchait, plus il avait du mal à réprimer les tremblements de ses mains. Une sueur froide l'inonda de la tête aux pieds. Il résista à un violent désir de jeter son arme et de prendre la fuite.

NE RATE PAS TON COUP !

L'enfant contemplait, fasciné, cette gueule béante qui fonçait sur lui, lorsque son ami poussa un cri. Un cri terrible, à la fois perçant et guttural, qu'il jetait à la face du lion, tel un javelot sonore. Un dernier bond, et le fauve lui parut soudain plus écrasant que la Mau. Hurlant de plus belle, Ken brandit son arme presque à la verticale et lui imprima une violente poussée vers le haut.

La pointe atteignit le fauve en plein saut, à la base du cou. Ken la sentit pénétrer dans l'épaisseur des muscles, puis l'animal, en retombant, s'empala sur l'épieu.

Ken parvint à détacher ses doigts de la lance vibrante, à la seconde où le lion s'écrasait au sol, le tronçon de bois enfoncé dans le poitrail jusqu'à la garde. L'épieu avait cédé sous son poids. La langue de l'animal se tordit sans un son, puis il s'immobilisa.

Ken recula en chancelant. Les bras de l'enfant se cramponnaient à son genou droit. Les yeux fixés sur les débris de son épieu, il voulut lancer un éclat de rire, mais ne parvint à émettre qu'une sorte de bizarre chevrotement.

Sans quitter Ken des yeux, Longs-Pieds allongea une main tremblante et extirpa son propre épieu du cou du duiker. Puis il leva son arme et fit signe à Ken de le suivre.

A sa démarche mal assurée, Ken sentit le désarroi de l'enfant. Pourquoi était-il donc si impatient de partir... ? Il le rattrapa, le ceintura et l'immobilisa dans l'herbe. Le petit corps, luisant de sueur, était aussi fuyant qu'une anguille, mais Ken le plaquait fermement au sol.

— Pas question de déguerpir, mon gaillard ! Tu restes ici, ici, tu m'entends ? Ici, ici ! répéta-t-il, en martelant ce mot, pour lui faire exprimer toute sa volonté de dompter ce petit bout d'homme et de le protéger.

L'enfant poussa quelques cris de protestation, pour la

forme, puis se calma. Ils restèrent face à face à se regarder, les yeux humides, comme s'ils avaient enfin trouvé un langage commun. De grosses larmes perlèrent aux paupières du petit, à travers les gouttes de sueur qui ruisselaient de son front. Ken, le visage empoissé par la bave du lion, serrait les dents pour contenir son émotion.

— Ici... murmura-t-il dans un souffle.

Alors, comme si quelque chose avait cédé en lui, l'enfant leva ses lèvres simiesques vers le ciel et poussa une sorte de ululement. Un cri qui voulait faire partager au monde entier la peur qu'il avait eue et son étonnement d'être encore en vie. Il serra les poings, et vint se blottir en sanglotant contre son étrange protecteur.

2

Les minutes succédèrent aux minutes et bientôt, dans de grands battements d'ailes, aigles, vautours et marabouts vinrent se poser à proximité des cadavres du lion et du duiker.

Ken et l'enfant gisaient dans l'herbe, épuisés mais conscients de l'immunité temporaire que leur conférait la mort du lion. Ken revivait inlassablement la seconde où il avait dû mobiliser toute sa volonté pour ne pas tourner les talons et s'enfuir, cet instant où il avait puisé au fond de lui une détermination dont il ne se serait jamais cru capable.

Il se revoyait, serrant le gamin dans ses bras comme s'il n'avait rien de plus précieux au monde. Et bizarrement, lui revint le souvenir de son père. Cet homme qui était sorti de sa vie, comme si la femme qu'il avait fécondée et l'enfant qui en était né ne lui étaient rien...

Et lui, alors ? Son comportement envers Yinka, quelle différence, au fond ? Mais non... Avec elle, il n'avait fait qu'assouvir un désir partagé, en adultes affranchis. Rien de plus. Rien ?

Yinka... Il se surprit à imaginer son ventre nu. Ce souvenir était si vivace qu'il lui fit courir un frisson le long de l'échine. Mais cette réaction ne devait rien à une évocation libidineuse. Non, ce qu'il revoyait, c'était ses hanches généreuses, son bassin évasé, son ventre fait pour la maternité. Le corps de Yinka serait un réceptacle idéal pour le patrimoine génétique d'un homme...

Le visage de sa mère s'imposa à lui. Sa mère, dans sa maison de bois, à Oakland. Une bouffée de colère l'envahit. Elle était femme pourtant, mais qu'avait-elle fait de son intuition féminine ? Elle n'avait rien senti de son mal-être, à Noël, ni des interrogations secrètes qui le travaillaient. A son habitude, elle s'était contentée de le saouler de ses petits problèmes personnels. Elle ne lui avait posé aucune question. Cette pauvre végétarienne devait en avoir à peu près autant dans le crâne que les ruminants de cette savane...

Il tenta de l'imaginer l'asseyant *manu militari* sur une chaise de la salle à manger, et lui demandant tout à trac : « Alors, mon grand... quand vas-tu enfin te décider à te marier ? » Son cœur se serait mis à battre comme un fou. « Il est temps de me faire des petits-enfants, tu sais. La macrobiotique et la cuisine New Age, ça va un moment, mais maintenant, je voudrais m'initier un peu à l'art d'être grand-mère — même si je n'ai jamais eu la fibre maternelle très développée, je dois pouvoir apprendre ! Et je voudrais savoir qu'il existe, quelque part au monde, une femme destinée à être la mère de tes enfants. Alors, où est-elle, Ken ? Où ? »

Elle ne lui avait jamais posé ce genre de question — et d'ailleurs, il aurait été le premier embarrassé : qu'aurait-il répondu ?

Il leva les yeux et sursauta. Le vieux lion, celui qui boitait, était assis à une vingtaine de mètres d'eux. Trois jeunes lionnes lui tournaient autour, se disputant manifestement ses faveurs. D'un bond léger, l'une d'elles lui passa au ras du nez et lui balaya le museau de sa queue. Les deux autres allaient et venaient devant lui, en se frottant la vulve dans l'herbe, de temps à autre, pour tenter de calmer leurs ardeurs. Tout en elles réclamait l'accouplement.

L'enfant lui expédia un coup d'épaule et s'éloigna à grands pas, en silence. Il ne se retourna que pour vérifier qu'il le suivait bien.

Ken prit conscience d'une démangeaison sur son visage. Il se passa la main sur la figure. Une fine pellicule s'écaillait sous ses doigts. De la bave de lion ! se dit-il, avec un sourire de triomphe. Il allongea le pas pour rattraper l'enfant.

Il le vit disparaître derrière une colonne de lave solidifiée qui pointait au milieu d'un groupe de buissons, tel un vestige de temple antique. Ken se précipita derrière lui et contourna l'étrange pilier, laissant ses doigts courir sur la surface de la pierre. Voilà qui intéresserait Ngili... Comme il émergeait de l'autre côté, il trébucha sur un squelette.

Il bondit en arrière, cherchant où poser le pied, mais où qu'il regarde, le sol était jonché d'ossements. Il se trouvait dans une sorte d'enclos oblong, grossièrement rectangulaire, que délimitaient des rochers.

A deux pas de lui, un crâne gisait sur le sol. Un crâne au front fuyant, dont la moitié gauche manquait, comme s'il avait subi un choc violent. Juste à côté, étaient posés une grosse pierre ronde et plusieurs galets aménagés — les outils façonnés les plus primitifs connus — dont la facture rappelait ceux que Mary Leakey avait découverts dans les gorges d'Olduvai, en Tanzanie.

Longs-Pieds s'était arrêté et le fixait avec une expression indéchiffrable sur le visage, mais Ken ne lui prêta aucune attention. Pratiquement sous son nez, il venait d'apercevoir des ossements de pied. Il se laissa tomber à genoux et allongea la main vers eux, mû par une irrésistible curiosité — celle qu'il n'avait pu assouvir dans le garage de Randall Phillips, la nuit où ils avaient sorti leur fossile du bloc de brèche.

Sauf que ces os, desséchés et blanchis, ne provenaient pas d'un fossile mais d'un simple squelette. Les phalanges étaient éparpillées sur le sol, pêle-mêle avec les os du tarse et ceux de la cheville et du talon. A première vue, le pied était complet.

Ken s'empara d'un os — le calcanéum — et le soupesa. L'individu qui avait marché avec, quel qu'il fût, avait eu le pied large et épais. Il ramassa l'os du pouce et constata tout de suite qu'il pointait vers l'extérieur. Un pouce opposable, comme sur les empreintes qu'il avait photographiées... Un pouce vigoureux, et suffisamment développé pour permettre à son propriétaire de grimper aux arbres et de s'accrocher aux branches.

Ce qu'il avait sous les yeux était un des premiers prototypes de pied capable d'effectuer une marche prolongée en posture bipède qu'ait créé la nature... Il datait d'un temps où les hominiens n'avaient pas encore totalement renoncé à la vie arboricole — bien avant que l'évolution ne donne naissance au pied mince et cambré de la lignée *Homo sapiens*.

Il venait de découvrir le chaînon manquant du passage à la posture bipède...

D'un coup d'œil circulaire, il explora l'intérieur de l'enceinte rocheuse. Elle devait bien contenir une douzaine de squelettes, certains presque complets, d'autres très endommagés. Comme il avançait la main pour rassembler les os épars qu'il venait d'examiner, son regard tomba sur les pieds de l'enfant et il s'avisa brusquement qu'ils étaient conformés de la même façon. Qu'ils atteindraient un jour la taille de ceux des squelettes qu'il avait sous les yeux.

Mais dans l'immédiat, il n'avait de pensée que pour sa trouvaille. Comment allait-il pouvoir l'emporter d'ici ? L'espace d'un instant, il redevint Ken Lauder, le paléontologue. Au point de trouver horripilante la présence de l'enfant. Puis son irritation se mua en gêne. Qu'est-ce qu'il va penser de moi ? Après tout, rien ne presse. Je pourrai toujours venir le récupérer plus tard, ce pied...

Il se releva en prenant garde à ne pas piétiner les ossements. Une chose était sûre : il avait affaire à des restes d'hominidés, et pas à des primates. Tout l'indiquait : l'angle facial fermé des crânes, la dimension des maxillaires et la morphologie des bassins et des ilions... Ces squelettes auraient dû être des fossiles. Or, ils étaient récents. Les os étaient durcis, mais pas minéralisés. Le sol sur lequel ils reposaient était humide et compact, preuve que, loin d'avoir été mis au jour par quelques millions d'années de patiente érosion, ils n'étaient là, au plus, que depuis deux saisons des pluies.

Ses yeux firent la navette de l'enfant aux squelettes et à ses propres bottes, couvertes de boue séchée. Tout était là, on ne pouvait plus réel, bien qu'appartenant à des époques différentes.

L'impression que le temps se contractait et se dilatait à la fois lui donna le vertige.

A quelque pas de lui gisait une cage thoracique, au sternum enfoncé et aux côtes en miettes, comme si un éléphant l'avait piétinée. Un gros bloc de rocher reposait non loin. Cette espèce de carrière à ciel ouvert servait de sépulture à une tribu d'hominiens, dont l'enfant faisait partie. A son clan familial, peut-être... En tout cas, ces squelettes prouvaient que Longs-Pieds n'était pas un enfant sauvage, affligé de malformations physiques.

Une image fulgura dans sa tête, si saisissante qu'il vacilla. A sa vision de l'enclos de rochers et de l'enfant, debout au milieu, se surimposa celle d'un hominien adulte. Un mâle de faible stature — un mètre cinquante à peine — mais au corps musculeux.

Il tenait une pierre à la main. Son bras se leva, se replia, se détendit, et la pierre passa devant Ken en sifflant — pure illusion, bien sûr, mais il ne put s'empêcher de l'esquiver d'un mouvement du buste.

Il entendit fuser l'éclat de rire suraigu de l'enfant. Il le vit en imagination s'élancer à perdre haleine derrière la pierre qui roulait, la ramasser et la rapporter à l'hominien.

Au lieu de reprendre la pierre que le gamin lui tendait, ce dernier lui a replié étroitement les doigts autour, et le fait pivoter, face à la savane.

L'hominien guide le bras de l'enfant, le relève en position fléchie vers l'arrière — le petit biceps se gonfle — et lui montre comment lancer la pierre.

L'un des hominiens qui gisent ici était son père, et cet humérus, auquel il avait l'air de tant tenir, provenait de son squelette...

La vision s'évanouit.

Ken prit conscience d'un fait plus sidérant encore que cette vision : l'enfant avait communiqué avec lui.

L'étrange cimetière contenait onze squelettes d'australopithèques, dont les bassins prouvaient qu'il s'agissait de mâles. Presque tous étaient en piteux état. Comme si un éléphant avait pénétré dans l'enceinte et les avait foulés aux pieds. Mais quel éléphant se serait aventuré parmi ces rochers, où il n'y avait ni herbe, ni arbres, ni eau qui puissent le tenter ? Ces hominiens avaient été tués. Mais par qui ou par quoi ?

Les inondations étaient rares dans la région, même lorsque les pluies diluviennes transformaient en torrents les filets d'eau qui descendaient de la Mau. Ces onze australopithèques ne s'étaient pas noyés.

Les ossements n'étaient pas non plus calcinés, ce qui éliminait l'hypothèse d'un feu de brousse fatal.

Les cadavres avaient pu être amenés d'ailleurs et déposés au milieu de ces rochers, mais pourquoi et par qui ?

Ken se mit à explorer l'étrange nécropole, sachant qu'il devait trouver un moyen de communiquer avec Longs-Pieds. Le petit l'avait conduit ici et attendait de lui une réaction. Mais il se sentait terriblement balourd, tandis qu'il allait et venait, lançant de temps en temps un sourire embarrassé à son petit compagnon, sans parvenir à le dérider. L'enfant se promenait au milieu de cet ossuaire, grave mais comme si les lieux lui étaient familiers. Il n'en était manifestement pas à sa première visite...

Il essaie de me raconter son histoire. Il m'a amené ici pour m'expliquer pourquoi il vit seul ainsi.

L'enfant communiquait avec lui. Un des hommes qui reposaient là était son père. Son père, qui lui avait appris à chasser...

Les énormes quartiers de roche jonchant le sol semblaient s'être détachés des hauteurs de l'escarpement qui dominait le cimetière. Et s'ils avaient roulé jusqu'ici, et fauché un petit groupe d'hominiens qui seraient venus s'y cacher ? Peut-être au cours d'un combat entre clans ennemis ? Les pierres de jet, coups de poing et galets aménagés qui traînaient par terre prouvaient que les australopithèques qui avaient cherché refuge ici étaient armés. Si cette hypothèse était exacte, peut-être Longs-Pieds était-il le seul survivant de sa tribu ? Le dernier représentant de cette lignée d'hominidés... ?

A toutes ces pensées qui lui mettaient le cerveau en ébullition vint s'en ajouter une autre : peut-être l'intéressé répondrait lui-même à ses interrogations, et d'ici peu...

Il s'empara du poing serré de l'enfant et le força à déplier les doigts. Puis il ôta la pierre qui reposait dans sa paume et y substitua l'épieu, autour duquel l'enfant referma la main.

Ceci fait, Ken s'agenouilla et entreprit de rassembler les os du pied qu'il avait examiné. Puis il les glissa sous une saillie de rocher, devant laquelle il entassa quelques pierres pour masquer la cavité. Ce qu'il laissait là avait une valeur inestimable, mais il savait qu'il ne pourrait pas veiller à la fois sur le petit et sur ces ossements.

Il se releva et regarda Longs-Pieds au fond des yeux. Il était anthropologue et il savait avec quelle facilité les représentants de peuplades dites primitives se jouent des fossés culturels, grâce à leur intelligence. Mais le sentiment qu'il avait d'être compris par ce petit hominien passait tout ce qu'il avait pu vivre au cours de sa carrière.

C'était complètement absurde! Cet enfant était incapable de le comprendre, et pourtant... Quoi qu'il fît, il avait la certitude que le gamin en saisissait le pourquoi de façon si immédiate que c'était lui, Ken, qui avait tout à apprendre. Des deux, l'arriéré, c'était lui...

Il prit l'enfant par la main et l'entraîna hors du cimetière.

— Ça, c'est un avion, expliqua Ken, en dessinant dans la poussière un avion réduit à sa plus simple expression. Tu saisis? Un avion. A-vi-on.

Il ânonna patiemment les syllabes, tout en sachant qu'elles se signifiaient rien pour le cerveau de cinq cents centimètres cubes qui se cachait derrière ces petits yeux perplexes.

Il ajouta une hélice à son dessin, se redressa sur son séant, étendit un bras vers le ciel et l'autre vers la terre et se mit à mimer des pales en train de tourner. Il peaufina son imitation en poussant quelques « *vrrrr-vrrrr* », puis s'arrêta et pointa l'index sur son croquis.

L'enfant, qui ne l'avait pas quitté des yeux, n'eut aucune réaction.

Ken tenta de se dessiner — un gros bonhomme, un épieu à la main — sans plus de succès.

Je suis complètement à côté de la plaque! Ce n'est pas qu'il ne comprend pas. C'est juste que mes dessins sont en deux dimensions, alors que sa réalité, elle, en a trois. Il faut que je m'y prenne autrement.

Il posa son couteau par terre, puis le dessina, juste à côté. Une image en deux dimensions, à côté de son modèle en trois dimensions.

Il s'attendait à ce que l'enfant reste de glace, cette fois aussi, mais à sa grande surprise, il s'empara du couteau et le regarda. Puis il effaça le dessin en balayant la poussière de son avant-bras et posa le couteau à la place.

Evidemment... Pourquoi s'embarrasser de l'image d'un couteau, qui ne sert à rien, quand on peut avoir le couteau lui-même?

Ken se rassit, soudain fatigué. Au diable ces tests idiots... S'il voulait lui communiquer un message, il fallait en trouver un qui fasse sens dans l'univers de l'enfant, et non dans le sien.

Quelque chose passa dans le regard du petit hominien. Il s'approcha de Ken à quatre pattes, et se laissa tomber lourdement. Le petit corps nu et lisse glissa le long de la poitrine recuite de coups de soleil de Ken, puis l'enfant se lova contre lui avec un petit grognement d'aise éloquent: « On est là, tous les deux, alors pourquoi tu t'agites comme ça? »

Une fois de plus, il s'était fait comprendre. Ses moyens de communication étaient d'une simplicité et d'une efficacité absolues.

Ken s'allongea près de lui et s'absorba dans la contemplation des oiseaux qui évoluaient dans le ciel, au-dessus de leurs têtes.

Ils restèrent ainsi un long moment, avant de retourner auprès des cadavres du lion et du duiker. Les hyènes étaient à l'œuvre. Il était déjà presque impossible de distinguer les restes du fauve de ceux de l'herbivore. L'enfant fit déguerpir les hyènes et se jeta sur l'amas de chair sanguinolente. Il parvint à en détacher une des cuisses du duiker presque intacte et, son butin sur les épaules, il reprit le chemin des rochers, Ken sur les talons.

Revenu à leur abri, il laissa glisser le cuissot de son dos et le recouvrit de terre.

Le crépuscule approchait.

Ken alla ramasser du bois, en prévision d'une nouvelle nuit à la belle étoile.

Qu'est-ce que je vais devenir? se demanda-t-il avec angoisse. Dans quel pétrin me suis-je fourré?

Chargé d'une brassée de branches, il regagna leur petit campement. Ils avaient trouvé un excellent coin pour passer la nuit, sur un à-plat de rocher, à plusieurs mètres du sol. Il hissa son fardeau jusqu'à leur bivouac, alluma le feu, puis ils s'installèrent pour dormir.

La main de l'enfant chercha la sienne. Ses doigts effleurèrent ceux de Ken puis, se redressant sur un coude, il se mit à lui palper le visage. Le reflet des flammes dansait dans ses yeux. De sa petite paume calleuse, il lui tapota les joues et suivit, du bout de l'index, la ligne de son menton et l'arête de son nez. Puis il enfouit sa main dans ses cheveux et se mit à jouer avec et à les lui tirer.

Il sait que je vais partir, comprit soudain Ken. Il veut pouvoir se souvenir de moi.

Il sentit ses joues s'empourprer. Dieu merci, il faisait nuit... Mais l'enfant se pencha sur lui et le dévisagea si longtemps et de si près que Ken sentit sa gorge se serrer. Les australopithèques pouvaient-ils voir dans le noir? Parvenaient-ils, en dilatant leurs pupilles au maximum, à utiliser leurs yeux comme des espèces de lunettes à infrarouge naturelles?

Incapable de soutenir le regard de l'enfant, il ferma les yeux. Lorsqu'il les rouvrit, Longs-Pieds lui tournait le dos. Il contempla les petites épaules et le torse menu sur lesquels jouait la lueur des flammes.

Je ne peux pas l'abandonner ici.

Mais que puis-je faire d'autre? L'emmener à Nairobi? A Londres? A Berkeley?

Il opta pour la fuite et referma les yeux. Il vit aussitôt surgir l'image de sa mère, une toute jeune femme au ventre alourdi par la grossesse. Puis son père apparut, un grand escogriffe à lunettes, la queue de cheval dans le dos. Il aidait sa mère à s'extraire d'une VW hors d'âge et la guidait vers l'entrée d'une maternité d'Oakland. Mais comment aurait-il pu se souvenir d'une telle scène, puisqu'il n'était pas encore né?

Le contact des doigts de l'enfant le ramena à la réalité. Ils s'étaient remis à explorer son visage.

Longs-Pieds s'était depuis longtemps assoupi, mais Ken resta longtemps près du feu, à ressasser les questions qui l'obsédaient. Partir ou rester? Fallait-il regagner triomphalement le monde civilisé avec ce squelette de pied, qui révolutionnerait l'anthropologie mondiale, et déclencher une ruée de scientifiques vers le Dogilani? Qui lui tiendrait rigueur d'avoir braqué les feux de l'actualité sur ce « paléo-environnement » — et sur la créature unique en son genre qui y vivait.

Personne, sinon la créature en question...

Il tenta d'imaginer ce coin de savane promu grande attraction scientifique du jour, survolé par un ballet d'avions et d'hélicoptères, l'air crépitant de messages radio. Le moindre caillou serait exhumé et sondé, le moindre brin d'herbe répertorié, le moindre animal étiqueté... Le ministère des Antiquités nationales délivrerait des autorisations aux chercheurs, et Randall Phillips — et Dieu savait qui d'autre — viendrait pontifier sur le point zéro de l'évolution de l'Homme...

Il se demanda quel parti prendrait un scientifique. Un vrai. Un chercheur qui penserait avant tout à la science, sans se soucier de gloire ou de réussite.

La réponse s'imposait : il devait rester. Rester et observer l'enfant. Tâcher de localiser d'autres représentants de son espèce et les étudier.

Et un père? se demanda-t-il. Que ferait un père?

Il tenta de maîtriser son agitation, pour ne pas réveiller l'enfant. Il ignorait tout du métier de père. Il se voyait mal dans le rôle du père adoptif de Longs-Pieds.

Il devait rentrer à Nairobi et informer ses collègues de sa découverte. Ses « collègues »... Il se sentait soudain si peu de chose en commun avec eux. Quelle aurait été leur réaction devant l'enfant? Haksar, à la rigueur, aurait peut-être su comment faire face à la situation. Après tout, il était anthropologue et spécialiste des sociétés primitives. Quant à Anderson, il se serait probablement empressé d'annoncer sa découverte à son de trompe, aurait réuni le gratin de la paléontologie humaine en congrès et se serait lancé dans une grande tournée mondiale, pour exhiber son spécimen d'hominidé. Pour Randall, Ken hésitait : il était si angoissé, si amer, la dernière fois qu'il l'avait vu. Marcia sombrait dans l'alcool, et leur ménage battait de l'aile. Que pouvait-on attendre d'un homme aussi désorienté? Restait Ngili. Ngili et ses humeurs. Ngili et ses foutues racines. Mais c'était tout de même de lui que l'on pouvait espérer le plus de rigueur scientifique et de sens des responsabilités...

Ngili lui manquait.

Son esprit s'envola vers lui et vers Yinka.

L'enfant se retourna sur le dos et se mit à ronfler légèrement. A tâtons, Ken attrapa une pierre et se laissa glisser au bas des rochers.

Il se mit à marcher dans l'herbe encore faiblement éclairée par les dernières lueurs de leur feu. Il pensait à ce que lui avait dit Yinka : Anderson et Haksar avaient rendu visite à Jakub, juste avant qu'ils ne rentrent à Nairobi, Ngili et lui. Haksar avait fait allusion à une tribu établie dans le Dogilani, et annoncé son intention de monter une expédition. Le vieux professeur était donc déjà venu par ici. Peut-être y avait-il observé des hominidés... Mais pourquoi avoir gardé le secret?

A part Haksar, qui d'autre pouvait être au courant de l'existence de ces hominidés? Selon un mythe massaï, le pays était, à l'origine, occupé par les Mangatis, une peuplade que les Massaï avaient vaincue et refoulée dans les montagnes boisées du Kenya, où elle se cachait depuis. Se pouvait-il que cette légende ait un fond de vérité? Et si ces Mangatis étaient réellement les premiers hommes à avoir peuplé cette terre, et pas uniquement dans l'imaginaire tribal, mais anthropologiquement parlant?

La fraîcheur de la nuit le fit soudain frissonner et il rebroussa chemin. Au loin, une bande de chiens sauvages se disputait la carcasse du lion. En les entendant gronder et aboyer, Ken repensa à l'autre lion, le vieux mâle boiteux. Il aurait bien aimé avoir sa peau, à ce tueur de lionceaux. Un de ces jours, peut-être... Mais pour combien de temps encore était-il ici?

Il avait manqué son premier rendez-vous avec Ngili mais, s'il n'avait pas entièrement perdu toute notion du temps, Ngili devrait à nouveau survoler la savane dans deux jours, trois tout au plus. Quelle tête fera-t-il en me retrouvant comme ça? Et quand il verra Longs-Pieds? Mais que va faire le gosse devant Ngili? se demanda-t-il, soudain inquiet. Quelle réaction aura-t-il?

La réponse à cette question, comme à bien d'autres, ronflait paisiblement près du feu, sur le rocher, là-bas.

3

— Allô, Raj ? articula Cyril Anderson dans son téléphone portable. Je suis passé chez vous, mais j'ai eu beau sonner à la porte, vous n'avez pas répondu. Vous ne m'avez pas entendu ?

— Il y a combien de temps ? fit Haksar, d'une voix mal assurée.

— Une vingtaine de minutes...

— Désolé, Cyril, mais je n'ai strictement rien entendu.

— Vraiment ? Je peux pourtant vous assurer que votre sonnette marche ! J'ai bien carillonné une bonne douzaine de fois. Qu'est-ce que vous fichiez ?

Sous une pluie battante, Cyril Anderson tournait en voiture dans les petites rues proches de chez Haksar. Le vieil homme habitait Little Benares, le plus ancien quartier indien de la capitale. Cyril connaissait bien cette maison. Une fois franchie la porte d'entrée — un panneau en teck massif incrusté d'inscriptions ornementales en hindoustani —, un couloir menait à un atrium circulaire qui s'épanouissait, trois étages plus haut, en une coupole qui rappelait les *stupas* des temples sri lankais. Cette disposition faisait de la maison une vaste caisse de résonance. Il était impossible que Haksar n'ait pas entendu ses coups de sonnette.

— Vingt minutes, dites-vous... Oh, je vois ! Je suis navré, Cyril. Une petite absence momentanée...

Tu mens, espèce de sale *tandoori* ! Anderson avait repéré la voiture de Haksar —, une vénérable Humber des années cinquante — garée dans l'allée, les pneus à plat tant il s'en servait peu.

— Où étiez-vous ?

— Nulle part... Je voulais dire que j'ai des... moments d'absence, depuis quelque temps. J'ai dû avoir un malaise.

Ça, c'était peut-être vrai : son diabète s'était aggravé et, dernièrement, il avait développé une allergie à l'insuline, le seul médicament capable de traiter cette affection. Anderson savait qu'une carence en insuline prolongée pouvait entraîner des troubles psychiques. Certains diabétiques perdaient complètement les pédales et, s'ils vivaient seuls — ce qui était le cas de Haksar —, en venaient parfois à cesser de s'alimenter ou à interrompre leur traitement, au risque de faire un coma diabétique.

— Ça va un peu mieux, mais je n'ai pas encore tout à fait récupéré... J'attends mon médecin qui doit me faire essayer un nouveau médicament. Qu'est-ce qui vous amenait ?

— Et si vous m'ouvriez, plutôt ? Je vais repasser chez vous et je vous expliquerai tout ça de vive voix.

— Vous pourriez peut-être me le dire par téléphone ?

— Je croyais que vous vouliez qu'on se voie.

— C'est que je me sens si fatigué... Je préférerais me ménager pour recevoir mon médecin. Il m'a dit qu'il tâcherait de passer dans la journée... Il est littéralement débordé... Pourquoi ne pas m'expliquer votre affaire ?

— Voyons, Raj !

Anderson écrasa sa pédale de freins, évitant in extremis une Indienne qui traversait la rue en courant, avec deux enfants. La pluie ruisselait sur leurs pieds nus et sur le sari rouge de la femme.

— Raj ! reprit Anderson, sommes-nous associés dans cette entreprise, oui ou non ? Comment voulez-vous que je trouve des capitaux pour financer votre expédition si nous ne pouvons en discuter que par téléphone, entre deux hypothétiques visites de votre toubib ?

Il ne savait trop à quoi s'en tenir sur l'état de santé réel de Haksar. Lorsqu'ils étaient allés ensemble chez Ngiamena, il lui avait même paru en assez bonne forme. Il s'était beaucoup épongé le front avec son mouchoir et s'était éclipsé à trois reprises dans la salle de bains, mais bon... il était diabétique. Dommage de ne pas lui avoir mis le dos au mur, ce jour-là, genre : « Vous n'obtiendrez ni une minute de mon temps, ni un sou de subvention, si vous ne me révélez pas votre foutu secret ! »

Evidemment, il ne soupçonnait même pas l'existence de ce fameux « secret », à l'époque. C'était avant que Hendrijks ne lui ait montré les photos d'empreintes prises par Lauder...

Il frissonna au souvenir du meurtre du gros Hollandais. Ça avait été si facile. Un jeu d'enfant ! Sauf que dans son excitation, il en avait oublié de réfléchir... Ce n'était qu'en voyant Hendrijks raide mort sur le plancher qu'il s'était avisé qu'un fossile *vivant* valait tous les squelettes du monde... mais qu'à présent, jamais le pilote ne le mènerait jusqu'à lui...

A part Lauder et le fils Ngiamena, qui d'autre l'avait vue, cette créature ?

Haksar ?

Chez Ngiamena, il avait mentionné une peuplade qu'il aurait observée, dans le temps, dans la région du Dogilani. « Une tribu atypique », avait-il dit.

Depuis, l'expression lui trottait dans la tête. Est-ce que cela signifiait qu'il existait une tribu entière de ces fossiles vivants ? Seul Haksar pouvait répondre à cette question.

Deux jours après avoir éliminé Hendrijks, il s'était pointé chez Haksar et lui avait parlé des photos d'empreintes, en se gardant bien de préciser qui les lui avait montrées. L'Indien avait été pris d'un malaise subit et s'était plaint d'une violente migraine — symptômes classiques du diabète. Il lui avait demandé d'aller lui chercher une dose d'insuline dans l'armoire à pharmacie de son bureau, et de le laisser : il préférait être seul quand il se faisait ses injections. Qu'il repasse un peu plus tard...

Au bout de quelques heures, Anderson avait sauté dans sa voiture et était retourné à Little Benares. Haksar s'était traîné jusqu'à la porte, avait entrouvert son judas, lui avait déclaré qu'il n'était pas en mesure de recevoir des visiteurs, et lui avait refermé le judas au nez. Et depuis maintenant huit jours, Haksar était impossible à joindre : ou bien son téléphone ne répondait pas, ou bien il se retranchait derrière son diabète pour éluder ses questions et écourter leurs conversations.

Pour Anderson, cela ne pouvait signifier qu'une chose : Haksar l'évitait. Il connaissait l'existence de la créature qui avait laissé ces empreintes, mais il ne voulait pas le mettre dans le secret. Pourquoi ? Haksar était-il de mèche avec quelqu'un d'autre ?

Cette seule idée le mettait hors de lui. En cette minute même, ce secret était peut-être en train de lui passer sous le nez, pour faire la gloire d'un autre chercheur. De Lauder, par exemple... Et si Lauder et Ngili avaient partie liée avec Haksar ? Peut-être l'appel à l'aide du vieux *tandoori* n'avait-il été qu'une manœuvre de diversion ?

Pourquoi ne pas contacter Arnold Kalangi, comme il en était tenté depuis quelques jours ? Le nouveau chef de la police et lui avaient beaucoup sympathisé depuis qu'ils se voyaient régulièrement en conseil des ministres, et ils se rendaient mutuellement de petits services. Mais cela revenait à mettre une personne de plus dans le secret...

Ces idées tournaient obstinément dans la tête de Cyril Anderson. Pour lui, les gens se divisaient en deux catégories distinctes : ceux qui pouvaient l'aider à accéder à la renommée qui lui était due, et ceux qu'il lui faudrait écraser pour parvenir à son but.

— Ra-aj... ! modula-t-il d'un ton persuasif dans son portable, ce que vous savez vous dépasse, et nous dépasse aussi, tous autant que nous sommes. Vous avez besoin d'un associé... » (Peut-être en a-t-il déjà un, lui susurra une petite voix intérieure.) « En attendant, vous ne pouvez pas me demander de décrocher des crédits pour financer votre projet, à partir d'éléments aussi maigres. D'autant que l'argent se fait rare, par les temps qui courent... Jusqu'ici, je n'ai trouvé aucun bailleur de fonds.

C'était la stricte vérité : il ne s'était même pas donné la peine d'en chercher.

— Si vous n'avez trouvé aucun soutien financier, de quoi voulez-vous que nous discutions ?

— Enfin, Raj ! Merde, quoi...

L'Indienne et ses deux gosses s'étaient joints à une foule clairsemée d'Hindous, qui bravaient la pluie devant la porte d'un petit restaurant *tandoori*. De rares parapluies noirs émergeaient du groupe de curieux, qui attendaient l'apparition d'acteurs costumés et maquillés à l'image des grandes divinités du panthéon hindouiste, Brahmâ, Vishnu, Shiva et son épouse Parvatî. De là, ils se rendraient en procession, à travers la pluie et la boue, jusqu'au bord de la rivière de Nairobi où, chaque année, à la fin de la saison de pluies, les dévots hindous célébraient une fête rituelle.

La rivière de Nairobi n'était pas le Gange, tant s'en fallait — tout juste un ruisseau pollué, où venaient se vautrer des cochons, et que fréquentaient des bandes de chiens errants —, mais les hindouistes convaincus de Little Benares tenaient à avoir leur fleuve sacré.

— Je ne pourrais même pas me traîner jusqu'à la porte, Cyril... répéta Haksar. J'ai besoin du peu d'énergie qu'il me reste pour relire quelques notes sur mes observations en brousse... Mais comment se fait-il qu'il y ait si peu de capitaux disponibles ? demanda-t-il, soudain très pragmatique.

— Je ne devrais pas vous en dire un mot, vu la façon dont vous vous comportez envers un collègue au-dessus de tout soupçon...

Des notes, avait coupé Haksar. Quel genre de notes ?

— Alors, permettez-moi de raccrocher...

— Non, Raj ! Attendez ! » Anderson faillit faire faire un tonneau à sa Land Cruiser Toyota. « Raj ! Ma parole, je ne connais personne de plus dissimulé ou de plus méfiant que... » Il entendit un faible bruit à l'autre bout de la ligne et se mit à hurler : « Si vous me raccrochez au nez, j'appelle Kalangi à la Sûreté. N'oubliez pas que les trouvailles archéologiques sont la propriété de l'Etat — or, vous refusez de communiquer des renseignements qui pourraient déboucher sur une découverte capitale. Je vais me faire délivrer un mandat, je m'introduirai de gré ou de force dans votre minable baraque et je vous ferai embarquer. Comme ça, au moins, j'aurai les coudées franches pour passer au crible vos notes et vos dossiers. Vous avez une attitude que je juge inacceptable envers... » — il faillit dire « moi », mais son goût des effets oratoires fut le plus fort — « ... envers la science ! acheva-t-il

— Navré, Cyril...

La tonalité revint.

Ce vieil entêté avait eu le culot de lui raccrocher au nez ! Exactement comme Corinne. Corinne qui était restée à Londres, et n'avait pas rappelé.

De ce point de vue, Haksar et lui étaient logés à la même enseigne. Ils n'avaient plus de femme, ni l'un ni l'autre. Cyril se rappelait Ranee Haksar, un tout petit bout de femme, qui arborait la marque rouge vif de sa caste au milieu du front, et qui idolâtrait Raj au point de tout sacrifier pour le servir. Avant d'être emportée par son cancer, Ranee avait donné des dîners somptueux, auxquels pratiquement toute la faculté était conviée. Elle se chargeait personnellement de la cuisine et du service. Mais elle mangeait seule, à la cuisine, quand le dernier invité était parti, parce que telle était la volonté de son seigneur et maître...

Cela dit, ta bonne femme t'a quand même fait plus d'usage que la mienne, mon salaud ! songea Anderson, de plus en plus furieux.

Il tâcha d'observer les mouvements du quartier, pour évaluer les risques qu'il prendrait en s'introduisant chez Haksar. Il fallait absolument qu'il trouve ce qu'il lui cachait. Un mémoire décrivant sa découverte, sans doute. Ses fameuses « notes »...

Il concentra son attention sur la maison. C'était une grande bâtisse relativement isolée, située dans un quartier de petites boutiques tenues par des Indiens — toutes fermées, à cette heure, pour cause de fête. Des journaux s'entassaient dans l'allée, à quelques pas de la voiture hors d'usage. Une épaisse couche de crasse et de toiles d'araignées tapissait les fenêtres. Sur le trottoir, devant la maison, un artiste amateur avait dessiné à la craie un portrait géant de Hanuman, le roi des singes de la mythologie hindoue.

L'essentiel, pour Anderson, c'était qu'aucune voiture de police ne semblait patrouiller dans le secteur — preuve éloquente du déclin de Little Benares...

Il gara sa Toyota devant un étal de fleuriste — une simple bâche dressée sur des piquets —, verrouilla sa portière et s'éloigna sous la pluie, conscient d'être terriblement voyant, avec son teint d'Occidental. Devant un petit autel en plein air consacré à Rama et à d'autres figures mythiques, un Indien veillait, exhibant fièrement les moignons qui lui servaient de bras. Un peu plus loin, une échoppe proposait des poteries non vernissées, et des gamins jouaient avec des cerceaux de fortune, qu'ils s'efforçaient de faire rouler dans la boue.

Ils me remarquent tous, c'est sûr! se dit-il. Et après? Il passa devant l'artiste amateur, qui le fixa d'un regard vide. Tous ces gens n'ont aucune espèce d'existence, pensa-t-il. Ils ont beau être bien réels, ils ont si peu de pouvoir que ça n'a strictement aucune importance qu'ils me voient.

Il s'engagea dans l'allée défoncée qui menait à la maison. Au milieu d'une vasque se dressait la statue mutilée d'un Vishnu à quatre bras, foulant les eaux primordiales du chaos originel, un petit Brahmâ émergeant de son nombril. Le dieu avait perdu la majeure partie de ses vingt doigts, et quelqu'un avait dû essayer d'arracher le petit Brahmâ, mais n'avait réussi qu'à le tordre.

L'image du corps inanimé de Haksar traversa la tête d'Anderson. Une bouffée de haine monta en lui. Tu n'emporteras pas ton secret dans la tombe, mon salaud! Je t'arracherai les ongles un à un, s'il le faut, mais je te ferai cracher le morceau. Ça va être un jeu d'enfant... Il écrasa le bouton de la sonnette.

— Oui-iii? nasilla la voix de Haksar, dans le petit haut-parleur encastré dans le mur.

— Je suis le docteur Sharwati, annonça Cyril, empruntant le nom du blanchisseur indien chez qui il donnait ses chemises à laver.

— Pardon? Qui demandez-vous?

— Le professeur Haksar.

— Il doit y avoir erreur. Je suis bien le professeur Haksar, mais mon médecin traitant est le docteur Gupta.

— Je sais, professeur, mais le docteur Gupta est débordé, aujourd'hui. Il m'a demandé de passer vous voir. Diabète sucré, c'est bien cela? Il m'a chargé de vous remettre quelques comprimés d'un tout nouveau médicament, pour que vous l'essayiez.

— Je suis traité à l'insuline, et non par voie orale. J'en suis à six injections par jour... Beaucoup trop...

— Je sais, fit Anderson, d'un ton compatissant. C'est précisément pour cela que le docteur Gupta aimerait voir comment vous réagissez à ce nouveau traitement.

— Comment s'appelle ce médicament?

Anderson n'avait pas prévu cela.

— Il est à base d'insuline... mais il contient... un nouveau fluidifiant.

— Je veux savoir... le nom... de ce remède...

— Ecoutez, il y a un véhicule de l'armée un peu plus haut dans la rue, et ses occupants rackettent les passants, improvisa Anderson. Je peux m'en aller, si c'est ce que vous voulez, mais ils vont sûrement me faire ouvrir ma sacoche, et ce médicament vient de Suisse. Il y a des chances pour qu'ils prennent ces comprimés pour des hallucinogènes. Eh bien, au revoir, professeur...

— Attendez !

Anderson se plaqua contre la porte, pour éviter que Haksar l'aperçoive d'une fenêtre. Il entendit ses pas approcher.

— Cyril ! ?

Le visage de Haksar s'encadra dans l'entrebâillement de la porte. Malgré sa mine de déterré, il avait l'œil vif — étonnamment vif...

— A quoi jouez-v... ?

Anderson donna un coup d'épaule dans la porte et fit irruption dans le vestibule. Haksar partit à la renverse et, dans un nuage de poussière, s'affala sur de vieilles revues empilées à côté d'un porte-parapluie.

— A quoi jouez-vous, Raj ! A quoi rime tout ce mystère ?

Vêtu d'une tunique style Nehru défraîchie, Haksar avait le visage chiffonné de quelqu'un qui a accumulé les nuits blanches. De grosses gouttes de sueur lui ruisselaient sur les joues. Il pleurnicha quelque chose où il était question de ses besoins d'argent.

— De l'argent ? Et qu'est-ce que vous en feriez, hein ? ricana Anderson. C'est tout juste si vous tenez debout...

Il ne s'attendait pas à ce qui arriva ensuite. Haksar avait empoigné une canne qu'il lui abattit sur la tête. Le bout ferré lui entama largement la joue, et comme il regardait, sidéré, les gouttes de sang arroser le tas de revues, Haksar en profita pour filer dans les profondeurs de la maison.

Anderson se précipita à ses trousses. Il devait y avoir un bon moment que Haksar avait cessé de faire le ménage, nota-t-il au passage. Les portes béaient sur des pièces à l'abandon et, dans la cuisine, le réchaud disparaissait sous des couches de graisse stratifiées. Des relents d'épices rances et de toilettes bouchées flottaient dans l'air.

Haksar trébucha au pied de l'escalier et s'affala. Il parvint tout de même à balancer sa canne dans les pieds de Cyril, qui s'écroula sur le plancher douteux. Haksar se hissa sur ses pieds. Sa main droite pendait, inerte.

— Mon poignet! Vous m'avez cassé le poignet... gémit-il.

Avant que Cyril ait pu l'intercepter, il s'élança en chancelant dans l'escalier.

A l'idée qu'il risquait de mettre la main sur ses documents et de faire disparaître des informations irremplaçables, Anderson se releva d'un bond.

BOUM! Comme à un signal, un tintamarre de percussions avait éclaté dans la rue, trop fort pour que le bruit de la pluie le masque. Le visage peint en bleu, l'acteur qui incarnait Shiva émergea du petit restaurant et fendit la foule, suivi par ses aspects divins : un énorme tambour en forme de diabolo qu'un autre acteur portait sur la tête, un trident géant brandi par un troisième, et un gigantesque lingam en papier mâché, énorme colonne phallique sous laquelle disparaissaient, comme sous une monstrueuse capote anglaise, la tête et les épaules d'un quatrième acolyte. Le quatuor s'ébranla pour se joindre à un autre cortège de comédiens, incarnant, eux, Parvatî, l'épouse de Shiva, et ses propres attributs. Au milieu d'une cacophonie de percussions, de flûtes nasillardes et de vociférations, le dieu Shiva leva la main pour imposer silence à la foule. A la même seconde, Anderson parvint à ceinturer Haksar.

Le bruit des coups dont il se mit à rouer le vieil homme se perdit dans les flonflons de la fête. Il s'acharna sur lui jusqu'à ce que le sang qui dégoulinait de son estafilade le force à se précipiter dans la salle de bains. Fébrilement, il arracha une longueur de papier hygiénique et en fit un tampon qu'il appliqua sur sa plaie, puis se hâta de rejoindre Haksar. Le vieil Indien était parvenu à se traîner dans son bureau et à décrocher le téléphone. Il lui arracha le combiné des doigts et d'un coup sec, débrancha la prise.

— Qui est-ce que vous appeliez, hein? Qui? hurla-t-il en le secouant.

Il s'arrêta brusquement. Haksar restait inerte, comme privé de réactions.

— Allez, arrêtez votre cinéma! lui ordonna-t-il.

Sans ménagement, il l'assit sur une chaise en alu, devant

un bureau d'une propreté scrupuleuse, sur lequel le téléphone voisinait avec un ordinateur et un télécopieur. La pièce dans laquelle Haksar travaillait était sobrement meublée et résolument moderne. Anderson tira de sa poche la photo des empreintes prise par Ken, mais à peine l'avait-il collée sous le nez du vieux professeur, prêt à entamer son interrogatoire, qu'on sonna à la porte.

— Vous attendez quelqu'un ? demanda-t-il.

Haksar battit des paupières. Anderson lui tapota les joues et il ouvrit les yeux.

— Ce doit être le jeune Ngiamena... souffla-t-il, à bout de force, mais un sourire narquois aux lèvres.

Seul le carillon insistant de la sonnette empêcha Anderson de lui tordre le cou séance tenante.

Devant le regard de mépris que lui lançait le vieil homme, il serra les poings, mais ce n'était pas le moment de lui régler son compte : Ngili était à la porte. Ngili. L'ami et l'associé de Lauder.

— Qu'est-ce qu'il vient faire ici ?

Le sourire de Haksar s'élargit.

— Mais... la même chose que vous, Cyril !

— Comment ça, la même chose que moi ? Qu'est-ce que vous voulez dire, bon Dieu de merde ?

Il se remit à secouer le vieil homme, remarquant pour la première fois son état de délabrement physique. Il n'avait plus que la peau sur les os.

— Il cherche des renseignements... sur le Dogilani... sur la forêt...

— La forêt ? répéta Anderson, surpris.

Nouveau coup de sonnette.

— Où êtes-vous garé ? demanda Haksar, retrouvant le sourire.

Sa Land Cruiser... Elle était connue comme le loup blanc, à l'université. Cette voiture, c'était quasiment son estampille — il ne l'avait d'ailleurs choisie que pour ça... Sauf que si Ngili l'avait aperçue, il savait qu'il était dans le quartier. Et que s'il s'y trouvait, ce ne pouvait être que pour rendre visite à Haksar. Pas pour s'acheter une boîte de curry.

— Pas un mot ou ce sera le dernier... ! menaça Anderson.

Il allait descendre et envoyer Ngili se faire voir ailleurs.

Mais mieux valait ne pas se fier à Haksar. Une paire de ciseaux traînait sur le bureau. Il coupa le fil du téléphone et s'en servit pour lui ficeler les poignets derrière le dossier de la chaise et lui ligoter les chevilles. Cela fait, il rectifia sommairement sa tenue et dégringola l'escalier.

A mi-étage, il s'avisa soudain qu'il était sans arme. Quelle idiotie de ne pas avoir emporté le Sig-Hammerli ! S'il en venait à se colleter avec Ngili, il devrait l'affronter à mains nues. La perspective lui rendit un peu de lucidité. Pourquoi irait-il se battre avec Ngili ? C'était ridicule. Il suffisait de l'éconduire.

Il ouvrit la porte d'un geste brusque.

— Vous ici ? Qu'est-ce qui se passe ? s'enquit Ngili, surpris.

Le jeune homme se tenait sur le seuil, élancé, élégant, vivante incarnation de l'Africain que haïssait Anderson. L'Africain trop sûr de soi pour se laisser impressionner par un Blanc.

Ngili pointa l'index vers sa joue. Nom de Dieu ! Il avait complètement oublié cette estafilade...

— Tout va bien, professeur ?

— Euh... mais oui... bien sûr...

Il s'essuya la joue d'un revers de main. Il éprouvait une telle humiliation d'être vu dans cet état, qu'il aurait volontiers étranglé Ngili sur place pour se venger de cet affront.

— Le professeur Haksar a eu un malaise... Il m'a demandé de le conduire à la salle de bains, il a glissé et... il m'a entraîné dans sa chute, lâcha-t-il.

Ngili l'examina de la tête aux pieds. Cyril croisa les doigts pour que rien dans sa tenue ne trahisse son empoignade avec Haksar.

— Voulez-vous que j'appelle une ambulance ? proposa Ngili.

— Non, c'est inutile. Il va déjà beaucoup mieux. Mais, dites-moi... qu'est-ce qui vous amène ?

Il fit un pas. Aussitôt, Ngili étendit la main et l'arrêta, d'un geste retenu mais ferme.

— Le professeur Haksar m'a appelé, expliqua-t-il en ramenant précautionneusement sa main, comme quelqu'un qui vient de stabiliser un ivrogne. Il m'a demandé de passer le voir.

— Il vous a appelé, vous? Eh bien, je regrette, mais il n'est, hélas, pas en état de vous recevoir...

Un souvenir lui revint soudain en mémoire et il s'y raccrocha avec soulagement.

— N'est-ce pas cette semaine que... votre frère se marie? Gwee... » (Jamais mot ne lui avait paru plus imprononçable que ce prénom.) « Vous devez être en pleins préparatifs, j'imagine...

— Et comment! Le mariage est pour ce soir. Mais le professeur Haksar a tellement insisté...

Ngili fit un pas vers la porte.

— Un moment d'absence, sans doute! jeta Anderson en s'interposant. Il... il ne savait plus ce qu'il disait... Carence profonde en insuline... Le malheureux perd la tête...

— Ce n'est pas l'impression qu'il m'a donnée.

— Ça ne devait pas être si urgent que ça. Il n'y pense probablement déjà plus. » Anderson sentait qu'il ne pourrait pas supporter beaucoup plus longtemps le regard du jeune Massaï, dont les yeux ne perdaient pas un de ses gestes. « Mais ne vous inquiétez pas. Je m'occupe de tout...

Ngili faisait demi-tour pour regagner la rue, lorsqu'il se ravisa.

— Inutile de tourner autour du pot, Cyril! Le jour où le professeur Haksar est venu voir mon père en votre compagnie, il a mentionné qu'il avait, dans le temps, exploré le Dogilani et il n'a pas paru ravi d'apprendre que Ken et moi étions allés traîner par là. Vous, ça vous a laissé de marbre... Et subitement, vous avez l'air de vouloir m'empêcher de parler au professeur. C'est d'autant plus curieux qu'il semblait beaucoup tenir à ce que je vienne, et qu'il a même fait allusion à une chose qu'il souhaitait confier à quelqu'un de fiable...

— Et vous vous figurez être l'heureux élu? fit Cyril en s'esclaffant. Fiable, hein? Vous qui n'avez même pas été fichu de protéger votre cher ami Lauder!

Sa remarque fit mouche: Ngili lui jeta un regard si meurtrier qu'il se maudit à nouveau de n'avoir pas pensé au Sig-Hammerli. Il croisa les doigts pour que Ngili se contente de le fusiller des yeux.

Mais Ngili se contint. Dans quelques heures, son frère se mariait. S'il avait accepté de passer voir Haksar en coup de vent, c'était uniquement parce qu'il avait à faire dans le quartier — un lot de lances d'apparat et de boucliers massaï à récupérer chez un artisan indien chargé de les restaurer.

— Dites au professeur Haksar que je repasserai ! lança Ngili, d'un ton qui était presque un avertissement. Oh ! A propos... Vous avez quelque chose qui dépasse de votre poche. On dirait du fil de téléphone... ajouta-t-il d'une voix neutre.

Sur ce, il tourna les talons et descendit l'allée.

Tandis qu'il s'éloignait sous la pluie, Cyril se tâta fébrilement les poches. C'était vrai : il avait un morceau de fil téléphonique dans la droite.

Il fit un pas en arrière et referma violemment la porte, mais c'est à peine s'il l'entendit claquer : une âcre odeur de brûlé lui assaillait les narines. Il grimpa l'escalier quatre à quatre et fonça vers le bureau de Haksar. Un nuage de fumée s'en échappait.

Il se précipita dans la pièce. Le dossier de la chaise en alu gisait sur le sol. Il était apparemment amovible, et il avait suffi à Haksar de se mettre debout pour le déboîter. Le vieil homme avait réussi à se détacher les mains. Allongé par terre, les chevilles toujours entravées, il jetait des papiers couverts d'une écriture serrée dans un feu qui flambait sur un plateau de cuivre.

— Trop tard ! » s'écria Haksar, d'une petite voix aiguë, tandis que les flammes commençaient à lécher la liasse de feuilles qu'il venait d'y jeter.

De grosses gouttes de sueur lui dégoulinaient du menton. La chaleur ne doit pas améliorer sa crise de diabète, se dit Anderson. Il se rua vers le plateau et parvint à arracher quelques feuillets aux flammes. Des dessins — des croquis de singes, pour autant qu'il puisse en juger d'un coup d'œil.

— Qu'est-ce que vous avez brûlé, hein ?

— Ce que j'ai vu là-bas... ce que tout le monde cherche...

— Qu'est-ce que c'est ? Vous allez parler, à la fin ?

Haksar haussa les épaules.

Anderson fit un pas vers lui.

— A moi, vous ne vouliez rien dire, mais vous avez appelé Ngili... Pourquoi m'avoir demandé de seconder vos projets, en ce cas ?

— Pour voir si vous saviez quelque chose, répondit Raj,

avec une logique imparable. Vous êtes toujours en train de fouiner, toujours en train de fourrer vos sales pattes dans les affaires des autres. Il fallait que j'en aie le cœur net...

— Vous vous êtes foutu de moi !

— J-jamais d-de la vie... fit le vieil homme, que son état commençait à faire bégayer. J-je voulais juste t-trouver un d-dépositaire digne de... ma d-découverte... Et ce n'est p-pas vous, C-Cyril...

Et si ce vieux fou bluffait et qu'il n'ait pas eu le temps de détruire toutes ses notes ? songea Anderson. Il se lança dans une fouille systématique du bureau, examinant tous les meubles, les uns après les autres. Malgré sa faiblesse, Haksar sentit son cœur s'emballer en le voyant approcher du petit placard qui lui servait de pharmacie.

Anderson l'ouvrit. Plusieurs rangées de doses d'insuline, chacune munie d'une seringue jetable, s'alignaient sur une étagère. D'un revers de main, il balaya un rang entier de flacons, puis un second. Les fioles s'écrasèrent par terre. Il se mit à piétiner sauvagement celles qui avaient échappé à la casse.

Haksar ramena ses chevilles entravées sous lui et, assis dans la pose d'un yogi en méditation, contempla la flaque d'insuline qui se répandait sur le tapis fané.

Haletant, Anderson tira à lui la chaise privée de dossier et s'y laissa choir. Lui aussi fixait les flacons pulvérisés et la tache qui s'élargissait.

— Regardez bien, Raj ! C'est votre vie qui est là, devant vous. Et elle va s'évaporer, à moins que vous ne vous décidiez à me raconter votre histoire...

4

« *Nyoka, mbaya ugonjwa!* Vipère, immonde vermine! Vieille salope d'Anderson ! » jura Ngili entre ses dents. Il fonçait au volant de la Mercedes familiale, indifférent aux piétons comme à la fausse image qu'il était en train de donner de lui — celle d'un fils à papa, d'un sale petit parvenu. Mais il avait beau le maudire, Anderson lui avait asséné une rude vérité. « C'est de la langue du menteur que tombe la vérité la plus amère », comme disait le proverbe... Et la vérité, c'était que lui, Ngili, n'avait pas su protéger son meilleur ami.

Il avait laissé Ken partir seul en brousse.

Le code de l'honneur des Massaï est celui d'un peuple de guerriers et, pour un guerrier, abandonner un camarade est à peine moins déshonorant que d'être vaincu au combat. La disparition de Ken était un accident, bien sûr, mais Ngili avait le sentiment d'avoir lâché son copain. Et pour tout arranger, il fallait qu'Anderson lui balance ça aujourd'hui, alors qu'il baignait depuis l'aube dans la symbolique tribale. Les boucliers et les lances d'apparat s'entrechoquaient sur la banquette arrière, comme de vivants reproches.

Enfin, quoi ! Je n'ai fait que me plier à la volonté de mon père... songea Ngili.

Et comme chaque fois qu'il se retranchait derrière cette excuse, il se revit en train de survoler l'immense plaine du Dogilani, essayant de repérer Ken. Il avait déjà effectué deux vols de reconnaissance au-dessus de la savane, les yeux littéralement collés à ses jumelles pour éviter d'être aveuglé par le soleil qui noyait la carlingue de l'avion, guettant obstinément une silhouette d'homme.

Mais il n'avait pas décelé le moindre signe de présence humaine.

Ken semblait s'être évaporé.

Si j'ai agi ainsi, c'était pour obéir à mon père.

Piètre consolation... Il se faisait un sang d'encre pour Ken. Son ami lui manquait, mais plus profondément, c'était d'une facette de lui-même qu'il se sentait comme orphelin, du Ngili qu'il était devenu au fil des ans, au contact de cet Américain blanc. Comme beaucoup d'Africains cultivés, Ngili était tiraillé entre ses racines et le mode de vie occidentalisé qui était le sien. Avec Ken, il pouvait librement laisser s'exprimer son côté occidental. En fait, Ken l'avait aidé à prendre conscience de l'existence d'un autre Ngili, qui avait grandi en lui peu à peu, à l'insu de son père — à qui peu de choses échappaient, pourtant...

Il y avait des moments comme ça, où Ngili se sentait à deux doigts de haïr son père. Et ce sentiment inimaginable, si nouveau pour lui, le terrifiait.

Il n'osait pas avouer à Jakub à quel point l'amitié de ce *mzungu* lui était précieuse. Ni lui dire que s'il s'écoutait, il enverrait balader toutes ces obligations familiales (rendues plus compliquées encore par le mariage de Gwee) pour sauter dans un avion et reprendre les recherches au-dessus du Dogilani.

Mais à l'heure qu'il était, peut-être ne restait-il déjà plus de Ken que quelques os blanchis, éparpillés sur l'herbe de la savane...

Et puis, il y avait autre chose. Hendrijks était mort.

Yinka et lui avaient été convoqués à la morgue de la police municipale afin d'identifier le corps. Il avait trouvé bizarre qu'Arnold Kalangi ait songé à sa sœur, mais elle connaissait Hendrijks depuis des années et avait tenu à y aller. Cela dit, en arrivant à la morgue, elle avait tout de même eu la respiration un peu haletante — signe qu'elle n'était pas si à l'aise que ça.

Kalangi, un grand type efflanqué aux cheveux blancs, les avait escortés jusqu'à une pièce en sous-sol, où il avait ouvert un tiroir. Le corps y reposait, dans un sac étanche dont le chef de la police avait tiré la fermeture à glissière. Le visage de Hendrijks en avait émergé, pâle comme la cire, et aussi boursouflé qu'une céramique ratée.

Yinka avait dû aller se pencher d'urgence au-dessus d'un gros crachoir en cuivre, soutenue par Ngili accouru à la rescousse, mais sa nausée n'avait pas dépassé le stade des haut-le-cœur.

Tandis que le policier refermait le tiroir, Yinka qui s'épongeait le visage avec un Kleenex avait jeté un coup d'œil à son frère et remarqué ses joues verdâtres, décolorées par la peur. Songeait-il avec angoisse qu'après la disparition de Ken, et maintenant la mort de Hendrijks, il était l'unique survivant de leur expédition au Dogilani ?

Mais Ngili redoutait autre chose : qu'à cette minute même, Ken — s'il était mort — ne ressemble à Hendrijks. Quant à lui, il allait se procurer un revolver. Il se demandait aussi s'il ne ferait pas bien de demander à la police de participer aux recherches, tout en sachant que ce serait une erreur : trop de flics étaient mêlés à des affaires de trafic de drogue ou de braconnage, même si Kalangi, nouvellement nommé à la tête de la police, avait juré de faire le ménage dans ses services et d'en chasser les brebis galeuses.

En fait, sans Kalangi, Ngili n'aurait pas fait le lien entre la disparition de Ken, la mort de Hendrijks, et le fait qu'il était le dernier membre de leur trio à être encore en vie. Arnold lui avait demandé si, à sa connaissance, les Ngiamena avaient des ennemis. Il s'était contenté de hausser les épaules, en le regardant droit dans les yeux, sentant que le moindre renseignement qu'il pourrait donner risquait de se retourner contre lui. Il avait été sidéré d'entendre Kalangi lui conseiller tout à trac d'engager des gardes du corps pour assurer sa protection. Il pouvait lui recommander quelques anciens flics, s'il voulait. Des hommes capables de s'occuper de n'importe qui, n'importe où, même à l'étranger, avait-il dit...

Yinka avait eu un sursaut horrifié, mais il s'était contenté de demander à Kalangi d'un ton glacial :

— Etes-vous bien sûr qu'ils aient cessé toute activité au sein de la police ?

Kalangi avait souri, et s'était mis la main devant la bouche pour étouffer une quinte de toux.

— Simple proposition. A vous de voir...

— Je ne le trouve pas net, ce Kalangi... avait fait Yinka, une fois dans la voiture. Et toi ? Tu n'as pas l'impression que tout ça cache une grosse magouille ?

— Mais non ! Qu'est-ce que tu vas chercher ? avait-il répondu, en toute sincérité. Hendrijks s'est fait descendre à cause de ses petites combines. Je parierais qu'il traficotait dans la drogue...

Elle ne lui avait pas demandé s'il croyait que Ken était toujours vivant.

Mais depuis, trois jours de plus s'étaient écoulés...

Devant la Mercedes se profilait l'hôtel Naivasha — ce même palace où Ken et lui avaient travaillé comme barmen et partagé un rêve commun. Dans quelques heures, Gwee y célébrerait son mariage...

Yinka était debout au milieu du parquet de la salle de bal du Naivasha, vêtue d'un somptueux *kikoi* d'un rouge de feu. Son front était surchargé de chaînes d'or. Elle supervisait la répétition générale de la danse traditionnelle massaï, le *ngoma*.

Dans la soirée, vingt jeunes filles, toutes parentes des Ngiamena, allaient l'exécuter face à autant de jeunes gens, triés sur le volet parmi le gratin de la bonne société massaï de Nairobi. On attendait le fils du président Noi qui, bien que n'étant pas massaï — mais pourquoi chercher la petite bête ? — devait être le leader du groupe des danseurs, mais il n'avait toujours pas confirmé sa présence. Les jeunes gens, revêtus de la tenue traditionnelle des chasseurs, arboraient néanmoins au poignet, qui une Vacheron, qui une Rollex. Pieds nus, garçons et filles s'appliquaient à sauter face à face, au son de tambours digo auxquels se mêlaient le tintement des chaînes qui ornaient leurs fronts et le cliquetis des anneaux d'argent et de cuivre qu'ils s'étaient passés aux poignets et aux chevilles.

Les connotations sexuelles de cette danse de séduction étaient claires, et chacun s'y adonnait avec un bel enthousiasme : c'était à qui se trémousserait le mieux des épaules, de la poitrine, des hanches et de la croupe. Par leurs sauts acrobatiques, les garçons manifestaient leur jeunesse, leur fougue et leur énergie, leur plaisir d'échapper au train-train de la vie quotidienne, leur soif de chasser et de procréer. Pour les jeunes filles, la danse symbolisait la jeunesse, la joie, la gaieté, le désir d'attirer l'attention d'un mâle et de transmuer sa semence en descendance.

Au cours des années qu'elle avait passées chez ses grands-parents, Yinka avait maintes fois eu l'occasion de voir danser les jeunes gens du village — et même des enfants d'une dizaine d'années. Là-bas, pas de Rollex ou de parquet luisant, comme ce soir. Juste un carré de terre battue. Mais le *ngoma* y était plus endiablé encore. C'était un véritable exercice de séduction, doublé d'une parade nuptiale. Quand la danse s'achevait, les garçons et les filles en âge de participer aux jeux amoureux s'éclipsaient par couples dans la brousse, très librement et sans le moindre chaperon. Seule la maturité des corps déterminait le statut d'adulte. Les fillettes dont les seins pointaient à peine restaient en retrait, et les gamins dont le pagne de chasseur cachait de timides érections ne cherchaient pas à pousser leur avantage. Tous savaient d'instinct quand rester enfant, mais aussi quand devenir des hommes et des femmes.

Tous ces souvenirs étaient si présents en Yinka qu'elle faisait un excellent professeur. Elle avait rangé les filles par ordre d'âge et de taille, et placé au premier rang les fillettes les plus jeunes, qui auraient pour partenaires les garçons les plus petits. Tous étaient très intimidés. Ils mettraient les invités dans l'ambiance en sautillant en toute innocence, et sans arrière-pensées. Tout en dansant, ils devaient s'écarter sur les côtés pour permettre à leurs aînés de se retrouver face à face. Alors, le rythme des tambours digo, jusque-là modéré, se muerait en un roulement frénétique, entraînant les danseurs dans des sauts endiablés. Les corps juvéniles s'emperleraient de gouttes de sueur. Jeunes ou vieux, les spectateurs sentiraient le rythme des tam-tams pulser dans leurs veines. Tous communieraient dans un même souffle de jeunesse, et une fierté partagée réunirait parents et amis, toutes querelles enterrées.

Cette danse était à coup sûr une des plus suggestives de la planète, mais elle était d'une totale chasteté. Garçons et filles mettaient tant de fougue dans leurs sauts, leurs trémoussements et leurs ondulations que la danse en perdait toute lubricité. C'était une célébration de l'avenir.

Vu le cadre citadin du bal des Ngiamena, la tradition avait été un peu bousculée pour faire une place aux parents âgés et aux invités de marque. Une fois que les jeunes gens auraient exécuté les trois premières danses, qui leur étaient réservées, chacun serait libre d'entrer en piste. C'était pour cela que Yinka avait lancé à Ken en plaisantant qu'elle comptait sur lui pour être son partenaire. Le spectacle aurait été du plus haut comique — encore qu'il aurait sans doute tiré des sourires embarrassés de tout le clan familial... Mais elle comprenait à présent à quel point elle s'était fait une fête de danser avec lui. Beau joueur comme il l'était, il aurait tenté de faire de son mieux pour sautiller, en riant lui-même de sa maladresse. Mais peut-être aurait-il découvert dans son corps de coureur de savane un rythme qui n'appartenait qu'à lui... Comment savoir? En bonne Africaine, Yinka concevait la danse comme un moyen de s'extérioriser. C'était une facette de Ken qu'elle aurait aimé découvrir. Et cette danse serait devenue *leur* danse.

S'il avait été là... Mais il ne l'était pas.

Au souvenir de sa visite à la morgue, son cœur se serra.

Le visage de Ken se substitua à celui de Hendrijks.

Où était-il passé? Qu'est-ce qui lui avait pris de repartir là-bas tout seul, à cet idiot? Mais qui avait eu la brillante idée de l'aider à commettre cette idiotie...?

Comment s'empêcher de penser à lui? Depuis cette visite à la morgue, son inquiétude pour Ken se doublait du souci qu'elle se faisait pour son frère. Ngili ne sortait plus sans son revolver. Il l'aurait tout à l'heure, sous son costume traditionnel. Quant à elle, elle refusait de porter une arme, comme elle refusait de s'avouer sa propre angoisse.

Dès qu'elle vit Ngili entrer dans la salle de bal, elle accorda une pause à ses danseurs et le rejoignit.

— Alors, grand frère, tout s'est bien passé?

— Plus ou moins... fit Ngili en se dirigeant vers une cabine d'habillage improvisée, afin de passer sa tenue de cérémonie.

— Et Haksar? Qu'est-ce qu'il te voulait? s'enquit-elle, en lui emboîtant le pas.

— Aucune idée. Je ne l'ai pas vu, en définitive.

Il entra dans la cabine, tira le rideau et, tout en se changeant, lui résuma ce qui s'était passé. Yinka ne soufflait mot.

— Tu es déçue? demanda-t-il, avec humeur. Tu espérais peut-être que ses révélations nous permettraient de retrouver Ken?

— Oui... reconnut-elle, en se demandant ce qui avait pu mettre son frère d'humeur si massacrante.

— J'ai bien peur que nous n'ayons d'autres sujets de souci. En bas, j'ai croisé Um'tu en train de discuter avec Jack Dimathi. Il m'a fait signe d'approcher...

Ngili écarta le rideau. Il était si impressionnant dans son costume massaï que Yinka, qui avait pourtant la critique facile, en resta le souffle coupé. Ngili jeta un regard vers la piste de danse et bien qu'il n'y ait personne à portée de voix, reprit un ton plus bas :

— A en croire Jack, on serait à la veille d'un coup d'Etat. Et ce sont les Massaï qui vont probablement servir de boucs émissaires...

Yinka sentit sa gorge se nouer.

— Mais... pourquoi nous? Nous sommes si peu nombreux...

— Justement! Ils n'oseraient pas s'en prendre à une ethnie majoritaire comme les Kikuyu — leurs frères de race — ou les Embu.

— Qui ça, « ils » ? L'armée?

Ngili hocha la tête. L'armée. L'institution la plus universellement redoutée, en Afrique. Censée assurer la stabilité intérieure, mais continuellement en train de fomenter des troubles. De par son métier — il dirigeait la seule compagnie aérienne privée d'Afrique de l'Est —, Jack Dimathi était l'un des hommes les mieux informés du pays, et il avait décelé certains signes avant-coureurs. Plusieurs unités avaient quitté leurs cantonnements habituels pour se diriger sur des régions majoritairement peuplées d'ethnies autres que la leur. Depuis peu, des troupes manœuvraient et établissaient des camps volants à proximité des zones de pâturage utilisées par les Massaï. Dans le même temps, un certain nombre de chefs massaï avaient commencé à parler de « représentation tribale ».

— Et c'est forcément quelqu'un qui leur a soufflé cette idée, conclut Ngili. Quelqu'un qui est en train d'orchestrer une provocation massaï, afin de légitimer une intervention de l'armée. » Il marqua une pause, fixant le visage stupéfait de sa sœur. « C'est du moins le diagnostic de Jack...

— Et Um'tu prend ça au sérieux?

— Je veux, oui! Les chefs de tribu sont en train de prendre un verre dans le grand salon, et il est allé les sonder discrètement pour se faire une idée de l'ampleur des mouvements de troupes dans leurs régions respectives.

La réception ne devait officiellement débuter que dans une heure, mais le comité d'accueil familial était déjà en place, car les premiers invités commençaient à arriver : certains venaient de très loin, et à bord de véhicules pas toujours fiables, d'où la nécessité de prévoir une marge d'avance conséquente... Une petite foule s'était formée devant l'entrée de l'hôtel et attendait, blottie sous des parapluies, de pouvoir accéder au foyer, au rythme d'une famille toutes les dix minutes — le temps qu'il fallait en moyenne aux invités pour parcourir une vingtaine de mètres et échanger leurs salutations avec Jakub, Itina, Gwee — le héros de la soirée, vêtu d'une peau de lion — et Wambui, la vieille nounou, qui versait toutes les larmes de son corps et pas uniquement par respect de la tradition.

Les invités entraient, le visage fendu d'un large sourire — marque de courtoisie plutôt que réelle manifestation de plaisir —, et défilaient devant les Ngiamena assemblés avec des : *Hujambo ! Habari !* — Bonjour, comment allez-vous ? — que la famille reprenait en écho : *Hujambo ! Habari !* Sur quoi, hôtes et invités s'assuraient avec un bel ensemble : *Mzuri, ahsante* — Très bien, merci — et s'étreignaient longuement avec le même sourire crispé, aussi guindés qu'à une très « british » garden-party, du temps du Protectorat. Puis les invités entamaient les inévitables questions rituelles concernant l'état de santé de chacun des membres de la famille, et le montant de la dot. (Les Ngiamena n'avaient pas eu à verser de dot à la mariée, qui venait d'une famille occidentalisée et était diplômée en droit, mais il fallait respecter la tradition...) Rassurés sur ces points, les invités poursuivaient en s'étonnant que Ngili, l'héritier du nom, ne soit pas encore marié, sur quoi Jakub devait feindre l'embarras, tout en laissant entendre que son aîné avait déjà fait l'hommage de sa semence à une jeune personne, que l'élue de son cœur honorait peut-être la soirée de sa présence, mais que, par un caprice d'amoureuse, elle ne souhaitait pas encore révéler leurs projets matrimoniaux. Entre-temps, — selon la formule traditionnelle —, Ngili « chasserait avec plus de détermination que jamais », pour se faire pardonner de ne pas entourer ses parents vieillissants du respect et de l'affection d'une nuée de petits-enfants.

Tous les invités arboraient leurs parures tribales : calot

en léopard et tunique assortie ou en zèbre, côté messieurs, *kikoi* éclatant et tiare en plumes multicolores — pour lesquelles on avait dû plumer tous les oiseaux de la savane —, côté dames. Au maintien des arrivants, il était aisé de repérer ceux pour qui ce genre de tenue était habituel, et ceux auxquels le port du costume-cravate ou des talons hauts était plus familier. En plus de leurs bijoux tribaux, certaines femmes arboraient des créations signées Cartier ou Bulgari.

Le brouhaha qui montait du foyer de l'hôtel rappela à Ngili que sa sœur et lui auraient dû se poster en bas, pour accueillir les invités.

— Oh, à propos... glissa-t-il à Yinka, le fils du président ne vient pas. J'ai appelé le chef du protocole, qui a invoqué un empêchement de dernière minute.

Super! faillit-elle s'exclamer. (Le jeune Noi avait la main baladeuse et la dernière fois qu'ils avaient dansé ensemble, elle avait dû le pincer pour qu'il la laisse tranquille.) Au lieu de cela, elle resta silencieuse : si le chef de l'Etat avait autorisé son rejeton à assister au mariage de Gwee, sa présence aurait été un gage éclatant de la faveur présidentielle. Son absence, ce soir, ressemblait à une disgrâce qui ne voulait pas dire son nom.

Ngili regarda sa sœur et fut frappé par sa beauté, malgré la soudaine pâleur qui avait envahi son visage.

— Je suis sûre que Jack fait de la parano, murmura-t-elle. Prendre les Massaï pour cible... C'est absurde! Il y en a si peu qui soient réellement influents. Et je vois mal l'armée tenter quoi que ce soit contre le régime. Elle a bien trop à y perdre.

— Et si le président et l'armée étaient de mèche et qu'ils aient décidé d'utiliser les Massaï pour faire un exemple et décourager toute velléité d'opposition?

— Um'tu va nous gâcher la soirée, à tous les coups! fit Yinka d'un ton irrité, en s'élançant dans l'escalier. Et Ken, là-dedans? lança-t-elle par-dessus son épaule, en entendant Ngili la rattraper. On ne va tout de même pas renoncer à monter une expédition de secours, dis?

— Et si ce n'est pas possible?

— Tu veux dire qu'on va l'abandonner à son sort?

— Ne t'en fais pas pour Ken. Il est de la race des survivants, marmonna Ngili. Si ça se trouve, il est moins en danger, là où il est, que nous ici...

Yinka s'arrêta net au beau milieu de l'escalier et toisa son frère :

— Comment peux-tu parler aussi froidement de ton meilleur ami ?

— C'est pourtant ce que je pense, Yinka. » Il l'empoigna par le bras, faisant tinter ses bracelets. « Ken n'a qu'une passion : la science...

— Tu crois vraiment ? fit-elle, avec un fin sourire. Il n'est pourtant pas de bois...

— Enfin, Yinka ! C'est un...

— Un Blanc ? C'est ça ?

— Un Américain ! acheva gauchement Ngili.

Elle éclata de rire. Comme si la moitié de la population mâle du Kenya ne rêvait pas d'épouser une Américaine... A moins que cela fasse une différence, que ces Américaines soient noires pour la plupart ?

— Et si je décidais de ne pas me comporter en bonne petite Africaine soumise et obéissante, mais en femelle opportuniste ? lui lança-t-elle d'un air de défi. Car c'est bien en ces termes que vous parlez des femmes, dans vos savants colloques sur la stratégie génétique, non ? Et si je décidais que je ne vois rien à reprocher à Ken, en ce qui me concerne ? Il est jeune, ardent et... il a un très fort potentiel génétique, comme tu dirais ! Sans compter qu'il doit avoir un brillant avenir de scientifique devant lui, si toutefois il revient vivant...

— *Si !* » articula Ngili, d'un ton lourd de sous-entendus. Il lança un regard noir à sa sœur. « Yinka, est-ce que...

— Ça, c'est pas tes oignons !

Elle se tut, comprenant soudain que l'inquiétude qu'elle se faisait pour le « petit colon » n'avait rien à voir avec le fait qu'elle avait couché avec lui. Leur intimité n'avait duré que quelques heures, et il était peut-être mort depuis des semaines déjà.

— Ecoute... » Le visage de Ngili s'était fermé. Il la regardait, raide et impassible, mais elle le connaissait assez pour savoir que son attitude était trompeuse : il était loin d'être indifférent. « Et si Ken revient, et qu'il ne se passe rien entre vous ?

— Tu as raison, fit-elle, peut-être qu'il ne se passera rien...

L'espace d'un instant, une telle détermination et une telle certitude brillèrent dans ses yeux qu'il comprit que Ken serait incapable de lui résister, surtout si elle se mettait en tête de le séduire. Elle acheva de descendre l'escalier et il l'imita. Comme ils atteignaient le bas des marches, une salve d'applaudissements salua leur apparition : le frère et la sœur formaient un couple si saisissant, dans leurs costumes traditionnels, que les invités n'avaient pu s'empêcher de réagir à l'image idéalisée qu'ils leur renvoyaient.

Faisant tinter ses chaînes et ses bracelets, Yinka se hâta vers un groupe d'arrivants et se jeta au cou d'une ancienne camarade de lycée.

Le *kikoi* qu'elle arborait ce soir était celui que sa mère avait porté pour son mariage. Dans son encolure était cousue une graine d'arbre. Un gri-gri d'amour, censé faire penser un homme à la femme qui l'aimait, à la minute où elle pensait à lui. Allez, manifeste ton pouvoir ! songea Yinka avec véhémence. Fais-le penser à moi, s'il est vivant ! Fais qu'il pense à moi ! Elle eut l'impression que la graine desséchée se faisait soudain plus lourde à son cou. Elle étreignit les parents de son amie, puis alla se joindre à ses parents et à ses frères, qui achevaient d'accueillir leurs invités. Tournée en direction de Little Benares, elle effleura la graine cachée dans l'étoffe de son *kikoi* et fit un vœu : quoi que sache Haksar, que cela puisse aider Ken !

— La prochaine glaciation... devrait intervenir... d'ici... deux mille ans... Soit... une centaine de générations... Amplement suffisant pour qu'émerge... une humanité nouvelle...

Haksar était affalé sur un divan. Anderson lui avait détaché les chevilles et le surveillait du coin de l'œil. Son taux d'insuline devait avoir dépassé le seuil mortel depuis belle lurette. Pourquoi mettait-il tant de temps à mourir... ?

La nuit était tombée et, dans la maison, seule brillait la lampe de bureau auprès de laquelle Anderson était installé, environné de la poussière des vieux livres et des piles de dossiers qu'il avait retournés, et dont l'odeur se mêlait aux relents chimiques de l'insuline renversée et des waters bouchés.

— Mais bien avant ça... cette planète sombrera... sous le

poids de la surpopulation... » poursuivit Haksar, de son débit curieusement haché, comme un magnétophone qui a des ratés. « D'ici deux mille ans... il y aura plus de deux mille... milliards... d'habitants sur terre... Si son taux de natalité... reste ce qu'il est... la population des Philippines... pèsera à elle seule... plus lourd que la Terre.

L'idée du poids colossal des Philippins le fit glousser.

Anderson se leva et s'étira. Ses vertèbres craquèrent dans le silence. Une humanité nouvelle... Curieuse idée, mais pourquoi pas ? Cela dit, comment supplanterait-elle l'espèce humaine actuelle ? A cause de l'épuisement des ressources naturelles ? De quoi ce vieux fou parlait-il ?

Haksar n'arrêtait pas d'évoquer le passé, de faire des allusions cryptiques à quelque chose qui lui était arrivé, dans le temps. Mais il n'était toujours pas parvenu à lui extorquer son secret. Rien n'y avait fait, pas même la torture. Il lui avait pourtant broyé le poignet — celui qu'il s'était fracturé en tombant dans l'escalier — mais le vieux avait hurlé de douleur, sans lâcher la moindre bribe d'information. N'y tenant plus, Anderson traversa la pièce et vint se planter devant lui.

— Ça rime à quoi, toutes ces divagations sur une nouvelle humanité, Haksar ? Tu veux dire que tu as découvert une tribu inconnue ? Et que tu as engrossé leurs femelles, c'est ça ?

— Non... ça n'aurait rien eu de... scientifique...

— Parce que ça, ça l'est, peut-être ? ricana Anderson, en agitant sous le nez de Haksar les quelques feuillets qu'il avait sauvés des flammes.

Des dessins de sexes masculins s'y étalaient — les appareils génitaux de différentes espèces de primates. Les croquis, grandeur nature et d'une exactitude scrupuleuse, étaient de la main de Haksar. Anderson se remit à rire.

— T'as dû être un sacré chaud lapin dans tes jeunes années, hein, mon salaud ! Je me trompe ? C'est ce genre de truc qui te faisait bander ?

— C'était en... oui... en 1953.

De quoi parlait ce vieillard ? A part qu'à l'époque, il était, lui, étudiant à Oxford, l'année 1953 ne lui avait pas laissé de souvenirs impérissables... Mais Haksar devait être ici, au Kenya, et en 1953... La révolte des Mau-Mau ! Bien sûr ! Il avait même fallu faire appel à la RAF pour en venir à bout...

— Je faisais de la... zoologie, en ce temps-là... Ne vous en mêlez pas, Anderson... vous entendez !

— Du calme...

Anderson feuilleta les dessins, impressionné malgré lui par leur précision, et un peu soufflé de découvrir (les chiffres étaient notés en regard de chaque dessin) que le pénis en érection d'un gorille mesurait moins de quatre centimètres, alors que celui d'un orang-outang en faisait cinq, celui d'un chimpanzé presque six, et celui d'un *Homo sapiens* douze minimum.

— J'aurais cru que chez les singes, la taille du sexe était proportionnelle à celle de l'animal... marmonna-t-il.

— Au... c-contraire... bégaya Haksar. Les grands singes... comptent surtout sur leur force pour... supplanter leurs... r-rivaux... Ils n'ont pas besoin d'un grand p-pénis... pour s'assurer la fidélité de leurs f-femelles... Vos notions de s-sociobiologie sont... plutôt fumeuses, Cyril...

— La ferme !

— Vous perdez trop de temps à intriguer... Grands dieux... les choses que j'ai vues, là-bas...

— Dans la savane ?

— Oui, la savane... Et la forêt...

Haksar se souleva. Dans son visage défait, presque simiesque, ses yeux brillaient d'une lueur mauvaise.

— N'y allez pas, Anderson... La mort y rôde... On croit trouver la gloire, mais c'est... la mort qui vous y attend... On y voit... l'humanité en marche... et on meurt...

— Lauder est mort, alors ?

— Peut-être... pas !

Anderson retint son poing de justesse.

— Comment ça, peut-être pas ? Parle, bon sang !

— Bien armé... génétiquement...

La tête de Haksar retomba lourdement sur sa poitrine, mais Anderson resta méfiant. Et si ce vieux singe lui jouait la comédie ? Dans cette position, en contrôlant son souffle, Haksar pouvait très bien ralentir ses fonctions vitales, et se mettre en état de mort apparente. Les Indiens connaissaient tout un tas de techniques bizarres...

Sans cesser de le surveiller du coin de l'œil, Anderson retourna la feuille qu'il tenait. Le sang lui monta aux joues : elle était couverte de dessins de vulves, représentées en vue frontale avec un réalisme saisissant — un véritable tableau d'anatomie comparée des organes sexuels féminins, du lémurien femelle à la femme, en passant par toutes les espèces connues primates.

— Alors, c'est à ça que tu consacrais tes loisirs au Dogilani, hein ? A courir la guenon ? lança-t-il, étrangement excité par les dessins. Qu'est-ce que tu dirais d'un abonnement à *Penthouse*, Haksar ? Raj... ?

Le vieil Indien émacié ressemblait à une idole rongée par le temps. Soudain, de cette forme d'une immobilité surnaturelle monta une voix désincarnée. Mais — et Cyril en frémit de la tête aux pieds — cette voix était claire et ne tremblait pas :

— Avez-vous une idée de la taille des testicules d'un gorille, Anderson ? Deux fois plus gros que ceux d'un homme... Mais un gorille éjacule en dix secondes, environ. Apparemment, la raison pour laquelle il a besoin de si gros testicules, c'est qu'il est forcé d'honorer un maximum de guenons parce qu'il est incapable de s'en attacher aucune, expliqua Haksar, en jetant à Anderson un regard entendu. Je me suis laissé dire que Corinne avait prolongé son séjour à Londres...

Cyril bondit sur ses pieds, se jeta sur Haksar et se mit à le secouer violemment.

— Arrête de jouer au plus fin, Raj ! Tu n'es pas encore mort ! Je vais te faire une petite piquouse, tu me racontes tout ce que tu sais, et on le monnaye !

— Combien ? A combien estimez-vous une nouvelle espèce humaine ?

— Il y a trop d'années que j'attends qu'une occasion pareille se présente ! hurla Anderson. Et ce n'est pas un vieux schnock subclaquant qui va m'arrêter !

— Je veux de l'argent. Beaucoup d'argent ! Mais ce que j'ai à vous dire va prendre du temps. Donnez-moi... soufflat-il d'une voix déjà moins ferme, comme si ses réserves d'énergie s'épuisaient, ... de l'insuline...

— Et comment ? Tu veux que je l'aspire avec ma bouche, peut-être ?

Il restait un peu d'insuline au centre de la tache qui s'infiltrait dans le tapis.

— Trouvez une cuiller... Raclez ce que vous pourrez et pompez-le dans une seringue...

Anderson avisa une boîte de seringues en plastique qui, rangée à part, avait échappé à sa rage destructrice. Il se pencha sur Haksar de si près que l'haleine fétide, repoussante, du vieillard lui envahit les narines mais, sans s'arrêter à ce détail, il lui souffla un échantillon de la sienne dans le nez.

— Tu as intérêt à ce que ton histoire en vaille le coup...

— Ne perdez pas de temps... Voyons qui est le plus rapide... Vous... ou la mort...

Va te faire foutre! jura intérieurement Anderson, en se ruant vers l'escalier. Dommage que je ne puisse pas te tordre le cou pour de bon!

Dès qu'il fut seul, Haksar s'assit, posa les pieds par terre et, au prix d'un terrible effort, se mit debout. Il tituba jusqu'à la fenêtre et, en se mordant les lèvres pour retenir un gémissement de douleur, parvint à l'ouvrir.

L'air du soir chargé de pluie lui gifla le visage. Devant chez lui, la rue était déserte mais, à côté du petit restaurant, un groupe de curieux munis de bougies, de clochettes et de tambours, regardait passer une procession d'ascètes hindous en route vers la rivière. Les saints hommes marchaient sous l'averse, les yeux au sol, la barbe et les cheveux détrempés. Les gouttes d'eau traçaient des sillons luisants dans la cendre qui leur enduisait le torse. Le tintamarre était à son comble.

Ce soir, tous ces êtres se sentaient en totale communion avec leur foi et leurs racines. Haksar les contempla, leur enviant désespérément ce sentiment d'appartenance. Au seuil de la mort, il aurait voulu, lui, l'homme de science, avoir le pouvoir de se transférer dans ce nirvana auquel croyaient tous les fidèles qui psalmodiaient dévotement, là-bas.

Ce qu'il connaissait du monde et du genre humain pesait sur lui comme une pierre. Et il éprouvait un insondable désespoir à l'idée qu'il allait disparaître sans avoir trouvé personne à qui léguer son secret.

La forêt... Il ne faut pas qu'Anderson y pénètre!

Il était toujours seul dans la pièce.

Sur son bureau gisait un livre, tout écorné par des années de lecture assidue. Il se traîna jusqu'à la table et se mit à feuilleter fébrilement le volume dont toutes les pages étaient surchargées d'annotations. A côté du livre se trouvait le seul lien avec l'extérieur à avoir échappé au vandalisme d'Anderson : son télécopieur.

Enfin, il trouva les pages qu'il cherchait, les arracha et les glissa dans le fax. D'un coup d'œil, il parcourut une liste de numéros de téléphone scotchée sur un coin du bureau, composa celui d'un correspondant à l'étranger, et pressa la touche « Envoi ». Avec un léger bourdonnement, le télécopieur se mit à avaler les pages, qui réapparurent sur une imprimante, à douze mille kilomètres de là.

Dès qu'Anderson franchit le seuil du bureau, il aperçut la fenêtre grande ouverte et Haksar debout devant, les jambes vacillantes, le visage luisant de transpiration. Brutalement, le vieil Indien s'effondra. Cyril se précipita et se pencha sur lui, la cuiller à la main. Haksar était livide. Seul l'imperceptible frémissement qui agitait ses paupières prouvait qu'il vivait encore.

Armé de sa cuiller, Anderson se mit à racler le tapis et aspira le peu de liquide qu'il avait recueilli dans une seringue. Il n'avait jamais fait une piqûre de sa vie. Il regarda Haksar, se demandant où planter son aiguille, et opta pour le gras de sa main. Un violent frisson parcourut le corps de Haksar. Anderson poussa un grognement de satisfaction : Raj avait apparemment renoncé à lui faire le sale coup de lui claquer entre les doigts.

— Encore une petite seconde, Haksar ! Courage ! Ce n'est qu'un mauvais moment à passer ! s'écria-t-il, inconscient de l'humour macabre de ce qu'il disait.

Fébrilement, il racla encore un peu d'insuline dans sa cuiller, voulut la pomper dans la seringue, et se piqua le doigt. « Bordel de merde ! » Tandis que son sang tombait goutte à goutte sur la main décolorée de Haksar, il plongea l'aiguille dans la paume du mourant.

Un spasme secoua le vieil homme. Ses paupières se soulevèrent et ses yeux se fixèrent sur Anderson.

Dehors, les ascètes avaient atteint la rivière et s'y jetèrent aux cris de « Shiva ! Shiva ! ».

Mais pour Haksar, il était trop tard. Il mourut sans que le dieu de la destruction et de la régénération lui ait révélé sous quelle forme il se réincarnerait.

Anderson fit le seul geste pratique qui s'imposait : il referma la fenêtre. Cela fait, il fonça vers la bibliothèque et se lança dans une fouille désordonnée, sortant des volumes au hasard, arrachant des pages, piétinant les livres tombés. Il était fou de rage. D'abord, Hendrijks, et maintenant Haksar ! Qu'est-ce que c'était que cette manie qu'ils avaient tous de claquer avant qu'il leur ait fait cracher le morceau ?

A force de tout retourner, il finit par dénicher une boîte qui avait été poussée sous un meuble. Elle était pleine de vieilles photos noir et blanc. Il les étala par terre. Sur l'une d'elles, se profilait une montagne boisée qui lui parut familière. La Mau... Au premier plan, trois hommes étaient debout. Cyril reconnut sans peine Hendrijks, mince, le menton volontaire, plus jeune de quarante ans. A ses côtés se tenait un Haksar, lui aussi juvénile et filiforme, au visage mangé par des yeux immenses. Il émanait de lui une impression d'énergie contenue, telle une grenade sur le point d'exploser.

La photo devait avoir été prise au début des années cinquante — pendant qu'il était lui-même à Oxford... Haksar portait une tunique de coupe militaire, marquée de taches sombres au col et aux épaules. Des traces de galons arrachés ? se demanda-t-il. Le troisième homme, campé à côté de Haksar, était un jeune Africain, presque un gamin, maigre et les jambes arquées. Il avait un tatouage carré sur une joue. Lui aussi était vêtu d'une espèce de veste d'uniforme, débarrassée de ses insignes. Un Enfield, dont la bretelle était remplacée par une cordelette qui semblait faite de crins tressés, lui pendait à l'épaule. La crosse du fusil était sciée au ras de la culasse. On aurait dit une de ces vieilles pétoires rafistolées, dont les Mau-Mau s'étaient servis contre les Anglais. Des armes ridicules d'aspect, mais d'une efficacité redoutable.

Les Mau-Mau...

Il examina attentivement la montagne qui se dressait à l'arrière-plan, puis le jeune Noir. Haksar et Hendrijks affichaient un sourire d'aventuriers juvéniles, mais il y avait de la cruauté dans celui du Kenyan. Tout dans sa physionomie semblait dire : « Je ne te raterai pas. »

Il était probablement là en qualité de guide ou de pisteur, et Hendrijks en tant que pilote. Mais qu'est-ce que Haksar fichait avec eux ?

Il tenta de rassembler ses souvenirs sur la révolte des Mau-Mau, mais il n'avait pas vécu sur place cette période troublée de l'histoire du Kenya, et les événements étaient plutôt brumeux dans sa mémoire.

La Mau, aux pentes envahies par la forêt, se dressait au-dessus des trois hommes, tel un cuirassé du pliocène, et pour la première fois, Anderson prit conscience des dangers auxquels il s'exposerait s'il s'aventurait seul dans ces parages sur la piste de Lauder, pour lui voler sa découverte.

Il fourra la photo dans une de ses poches. Il avait d'autres chats à fouetter dans l'immédiat. Haksar était mort et Ngili l'avait vu, lui, ici même, quelques heures plus tôt.

Il avait remarqué sa joue en sang.

Et il l'avait averti qu'il repasserait.

Cyril jeta un regard circulaire dans la pièce. Le désordre qui y régnait pouvait faire croire à un cambriolage. Mais les flacons d'insuline en miettes sur le tapis risquaient d'orienter la police vers la thèse de l'assassinat...

Le tueur néophyte qu'il était paniqua.

Quelques secondes plus tard, il émergea de la maison et, sous la pluie battante, fonça vers sa Toyota. Au passage, il nota que l'artiste amateur, sans doute découragé par le mauvais temps, s'était éclipsé, abandonnant Hanuman à son sort.

Il sauta au volant, tourna dans une rue adjacente et déboucha dans une petite ruelle, sur laquelle donnait le fond du jardin de Haksar. Il se gara, poussa la porte en bois moisi qui s'ouvrait dans la palissade et, le cœur battant, réintégra discrètement la maison.

Le corps était toujours là, dans la position où il l'avait laissé...

Avec une logique aberrante, il avait décidé que le cadavre de Haksar constituait la pièce à conviction numéro un de son forfait, et qu'il fallait absolument le faire disparaître.

Peu après, il se glissa hors de la maison, soutenant Haksar contre lui. Si quelqu'un les observait, il ne verrait que deux amis, se tenant par l'épaule, traverser le jardin d'une démarche de frères siamois. Le vieil Indien était si décharné que le porter jusqu'à la voiture et le hisser sur la banquette arrière fut un jeu d'enfant.

Laissant son instinct le guider, il se retrouva bientôt en train de longer la rive nord de l'égout à ciel ouvert qu'était la rivière de Nairobi. Par la portière, il aperçut une décharge. Quelques silhouettes courbées fouillaient les immondices. Par ici, un cadavre avait plus de chance de passer inaperçu que sa rutilante Toyota...

Il coupa le contact, empoigna Haksar à bras le corps et le sortit de la voiture. Dans le noir, il ne savait trop comment atteindre la rivière, mais il l'entendait couler non loin, et il traîna le cadavre dans cette direction. Arrivé au bord, il le poussa à l'eau. Haksar aurait sûrement apprécié le symbolisme, songea-t-il : quel meilleur moyen de lui rendre les derniers devoirs que de le confier ainsi, à la manière indienne, aux eaux d'un fleuve... ?

Il avait regagné la route et rejoignait sa voiture lorsqu'il s'arrêta net, littéralement cloué sur place : Arnold Kalangi était planté droit comme un i à deux pas de la Toyota. Pendant une fraction de seconde, Anderson crut qu'il hallucinait.

— Bonsoir, professeur ! lança Kalangi, de sa voix aux accents kikuyu.

Ces deux mots suffirent à convaincre Anderson qu'il ne rêvait pas.

— Que... Qu'est-ce que vous faites ici ?

— Mais, je vous ai suivi, tout simplement... Je suis garé là-bas, ajouta le policier, avec un geste du menton.

Au pied de la plus proche des collines d'immondices qui hérissaient la décharge, sur le terre-plein où les bennes de la voirie effectuaient leurs manœuvres, une voiture noire banalisée était parquée.

— Pourquoi m'avoir suivi ?

— Parce que certains événements exigent que nous ayons une petite conversation, vous et moi, fit Kalangi. Avez-vous quelques instants à me consacrer, professeur ?

— Hein ? Je... Oui, bien sûr ! Je... rentrais chez moi.

— Verriez-vous un inconvénient à m'accompagner ? J'ai affaire à deux pas du bazar de Muindi Mbingu Road. Vous connaissez peut-être l'endroit, d'ailleurs... L'herboristerie de Zhang Chen. Alors, c'est entendu ? Vous venez avec moi ?

Kalangi était-il au courant de ce qui s'était passé chez Haksar ? Ce type qui dessinait sur le trottoir, était-ce un flic en planque ? Kalangi avait-il mis sa ligne et celle de Haksar sur écoutes ?

— Le professeur Haksar était un grand malade. Il n'en avait plus pour très longtemps... fit le policier, avec un coup d'œil vers l'endroit où il venait de jeter le cadavre à l'eau.

Anderson s'abstint de tout commentaire.

— Je ne pense pas qu'il conservait toute sa documentation à domicile, poursuivit Kalangi. Je suis certain qu'il existe quelque part des notes concernant ses toutes premières expéditions... Mais, à mon avis, ce n'est pas chez lui qu'elles se trouvent.

— Vous savez où elles sont ? demanda Anderson, dont le visage s'éclaira.

— Ce n'est guère l'endroit pour en parler. Allez, venez !

Sur ce, Kalangi le prit par le coude pour l'aider à négocier les tas d'ordures et l'entraîna vers sa voiture banalisée.

A peu près à la même heure, dans les salons de l'hôtel Naivasha, la fête battait son plein. Jakub Ngiamena s'approcha discrètement de Ngili et l'attira à l'écart.

— Notre ami Jack Dimathi se sent un peu fatigué, Ngili. Il prétend que les grands raouts ne sont plus de son âge. Ça t'ennuie de le raccompagner ?

Dimathi, un Africain d'une cinquantaine d'années, était debout derrière Jakub. Son smoking impeccable tranchait avec les *kikoi* des invités. Il était gay — un des rares à être reçu dans la bonne société — et ne faisait d'ailleurs pas mystère de son homosexualité. Son ami, un Arabe originaire de Zanzibar nettement plus jeune que lui, tenait les percussions dans le groupe qui animait la soirée.

— J'ai aussi oublié le cadeau de mariage que je destinais à Gwee dans mon bureau, sourit Jack — qui n'avait pas l'air plus fatigué que ça. Si on pouvait y faire un saut, je te le remettrais, Ngili...

Ngili savait que Jack n'avait pas le permis de conduire, mais il trouvait tout de même curieux que son père l'ait choisi, lui, pour lui servir de chauffeur, surtout ce soir où son frère se mariait. Un regard à Jakub lui indiqua qu'il s'agissait d'un ordre.

— Pas de problème ! marmonna Ngili. Le temps de me changer et on y va...

Quelques minutes plus tard, ayant remis pantalon et pull, Ngili s'éloignait avec Dimathi vers le centre-ville — et les barrages de police à répétition.

Jack fit halte à son bureau et réapparut, cinq minutes plus tard, avec une enveloppe kraft et un énorme flacon de parfum. Il n'avait pas eu le temps de faire de paquet-cadeau, s'excusa-t-il. Un peu surpris, Ngili s'empara du parfum — du Annick Goutal, probablement acheté par Jack dans une quelconque boutique duty free, au cours d'un de ses déplacements — et jeta un coup d'œil dans l'enveloppe. Elle contenait sept allers simples Nairobi-Johannesburg, sur la compagnie de Jack.

— De là-bas, on peut prendre un vol pour n'importe quelle destination. Londres, New York... expliqua Jack. Ce sont des billets ouverts, valables trois mois.

Un peu interloqué, Ngili demanda à Jack s'il lui devait quelque chose.

— Il sera toujours temps de me faire un chèque plus tard... si jamais vous utilisez ces billets. Espérons que ça ne sera pas nécessaire.

Sept billets... Juste ce qu'il fallait pour ses parents, sa sœur, son frère et sa jeune épouse, lui, et Wambui, qui faisait quasiment partie de la famille... Les joues brûlantes, Ngili regarda le petit homme tiré à quatre épingles. Son père s'était assuré la possibilité de les faire tous sortir du pays.

— Eh bien, voilà une bonne chose de faite ! Ni vu, ni connu ! Et maintenant, Ngili, tu peux me ramener chez moi et retourner auprès de tes invités.

— Jack...

Ngili connaissait bien Dimathi. Depuis des années, les Ngiamena le recevaient, volaient à bord de ses avions, assistaient aux soirées qu'il donnait, ou le rencontraient dans tous les lieux fréquentés par l'élite de Nairobi. Même l'homosexualité de Jack — une tare rédhibitoire, en Afrique — était acceptée comme une aimable excentricité de cet ami de la famille. Et pourtant, jamais Ngili n'avait osé être aussi direct avec lui :

— Vous avez des causes de souci, Jack ?

— Moi ? Jamais je ne me fais de souci, voyons ! répondit Jack, avec un petit sourire. Il se trouve simplement que certains faits... Par exemple que, devant l'insuffisance notoire de ses moyens logistiques durant l'opération de rapatriement des... réfugiés rwandais, l'armée vient d'acheter quatre Embraer flambant neufs au Brésil... Evidemment — et là, le sourire de Jack s'élargit — l'Embraer n'est pas *stricto sensu* un appareil de transport... C'est un avion de combat, tout ce qu'il y a d'opérationnel, aux ailes truffées de mitrailleuses et de lance-roquettes. Probable que cette petite différence avait échappé aux officiers qui ont rempli les bons de commande... Bah ! La gabegie habituelle...

Mais, plaisanterie à part, c'était inquiétant. Surtout si on faisait le rapprochement entre les Embraer et les concentrations de troupes qui s'opéraient à proximité des fiefs traditionnels des Massaï — et peut-être même autour des enclaves d'autres tribus...

— Ne t'en fais pas pour ces vétilles. Tu es un scientifique, toi... acheva Jack, en remontant dans la Mercedes.

Ngili lança le moteur et descendit la rue, mais il n'alla pas plus loin que le carrefour : bloquée par un barrage de police, une queue de voitures embouteillait l'avenue sur plus de cinq cents mètres. Il fit demi-tour, tenta de prendre Kaunda Street, tomba sur un autre barrage qu'il contourna et, par des rues secondaires, parvint à rallier Uhuru Highway. L'autoroute était dégagée, et il put enfin passer la quatrième et foncer jusqu'à chez Jack.

L'ayant déposé devant sa villa de University Way, il tenta de rallier l'autoroute, mais un camion de l'armée était en train de prendre position en travers de la chaussée, un peu plus loin. Il revint vers Muindi Mbingu Road et, de détours en détours par des ruelles bordées d'échoppes, finit par décider de s'en tenir à cet itinéraire détourné, espérant que l'armée n'y aurait pas installé de barrages. Mais pratiquement à toutes les intersections, il découvrait, sur les grands axes, des points de contrôle tenus par des militaires, ou des véhicules de patrouille dont les occupants, l'arme à la main, rackettaient les automobilistes qu'ils avaient interceptés. Cette nuit, les artères principales de Nairobi avaient tout d'un échiquier où se livrait un étrange jeu de stratégie consistant à s'auto-paralyser. Mais dans les ruelles, la pauvreté garantissait encore une certaine marge de liberté.

Pour combien de temps encore ? Tout en conduisant, Ngili jeta un coup d'œil à l'enveloppe posée sur le siège, à côté de lui.

Dans une rue étroite, il se trouva bloqué derrière un *matatu* qui s'était arrêté pour laisser descendre un passager, et qui avait calé. Un peu plus haut se dressait un entrepôt reconverti en commerce. Sur la façade s'étalait une enseigne, éclairée par une ampoule, sur laquelle on lisait : HERBORISTERIE ZHANG CHEN — MELANGES DE PLANTES & FOSSILES. Un avis de fermeture administrative était placardé sur la porte.

Zhang, un solide Chinois d'une soixantaine d'années, était une figure connue de Nairobi. Souvent condamné à cesser ses activités pour trafic d'ivoire ou association avec des braconniers, il ne tardait pas — moyennant quelques pots-de-vin — à rouvrir une nouvelle boutique. Lui retirer son bail commercial ne servait pas à grand-chose : sous peu, son enseigne réapparaissait ailleurs, parfois même sur la façade de l'immeuble d'à côté. C'était chez lui que Ken et Ngili avaient déniché la fameuse calotte crânienne d'australopithèque que Randall avait refusé de faire dater. Ce soir, la boutique de Zhang semblait en être à un stade intermédiaire entre fermeture et réouverture.

Brusquement, Ngili, qui examinait les lieux à travers son pare-brise, sursauta : Cyril Anderson se dirigeait vers l'herboristerie, escorté d'un autre homme — un Noir, qui n'était autre qu'Arnold Kalangi.

Anderson avait l'air pâle et défait. Ngili remarqua qu'il portait toujours le costume qu'il lui avait vu sur le dos, dans la matinée.

Les deux hommes approchaient. Ngili se tassa sur son siège. Kalangi avait l'air d'expliquer quelque chose, avec force gestes à l'appui, à un Anderson à l'attitude nettement plus prudente et réservée. Kalangi mit le cap sur la boutique, ouvrit la porte, s'effaça pour laisser passer son compagnon et disparut à son tour à l'intérieur. Une lumière s'alluma. A travers la vitrine, Ngili vit la silhouette de Kalangi s'asseoir tandis qu'Anderson se mettait à faire les cent pas.

Les pétarades du moteur du *matatu* qui acceptait enfin de redémarrer tirèrent Ngili de sa contemplation. Il passa la première et suivit le véhicule bringuebalant. Deux maisons plus loin, il avisa un atelier de carrossier encore ouvert. Il y engouffra la Mercedes, sauta à terre et, après un rapide marchandage, obtint de laisser sa voiture garée là. Puis, brûlant de curiosité, il retourna en courant jusqu'à l'herboristerie.

Kalangi et Anderson s'y trouvaient toujours, mais ce dernier avait, lui aussi, pris un siège, comme s'il s'était résigné à patienter.

Ngili comprit d'instinct que cette rencontre pouvait se révéler très instructive. Il explora la rue du regard, en quête d'une cachette. Sur le trottoir d'en face, des voitures à bras remisées pour la nuit s'alignaient le long d'un mur qui puait l'urine. Mais Ngili était trop fasciné par ce qui se passait dans la boutique pour s'en formaliser.

Sans bruit, il se glissa derrière les charrettes.

Moins de cinq minutes plus tard, un camion couvert de poussière apparut au bout de la ruelle et vint s'arrêter devant l'herboristerie. Sur le plateau arrière, des crânes d'antilopes et des peaux de bêtes séchées et durcies s'entrechoquaient. Deux Noirs vêtus de treillis militaires en loques en sautèrent, puis un troisième homme, un tatoué aux jambes arquées, émergea de la cabine. Instantanément, Ngili le reconnut. C'était l'individu à la mine patibulaire qui avait débarqué dans le campement de Ken, le soir de sa disparition. Le sergent Modibo.

5

Chassés par le vent, les nuages chargés d'eau qui passaient dans le ciel de Nairobi vinrent buter sur les escarpements de la chaîne des Aberdares. Là s'acheva leur course vers l'ouest. De rares nuées, trop légères pour donner de la pluie, dérivèrent en direction du Dogilani. Lorsqu'elles arrivèrent au-dessus de la savane, la nuit commençait à tomber. Elle s'annonçait fraîche et sèche.

Dans la brousse, l'heure de vérité avait à nouveau sonné, pour les carnivores comme pour leurs proies.

Pour la deuxième nuit consécutive, la dépouille du lion attira deux bandes rivales de charognards. La veille au soir, les hyènes et les chiens sauvages s'étaient affrontés en bataille rangée, laissant la carcasse presque intacte. Tout au long de la journée, la puissante odeur qu'exhalait encore le cadavre avait tenu en respect nombre de carnassiers — un lion mort n'est pas chose courante, dans la savane. A la longue, pourtant, les rapaces s'étaient rendu compte que le fauve n'avait plus rien de redoutable. Ils avaient commencé par se poser à distance prudente, puis s'étaient enhardis à lui becqueter les yeux, les babines et la langue, avant de s'attaquer aux testicules et au gras de la queue.

Ce soir, les hyènes avaient décidé de faire une seconde tentative pour s'approprier la carcasse. Mais elles avaient compté sans les chiens sauvages, qui étaient revenus, animés des mêmes intentions. Les deux bandes affamées étaient encore plus belliqueuses que la veille. Bientôt la mêlée fut générale. Les chiens étaient moitié plus nombreux que les hyènes, et si les premiers, confiants dans la puissance de leurs mâchoires, étaient nettement plus agressifs, les hyènes avaient l'avantage de la taille et du poids. D'un bond, elles faisaient mordre la poussière à leurs adversaires, qui se défendaient avec une férocité de piranhas. Tandis que la lune déclinait lentement dans le ciel, toute la plaine se mit à retentir de cris et de hurlements.

Ce vacarme ne parvint pas à troubler le sommeil de Longs-Pieds qui ronflait paisiblement, allongé sur un large à-plat de rocher. Assis à côté de lui, Ken entamait sa deuxième nuit blanche.

Du haut de leur refuge, il constata une fois de plus à quel point sa vision nocturne s'était améliorée, en quelques semaines. Il était à présent capable de distinguer des formes et des mouvements dans le noir. De voir la grappe de chiens qui, là-bas, venait d'encercler une grande hyène et de se jeter à sa gorge, afin de priver leurs adversaires de leur femelle dominante. Aussitôt, les autres hyènes se portèrent à sa rescousse, mais leur attaque manquait de méthode et de conviction. La peur arracha un hurlement à la hyène, qui leva le nez vers la lune. D'un coup de crocs, le plus gros des chiens lui trancha la carotide. Un spasme la parcourut et elle s'effondra. Avec des aboiements triomphants, les chiens se lancèrent dans des cabrioles acrobatiques, tandis que les hyènes s'enfuyaient dans un concert de gémissements. La meute se rua sur le lion.

Ken se laissa glisser au bas du rocher et resta debout à la lisière des hautes herbes, sur cette frontière immatérielle au-delà de laquelle les dangers de la nuit centuplaient. Si ces hyènes et ces chiens s'étaient battus, c'était de sa faute. Qui avait laissé ce cadavre de lion dans la savane? L'incroyable était qu'il ait réussi à triompher de ce fauve. Il n'avait rien d'un hercule — même au collège, il n'avait jamais eu le culte du muscle — et la chasse n'était pas son fort. Et pourtant, il avait tué un lion.

De ses mains.

Avec le sentiment de sonder le fond de son âme comme jamais auparavant, il se demanda s'il était capable de vivre ainsi, au jour le jour, de façon aussi naturelle, aussi instinctive, affranchi des éternelles interrogations de ses contemporains. Pouvait-il se contenter de *vivre*, tout simplement?

Comme Longs-Pieds.

Sauf qu'il se faisait sans doute une vue un peu trop romantique des choses... Longs-Pieds aussi avait ses propres conflits intérieurs. Il avait éloquemment prouvé, dans cet étrange cimetière, à quel point le passé le hantait.

Ken s'assit, adossé au rocher.

Ici, tout ce qu'il voyait était empreint de beauté. Récemment encore, peut-être cette beauté lui aurait-elle paru entachée de cruauté, mais il savait à présent que la nature n'est pas cruelle. Pas plus qu'elle n'est bonne. Une sorte de perfection absolue se dissimulait en toute chose. Les chiens sauvages, avec leur joyeuse férocité, étaient des créatures parfaites. Irréprochables, quoi qu'elles commettent. Le lion même avait acquis dans la mort un charme subtil : ce n'était qu'un animal sans malice, grâce auquel il avait fait une plongée inopinée dans l'âme d'un chasseur du pliocène. Et comme les chasseurs primitifs qui remercient la proie qu'ils viennent de tuer et qui en conservent les cornes et les sabots pour s'en faire des amulettes, il débordait de gratitude envers le lion — une gratitude qui s'étendait à toutes les autres créatures de la savane, vivantes ou mortes, et jusqu'à cette herbe qu'elles foulaient, mangeaient ou ensanglantaient.

Tout ce qu'il avait pu lire ou apprendre sur les sociétés tribales au cours de ses études d'anthropologie s'éclairait d'un jour nouveau. Fétiches, gris-gris, chants de chasseurs, pratiques rituelles, croyances et superstitions prenaient tout leur sens. Faisaient désormais partie de lui.

Tout ça pour avoir tué un lion ?

N'était-ce pas plutôt grâce à cet enfant, qui était pour lui une intarissable source de révélations ?

Tout jouait, bien sûr : le lion, le koudou et toutes les proies qu'ils avaient traquées, le feu, rituellement allumé chaque soir avec son briquet d'homme civilisé, et l'ensemble des événements qu'il avait vécus au cours des quelques semaines magiques qui venaient de s'écouler. Mais avant et par-dessus tout, il y avait cet enfant. Longs-Pieds...

Avoir triomphé du lion avait atténué la peur que lui inspirait Modibo. Le sergent lui semblait soudain plus prévisible : ce n'était au fond qu'un hominidé, même s'il disposait d'une arme à feu. Si jamais leurs chemins se croisaient à nouveau, ils s'expliqueraient. D'homme à homme. D'hominidé à hominidé.

A la pensée de l'enfant, qui dormait seul là-haut, Ken renonça à s'aventurer dans les hautes herbes. Mais c'est presque à regret qu'il se leva et se mit à escalader le rocher.

Dans un demi-sommeil, Ken se retourna et sa main effleura le corps de l'enfant. Rassuré par sa présence, il roula sur le dos. Le froid de la nuit lui tomba sur le visage, et il fut tenté de se relever pour ranimer le feu, mais il était trop épuisé. Il se contenta de remuer pour mieux se lover dans les cendres et s'imprégner de toute la chaleur qu'elles conservaient, s'abandonna à leur tiédeur caressante et sombra aussitôt dans ses rêves.

Une ombre tomba sur l'homme et l'enfant endormis. Un pied massif, au pouce très écarté, s'enfonça sans bruit dans la cendre, bientôt rejoint par un second, et dix longs orteils préhensiles se mirent à jouer dans la couche tiède, tandis que leur propriétaire réprimait un grognement de plaisir. La créature s'accroupit, en appui sur un genou et un poing fermé. Une main, aux doigts trop longs et au pouce trop court, se posa sur le bois blanc de l'épieu — le dernier qui restait à Ken.

Les quatre doigts se replièrent autour de l'arme, tandis que le pouce tentait maladroitement de les imiter. Puis deux mains se saisirent de l'épieu. Vibrant de l'extrême tension des muscles qui jouaient sous la peau velue, elles l'abaissèrent, à l'horizontale, en travers de la gorge de Ken.

Réveillé par la pression du bois sur sa pomme d'Adam, Ken battit des paupières.

Nez à nez avec lui, une trogne hirsute se profilait.

Deux yeux qui luisaient au clair de lune le fixaient. Une haleine brûlante passa sur son visage et lui emplit les narines. Cloué au sol par l'épieu qui s'incrustait dans son cou et menaçait de l'étouffer, Ken eut le réflexe de l'agripper à deux mains. Avec un « han » d'effort, il le repoussa violemment et, ramenant les genoux sur sa poitrine, décocha une ruade à la créature couverte de poils penchée sur lui. Un cri lui jaillit des lèvres.

En un éclair, l'enfant fut debout à ses côtés.

Ken qui sautait sur ses pieds heurta une autre silhouette indistincte. Trop grande, trop lourde pour un babouin. D'ailleurs le visage qu'il avait entraperçu n'en avait pas le mufle canin...

Des mains l'avaient saisi par les chevilles et il s'affala. Il se releva d'un bond et se rua à l'aveuglette sur ce nouvel agresseur. A l'instant où ses bras se refermaient sur un torse musculeux, il se sentit basculer dans le vide.

Il s'écrasa sur le sol et resta quelques secondes sonné, le souffle coupé par la surprise autant sinon plus que par le choc : lui, le tueur de lion qui se croyait invincible, se faire piéger si bêtement... ! Un gémissement de la créature qui gisait sous lui le rappela à la réalité. Il roula loin d'elle et se releva. Longs-Pieds ! Où était-il ? Il songea à l'appeler, mais par quel nom ? Dans quel langage ?

Il ouvrit la bouche et poussa un « Eeee ! » strident.

Au-dessus de sa tête, il entendait leurs assaillants grogner et ahaner, puis un cri étouffé s'éleva, comme à travers des lèvres fermées. L'image d'une grosse patte velue se pressant sur la bouche de l'enfant pour le réduire au silence, l'étouffant peut-être, passa devant ses yeux. Une sueur froide lui inonda le dos et il se rua à l'assaut de la paroi rocheuse. Comme il prenait pied sur la corniche, il y eut un bruit mat, comme l'impact d'un poing sur de la peau nue, et il aperçut un de leurs agresseurs qui reculait en titubant, les mains plaquées à l'entrejambe : Longs-Pieds avait dû lui expédier un coup de pied bien placé.

Bien qu'il ait une vague allure de cercopithèque, avec sa touffe de poils au sommet du crâne, il était nettement trop grand pour qu'il s'agisse d'un singe ou même d'un pongidé. Comme il revenait à la charge pour s'emparer de Longs-Pieds, Ken le vit de profil. Cet angle facial, ce front fuyant... Aucun doute possible ! Ce qu'il avait sous les yeux était un hominien — un *Australopithecus robustus*, s'il en croyait son corps massif et sa crête sagittale... Leurs assaillants étaient des Robustes et non des Graciles, comme Longs-Pieds.

Il existerait donc des représentants *vivants* de l'autre rameau de l'espèce australopithèque... ! se dit Ken, médusé.

Qu'est-ce que ces Robustes venaient faire ici ? Pourquoi les attaquer, comme ça ? Leurs agresseurs n'étaient pas des hommes de Modibo. Ce n'était donc pas lui qui était visé par ce raid nocturne. Il n'y était mêlé que par accident. D'ailleurs, ces brutes concentraient leurs assauts sur Longs-Pieds, qu'ils semblaient convoiter comme un morceau de choix...

Il n'eut pas le loisir de réfléchir davantage. L'enfant lui empoigna le bras et sauta dans le vide en l'entraînant à sa suite.

Ken se reçut sur sa mauvaise cheville, et la douleur lui arracha un cri. Instantanément, l'enfant fut à ses côtés et l'aida à se relever. Plusieurs silhouettes émergeaient des hautes herbes. « Sauve-toi ! Sauve-toi ! » hurla-t-il à Longs-Pieds, comme s'il pouvait le comprendre. Contre toute attente, l'enfant réagit et prit ses jambes à son cou. Le Robuste le plus proche fondit sur Ken, qui parvint à l'esquiver. Il s'élança en boitillant sur les traces de l'enfant qui galopait devant lui. Au bout de quelques dizaines de mètres, Longs-Pieds se retourna pour le regarder par-dessus son épaule, puis il accéléra l'allure et piqua droit vers la Mau. Ken tenta de le rappeler, mais seul un gargouillis indistinct monta de sa gorge. Il vit la petite silhouette disparaître dans un bouquet de marronniers.

Jurant entre ses dents — d'impuissance autant que de peur —, Ken plongea à son tour sous le couvert des arbres. A travers les branches, il devinait les pentes boisées de la Mau qui se dressaient, vertigineuses, au-dessus de lui.

Il s'enfonça, au plus profond du sous-bois, et s'accorda une pause. Une odeur de feuilles en décomposition et de champignons montait du sol.

Un bruit de branches cassées, dans son dos, presque à la verticale, l'alerta. Il leva la tête. Un Robuste fondait sur lui en se balançant de branche en branche, avec une agilité et d'une vivacité telles que son corps n'était qu'une ombre dansante. Il pratique la brachiation, comme les singes arboricoles ! eut-il le temps de penser, avant de tourner les talons.

Il jaillit du bosquet, hors d'haleine. Devant lui s'étendait une pente couverte d'herbe rase. Là, au moins, son poursuivant ne pourrait pas mettre à profit ses talents d'acrobate, se dit-il, en redoublant de vitesse.

Une liane, qui tombait des branches d'un arbre isolé, lui cingla la poitrine. Un flamboyant. Comme dans les rues de Nairobi... songea-t-il, de façon incongrue. Au même instant, il distingua Longs-Pieds, juché sur une fourche, au milieu du feuillage. Un tel soulagement l'inonda qu'il dut se mordre les lèvres pour ne pas crier de joie. Du haut de son perchoir, le petit se mit à gesticuler, comme pour s'assurer qu'il l'avait vu.

Le bras de l'enfant décrivit un grand arc de cercle, puis s'immobilisa, la main tendue vers les pentes de la Mau. Ken reconnut le geste dont il se servait pour communiquer avec lui quand ils chassaient : Longs-Pieds lui conseillait de continuer à grimper droit devant lui.

Le feuillage se referma sur le gamin. Seule la liane qui lui avait servi à signaler sa présence resta à se balancer dans les airs, anodine.

Ken se retourna. En contrebas, d'épaisses formes simiesques se laissaient tomber des branches des marronniers. Il en compta cinq. A découvert, les Robustes étaient beaucoup plus lents, et Ken respira, soudain moins inquiet de se faire rattraper que de se trouver séparé de l'enfant. Où Longs-Pieds allait-il ? Fuyait-il vers la Mau et la forêt poussé par la peur ou dans un but précis ? L'espace d'une seconde, il l'aperçut dans un arbre, déjà à bonne distance de lui.

Il ne pouvait pas rester planté là, entre l'enfant qui s'éloignait et ses poursuivants qui le talonnaient. Il fallait qu'il se décide, et les pentes boisées de la Mau ne lui offraient guère que deux possibilités : continuer à monter ou redescendre.

La forêt était vaste mais en grimpant droit devant lui, comme Longs-Pieds, peut-être qu'il ne le perdrait pas...

Il se mit à courir vers la lisière des arbres et, les poumons en feu, se fraya un passage dans l'enchevêtrement des branches. Il avançait difficilement. A un moment, il distingua une masse sombre au-dessus de sa tête et paniqua à l'idée que ses poursuivants l'avaient rejoint, mais ce n'était qu'un énorme nid en boue séchée.

Le sous-bois était jonché de brindilles et de feuilles sèches qui craquaient sous ses pas. Avec le boucan qu'il faisait, s'il y avait le moindre Robuste à proximité, il devait y avoir belle lurette qu'il était repéré... Il lui fallut un moment pour comprendre que ce n'était pas lui qui causait tout ce raffut. Que c'était des branches des arbres, derrière lui, qu'il provenait.

Ses poursuivants étaient toujours sur ses traces.

V

UNE AUTRE HUMANITE...

1

Ken gravissait la pente à toutes jambes.

Il se hâtait, incapable de dire si c'était vraiment ce que Longs-Pieds attendait de lui. Quand ses membres se prenaient dans les lianes, il s'en dégageait en donnant des coups désordonnés dans l'enchevêtrement végétal, redoutant les créatures venimeuses qui pouvaient surgir à tout moment de la nuit et lui tomber dessus. Il se demanda si l'enfant était resté à la lisière de la forêt. Quels dangers devrait-il affronter dans ce périlleux royaume entre jungle et savane, repaire d'élection des léopards... ?

Peut-être avait-il fait halte, à l'heure qu'il était ? Peut-être se cherchait-il un abri ? Moi aussi, je vais devoir songer à m'arrêter... Mais dès qu'il ralentissait, il discernait d'inquiétantes rumeurs, au-dessus de lui. Les Robustes étaient tenaces... Mais ce n'était peut-être qu'une illusion, un écho trompeur. Peut-être n'étaient-ils pas si près... Mieux valait quand même, par prudence, s'enfoncer plus loin.

Il aurait dû atteindre avant peu une portion de forêt constituée d'arbres de plus haute futaie, dont la cime était assez dense pour empêcher les rayons du soleil et la pluie nourricière de parvenir jusqu'au sol. La végétation du sous-bois, plus clairsemée, ne ralentirait plus sa progression.

Allez, les arbres... Montrez-vous, nom d'un chien !

Il déboucha enfin dans une zone moins embroussaillée, où il put presser le pas, sous la voûte irrégulière des branches les plus basses. Une masse sombre s'agita sur sa droite. Un troupeau de m'bolokos — des antilopes pygmées qui s'égaillèrent, dans un concert de bêlements. Il sentit ses semelles déraper sur leurs déjections et les restes des figues sauvages dont elles s'étaient régalées.

A bout de souffle, il fut forcé de ralentir, incapable de s'imposer ce train plus longtemps, et aussitôt, le raffut reprit, juste au-dessus de sa tête. Cette rumeur le poursuivait inlassablement, où qu'il aille. Rien à faire pour lui échapper... Il revint sur ses pas, l'oreille aux aguets. Froissements de feuilles, craquements et grincements se mêlaient en une sorte de brouhaha continu, qui tombait de la cime des arbres. Il lui fallut un moment pour comprendre que c'était la brise du soir, venue des hauteurs de la Mau, qui en était responsable.

Il n'était plus pourchassé — du moins pour l'instant... Mais peut-être l'attendait-on, plus haut, pour lui tendre une embuscade ?

Il fut pris de panique. Une panique si puissante et si fertile, qu'il crut bientôt reconnaître les grognements de ses poursuivants dans le moindre bruit. La nuit elle-même se mit à grouiller, comme si elle avait tout à coup engendré des nuées de monstres assoiffés de sang. Il hésita : devait-il continuer à fuir à l'aveuglette, ou s'arrêter et attendre le jour ?

En s'arrêtant, il s'exposait à être rejoint ; s'il poursuivait sa route dans l'obscurité, il risquait de faire une mauvaise rencontre. Ce n'étaient ni les prédateurs ni les bêtes venimeuses qui manquaient, dans les parages et, immobile ou non, il constituait une proie de choix pour toute une faune nocturne — reptiles, araignées, et chauve souris en tête — qui pouvait à tout moment fondre sur lui depuis les arbres.

Il avisa un arbuste. Il s'apprêtait à en arracher une branche pour s'en faire un bâton, lorsqu'il sentit quelques gouttes d'un liquide chaud et visqueux s'écraser sur le dos de sa main. Un animal anonyme s'était innocemment soulagé dans son sommeil. Il s'essuya tant bien que mal sur son pantalon en loques, cassa la branche, et, la tenant devant lui, s'engagea dans une trouée de la végétation, au bout de laquelle il devinait une zone plus dégagée, où le feuillage laissait filtrer une pâle flaque de lune. C'est dans cette clarté spectrale qu'il vit passer une silhouette menue. Longs-Pieds ? Il en aurait mis sa main au feu. Le gamin grimpait prestement la pente... Ken en resta cloué sur place.

L'enfant ne s'était pas arrêté, mais il tournait la tête de droite et de gauche, comme s'il fouillait le sous-bois du regard. Tu me cherches, Longs-Pieds? Mais avant que Ken n'ait pu le héler, le petit hominien avait disparu. Oubliant toute prudence, Ken allait se précipiter dans son sillage, lorsque...

A quelques dizaines de mètres derrière l'enfant, silencieux comme des ombres, il vit surgir trois Robustes. Ils passèrent, leurs lourdes mâchoires pendantes, la bouche béant sous l'effort, sans proférer le moindre son. Ils marchaient les genoux fléchis, comme pour mieux redresser leurs torses massifs.

Ken les suivit du regard, les yeux écarquillés d'horreur. Sa curiosité scientifique s'effaça instantanément, submergée par la peur que lui inspirait cet ennemi inconnu, imprévisible et probablement mortel, qui était sur leurs traces. Un instinct archaïque le fit reculer, avec l'espoir naïf de se fondre dans la végétation. Les poursuivants du gamin avaient disparu dans l'obscurité. Il laissa s'écouler de longues minutes. Le mieux était de ne pas bouger, jusqu'à ce qu'il puisse se repérer dans cette forêt, s'équiper d'une arme plus sérieuse que le malheureux bout de bois qu'il tenait à la main, et rejoindre Longs-Pieds. Il ne capitulait pas, loin de là... Mais errer en pleine nuit dans cette jungle était le plus sûr moyen d'y laisser sa peau — et il avait déjà frôlé la mort d'assez près, ce soir, lorsque les Robustes les avaient attaqués, dans les rochers...

Là-bas, c'était l'instinct de survie qui l'avait poussé à lutter, sans se poser de question — sans même se demander contre quoi il se battait. Mais depuis qu'il savait à qui il avait affaire, une peur viscérale le tenaillait. Les Robustes n'étaient pas de la même espèce que Longs-Pieds, et ils étaient manifestement chez eux, dans cette forêt. Peut-être était-ce leur dernier territoire... Il s'écoula encore plusieurs minutes, durant lesquelles il s'efforça de retrouver un minimum de courage.

Je suis Ken Lauder, Kenneth Lauder... se dit-il, comme si son nom était un repère capable de l'aider à faire le point. Je suis venu ici en tant que chercheur, et rien ne m'empêche de partir demain. Rien du tout! Parce que... parce que... je ne suis pas son ange gardien, à ce gosse, bon Dieu! Je suis dingue de prendre de tels risques pour un gamin que je ne reverrai peut-être jamais. Si ça se trouve, cette silhouette que je viens d'entrevoir sera la dernière image que j'aurai de lui...

Il se laissa glisser à terre et, lové sur lui-même, tenta de se représenter, réintégrant son ancienne identité. Dans un effort d'imagination forcené, il se vit survivre à cette épouvantable nuit. Si par miracle il s'en tirait, il chercherait refuge dans le giron de la science, où les surprises n'étaient jamais que théoriques, et n'en sortirait plus !

Enfin, ses paupières s'alourdirent et il céda au sommeil.

— Qu'est-ce que tu comptes faire de lui ?

La voix de Yinka avait résonné à son oreille. Elle était venue se lover contre lui sur l'humus odorant de la forêt. Sa peau nue était aussi sombre que les ténèbres environnantes, mais elle répandait une sorte de halo qui l'en distinguait. Il aurait voulu lui dire de se relever, à cause de la myriade de dangers qui la guettaient, tapis dans l'épaisseur du sol ou dans l'ombre du feuillage. Mais elle avait replié ses bras sous sa nuque. Ses seins frémissaient sous la caresse de la brise nocturne et ses yeux étincelaient encore de la véhémence de sa question :

— Qu'est-ce que tu comptes en faire ?

Il dut balbutier quelque chose où il était question de l'intérêt scientifique que présentait la découverte de Longs-Pieds.

Elle secoua la tête avec un agacement contenu.

— Mais c'est un enfant, Ken ! Un enfant, avant tout. A quoi tu joues, là ? Tu y as pensé ? Tu as déjà fait irruption dans son univers, et maintenant tu voudrais à présent intervenir dans les affaires de sa tribu ? Te rends-tu compte que le monde entier risque de s'engouffrer sur tes traces... ?

Il respirait l'odeur exquise de sa peau, si différente de celle de la forêt. Il se sentit emporté par une vague de désir fou. Il aurait fait ou donné n'importe quoi pour pouvoir la serrer contre lui.

— Qu'est-ce que tu ferais, à ma place, hein ? murmura-t-il en se penchant pour la bâillonner d'un baiser.

Elle décroisa les bras et se redressa, rebelle à ses avances.

— Je partirais ! fit-elle, péremptoire.

— Impossible !

— C'est pourtant ce qu'a fait Haksar.

— Qu'est-ce qui te fait croire qu'il est venu jusqu'ici ?

— Tout. Pourquoi cette visite à mon père, l'autre jour ? Pourquoi avoir laissé entendre qu'il connaissait la région ? » Elle avait raison. Pour quelle raison le vieil Indien aurait-il manifesté un si vif intérêt pour le Dogilani, s'il n'y était pas venu, lui-même, par le passé ? « Ah ! Si tu étais un peu moins égocentrique ! dit-elle.

Egocentrique, lui ? Il n'en croyait pas ses oreilles...

— Parfaitement ! poursuivit-elle. Essaie de voir un peu plus loin que ta propre interprétation des faits. Mets-toi une seconde dans sa peau, à *lui*...

— Me mettre dans... Mais je n'arrête pas !

Elle se leva et s'éloigna entre les arbres. Il vit l'opalescence de sa peau se fondre peu à peu dans la nuit, qui se referma sur elle. Par un effort de volonté surhumain, il tenta de se lever et de s'élancer sur ses traces. Impossible de la laisser partir ainsi, toute seule, dans cet univers de dangers. Que cherchait-elle, nue, en pleine nuit, dans cette forêt ? La clé de quelle énigme ?

Ça ne peut être qu'un rêve, s'avisa-t-il, dans un de ces obscurs sursauts de lucidité qui nous secouent, au cœur du sommeil le plus profond.

Il s'éveilla avec le souvenir du corps fuselé de Yinka dans le désordre de son lit, à Nairobi. Une bouffée d'orgueil masculin... Qu'avait-elle bien pu faire, depuis leur dernière rencontre ? Danser, au mariage de Gwee, et sans doute avec quelques beaux Massaï. Des prétendants potentiels... C'est Ngili qui avait dû être content ! Ces instants d'intimité qu'ils avaient partagés n'avaient-ils été qu'une brève incursion dans un monde qui lui demeurerait hermétique ? Et que resterait-il de ses années d'amitié avec Ngili ? Mais ses pensées ne tardèrent pas à revenir à son problème le plus immédiat : Longs-Pieds.

Il avait refermé les yeux et, aussitôt, l'enfant surgit derrière ses paupières closes, dévoilant dans un de ces sourires dont il avait le secret, deux rangées de dents éblouissantes. Longs-Pieds se mit à se gratter avec volupté. A voir son ventre rond, il avait dû se goberger de taupe ou de hérisson...

Son nombril saillait comme un petit bouton brun. Il caracolait, incapable de tenir en place, musait, s'asseyait, s'allongeait, s'assoupissait, ronflant comme un sonneur — le tout dans la mémoire de Ken, en mille et une images d'une enfance miraculeusement arrachée à la nuit des temps. Jusque-là, Ken n'avait jamais particulièrement prêté attention aux enfants. Il s'était hâté de devenir un adulte autonome, rationnel, cuirassé contre la souffrance et le sentiment. La paternité n'avait jamais eu grand intérêt à ses yeux. Les papas gâteaux ne lui inspiraient, au mieux, qu'une vague répugnance. Mais l'irruption de Longs-Pieds dans sa vie avait tout bouleversé.

Cet insaisissable bout de chou, qui n'avait jamais accepté de lui la moindre caresse ou la moindre étreinte affectueuse, cet infatigable touche-à-tout, avec ses drôles de pieds d'australopithèque, ce virtuose des rots et des borborygmes, avait accompli ce tour de force...

Longs-Pieds avait le don d'éveiller en lui un sentiment profond, essentiel, échappant à toute tentative de verbalisation, car il vibrait bien au-delà des mots, dans un lieu plus profond que l'intellect ou les centres du langage...

Toujours sous l'emprise de cette indéfinissable émotion, il se vit dans les bras de Yinka. Il lui faisait l'amour, non pas pour le seul plaisir de se sentir emporté dans un tourbillon de sensations extatiques — non, il frappait doucement, patiemment, à la porte de sa matrice. L'orgasme n'était qu'un prétexte, l'ultime but étant d'ouvrir le chemin pour sa semence, vers l'œuf qui l'y attendait.

La paternité... C'était le sens de ses responsabilités de père qui faisait d'un homme un être humain. Et lui aussi, il pourrait devenir père — s'il survivait. Cette idée lui permit de faire taire ses angoisses. Il se détendit et décida de dormir. Mieux valait être frais et dispos pour affronter l'avenir et augmenter ses chances de survie.

Le soleil se levait. Les frondaisons de la Mau s'embrasèrent d'une lumière ambrée et, au-dessous, l'obscurité du sous-bois fit place à la pénombre grise du petit matin. Dans son sommeil, Ken sentit une piqûre cuisante, juste sous le sein gauche. D'un geste machinal, il attrapa un insecte qu'il écrasa entre le pouce et l'index. Un grain minuscule, aussi dur qu'une tête d'épingle, résista à la pression de ses doigts. Il ouvrit les yeux. C'était la tête d'une fourmi safari, agitant encore ses impressionnantes mandibules.

Soudain, il sentit sur son estomac deux, trois, quatre, d'innombrables morsures... Il bondit sur ses pieds et s'asséna de grandes claques sur tout le corps. A quelques mètres de lui, une sorte de ruisseau courait à fleur de terre vers le bas de la pente. Il se leva et alla s'agenouiller au bord, vaguement étonné de trouver le sol si sec.

Une nuée d'insectes ensommeillés et de papillons de toutes sortes s'éleva, fuyant éperdument devant le flot qui s'étalait déjà dans toutes les directions, en un stupéfiant défi à la gravité.

Ce qu'il avait pris pour un filet d'eau n'était autre qu'une colonne de fourmis, qui migraient en quête d'un nouveau territoire et de ressources de nourriture plus abondantes.

Ken se releva. Ses genoux étaient deux masses grouillantes de fourmis. Tout autour de lui, les animaux tentaient de s'enfuir — en vain, le plus souvent. Il vit passer un serpent, déjà submergé de tellement de fourmis qu'il ne tarderait pas à capituler. Les insectes voraces n'en laisseraient qu'un squelette, complètement nettoyé de l'intérieur. Une antilope pygmée, que ses bonds gracieux mettaient hors de danger, parvint à franchir le grouillement mortel. Un énorme papillon de nuit, alourdi par les fourmis qui s'accrochaient à lui, tourbillonna un instant, désemparé, avant de sombrer dans le flot noir.

Ken scruta les alentours, en quête d'un refuge, mais les fourmis semblaient avoir tout envahi. Elles n'avaient qu'une stratégie : se répandre dans toutes les directions, jusqu'à ce qu'elles aient trouvé un territoire à leur convenance. Elles pouvaient être des millions... dix, vingt, cent millions... Une de leurs colonnes pouvait s'étirer sur une centaine de mètres et avancer, plusieurs jours durant, à la vitesse de quarante mètres à l'heure.

Il prit une grande lampée d'air et s'élança sur le sol qui fourmillait d'insectes. Rien ne semblait pouvoir contenir leur avance inexorable. Pas même une rivière. On avait vu des colonnes en marche traverser un cours d'eau en formant un pont de leurs corps agglutinés. Seul le feu était capable d'en venir à bout, mais les quelques millions de victimes qu'il aurait pu faire dans leurs rangs seraient remplacées sous peu, grâce à l'inépuisable fécondité de leur douzaine de reines...

Avec un cri de triomphe, Ken aperçut devant lui un îlot que la marée grouillante semblait épargner. Il s'y rua, se roula par terre, puis se débarrassa de ses bottes et de son pantalon. Cela fait, il entreprit de se frictionner fébrilement pour se débarrasser des insectes qui lui montaient déjà à mi-cuisse et lui couraient sur les bras, avant de nettoyer l'intérieur de ses bottes avec un bouchon de feuilles roulées.

Comme il se rhabillait, il jeta un coup d'œil par-dessus son épaule et crut apercevoir le gamin, adossé à un arbre. Il se précipita dans cette direction, mais trébucha et s'affala. Lorsqu'il releva les yeux, il découvrit que ce qu'il avait pris pour la silhouette du petit n'était qu'une excroissance de l'écorce moussue, évoquant une tête. Il éprouva tout de même le besoin de marcher jusqu'à cet arbre et d'en palper l'écorce. Lentement, il revint sur ses pas, jusqu'au flot de fourmis. Pas de doute : il ne rêvait pas. Elles étaient bien réelles, elles. Tout ce qu'il y avait de plus réel...

Allez, Lauder, secoue-toi !

Il se remit en marche d'un pas chancelant.

La journée déclina lentement ses différentes phases de luminosité. Ici et là, il trouvait dans de grandes feuilles quelques gouttes rescapées de la dernière pluie, qu'il buvait avec avidité.

Il grimpa encore, et encore, jusqu'à l'empire des grands arbres, où il s'enfonça.

Depuis des milliers d'années, ces camphriers, ces podocarpes, ces tecks, ces cèdres, interceptaient tout ce qui venait du ciel, ne laissant subsister à leur pied qu'une maigre végétation et quelques buissons clairsemés... Sous la couche d'humus de leurs feuilles et de leurs aiguilles prospérait une multitude de rongeurs, de vers et d'araignées — sans oublier une infinie variété de mille-pattes. Bongos, okapis et m'bolokos proliféraient à l'ombre des arbres géants dont les hautes branches étaient le domaine d'élection des singes, des aigles et d'autres prédateurs ailés. Dans l'entre-deux séjournait toute une population de lézards, de reptiles et de petits carnivores arboricoles. Ces grands arbres avaient longtemps servi de refuge à l'homme, songea Ken. Mais il les avait quittés et il y faisait à présent figure d'intrus.

Midi vint et passa. Ken grimpait toujours. Il avançait d'un pas de somnambule, hébété de fatigue. La pente ne s'élevait plus que par paliers, faits de larges terrasses embroussaillées. Là où la voûte des branches laissait percer de maigres rais de lumière, des plaques d'herbe verte s'accrochaient au sol. Lorsqu'il résolut de s'arrêter pour souffler un peu et qu'il leva les yeux, il aperçut tout là-haut, perdus dans le fouillis des branches, quelques éclats de ciel bleu.

2

Le clan avait élu domicile dans une clairière entourée de lobélias géants qui abritaient à leur pied un inextricable enchevêtrement de buissons. Au-dessus des plumets d'aiguilles des lobélias, on apercevait la crête de la Mau et, au-delà, le ciel. Un aigle couronné tournoyait inlassablement.

En bas, dans la clairière, une hominienne qui ne devait pas mesurer plus d'un mètre vingt leva la tête et suivit un instant le vol du rapace de son regard brun clair. Ne discernant rien d'alarmant dans son comportement, elle ramena les yeux vers la petite troupe éparpillée dans l'herbe autour d'elle. Tout était calme.

Elle se leva, étirant son corps lisse dans la brise tiède. D'un coup de tête, elle rejeta en arrière la crinière qui lui balayait le front et les joues lorsqu'elle baissait la tête. Elle avait le visage entièrement glabre, ce qui distinguait son espèce de tous les autres animaux de la forêt.

Elle leva une main et, de ses longs doigts, entreprit de discipliner un peu ses cheveux, en un geste qui lui était devenu coutumier... Au creux de son autre bras, elle soutenait un bébé potelé, qui la tétait, posé à califourchon sur sa hanche. L'enfant ne lui ressemblait pas. Il avait les traits plus massifs, la mâchoire plus prognathe, la bouche moins charnue, même si ses petites lèvres s'activaient sur le téton avec la même avidité que celles de ses propres enfants, au même âge. De sa main libre, elle se pressait périodiquement le sein, pour faciliter la montée de son lait. Il faudrait encore que se succèdent d'innombrables générations de mères pour qu'il jaillisse de lui-même et qu'allaiter devienne progressivement plus aisé et plus agréable.

Depuis plus d'un an, l'hominienne donnait le sein à cet enfant qui n'était pas le sien, car elle tenait à éviter une nouvelle grossesse : elle était le chef de ce clan, et il traversait une période particulièrement troublée. Elle sentait à chaque instant la mort rôder autour d'elle et des siens.

Elle n'avait nul besoin de mots pour comprendre la façon dont la situation s'était progressivement dégradée. Des images et d'autres souvenirs sensoriels stockés dans les lobes frontaux de son cerveau lui permettaient de garder trace des événements dont l'enchaînement avait engendré le conflit actuel. Sa mémoire conservait autant de souvenirs — combinant sons, odeurs et images — que celle d'un *sapiens* peut emmagasiner de mots. La petite hominienne pouvait les évoquer, les effacer, les condenser ou les amplifier à sa guise, instantanément, ou presque. Car en dépit du volume relativement faible de sa boîte crânienne, son encéphale recelait plusieurs milliards de neurones capables d'entrer en communication avec des milliers d'autres.

Elle tenait l'enfant dans une posture évoquant celle des singes anthropoïdes, mais ses traits étaient déjà proches de ceux d'une femme moderne, malgré son front incliné à quarante-cinq degrés et ses arcades sourcilières proéminentes. Au-dessous de ses lèvres dépourvues de duvet pointait une amorce de menton, qui lui donnait l'air résolu. Son nombril haut placé saillait légèrement : à sa naissance, sa mère avait coupé son cordon ombilical avec ses dents, comme elle l'avait fait, à son tour, pour ses propres enfants...

Elle avait accouché accroupie, suspendue des deux

mains à une branche basse. Son ventre semblait avoir échappé aux flétrissures de l'âge et des maternités répétées. Car elle avait déjà plus d'une vingtaine d'années — un âge respectable, pour son espèce... Son pubis s'ombrait d'une abondante toison. Elle avait la taille mince, les jambes fermes et bien musclées. Ses pieds, dont la plante évoquait une petite paume, étaient largement étalés sur le sol. Elle les utilisait constamment, lorsqu'elle était assise, pour toucher, caresser ou rappeler à l'ordre un enfant turbulent. Mais, exception faite de son front fuyant et de ses pieds simiesques, son corps n'était somme toute pas très éloigné de celui d'une femme moderne.

Il en différait, pourtant. Sa peau émettait un signal permanent à l'intention des autres membres du clan. Un appel à contribuer au fonctionnement de ce système génétique dont ils étaient les dépositaires et dont l'ultime objet était la perpétuation de leur espèce. C'était l'expression la plus immédiate de cette angoisse toujours tapie dans un recoin de sa conscience. Survivre.

Elle était la femelle dominante de cette tribu. Deux saisons des pluies étaient passées, depuis sa dernière grossesse. A trois exceptions près, dont le bébé qu'elle allaitait, elle était liée par le sang à tous les autres membres du groupe. Des sept femelles adultes — dont trois étaient enceintes —, deux étaient ses sœurs, deux autres ses demi-sœurs et les trois dernières, des cousines à divers degrés. Parmi les quelque quinze enfants qui jouaient autour d'elle, caracolant et gambadant comme des cabris, elle avait trois filles et un fils. Elle avait aussi un neveu, qui était réapparu la veille, après une absence de plusieurs lunes. C'était le fils d'une de ses sœurs, morte à peu près en même temps que son propre dernier-né.

Pour l'heure, le neveu en question se tenait à l'écart des autres enfants, juché sur une branche basse, les joues et la poitrine couvertes d'égratignures, le visage tuméfié comme après une bonne bagarre.

Longs-Pieds s'était choisi un perchoir juste assez haut pour pouvoir repousser à coups de pied ses cousins, qui essayaient de le faire tomber de sa branche pour en découdre avec lui, comme ils l'avaient déjà fait à deux reprises depuis le matin.

Mais il se promettait de leur rendre la pareille dans un

avenir proche, s'il décidait de rester avec le clan. Il n'était pas sûr d'en avoir vraiment envie — surtout après la raclée que lui avait value sa longue éclipse. La veille, il n'avait rien eu à manger et avait dû se contenter d'herbe et de feuilles, qui lui râpaient la langue et le gosier et lui faisaient l'haleine amère...

Cette femme n'était pas sa mère, bien qu'elle lui ressemblât d'une façon troublante. Jusqu'à son odeur, qui lui rappelait tant celle de la peau maternelle... Mais lorsque son regard sévère se posait sur lui, il se sentait piégé. Il émanait d'elle une force inflexible. L'enfant avait perdu l'habitude de sentir une telle autorité s'exercer sur lui. Il devrait pourtant s'y réaccoutumer, s'il voulait reprendre sa place au sein de la tribu. Et ça ne l'enchantait guère...

Une autre femme se baguenaudait dans le sillage de la première. Elle était plus trapue, avec des mâchoires plus longues, une chevelure plus épaisse, des pieds plus larges. Ses épaules et son dos disparaissaient sous un fin duvet qui envahissait aussi son visage. Ses yeux noirs exprimaient une sorte de vulnérabilité suppliante, qui inspirait au gamin un sentiment de malaise.

Une balafre profonde, grossièrement cicatrisée, lui zébrait la cuisse. C'était le chef de la tribu qui l'avait guérie de cette blessure et sauvée d'une mort certaine en nettoyant la plaie à coups de langue, avant de l'enduire d'une couche d'argile mêlée de salive. Mais si elle suivait comme son ombre la mère dominante, c'est qu'un lien plus puissant encore les unissait : le bébé qu'allaitait sa suzeraine était le sien...

Jusque-là, Longs-Pieds n'avait jamais vu de Robustes partager la vie du clan. La présence de cette femme et de son bébé l'intriguait donc au plus haut point. Il était encore trop jeune pour avoir compris les mécanismes de l'allaitement, du sevrage et de l'ovulation.

La femme robuste acceptait l'autorité de sa suzeraine, comme une espèce de pacte scellé entre elles. Le chef du clan des Graciles lui avait sauvé la vie et avait exigé en échange d'allaiter son bébé, parce que le sien venait de mourir. De temps à autre, lorsque les gestes de la mère dominante se faisaient trop brusques à l'égard de la petite, le regard de la femme robuste s'assombrissait, mais elle se gardait bien d'intervenir et se cantonnait à son rôle de suivante soumise. Elle était venue avec un autre enfant, un fils de l'âge de Longs-Pieds, qui cabriolait à présent avec les autres adolescents du clan. Longs-Pieds savait que sa tante avait sauvé la vie à cette femme et l'avait ensuite intégrée à la tribu avec ses deux enfants, mais la raison de leur présence parmi eux restait pour lui un mystère.

Ce qu'il s'expliquait parfaitement, en revanche, c'était l'absence d'adultes mâles aux alentours. Cela lui rappelait un passé douloureux, dont il était parvenu à conjurer le souvenir, là-bas, dans la savane. Mais ici, comment aurait-il pu s'en protéger ? Tout l'y faisait penser : le harcèlement incessant des autres enfants, le manque de viande, l'inflexible sévérité de sa tante, cette clairière cernée de toutes parts... Depuis la veille au matin, où il avait retrouvé les traces de son clan et l'avait rejoint, il se sentait accablé d'ennui et de chagrin.

Rien ne parvenait plus à l'intéresser. Il n'avait même pas l'énergie de descendre de son perchoir pour se mettre en quête d'une nourriture digne de ce nom. La forêt l'oppressait. Jamais il n'avait ressenti rien de tel, dans la savane. Là-bas, il trouvait toujours quelque chose de passionnant à entreprendre ou à observer. On pouvait aussi y faire de mauvaises rencontres, bien sûr, mais jamais on ne s'y sentait accablé par ce triste sentiment d'impuissance...

Il soupçonnait vaguement sa tante d'être la cause de son désappointement.

Son retour parmi les siens n'était cependant pas dépourvu d'avantages : ces sons qu'échangeaient les bouches, la tiédeur des corps qui venaient se nicher contre le sien...

Il avait eu du mal à reconnaître ses cousins, après cette longue absence. Certains avaient tellement changé — et ses cousines, donc ! Leurs seins commençaient à pointer... Elles se plantaient devant lui et le détaillaient de la tête aux pieds, les sourcils arqués. Le regard curieux de leurs petits yeux noirs éveillait en lui un drôle de picotement, à la fois doux et cuisant. Pour un peu, il en aurait oublié les raclées et ces infâmes repas d'herbivore !

Mais tout cela lui laissait un arrière-goût dont l'ambiguïté lui faisait regretter sa chère savane. Il attendrait la nuit et, une fois la tribu endormie, il s'éclipserait en silence, en direction de la plaine. Là-bas, plus de cousines affriolantes, certes, mais plus de tante tyrannique — et surtout, plus de raclées. Tout y était clair et bien défini.

En redescendant, il tenterait de retrouver l'étranger, qui avait disparu. Non que cela l'ait beaucoup inquiété ! Il avait remarqué la déconcertante facilité avec laquelle son ami s'absorbait dans des choses qui lui semblaient, à lui, totalement dénuées d'intérêt. Il avait dû s'égarer dans la forêt. Mais il l'avait vu tuer un lion avec son épieu, en poussant un rugissement dont il n'avait jamais entendu l'équivalent dans toute la nature. Son ami devait être indemne : si on l'avait attaqué, il aurait forcément rugi. Toute la montagne en aurait retenti...

Il allait le retrouver et, ensemble, ils regagneraient la plaine.

Depuis son perchoir, il surveillait les allées et venues des adolescents. Le fils de la femme robuste rôdait non loin de son arbre, l'air de ne pas y toucher. Il avait à peu près la même taille que les autres garçons de la tribu, mais il était nettement plus massif et plus velu. Son crâne était surmonté d'un drôle de bourrelet, sur lequel son épaisse tignasse se hérissait. Ses bras étaient à la fois plus longs et plus musclés que les leurs, et ses pieds plus larges...

Comme il approchait de l'arbre, plusieurs gamins vinrent le provoquer, le défiant de se lancer à leur poursuite. Il répondit à leurs taquineries d'un grognement agacé — il se savait moins rapide qu'eux à la course. Ils eurent le tort d'insister : son bras se détendit vers l'un de ses adversaires, et l'empoigna. Un nouveau grognement dévoila ses fortes canines.

Aussitôt, les autres gamins répliquèrent par un chœur de piaillements destinés à alerter les mères. La femelle dominante se leva, aussitôt imitée par sa suivante. Les trois filles du chef du clan étaient accourues pour arbitrer le combat, talonnées par leur frère, dont les lèvres retroussées laissaient voir des dents menaçantes. Toute la bande tomba à bras raccourcis sur le jeune Robuste, qui protestait à grands cris plaintifs.

Finalement, la mère robuste intervint, forçant les trois petites furies à lâcher prise. Le garçon se releva, le visage empourpré, à deux doigts de fondre en larmes. Sa mère parut se retenir de lui administrer une correction et ils échangèrent des regards lourds d'une mutuelle réprobation. La tête rentrée dans les épaules, le garçon battit en retraite vers l'arbre où était perché Longs-Pieds et, furieux, lui empoigna la cheville au passage et lui planta les dents dans le mollet.

Un hurlement perçant jaillit de la gorge de Longs-Pieds. Il répliqua par un grand coup de poing dans l'œil de son agresseur, avant de lui décocher un coup de pied en pleine poitrine. Déséquilibré par son mouvement, il glissa de sa branche et atterrit sur le garçon robuste. Ils roulèrent tous deux à terre, ivres de colère, dans une mêlée confuse où pleuvaient coups de pied, de poing et de dents. Ses canines redoutables donnaient au jeune Robuste un avantage non négligeable, mais l'expérience du danger qu'avait acquise Longs-Pieds dans la savane décuplait son courage.

Les autres adolescents, qui s'étaient attroupés autour des deux combattants en ululant d'excitation, ne tardèrent pas à reculer, impressionnés par la facilité avec laquelle Longs-Pieds prenait l'avantage sur son adversaire. Tous pressentaient obscurément les dangereuses rencontres auxquelles il avait dû survivre, loin d'eux. La mère robuste était la plus effrayée. Elle se jeta sur les pugilistes et les sépara — d'autant plus aisément que son fils n'était pas fâché de voir s'achever ce combat inégal. Elle le tira à l'écart et lui allongea une bonne gifle, tandis qu'en quelques bonds, Longs-Pieds regagnait son perchoir.

La mère dominante confia son bébé à une autre femelle et mit le cap sur l'attroupement, manifestement décidée à punir tous les participants de la mêlée. La bande piaillante des cousins ramassait déjà des poignées de terre et de cailloux pour en arroser Longs-Pieds, qui avait cherché refuge dans la relative sécurité des hautes branches.

Il aurait donné cher pour avoir ses pierres taillées à portée de main, histoire de se venger de ses cousins et de sa tante qui s'était plantée au pied de l'arbre, les bras croisés, dans un silence menaçant. Pour couronner le tout, le fils de la mère dominante arriva sans bruit derrière le jeune Robuste, les lèvres retroussées en un sourire papelard, et lui décocha un coup de pied en traître...

Longs-Pieds en avait vu assez. Ces chamailleries l'écœuraient profondément. Il nettoyait sa morsure avec un peu de salive, tout en surveillant le sol à travers les branches, lorsqu'il vit bouger quelque chose, en contrebas du campement. Deux colosses velus escaladaient la pente en direction de la clairière.

Aussitôt, le petit hominien lança un GRRRRR sonore — le signal d'un danger imminent.

Depuis le matin, la femelle dominante avait un peu relâché sa vigilance. Ici, sur le plateau, parmi ces arbres dont le feuillage moins dense permettait de voir au loin, elle redoutait moins les attaques surprise.

Le sol de la forêt, de jour en jour plus sec, craquait sous le pied. Ces dernières années, les nuages avaient déversé moins d'eau, durant la saison des pluies. D'innombrables signes l'avertissaient que la montagne se desséchait peu à peu. Depuis une dizaine de générations, les Graciles avaient vu augmenter leur espérance de vie. La petite femme aux longs cheveux bruns avait déjà atteint un âge plus avancé que celui de sa mère. Cette longévité accrue avait permis à ceux de son espèce de prendre conscience de la succession et de la répétition des cycles naturels, ce qui avait, en retour, éveillé chez eux le sens de la norme et de tout ce qui s'en écartait.

Leurs progrès, tant sur le plan physique que mental, leur avaient permis de croître et de multiplier, tout en les préparant à aborder ce qui serait le prochain stade de leur évolution. Mais cette vague de progrès avait été cruellement interrompue, trois générations auparavant, par une terrible catastrophe dont la tribu subissait encore les conséquences. L'hominienne n'avait pas été personnellement témoin de ce désastre — elle n'était née qu'une génération plus tard, pendant la retraite qui s'était ensuivie —, mais sa vie entière s'était déroulée sous le signe de la violence, du danger et de l'improvisation. Elle avait successivement perdu plusieurs conjoints. Elle-même avait maintes fois frôlé la mort.

De toute la vivacité de son esprit, elle s'acharnait à relever les défis que lui lançait l'avenir. Inlassablement, elle passait en revue ses propres souvenirs, et, s'appuyant sur l'expérience accumulée au fil des générations, elle tentait de prévoir les besoins de son clan.

Malgré son volume relativement faible, son cerveau était assez développé pour assurer des fonctions complexes. Qualitativement, la force primitive qui la poussait à se battre pour survivre, à défendre son territoire et à assurer la pérennité de son espèce, ne différait pas beaucoup de l'instinct des autres mammifères, des reptiles ou des oiseaux. Ce qui distinguait son instinct de celui des autres créatures, c'était sa puissance. Cette vigueur était un facteur essentiel d'évolution pour l'humanité primitive.

Dans le cerveau de ce petit bout de femme étaient apparus les germes d'une conscience. Elle s'inquiétait pour l'avenir de sa race. C'était ce qui différenciait radicalement son encéphale de celui des autres primates, en dépit de toutes les similitudes qu'ils présentaient. Sa nouveauté ne tenait pas tant à la nature de ses différents composants, qu'à l'efficacité des connexions et des interactions reliant ces différentes « pièces ».

Même en l'absence de tout langage articulé, l'exceptionnelle intégration de ce cerveau d'hominien constituait un progrès décisif. Celle du système limbique, en particulier — cette partie spécialisée dans le traitement des processus émotionnels intangibles, qui se manifestent pourtant sous forme de réactions physiques : accélération du pouls, élévation de la température, activation ou inhibition des sécrétions, modifications de la voix, de la coloration de la peau...

Pourquoi la manifestation des émotions a-t-elle pris une telle importance dans la genèse de l'espèce humaine, alors que dans la plupart des autres espèces, elle est réduite à sa plus simple expression, voire inexistante? Pourquoi les hominiens se sont-ils mis à manifester si ouvertement leurs sentiments, alors qu'un crocodile, par exemple, peut très bien vivre durant toute son existence avec un seul visage, figé dans la même expression?

Parce que les hommes sont des êtres de communication. Ils vivent pour communiquer et communiquent pour vivre. Même seul, un hominien continuait à extérioriser physiquement ses émotions, car, à la différence de toutes les autres créatures, les hommes communiquent avec eux-mêmes, à propos de leurs propres sentiments.

Ce matin-là, absorbée dans ses pensées et dans ce travail de prévision grâce auquel elle avait jusque-là réussi à survivre, la mère dominante avait omis de poster des sentinelles pour alerter le clan en cas de danger. Et à présent, à peine avait-elle eu le temps de comprendre ce qui lui arrivait que l'un des mâles robustes émergeait déjà des buissons.

Une sorte de caquètement guttural lui jaillit de la gorge. Les enfants et les adolescents furent aussitôt rassemblés sous les buissons. En quelques instants, les jeunes mâles en âge de combattre empoignèrent des branches en guise de gourdins, mais les femelles les refoulèrent dans les buissons avec les autres enfants. A l'autre bout de la clairière, la femelle dominante et sa fidèle compagne tenaient tête à deux mâles au visage velu et au crâne surmonté d'une crête.

La femme robuste s'était d'abord instinctivement retournée vers ses enfants, pour les protéger, mais sa maîtresse s'était mise en travers de son chemin et l'avait poussée sans ménagement en direction des intrus. La femme robuste se trouvait donc face à un mâle de sa propre race. La poitrine de l'agresseur disparaissait sous de longs poils et la taille impressionnante de ses testicules, d'un brun foncé, contrastait avec celle de son pénis rétracté, qui passait presque inaperçu. Ses bras se balançaient à la hauteur de ses genoux et, sur sa tête, ses cheveux se dressaient en brosse autour de sa crête sagittale. Il devait peser près du double de la femme.

Cette dernière sentait poindre en elle l'émoi sexuel, mais elle avait subodoré qu'il était plus prudent de n'en rien laisser voir. Elle aurait pu prendre la fuite, mais le clan détenait ses enfants. Elle imagina donc une feinte. Découvrant ses dents en un rictus menaçant, elle se dandina, pour faire ballotter ses longues mamelles, puis fit volte-face et feignit de trébucher, atterrissant sur les mains dans une position qui dévoilait ses parties génitales gonflées d'hormones sexuelles. Elle espérait ainsi faire réagir le mâle, derrière elle. Mais l'assaut se fit attendre. Ne voyant rien venir, elle se releva.

Le mâle, perplexe, avait fait un pas de côté, comme s'il prenait conseil auprès de son acolyte, un géant à la dentition ébréchée, dont la touffe de cheveux se mêlait de poils blancs. Voyant cela, la femme opta pour la fuite mais elle trébucha, involontairement cette fois, tandis que les mâles s'élançaient.

Le plus grand empoigna la mère dominante et la jeta à terre, sur le dos, ce qui exposait dangereusement son pubis et sa vulve. La perspective d'être fécondée par cet intrus lui rappela son dernier-né, dont la perte l'avait traumatisée, au point de refuser de mettre d'autres enfants au monde. Sa réaction fut immédiate : elle sauta au visage de son agresseur, toutes griffes dehors.

La femelle robuste était tout aussi résolue à éviter la grossesse. Le compagnon qu'elle avait perdu était un Gracile. Elle espérait qu'il était toujours en vie, quelque part dans cette forêt, et qu'elle le retrouverait un jour.

Le petit pénis du colosse allait la pénétrer, lorsqu'elle poussa un hurlement si strident que les autres femelles, qui veillaient sur les jeunes, en frémirent. Les jeunes mâles du clan ne purent résister à cet appel. Deux, trois, quatre d'entre eux, dont son propre fils, surgirent des buissons, ramassant au passage des bâtons et des projectiles. Devant eux, Longs-Pieds s'était laissé tomber de sa branche et avait atterri à quatre pattes. Lui aussi ratissait le sol en quête d'une arme.

Il ne trouva pas mieux qu'un bloc de grès, une pierre friable mais qui pesait son poids. Il s'en contenterait.

Un flot de souvenirs lui revint en mémoire. Comme si les onze mâles, morts là-bas, dans la savane, avaient repris vie, il les vit, en esprit, luttant pied à pied contre l'ennemi. Il brandit son bloc de grès et se rua vers les deux colosses. La femme robuste avait repoussé son agresseur d'un bon coup de genou dans l'estomac. La mère dominante avait, elle aussi, réussi à décourager son violeur, en lui mordant le bras jusqu'à ce qu'il lâche prise. Elle lui avait échappé l'espace d'une seconde, mais il avait à nouveau réussi à l'empoigner, cette fois par derrière. Par chance, sa vulve restait sèche et étroitement refermée. Le pénis du Robuste, quoique émoustillé par une résistance aussi farouche, ne put la pénétrer. Il répandit sa semence hors d'elle, en une éjaculation prévue pour être rapide — aléatoire, presque... Au même moment, le bloc de grès de Longs-Pieds s'abattit sur sa tête et l'étendit raide mort, tandis qu'une pluie de bâtons et de mottes de terre tombait sur l'autre mâle, lequel sauta dans un arbre, l'escalada et s'éloigna en se balançant de branche en branche.

Dans l'ivresse de la victoire, un jeune Gracile s'élança,

prêt à le pourchasser, mais la femelle dominante se releva et l'arrêta d'un geste. Les traits empreints d'un insondable chagrin, elle remercia Longs-Pieds, son sauveur, d'une vigoureuse bourrade puis, avec un hurlement strident, donna le signal du départ. Avant de se mettre en marche, elle prit le temps d'arracher une grande feuille à un buisson avoisinant, pour essuyer sur ses cuisses la semence inutilement répandue.

Longs-Pieds se souvenait, à présent. Cette longue marche dans la forêt, avec les siens, ranimait les images du passé. Il avait déjà participé à de tels voyages. Il aperçut tout à coup une haute silhouette qui lui fit battre le cœur. Cette allure bizarre, si curieusement élancée et tendue vers le haut... C'était son ami, l'étranger.

Longs-Pieds ne put réprimer un petit gloussement. Il était si rigolo, cet étranger !

Puis d'autres images se bousculèrent dans sa tête. Il se représentait ce qu'il devrait faire pour éviter que les siens ne maltraitent son ami. Il aurait pu courir à sa rencontre, lui faire rebrousser chemin et s'enfuir avec lui vers la plaine, mais il n'en avait plus le temps. Déjà, le clan avait repéré l'intrus. Leurs babines se retroussaient dans des grimaces méfiantes, face à cet étranger, si différent de ce qu'ils connaissaient.

Longs-Pieds n'avait aucun moyen de faire comprendre aux siens que cette étrange créature n'était ni dangereuse, ni hostile. L'étranger leva la tête, et la surprise qui se peignit sur son visage parut illuminer tout le sous-bois. Il leva les bras dans un salut qui ressemblait à une prière.

Forts de leur victoire sur les Robustes, les jeunes mâles du clan se ruèrent sur lui et l'assaillirent de toutes parts. Succombant sous le nombre, il s'affala sur le sol sec de la forêt.

3

Le corps de Ken fut parcouru d'une décharge d'adrénaline plus fulgurante que tout ce qu'il avait pu ressentir jusque-là. Les battements de son cœur l'assourdissaient. Les images qui lui parvenaient avaient pris une étrange limpidité, un éclat presque surréaliste. De violents spasmes lui retournaient l'estomac, et des remontées de bile vinrent lui ramoner la gorge. Un goût de sang se répandit dans sa bouche — il avait serré les dents à s'en faire saigner les gencives.

S'il voulait survivre, il ne pouvait pas se permettre de donner prise à la peur. Il avait devant lui toute une tribu d'hominiens, dont une bonne douzaine s'étaient jetés sur lui pour le capturer, ou le massacrer.

Tous lui parurent jeunes. Leurs tailles s'échelonnaient entre un mètre et un mètre vingt. Il avait immédiatement repéré Longs-Pieds qui se démenait dans la petite troupe, en poussant des cris stridents. Ken l'avait reconnu du premier coup d'œil, mais l'enfant... Se souvenait-il de lui ?

Il remarqua un autre garçon, dans la mêlée. Un adolescent plus râblé que les autres, avec une crête sagittale bien visible, et qui avait pris la tête du groupe. Ses cheveux se hérissaient de part et d'autre de sa crête. Longs-Pieds tenta bien de bloquer son attaque en le percutant de plein fouet, mais l'autre parvint à agripper Ken par l'épaule tandis qu'une jeune femelle le poussait par derrière pour le faire trébucher. Un petit mâle, dont les lèvres se retroussaient en un sourire narquois, lui envoya à l'estomac un coup de genou qui lui coupa le souffle et le plia en deux.

A l'exception de leurs fronts fuyants et de leurs mâchoires prognathes, qui étaient des constantes dans la tribu, tous ses assaillants avaient une physionomie bien distincte. Le regard de Ken se mit à papillonner de l'un à l'autre, recueillant une multitude de détails que son cerveau tentait vainement de synthétiser.

Les jeunes hominiens lui grimpaient dessus, à présent. Il sentait leurs souffles fébriles courir sur sa peau.

Sous la grêle de coups qui s'abattait sur lui, Ken comprit soudain pourquoi la diversité de leurs traits l'avait tellement frappé. C'était simplement que son esprit avait fantasmé autour du visage de Longs-Pieds. Il avait imaginé une tribu constituée d'une collection de clones du gamin — tous semblables, ou quasiment! Or, il n'en était rien...

La forme des visages et des masses musculaires variait considérablement d'un individu à l'autre.

Et pourquoi en eût-il été autrement? Longs-Pieds et les siens constituaient une espèce *vivante*!

Il ne put trouver deux thorax exactement identiques, ou deux ventres s'arrondissant de la même façon. Certains avaient des lèvres minces, presque simiesques, d'autres, des bouches charnues et bien ourlées, comparables à celles des hommes modernes. On retrouvait la même variété au niveau de leurs narines, de leurs oreilles, de leurs yeux... En fait, leur seul trait commun était l'ébahissement qui se lisait dans tous les regards fixés sur lui.

Il partageait d'ailleurs l'ahurissement général. Il ne parvenait pas à ouvrir assez grands ses yeux, ses oreilles et son esprit pour tout enregistrer. Parmi la cacophonie de couinements et de grognements qui fusaient au-dessus de sa tête, il distingua la voix de Longs-Pieds. Cette avalanche de petits corps sur le sien ne lui était pas déplaisante, au contraire — et elle avait au moins le mérite de l'aider à contenir ses tremblements. Il se sentait environné de leur odeur musquée. Des ongles bruns se prenaient dans les poils de sa poitrine et tiraient...

Il protesta d'un grognement dont le seul effet fut de les encourager à tirer plus fort. Il fit la grimace. Les mains des jeunes hominiennes, d'une vigueur redoutable lorsque leurs forces s'additionnaient, lui immobilisaient bras et jambes, tandis que d'autres mains lui palpaient les côtes, le ventre, l'entrejambe.

Le bouton de son pantalon sauta et la fermeture éclair capitula à son tour, quelques instants plus tard. La toile de son pantalon elle-même ne résista pas longtemps à leurs doigts impatients. En quelques secondes, il se retrouva réduit à l'impuissance — et nu comme un ver!

Il avait instinctivement croisé les mains sur ses génitoires, mais c'étaient ses pieds qui déchaînaient leur curiosité. Sans être particulièrement chatouilleux, Ken se tortillait sous les petits doigts qui lui couraient sur la plante des pieds et s'immisçaient entre ses orteils. Il parvint à grand-peine à s'en dégager.

Les jeunes hominiens reculèrent de quelques centimètres. Retrouvant brusquement l'impression familière d'avoir fait irruption dans un rêve, Ken leur retourna leurs regards ahuris.

Longs-Pieds tirait ses cousins par les épaules et par les coudes, et les secouait comme un forcené. Ken eut le sentiment que le gamin attendait de lui une réaction précise, mais laquelle... ? Soudain, il comprit : Longs-Pieds voulait l'entendre pousser ce cri terrible, qui avait le pouvoir de faire reculer les lions eux-mêmes.

Du coin de l'œil, le gamin aperçut la mère dominante qui accourait, suivie de toutes les femelles adultes. Les adolescents s'écartèrent de Ken et elle le découvrit — une étrange créature, qui levait vers elle des yeux où la crainte le disputait à l'étonnement.

Elle approcha et se pencha sur lui, sans émettre un son.

La gorge de Ken s'était nouée. Son souffle s'était suspendu. Plus rien n'existait au monde que ces deux prunelles noires, luisantes, au regard de sphinx. Il remarqua les aréoles distendues de ses seins gonflés de lait — une touche de douceur maternelle, assez inattendue dans cette physionomie qui rayonnait d'une énergie plutôt rude. On eût dit une poupée conçue à l'âge de pierre. Avançant la main, elle l'effleura comme pour s'assurer qu'elle non plus ne rêvait pas. Sur la peau de Ken, la caresse de sa paume calleuse, aux longs doigts musculeux, eut la rugosité du bois brut.

Il se redressa et se retrouva nez à nez avec elle. Elle ne l'avait pas quitté des yeux. Il prit une profonde inspiration et jeta un cri si vibrant que l'hominienne recula, déconcertée par la puissance de cette voix.

Puis il bondit sur ses pieds et fit face à toute la tribu, dans une attitude de défi. Dépouillé de ses vêtements, il se sentait terriblement vulnérable.

Profitant de la consternation où les avait jetés son cri, il se rua vers le premier arbre qu'il pût escalader. Les mâles du clan pouvaient faire irruption d'une seconde à l'autre, et eux ne se laisseraient peut-être pas impressionner si facilement...

En deux enjambées, il fut sous l'arbre et s'agrippa au tronc, aussi nu que les hominiens — à égalité avec eux... *Allez, mes bras, allez, mes muscles !* s'exhorta-t-il. *Ce n'est pas le moment de flancher !*

Mais derrière lui s'éleva une rumeur qui l'arrêta net dans son élan. Il se retourna.

La femelle dominante avait rassemblé sa petite troupe et les pressait de s'éloigner, en une sinueuse colonne. Avant d'obtempérer, Longs-Pieds jeta un dernier regard dans sa direction, imité par plusieurs autres gamins. Une bien étrange conclusion pour cette première rencontre entre le clan et lui, l'étranger, qu'ils abandonnaient à la forêt, nu et désarmé.

Il laissa s'écouler quelques minutes avant de se ruer sur leurs traces. Il eut une vague pensée pour ce qu'ils avaient laissé de ses vêtements, mais il préféra les oublier, eux et ce qu'ils représentaient. Son avenir se limitait désormais aux quelques heures qui l'attendaient. Le monde entier se réduisait à ce bout de terre qu'il avait sous les pieds, et à cette tribu qui détalait devant lui.

Si ses plantes de pied n'étaient pas habituées à fouler directement le sol, son corps était globalement mieux adapté que les leurs à la marche, et il les rattrapa sans trop de peine.

Il n'avait oublié ni le regard énigmatique de l'hominienne qui semblait être leur chef, ni son embarras devant lui : qui était-il ? En quoi pouvait-il lui être utile ou dangereux ? Dans quelle catégorie devait-elle le classer ? Que pouvait-elle faire d'une créature de cette espèce ?

Elle n'avait pas su trancher et avait décidé de l'épargner. Pour le moment...

Longs-Pieds avait fait son possible pour l'aider. Désormais, sa vie dépendait donc du bon vouloir d'une hominienne et de l'influence que pouvait avoir sur elle un australopithèque de huit ans... !

Ce qui ne l'empêchait pas de trotter sur leurs talons, comme un insensé, au lieu de songer d'abord à sa survie. Il pressa le pas. Il avait l'impression de s'empêtrer de plus en plus dans un piège inextricable, où il avait tout fait pour tomber. Car il avait travaillé, lutté... *prié* pour être là ! Ses pieds nus se posaient dans les empreintes d'une bande d'hominidés. Son corps se frayait un chemin à travers une forêt où la vie palpitait, intacte, vierge de toute intervention civilisée.

Tout cela, il l'avait voulu si fort... Eh bien, il l'avait !

Il se représenta, avec Ngili et Haksar, parcourant la forêt ensemble. La somme de connaissances qu'avait recueillie le vieux professeur sur ces tribus, isolées dans ce massif montagneux, lui aurait été d'une aide inestimable.

Il marcha un certain temps sur la trace des hominiens. Vus de dos, on aurait pu les prendre pour une tribu autochtone, n'était leur démarche curieusement chaloupée. Ils ne portaient aucune parure. Ni colliers, ni amulettes, ni perles. Rien dans le nez, ou dans les oreilles, comme si leur sens de la beauté individuelle ne s'était pas encore éveillé. Son esprit était entièrement polarisé sur l'énigme que constituait leur présence. Il en oubliait tout le reste — la faim, la fatigue, la peur... Comment avaient-ils survécu si longtemps, à l'insu du reste du monde ? Comment un tel miracle avait-il pu se produire ?

De toute évidence, la seule explication plausible tenait à la nature de leur environnement : ce massif montagneux resté à l'état originel, depuis la nuit des temps... Une bulle de pliocène !

C'était quasi miraculeux...

Bizarre tout de même, qu'il n'ait vu aucun mâle adulte. Etaient-ils tous partis chasser ? Comment réagiraient-ils à leur retour, en découvrant la présence d'un intrus ? Et les créatures velues qu'il avait aperçues, la nuit précédente ? Etait-ce les mâles de cette espèce ? A quoi rimaient leurs raids sanglants aux limites inférieures de la forêt, alors que femmes et enfants vivaient organisés en société de type matriarcal, dans la montagne ?

Et surtout, pourquoi Longs-Pieds s'était-il aventuré seul dans la savane... ?

Tant et tant de choses lui échappaient ! A quoi lui servaient ses deux mille centimètres cubes de cervelle, s'il n'était même pas fichu de comprendre ce qu'il avait sous les yeux... ?

Il tenta de se rassurer en se persuadant qu'il n'était pas tout à fait seul. Il avait un allié dans la place, en la personne de son jeune ami... Mais il avait peine à s'en convaincre. Que restait-il de leur amitié ? L'époque où ils formaient une espèce à eux deux, l'enfant et lui, était à présent révolue...

Devant, le clan émergea dans une clairière que ceignaient de grands lobélias et des bruyères géantes, dont les branches portaient de longues barbes de mousse. A la vue de ces bruyères, Ken se demanda s'il avait dépassé la barre des deux mille mètres d'altitude. On ne trouvait habituellement ce type de plantes que sur les hauteurs, là où le vent empêchait les autres arbres de pousser. Mais la température restait douce et il n'éprouvait pas la moindre gêne respiratoire. Il remarqua aussi, au pied de deux bananiers sauvages dont les fruits avaient une peau curieusement rougeâtre, des buissons croulant sous des grappes de noix qui lui étaient inconnues. Dans leurs branches se prélassaient des sortes de gros tarsiens, qui roulaient d'énormes yeux ronds. Ils se mouvaient avec une extrême lenteur sur les petites mains qui leur tenaient lieu de pattes.

Ken n'avait jamais vu de telles créatures. Les tarsiens étaient l'espèce originelle d'où étaient issus les singes... Il promena son regard sur les grands arbres et les buissons, qui poussaient en rangs serrés autour de la clairière, comme pour mieux l'isoler du reste de la forêt.

Cette végétation est encore plus archaïque que les hominiens qu'elle abrite, se dit-il. A croire que je suis vraiment tombé dans un trou noir temporel !

La femelle dominante fit un pas dans sa direction et s'immobilisa à quelques mètres de lui, les yeux plongés dans les siens, jusqu'à ce qu'il comprenne que ce regard était en soi un message. Il battit en retraite, se laissa choir à l'écart, au pied d'un arbre, et se cacha le visage dans les mains, espérant que ce geste de soumission serait correctement interprété.

Il laissa s'égrener les secondes, les yeux clos derrière ses paumes, si tendu qu'il lui vint une curieuse sensation de dessèchement. Il se sentait aussi sec que de l'amadou n'attendant qu'une étincelle pour prendre feu. Au bout d'un certain temps, comme aucune catastrophe ne semblait lui tomber dessus, il risqua un œil.

Les enfants avaient repris leurs jeux avec les lianes qui pendaient des arbres. Le chef de la tribu, suivie de la petite qui titubait, s'était dirigée vers les bananiers. Sa suivante cueillit un lambeau de mousse et se mit à jouer avec l'enfant, tandis que la mère dominante creusait le sol entre les bananiers. Elle déterra une branche dont pendaient des graines semblables à des noix de cajou, puis un quartier de m'boloko, grouillant de vers.

Ainsi, ils mangeaient de la viande, songea Ken, et tout indiquait que cette clairière était le lieu où ils cachaient leurs réserves. Mais pourquoi se résignaient-ils à se nourrir de telles charognes, alors que la forêt — comme la savane — regorgeait de gibier? Ceci dit, il n'avait rien avalé depuis vingt-quatre heures et, dans ces conditions, la viande de m'boloko, même faisandée, ne lui parut que modérément répugnante.

Le clan se rassembla autour de son chef, en une mêlée où chacun semblait jouer des coudes, en respectant cependant un certain ordre hiérarchique. Elle s'éloigna avec le quartier de viande, en désignant ceux des membres de la tribu qu'elle autorisait à la suivre. Puis elle s'installa et fit asseoir autour d'elle toute la famille, dans l'ordre qui lui agréait.

Sa suivante robuste prit place à sa droite et le jeune mâle au sourire en coin vint s'installer entre ses jambes, avec l'assurance d'un premier-né, tandis que le reste du clan se répartissait autour d'eux en piaillant.

Les mères, leurs enfants entre leurs jambes, partageaient leur nourriture avec eux. Tout compte fait, le repas se déroula sans trop de chamailleries. Les lambeaux de viande passaient de main en main, ainsi que les noix. Puis ceux qui avaient de bonnes dents cassèrent de petits morceaux de branches et en grignotèrent le bois sec.

Longs-Pieds ne quittait pas Ken du regard.

Sa tante le rappela à l'ordre d'un coup d'œil sévère, et le gamin revint aussitôt au morceau de viande qu'il avait entre les doigts. Il se comportait comme un membre de la tribu parfaitement intégré.

La mère robuste reçut quelques-uns des meilleurs morceaux, pour elle et son bébé. Elle les mâchait jusqu'à en faire une bouillie qu'elle glissait du bout des lèvres dans la bouche de l'enfant, nichée dans ses bras. Les autres mères en faisaient tout autant pour leurs propres petits. Ce repas était un vrai festival de baisers gluants... !

Un silence affairé s'était abattu sur la clairière. Les hominiens communiaient autour de la nourriture avec une sorte de tendresse bourrue. Longs-Pieds, qui mâchonnait un bout de bois, accrocha le regard de Ken. Peut-être était-ce lui qui avait tenu à lui faire assister à cette scène. Peut-être, après l'attaque nocturne des Robustes, lui avait-il transmis ce message muet : « Suis-moi et je te mènerai vers mon clan. Je vais te présenter ma famille ! »

Ken voulut lancer un éclat de rire, mais seul un glapissement étranglé lui jaillit du gosier. Tu fais un fameux tueur de lion ! se dit-il.

La femelle dominante le regardait, elle aussi, avec dans l'œil une sorte de défi mêlé de méfiance. Elle se frottait les pieds l'un contre l'autre, dans l'herbe, avec une sorte de nervosité machinale.

Il se demanda ce qu'elle ferait s'il se levait et se joignait au groupe. Une chose était sûre : elle ne tolérerait rien qui puisse constituer un danger pour les siens.

Longs-Pieds s'était assis un peu à l'écart, assiégé par une grappe d'enfants qui semblaient curieux de ce qu'il avait bien pu fabriquer, seul, dans la savane. Leurs regards faisaient la navette entre Ken et lui, mais chaque fois que les yeux de Longs-Pieds rencontraient ceux de l'étranger, le gamin détournait vivement la tête en direction des hautes branches dont le dôme commençait à s'assombrir. Voulait-il l'exhorter à attendre la nuit pour agir ?

Ken lui répondit d'un imperceptible hochement de tête.

Les femelles adultes s'activaient dans la clairière, préparant les abris pour la nuit. Elles allaient et venaient, détaillant Ken au passage avec une curiosité qu'elles n'essayaient pas de dissimuler, sans toutefois s'approcher de lui.

Il se demanda si la mère dominante ne l'avait pas déclaré *persona non grata*.

Toujours est-il que les hominiennes devaient avoir un sens très précis de l'écoulement du temps, car les abris furent prêts juste à la tombée de la nuit.

* * *

Ken attendait que les derniers murmures se soient éteints dans le clan endormi, pour se rapprocher de l'endroit que Longs-Pieds s'était choisi comme gîte. Au-dessus de sa tête tournoyaient de grosses lucioles, qui dessinaient dans le noir de scintillantes arabesques. Soudain, un son s'éleva — un gémissement à peine perceptible. Il se releva et il distingua deux corps entrelacés, dont l'un était celui de Longs-Pieds. Blotti dans les bras de la mère dominante, il poussait une plainte sourde, une sorte de « *Niawoo, niawoo...* ». La femme le serrait contre elle et faisait courir ses lèvres sur sa peau : du bout de la langue, elle soignait les innombrables écorchures qui striaient le corps du gamin.

Ken retint son souffle.

Le gamin poussa un nouveau gémissement, auquel la femelle dominante répondit par de petits grognements affectueux, qui semblèrent inciter l'enfant à venir se nicher encore plus étroitement contre elle. Ken n'aurait su dire si elle se bornait à le soigner, où si elle en profitait pour donner libre cours à une tendresse longtemps réprimée. Toujours est-il que Longs-Pieds répondait à ses attentions en redoublant de « *Niawooo, niawooo...* ».

Elle explorait à présent une des épaules de Longs-Pieds. Elle dut lui enlever une écharde ou une épine du bout des dents, car elle eut un mouvement de tête puis émit un petit chuintement, comme si elle recrachait quelque chose. L'écharde était sortie. Elle poussa à son tour un gémissement, sur le même ton que l'enfant — « *Oowai, oowai...* » — auquel ce dernier répondit par de nouveaux « *Niawoo, niawoo...* ».

Ces gémissements semblaient infiniment plus complexes et plus chargés de sens qu'aucun des autres sons qu'il avait entendu le petit hominien proférer, jusque-là. C'étaient presque des syllabes !

Niawoo... Si proche de « niawo » — « maman », en swahili.

Etait-ce le cri primal du petit humain réclamant le sein maternel ? Cela finirait-il par signifier effectivement « mère » ? Et si les mots les plus élémentaires des langages humains étaient issus de cris similaires ?

Ken tendit l'oreille, retenant son souffle dans l'obscurité. Se parlaient-ils ?

Il voulut changer de position, mais l'herbe sèche craqua imperceptiblement. Aussitôt, la mère dominante redressa la tête, manifestant son inquiétude par la tension de toute son attitude corporelle. Elle lança un grondement d'alerte, qui parut à Ken moins élaboré et plus proche de ceux du singe.

Il se figea et attendit. La femme se recoucha et son dialogue avec l'enfant se poursuivit encore quelque temps. Ken dut s'endormir, bercé par ce proto-langage.

Un frisson glacé le tira du sommeil. Autour de lui, le sol gris de la forêt disparaissait sous le brouillard. Il cligna les yeux. Le jour se levait.

Levant la tête, il vit celle qu'il avait déjà baptisée « Niawo », accroupie près de lui. Du tranchant de la main, le chef de la tribu rompit une racine qu'elle croqua et mastiqua ostensiblement. Puis elle posa les mains sur les épaules de Ken et l'attira vers elle. Il sursauta : elle voulait lui donner la becquée, comme à ses propres enfants... !

Il eut un hoquet de dégoût et se débattit. La boulette de pulpe mastiquée qui tombait des lèvres de Niawo s'écrasa par terre. Elle la ramassa tant bien que mal et entreprit de la lui enfourner de force. Une pâte tiède au goût amer lui envahit la bouche. Suffoquant, il s'efforça de la recracher.

Des gloussements moqueurs retentirent dans son dos. Il fit la grimace. Les trois filles de Niawo étaient debout derrière lui. Il sentait leur souffle chaud sur ses épaules glacées.

Il s'essuya la bouche et le menton d'un revers de main rageur, et se passa les doigts dans les cheveux, ce qui déchaîna une nouvelle vague de rires chez les gamines : il s'était tartiné les cheveux de cette bouillie gluante...

Il bondit sur ses pieds et hésita, soudain conscient de sa nudité. Niawo s'était levée, elle aussi. Il craignit un instant qu'elle ne s'intéresse de trop près à ses parties intimes. Son estomac glougloutait comme un forcené.

Tu aurais dû accepter la racine qu'elle t'offrait, crétin que tu es ! Tu as laissé passer l'occasion et de te nourrir, et de te prêter à un rituel d'amitié qui aurait pu te faire admettre dans le clan !

L'une des adolescentes se jeta sur ce qui restait de la bouillie mastiquée, tandis que les autres se disputaient les bouts de racine. Ken se sentait si faible et si affamé qu'il se laissa choir dans l'herbe, découragé. Les trois gamines s'éparpillèrent en poussant de petits cris joyeux, visiblement ravies de la façon dont commençait la journée.

Ken enfouit son visage dans l'herbe où perlaient de minuscules gouttes de rosée qu'il lécha — car, pour couronner le tout, il était mort de soif.

Il chercha du regard Longs-Pieds, encore à moitié endormi à côté du garçon qu'il avait surnommé « Cheese », à cause de son éternel sourire, et du fils de la femme robuste — « Huron », comme il l'appelait à part soi. Ils avaient passé la nuit nichés les uns contre les autres, toute rivalité oubliée.

La mère dominante revint vers Ken et lui tendit une poignée de feuilles qu'il se mit à mastiquer. Leur sève amère se répandit dans sa bouche. Il recracha le tout et, les mains crispées sur son estomac, poussa une plainte lamentable dans l'espoir de l'émouvoir — et, de fait, il devait bien être l'anthropologue le plus pitoyable et le plus affamé qui ne se soit jamais présenté à la vue d'une hominienne !

Les lèvres de Niawo esquissèrent un sourire. Compatissait-elle ? Ce genre de geste ne pouvait que faire vibrer sa fibre maternelle... Comme elle s'éloignait, en lui signifiant de la suivre, il lui emboîta le pas, bien résolu à se plier à tous les tests qu'elle voudrait lui faire subir.

Sourcils froncés, Longs-Pieds les regarda disparaître, puis il se dégagea du tas de petits corps lovés autour du sien et se leva.

Ken se préparait mentalement à ingurgiter n'importe quoi, fût-ce une charogne fraîchement déterrée. Il n'aurait qu'à recracher la couche superficielle, et fouiller l'intérieur avec les dents jusqu'à ce qu'il atteigne un morceau mangeable... Son estomac gargouilla, comme pour approuver ce plan.

Niawo marchait d'un bon pas. Ils s'éloignèrent rapidement du camp. Il était heureux de pouvoir observer à sa guise ce corps prodigieux, marchant sur ses deux pieds. Elle s'arrêta près d'un trou d'eau et but longuement. Il en fit de même. Il l'imitait en tout point, allant jusqu'à mettre ses pas dans les traces qu'elle laissait sur la terre humide. Elle se retourna vers lui et lui décocha un large sourire, découvrant une dentition parfaite. Puis elle se remit en route. Comme il la rattrapait, elle s'adossa à un tronc couvert de mousse, le dévisagea un instant, arquant les sourcils, avant de baisser les yeux.

Il poussa de nouveaux gémissements en montrant son ventre. Elle tendit la main vers lui et il bondit en arrière, avec un petit rire embarrassé. L'avait-elle entraîné à l'écart à dessein ? Avait-elle éprouvé ce besoin d'intimité qu'ont même les primates, lorsqu'ils se sentent d'humeur folâtre ?

Elle le fit basculer d'un coup de genoux et il s'affala. Elle vint aussitôt s'accroupir près de lui, fouillant le sol dont elle extirpa un long ver blanc. Elle sectionna la tête de la bestiole d'un coup de dent et l'approcha des lèvres de Ken.

Tout affamé qu'il était, la vue de ce long tube blafard lui donna des frissons. Il ferma les yeux et ouvrit la bouche. Le ver était frais et insipide. En fait de goût, il ne sentait que ses ondulations, sur sa langue et contre son palais. Il serra les paupières et, dans un sursaut de volonté, il avala.

Lorsqu'il rouvrit les yeux, Niawo avait attrapé un autre ver qu'elle dégustait, en fermant les yeux, elle aussi, comme si elle essayait d'apprendre un nouveau tour.

Un fou rire le prit. Elle le regarda et, comme il ne pouvait plus contenir son hilarité, il s'enfouit le visage dans les mains. Quand il risqua un œil, elle aussi s'était caché la figure, mais elle releva bientôt la tête, se mit à genoux et, avec un mouvement d'épaules, l'invita à creuser la terre, comme il le lui avait vu faire. Leurs piétinements avaient fait surgir du sol d'autres gros vers blancs. Elle se précipita dessus en piaillant et tâcha d'en ramasser le plus possible. Des gouttelettes de sueur avaient perlé autour de sa taille, incroyablement fine et déliée. Elle se rassit, la bouche pleine, et se mit à mastiquer avec entrain.

Une idée trottait dans la tête de Ken : Niawo ne semblait pas à sa place, dans cette forêt. Sauf erreur, *Australopithecus africanus*, alias l'australopithèque gracile, était une créature de la savane...

Un sentiment d'impuissance l'étreignait, aussi frustrant que celui qu'il avait ressenti dans la savane, face à l'enfant. Il ne pouvait poser aucune question, ni espérer recevoir aucune réponse. Cette impossibilité de communiquer avait quelque chose d'à la fois magique et effrayant.

Elle se leva, abandonnant une douzaine de vers sur le sol, puis s'approcha de lui. Il recula pour garder ses distances, mais elle tendit la main vers son ventre. Un vent de panique se leva dans son esprit. Que voulait-elle ? Puis il comprit qu'elle lui demandait tout simplement des nouvelles de ses entrailles qui, effectivement, le tourmentaient encore. Elle lui massa le nombril d'un mouvement circulaire, comme on fait pour apaiser un enfant. Elle mit ensuite le cap sur un buisson qui portait des fruits violets, évoquant vaguement des pommes de terre. Elle en cueillit un, qu'elle lui apporta, et mordit dedans la première, comme pour lui prouver qu'il était comestible. Elle se cala dans la joue le morceau qu'elle avait croqué, et le garda en bouche sans le mastiquer, peut-être pour lui indiquer la meilleure manière d'en extraire le jus...

Il l'imita consciencieusement. Un suc onctueux suinta de la pulpe et lui coula dans la gorge.

Elle avança les deux mains et lui palpa la poitrine, les épaules et les bras, éveillant à nouveau en lui ce malaise... Ayant apparemment satisfait sa curiosité, elle descendit la pente jusqu'à une petite ravine où elle se laissa glisser. Une fois là, elle s'accroupit et entreprit de creuser le sol. Sans hâte, elle rejeta des poignées de terre et de sable, jusqu'à ce qu'un filet d'eau boueuse sourde au fond du trou. Alors, elle leva la tête vers lui et, avec le même mouvement d'épaules qu'elle avait déjà eu, l'invita à essayer à son tour.

Il s'agenouilla et répéta l'opération un peu plus loin, avec le vague sentiment que tout cela recelait un sens plus général. Lorsque, enfin, l'eau boueuse se mit à écumer sous ses doigts, la lumière se fit dans son esprit. Il sauta sur ses pieds...

Trop tard. Elle avait disparu. Son cours de survie terminé, elle l'avait planté là, l'abandonnant en pleine forêt. Il aurait été bien incapable de retrouver la clairière. Ils avaient fait trop de tours et de détours dans le dédale du sous-bois...

Elle avait agi de façon délibérée, mûrement réfléchie. A ses yeux, il représentait une source de perturbation et de dangers potentiels pour la tribu. Elle avait tout bonnement décidé de l'écarter.

Au moins sa médecine de l'âge de pierre avait-elle fait effet. Ses crampes d'estomac s'étaient apaisées. Il se sentait à présent repu, et en pleine forme. Au loin, son oreille distingua une rumeur qui ressemblait fort à celle du clan. Peut-être s'était-il trompé sur les intentions de Niawo...

Il coupa à travers d'épais buissons. Il avait dû couvrir quelques centaines de mètres lorsque son pied dérapa sur quelque chose de visqueux. Il baissa machinalement les yeux et eut grand-peine à retenir le hurlement de terreur qui lui montait aux lèvres.

C'était un torse d'hominidé à demi dévoré. Dans la cage thoracique, vidée de ses organes vitaux, ne restaient plus que quelques vaisseaux sanguins sectionnés. La tête, les membres et le bassin avaient été arrachés. Les vertèbres sanguinolentes étaient éparpillées par terre comme les perles dispersées d'un macabre collier. Il se remit en route sans demander son reste.

La rumeur était toute proche, à présent. Il s'arrêta devant un buisson dont il écarta prudemment les branches. A quelques mètres de lui, trois mâles robustes dépeçaient le corps d'un autre hominien qu'ils dévoraient. L'australopithèque le plus proche, extrêmement velu, avait une crête sagittale très prononcée. Ses énormes maxillaires lui donnaient l'allure farouche du fameux « Crâne Noir », qui faisait frémir les étudiants lorsqu'ils visitaient les collections de fossiles de l'université. Les hominidés déchiraient le cadavre à belles dents, avec d'effroyables borborygmes, que ponctuaient les craquements des os broyés. La tête du mort avait été dépouillée de sa chair, à l'exception d'une joue, d'une oreille et d'un côté du cou. C'était tout ce qui restait d'un Gracile — à en juger par sa stature, proche de celle de la femelle qui venait d'abandonner Ken à son sort.

L'abominable banquet battait son plein. Un craquement sinistre annonça le partage de l'os du bassin. Derrière les dîneurs, d'autres Robustes surgirent des hautes herbes, pour réclamer leur part du festin.

Ken fit un violent effort sur lui-même pour ne pas perdre la tête. Il recula, et le buisson se referma devant lui, lui masquant la scène de carnage.

Son esprit synthétisa la situation : la Mau et la plaine

environnante, où il avait rencontré Longs-Pieds, constituaient une zone de transition et de contact entre des écosystèmes différents. La savane et la forêt, ces pentes boisées et ces clairières verdoyantes, favorisaient la cohabitation d'une multitude de formes de vie. Mais la spécificité de ce milieu, c'était qu'il avait permis la coexistence d'espèces très diverses, certes, mais aussi de multiples stades d'évolution. Il y subsistait des zones protégées, des poches telles que cette clairière du pliocène, où se chevauchaient différents biotopes, parvenus à divers stades d'évolution. Parmi les espèces peuplant ces biotopes, non pas une, mais *deux* lignées humaines archaïques avaient trouvé réunies les conditions nécessaires à leur survie, et avaient évolué selon leur propre horloge biologique — qui se trouvait retarder de deux millions d'années par rapport à celle du reste de la planète.

Mais à la différence des autres espèces, qui cohabitaient dans une paix relative, les deux lignées d'hominiens rivales se livraient une guerre sans merci, comme Ken venait d'en avoir la preuve. Le conflit tenait probablement au fait qu'ils s'étaient récemment trouvés contraints de se partager un territoire trop exigu — cette portion de l'écosystème que constituait l'extrémité sud de la Mau. Là, l'équilibre quasi miraculeux de cet environnement unique avait volé en éclats. Une guerre fratricide opposait les hominiens de la forêt à ceux de la savane, qui avaient dû abandonner leur habitat naturel.

Je ne veux pas voir ça... ! se dit Ken, révulsé.

Mais comment pouvait-il songer à se retirer sur la pointe des pieds, en tâchant d'oublier ce qu'il venait de voir ? Bien au contraire... Il se devait de tout regarder, et de tout enregistrer. Il écarta doucement la branche qui le dissimulait et reprit son observation.

Juste en face de lui apparut une femelle, qui marchait appuyée sur ses mains. Elle n'avait pas de seins, à proprement parler ; plutôt des mamelles bien développées. Un petit se cramponnait à sa nuque. Une autre femelle, elle aussi chargée d'un bébé, s'avança dans son sillage, mais debout sur ses deux pieds. Elle précédait un groupe de mères, dont certaines marchaient relevées, d'autres en s'appuyant sur leurs doigts repliés. Aucune ne présentait de véritables seins.

Ken n'avait pas assez d'yeux pour noter tous ces détails.

Comment se faisait-il que la femelle robuste qui vivait avec le clan des Graciles ait, elle, une poitrine pleinement formée ? Elle devait être le résultat d'un croisement entre les deux races, à la deuxième voire à la troisième génération. Les Robustes, au type nettement plus archaïque, devaient avoir maintes fois mêlé leur sang à celui des Graciles, à l'occasion d'innombrables raids sur les femelles du clan adverse.

Les mâles présentaient, eux aussi, des signes de métissage : l'importance de leurs maxillaires et de leur crête sagittale variait d'un individu à l'autre. Certains ne présentaient plus ce chevauchement caractéristique de leurs canines. Les deux souches devaient s'interféconder depuis bon nombre de générations.

La vue de la viande déclencha les rires excités des femelles. L'une d'elles, que les maternités n'avaient pas encore déformée, se mit à se trémousser en secouant sa chevelure de façon provocante.

Elles vinrent s'accroupir derrière les mâles, qui se retrouvèrent bientôt environnés chacun d'un petit harem de mères chargées de bébés, qui jouaient des coudes à qui mieux mieux pour se rapprocher de leur seigneur et maître, tout en multipliant les signes de soumission. Tous ces êtres frustes, massifs et velus, marchaient en posture bipède et « parlaient ». Leurs productions vocales avaient une résonance très humaine. Elles allaient manifestement bien au-delà de simples signaux sonores indiquant le danger, la faim ou le désir sexuel : elles semblaient véhiculer des messages personnels et, à les entendre caqueter, tout indiquait que les femmes « bavardaient » entre elles avec entrain.

Ken serra les poings au souvenir de la bande de Robustes qui les avaient sauvagement attaqués, lui et Longs-Pieds. C'était leur goût pour la chair humaine — la chair des Graciles — qui les avait attirés, cette nuit-là, à la limite de la savane... L'image du sinistre ossuaire à ciel ouvert, parmi les rochers, lui revint à l'esprit. Tous ces squelettes de Graciles... Qu'est-ce qui avait pu amener les deux lignées à s'entre-tuer ainsi ?

Les mâles avaient achevé leur repas et les femelles, qui lorgnaient leurs restes d'un œil alléché, se jetèrent à leur tour sur le cadavre, avec une gloutonnerie à peine plus retenue.

Ken avait peine à croire qu'il ait pu se faire si vite à cette scène d'horreur. Il avait toujours l'estomac noué, et ses ongles s'enfonçaient dans ses paumes, mais il parvenait à regarder tout cela d'un œil presque objectif — en tout cas, sans en être révulsé.

Une jeune femelle sans enfant semblait observer avec intérêt le grand mâle que Ken avait aperçu le premier. Le mâle se leva, les genoux légèrement fléchis, et Ken s'aperçut qu'en dépit de sa carrure imposante, ce colosse de l'âge de pierre sortait à peine de l'enfance. Sa musculature d'une rondeur vigoureuse était celle d'un adolescent tout juste parvenu à l'âge adulte. Malgré la lourde paire de testicules qui ornait son entrejambe, sa toison pubienne n'était encore qu'un timide duvet. Son sexe était ce qu'il y avait de moins impressionnant dans son anatomie. La verge était pour ainsi dire absente. Il fallut un moment à Ken pour distinguer le minuscule gland, plaqué contre le pubis par les gros testicules. Comme le jeune mâle promenait son regard aux alentours, une seconde femelle — celle qui avait agité sa chevelure avec coquetterie — vint se pavaner autour de lui.

Le jeune mâle ne parvenait pas à choisir entre ses deux prétendantes. Afin de ne rien perdre de leur manège, Ken prit le risque de changer de poste d'observation et fila derrière un buisson mieux situé. Devant l'indécision de leur Casanova, les deux femelles faisaient assaut de séduction. Le trio avait dérivé à proximité d'un arbuste couvert de ces fruits violacés que Niawo avait montrés à Ken. La plus jeune femelle fonça dessus et se pencha pour en cueillir un, exposant négligemment sa vulve aux regards du mâle. Sa rivale déjoua aussitôt la manœuvre en se précipitant vers ce dernier, dont elle se mit à caresser l'entre-cuisse. Le petit pénis se dressa, toujours curieusement disproportionné en regard de la taille de son propriétaire — ce qui n'empêcha pas la femelle la plus entreprenante de le guider entre les lèvres de son sexe. Elle donna alors quelques coups de reins contre le bas-ventre du mâle — un, deux, trois... — avant de se relever et de s'éloigner, en appui sur ses phalanges.

La plus jeune n'avait pas pour autant renoncé. Elle planta ses dents dans le fruit, puis l'offrit au mâle qui approcha, émoustillé. Le petit gland relevait déjà la tête...

Bienvenue dans la jungle de la paternité, fiston! songea Ken, amusé.

Le reste de la horde donnait des signes de fatigue. Les Robustes s'apprêtaient à s'accorder une petite sieste. Ken, lui aussi, en éprouvait le besoin. Il allait s'étendre, lorsqu'un bruissement dans les branches, au-dessus de sa tête, l'alerta. Levant les yeux, il aperçut un mâle gracile qui se balançait dans le feuillage. L'hominien se lança dans le vide et se raccrocha à une branche basse, sans émettre le moindre son. Et pour cause : il serrait une pierre taillée entre ses dents. Abstraction faite de sa barbe, c'était une version adulte de Longs-Pieds. Il rampa le long de la branche, s'immobilisa et sortit la pierre de sa bouche.

Ken fouilla du regard les arbres environnants, sans y déceler la présence d'autres hominiens, mais comme il reportait les yeux sur le sous-bois, il aperçut une colonne de Graciles qui approchaient furtivement. De temps à autre, ils risquaient un œil par-dessus les buissons, en direction des Robustes, mollement étendus dans la clairière.

Ken ouvrait la bouche pour pousser un cri lorsqu'il se ravisa. Le mâle juché dans l'arbre avait levé sa pierre, attendant pour la lancer que sa branche se stabilise. Les Graciles paraissaient bien frêles et dangereusement peu nombreux, face à leurs imposants adversaires. Aucun d'eux ne remarqua Ken, tapi derrière son buisson, quand ils passèrent devant lui. Ils n'avaient d'yeux que pour leurs cibles.

Du haut de son perchoir, le lanceur décocha son projectile, donnant le signal de l'attaque. Aussitôt, ses compagnons chargèrent en poussant des cris perçants et tombèrent à bras raccourcis sur les Robustes qui ne s'y attendaient pas.

Ken regardait, médusé, cet affrontement de deux versions de l'humanité primitive, l'une nettement plus évoluée que l'autre. Soudain, et comme malgré lui, il se dressa et poussa un long hurlement. Un des Graciles qui fermaient la marche le prit pour cible, le manquant de peu. Ken hurlait toujours, lorsqu'une autre pierre l'atteignit à la tête. Il retomba dans les buissons, estourbi.

A l'avant-garde, les guerriers graciles faisaient pleuvoir un déluge de projectiles sur les Robustes qui, sans le cri d'alarme de Ken, auraient été totalement pris au dépourvu. Trois des mâles tombèrent cependant, gravement touchés. Les autres cherchèrent le salut dans la fuite.

Pendant ce temps, les femelles recouraient à une tactique apparemment éprouvée. Les plus jeunes se hissèrent dans les arbres et les mères leur tendirent les bébés, pour qu'elles les mettent en sécurité dans les hautes branches. Plus légères que les mâles, elles bondissaient d'arbre en arbre et eurent tôt fait de se mettre hors de portée de l'ennemi.

Plusieurs Robustes s'étaient ressaisis et plongèrent au sol pour s'armer de bâtons et de mottes de terre. Les Graciles avaient récupéré leurs pierres près des corps de leurs victimes et s'apprêtaient à en arroser à nouveau leurs adversaires, lorsqu'une étrange créature, à la peau claire et presque entièrement dépourvue de poils, fit irruption dans la clairière, poussant des cris inouïs et bondissant comme un babouin en rut. Aussitôt, tous les Graciles concentrèrent leur tir sur elle. Leurs pierres s'écrasaient sur son front, son ventre, sa poitrine, mais elles semblaient sans effet sur la créature, qui continua à se démener et à s'égosiller avec une frénésie redoublée jusqu'à ce que les deux clans rompent et battent en retraite. Elle finit tout de même par s'effondrer sous la grêle des projectiles. Les Robustes s'enfuirent sans se soucier de prendre leur revanche, tandis que les Graciles s'enfonçaient dans les profondeurs de la forêt, sans même songer à crier victoire.

Lorsque Ken revint à lui, tout était terminé.

Il se redressa et se hissa sur ses pieds, la gorge nouée d'angoisse à l'idée du spectacle qui l'attendait.

Quatre corps gisaient sur le sol. Un Gracile et trois Robustes, dont un respirait encore faiblement. Un bref spasme crispa sa main. C'était le jeune mâle dont Ken avait observé les ébats amoureux, si peu de temps auparavant. Une écume rosâtre lui maculait les narines et le coin des lèvres. Un râle oppressé lui soulevait la poitrine.

Ken se précipita vers lui. Il le redressa, lui passa les bras sous les aisselles puis, les mains nouées sur sa poitrine, le traîna jusqu'à un arbre auquel il l'adossa. Sous son pectoral gauche, Ken avait perçu un faible battement. Il aurait voulu pouvoir lui parler, lui dire de s'accrocher, de ne pas se laisser mourir.

A peine l'avait-il calé contre le tronc, que la tête massive de l'australopithèque retomba sur le côté. Ken la releva doucement, surpris par son poids. Elle devait faire une bonne quinzaine de kilos, à elle seule... Des brins d'herbe se mêlaient aux poils qui couvraient le visage au prognathisme marqué. Le mourant souleva les paupières, comme piqué par un dernier accès de curiosité. A la vue de Ken, il tenta de lui montrer les dents avec un grognement agressif, mais il n'en avait plus la force.

Tiens bon! l'encouragea mentalement Ken, en tapotant son impressionnant poitrail. Il n'y a pas dix minutes, tu étais tout fringant, plein d'une vie que tu ne demandais qu'à transmettre... Allez, accroche-toi!

Ken s'empara de son poignet et chercha son pouls. Vainement. La lourde tête bascula sur le côté, puis le corps massif parut se tasser sur lui-même. C'était fini. Mais les yeux noirs du jeune Robuste gardèrent dans la mort leur expression interrogative.

Ken entendit alors, très distinctement, la voix de Haksar, qui semblait émaner de quelque part, derrière lui, et qui lui résonnait aux oreilles, aussi claire que si le vieux professeur se fût réellement trouvé là :

— Il était condamné, Lauder... C'était peine perdue. D'ailleurs, les australopithèques robustes sont un des culs-de-sac de l'évolution. Un rameau aberrant de la lignée humaine, qui n'a pas survécu à la première moitié du pliocène.

Haksar n'est pas ici, se dit Ken. Cette voix n'existe que dans ma tête...!

— Eh bien, en tout cas, ici, ils ont survécu! » répondit-il à son interlocuteur invisible. Sa voix se répercuta dans le sous-bois désert. « Vous connaissez cette région, n'est-ce pas, professeur?

— J'y suis déjà venu, je l'avoue...

— Pourquoi n'en avez-vous jamais rien dit? Pourquoi avoir gardé cet incroyable secret?

— Disons que ça a été... un tour à ma façon, Lauder... Le pied de nez d'un vieux « roteur de curry » au reste du monde! Ceci dit, vous m'avez sidéré, jeune homme! Risquer sa peau pour sauver cette bande de brutes primitives... Vous êtes de l'étoffe dont on fait les saints, Lauder — ou les grands paranoïaques!

— Vous êtes trop bon !

— Mais pourquoi vouloir influer sur le cours des choses ? Qu'espérez-vous gagner, en attirant l'attention du monde civilisé sur cette région hors du temps ? L'évolution et l'Histoire ont rendu leur verdict, et la sélection naturelle a scellé le sort de ces créatures : Robustes ou Graciles, les australopithèques, ont été recalés à leur examen de passage. Inaptes à la survie, tous autant qu'ils étaient. Alors, rideau ! Fin de leur aventure et débuts de la science...

— La science, telle que vous l'entendez... ! Qu'étiez-vous venu faire ici, professeur ? Comment avez-vous découvert cet endroit ? Pourquoi l'avoir quitté ?

— Au nom de quoi irais-je vous le dire ?

— Les Graciles sont manifestement faits pour vivre dans la savane. Jamais ils n'auraient réintégré la forêt sans une puissante raison. Ici, ils empiètent sur le territoire d'une autre espèce. Il est logique que les Robustes se défendent. Il a dû se produire quelque chose. Le secret dont vous avez entouré votre découverte le prouve abondamment !

— Cherchez, Lauder ! Cette forêt recèle un indice. Trouvez-le et vous comprendrez.

— Ça, comptez sur moi !

— Mais tâchez d'abord de vous en sortir vivant. Bonne chance, Lauder !

— Haksar... ! ! !

Tout cela n'était que pur délire !

Ken avait beau en avoir conscience, cela ne l'empêcha pas de crier :

— Ne partez pas, professeur ! Restez ! Vous pouvez m'aider, et pas seulement moi. Vous pouvez aider...

— Quoi donc ? L'Humanité... ? » La voix de Haksar avait pris un ton insinuant et railleur. « Et pour quelle raison ? Moi aussi, j'ai longtemps rêvé d'une humanité meilleure. Je me suis tourné vers le passé dans l'espoir de l'y trouver, et la désillusion a été cruelle... A propos, avez-vous remarqué comme la notion d'humanité elle-même est relative ? Souvenez-vous de votre panique à l'idée que cette hominienne puisse avoir des visées sur vos bijoux de famille d'*Homo sapiens*... Ne vous paraît-elle pas presque désirable, à présent, comparée à cette bande de cannibales ? Ne vous semble-t-elle pas sexy, humaine... en un mot, tout à fait baisable? » Dans la tête de Ken, sa voix s'était amplifiée. « Je vous déteste, jeune homme! Je vous déteste depuis toujours, vous et ce Ngiamena! Pensez donc : un Massaï pure souche et un Anglo-Saxon bon teint! Vos gènes sont si clairement définis, à côté des miens, qui ne me rattachent à rien de précis! Ni noir, ni aryen...

— Regardez la vérité en face, Haksar! C'est vous-même que vous haïssez.

— Possible... J'ai toujours été un faible, et la faiblesse engendre la mauvaise foi. Bonne chance, Lauder!

Sa voix sembla se répercuter à l'infini, brisée en mille échos, comme si elle était tombée en cascade à travers différentes strates temporelles : « Bo-o-o-nne chan-an-an-an-ce, Lau-de-e-er... ! »

Ken s'ébroua.

Près de lui, le corps de l'hominien était bien réel, tout comme les cadavres qui gisaient à quelques mètres de là...

Vlan! Une pierre taillée ricocha sur le tronc, à quelques centimètres de sa tête, et roula à terre. Une autre siffla au ras de sa poitrine et vint frapper le cadavre. Une troisième percuta le poitrail du colosse mort avec un bruit mat.

Ken aperçut une seconde vague de guerriers graciles qui déferlaient dans sa direction. Encore heureux qu'ils se déplacent moins vite par la voie des airs que les Robustes... Il se jeta à plat ventre et prit le large en rampant, songeant avec remords à ces cadavres qu'il abandonnait sans sépulture. Peut-être les Graciles s'adonnaient-ils, eux aussi, au cannibalisme...

Quelque chose lui disait que ces mâles, qui sillonnaient la forêt, ne livraient pas par plaisir cette guérilla désespérée contre des adversaires supérieurs en force et en nombre, dans un enfer vert qu'ils haïssaient, et où la promiscuité les condamnait à un absurde génocide et à l'inceste. Comme Longs-Pieds, ils devaient rêver des grands espaces, et du jour où ils retrouveraient leur chère savane.

Qu'est-ce qui pouvait bien les retenir ici?

Les Graciles gagnaient du terrain. Tout près de lui, un projectile vint frapper un arbuste, qu'il décapita.

Ken se mit à courir, en jetant de temps à autre un coup d'œil par-dessus son épaule. Ses poursuivants se rapprochaient. Son seul avantage était qu'ils devaient s'arrêter périodiquement pour récupérer les pierres dont ils le harcelaient. Mais rien ne semblait pouvoir émousser leur ardeur belliqueuse. Que ferait-il s'il venait à tomber entre leurs mains ? Aurait-il le cœur d'en tuer un ou deux, avant qu'ils ne le mettent en pièces ?

Ils étaient presque sur lui.

Soudain, une douleur fulgurante explosa sous son omoplate gauche, si brutale qu'il crut que son cœur se décrochait. Un concert de cris triomphants lui fit imaginer la joie des petits chasseurs : « Touché ! Il est presque à nous, les gars ! »

Qu'ils fassent mouche encore une fois, et son compte était bon. Il serait maîtrisé avant même d'avoir eu le temps de se relever. Il distinguait le bruit de leurs pas... Plus que quelques secondes et il sentirait leur souffle dans son dos... Le sentiment d'un désespérant gâchis le submergea. Lui qui avait vu et côtoyé les ancêtres de l'espèce humaine, il allait emporter dans la mort ce fabuleux secret...

La peur le faisait dérailler. Il appelait frénétiquement de ses vœux le miracle qui le sauverait... Longs-Pieds ! Où es-tu ? Essaie de raisonner ces forcenés !

Mais si Longs-Pieds avait gagné la savane, c'était précisément pour les fuir, ou pour fuir ce qui avait fait d'eux des démons...

Comme il crochetait pour éviter un arbre, il songea qu'il aurait peut-être dû foncer dedans, tête baissée... Il s'y serait fracassé le crâne, et basta. Fini les problèmes. Rideau !

Son cœur ne tiendrait plus très longtemps à ce rythme... Il était au bout du rouleau. Il s'arrêta et se retourna, prêt à subir l'assaut final de ses poursuivants.

La surprise lui coupa le souffle. Loin de fondre sur lui, ils ralentissaient... Ils s'immobilisaient !

Il tourna la tête de tous les côtés, en quête d'une explication. A travers les branches, on apercevait une sorte de petit bastion...

Rassemblant ce qui lui restait d'énergie, il courut d'instinct s'y réfugier. Il franchit un dernier rideau d'arbres et s'arrêta net, oubliant tout le reste, y compris la meute qu'il avait aux trousses.

Un monument macabre se dressait devant lui. C'était un arbre mort, fendu en son milieu comme par la foudre. Deux squelettes avaient été adossés et étroitement ligotés contre son tronc, à l'aide de grosses lianes. Au fil des ans, ils avaient jauni, s'étaient couverts de mousse et avaient perdu bon nombre de leurs os, mais Ken reconnut du premier coup d'œil un *Homo sapiens* et un hominien.

Le premier était affublé d'un casque colonial et de ce qui avait dû être une veste de treillis. L'autre squelette disparaissait sous une plaque de mousse qui lui donnait une allure simiesque. Le *sapiens* tenait un collet en fil de fer rouillé, qui enserrait le cou de l'hominien. Les mains de ce dernier, crispées autour du lacet, indiquaient clairement qu'il tentait d'échapper à l'asphyxie qui le menaçait. Les genoux du *sapiens* étaient fléchis, comme s'il avait les jambes arquées. Sur l'une de ses pommettes, un groupe de taches sombres dessinant un vague carré rappela quelque chose à Ken...

Le tatouage de Modibo !

Le choc le ramena brutalement à l'ici-et-maintenant.

Où étaient ses poursuivants ? Il jeta un rapide coup d'œil derrière lui. Ils ne l'avaient pas suivi, mais il les entendait murmurer, comme s'ils l'attendaient, à distance.

Tandis qu'il approchait du sinistre monument, des ossements craquèrent sous ses pieds. D'autres squelettes gisaient autour de l'arbre mort. Des Graciles, lui sembla-t-il, dépouillés de leur chair, à quelques lambeaux de peau près, trop parcheminés pour tenter les charognards ou les insectes.

Des sortes de grands liserons venaient ensanglanter cet amas d'os de leurs corolles, qui variaient de l'écarlate au pourpre violacé. Cet effet végétal n'avait manifestement pas été prémédité par l'auteur de cette œuvre d'art incongrue. Les fleurs avaient simplement élu domicile dans ces crânes et ces cages thoraciques, conférant au champ d'ossements des couleurs de charnier.

A en juger par l'état des squelettes, ils pouvaient être là depuis plusieurs dizaines d'années. Trente ans, au moins... Mais rien ne disait qu'ils n'étaient pas bien plus anciens : quarante, cinquante ans, voire davantage.

Ken approcha de l'arbre, fasciné par les deux figures centrales du tableau : l'australopithèque, prostré dans un étonnement douloureux, et Modibo, dont toute l'attitude trahissait une sorte de suffisance implacable.

J'aurais dû écraser cette vermine à la première occasion,

se dit-il. La prochaine fois que je le tiens, il n'en réchappera pas !

Il s'arracha à sa fascination et avait entrepris d'explorer la clairière quand il sentit quelque chose rouler sous un de ses pieds. Il se pencha et ramassa une boîte en fer, dont le couvercle tenait toujours en place. Une vieille boîte d'insecticide — du Zebra, dont l'étiquette proclamait : « Produit dangereux. Eviter tout contact avec le plastique, le nylon ou l'acétate. »

Ken connaissait bien le Zebra pour l'avoir souvent utilisé en brousse, mais il ne l'avait jamais vu dans ce type de conditionnement. Cette boîte devait être une véritable antiquité ! Le style de l'étiquette évoquait les années cinquante. Peut-être le « monument » datait-il de cette époque... ?

Laissant retomber la boîte, il fit quelques pas de plus. Un éclat de lumière lui attira l'œil. Il se baissa et ramena un petit objet rond, à demi terni par l'oxydation, attaché à une lanière de cuir qui tombait en lambeaux.

Un bracelet-montre...

Ken l'essuya du bout des doigts et l'examina. Au dos du boîtier vert-de-grisé, sous la marque de fabrique d'un horloger suisse, trois lettres étaient gravées dans le métal. Des initiales : I. V. H.

Il les contempla un moment sans comprendre, avant de faire le rapprochement. I. V. H... Induprakash Vasant Haksar.

Son regard revint vers le squelette au casque colonial, dont la pommette avait été délibérément marquée pour évoquer le tatouage du sergent. Modibo et Haksar...

A première vue, l'idée paraissait loufoque. Quel point commun pouvaient-ils avoir ? Comment avaient-ils bien pu atterrir ici ensemble ? Et surtout, pourquoi auraient-ils combattu les hominiens et érigé ce sinistre mémorial... ?

— Qu'êtes-vous venu faire ici, Raj ? demanda-t-il à haute voix. Vous, un homme de science... Comment avez-vous pu vous retrouver mêlé à ce... à ce...

Il hésitait sur les termes. Car c'était ni plus ni moins d'un crime, d'un génocide même, qu'il s'agissait là — mais d'une espèce qu'il ne pouvait définir. Pas plus qu'il ne pouvait en discerner les mobiles.

Il s'attarda encore un peu sur les lieux. Et si ce signe, sur la pommette du squelette, avait désigné quelqu'un d'autre que Modibo ? Quant aux initiales, elles pouvaient très bien ne pas être celles de Haksar...

Mais non. C'était vraiment trop de coïncidences... Pourquoi Haksar s'était-il découvert un intérêt subit pour le Dogilani, quand ils en avaient rapporté leur fossile, Ngili et lui ? Quant à Modibo, pourquoi avait-il débarqué dans son campement quelques heures à peine après son retour dans la savane ?

Cette montre était une importante pièce à conviction. Ken se l'attacha tant bien que mal au poignet, puis il s'arma d'une grosse branche pour se défendre, au cas où les Graciles auraient essayé de lui tendre une embuscade. Mais il n'en fut rien. Lorsqu'il quitta la clairière, les alentours étaient déserts.

Et si c'était justement la raison d'être de cette horrible mise en scène ? Une menace, une interdiction de franchir les limites de la forêt et de s'aventurer dans la savane...

Quoi qu'il en fût, l'affreux monument avait un rapport direct avec la guerre fratricide que se livraient les deux clans. C'était sa présence menaçante qui les contraignait à partager le même territoire.

Ken se remit en marche. Il descendait un petit raidillon en s'efforçant de se remettre de ses émotions lorsque quelque chose l'éperonna dans les reins. Il bondit en avant et fit volte-face, juste à temps pour empoigner à deux mains les cornes d'un m'boloko qui le chargeait, tête baissée.

Un peu plus loin, deux femelles attendaient, placides. Le mâle devait être spécialement stupide, car il revint à la charge, visant cette fois Ken au bas-ventre. Ce dernier le souleva par les cornes et l'envoya valdinguer contre un arbre, avec tant de violence qu'il en perdit l'équilibre. Lorsqu'il se releva, le m'boloko agonisait, l'échine brisée. Les femelles s'enfuirent sans demander leur reste, en agitant leurs petites queues jaunes.

Ken allait s'éloigner lorsqu'il se ravisa. Il revint sur ses pas et chargea l'animal sur son épaule. Il se laissa glisser le long de la pente, ployant sous le poids. Chacune de ses articulations lui faisait un mal de chien et ses pieds écorchés laissaient derrière eux une trace sanglante. Il n'avait pas fait cent mètres qu'il aperçut un hominien qui semblait le guetter, adossé à un arbre. Une sentinelle...

Pas de panique ! se dit-il. Tu en viendras facilement à bout, s'il est seul... Il laissa glisser à terre la carcasse du m'boloko. Ce geste suffit à lui rendre son bon sens. Inutile de me colleter avec lui... Offrons-lui plutôt de partager mon gibier. Il y en a amplement pour deux. Après quoi, je poursuivrai tranquillement ma route vers la savane.

Il se dirigea lentement vers l'hominien et reconnut le fils de la mère dominante, celui qu'il avait surnommé « Cheese », à cause de son éternel sourire. L'adolescent attendit qu'il ne soit plus qu'à quelques pas de lui, puis se retourna et détala à toutes jambes.

Ken rechargea la petite antilope sur son épaule et s'élança sur les traces du gamin.

Une rumeur s'éleva à quelque distance, droit devant, puis une volée d'enfants surgit des buissons. En tête, ouvrant des yeux grands comme des soucoupes, galopait Longs-Pieds.

Comme ils se rapprochaient, Ken sentit un net changement dans leur comportement vis-à-vis de lui. Ils l'entourèrent d'une grappe tumultueuse et amicale. Il vit Niawo apparaître dans leur sillage, suivie comme son ombre par sa fidèle compagne. Elle avait reconnu l'intrus et arrivait sans hâte, à pas mesurés, les yeux réduits à deux fentes, les lèvres serrées.

Ken la laissa approcher. Il lui décocha son plus beau sourire puis, pris d'une subite inspiration, se jeta à plat ventre, face contre terre dans le tapis de feuilles mortes. Il se mit à ramper vers elle, en poussant devant lui le corps du m'boloko, dans une attitude d'offrande et de soumission.

4

Il avançait, sous le regard méfiant de la mère dominante, lorsque cette dernière s'assit. Les autres femelles vinrent se ranger autour d'elle, tandis que les enfants se regroupaient derrière Ken qui, d'instant en instant, sentait augmenter ses chances de se faire accepter par le clan. Il poussa l'antilope jusqu'aux pieds de Niawo.

Elle empoigna le m'boloko et le hissa sur ses genoux, tandis que, derrière Ken, les jeunes piaffaient d'impatience à la vue de toute cette viande fraîche qui les attendait.

La tribu perdait à vue d'œil ses bonnes manières préhistoriques. Mères et enfants étaient à deux doigts d'envoyer promener toutes les règles de préséance qui leur tenaient lieu d'étiquette.

Certaines femmes restaient à l'écart, attendant d'être sûres des réactions de leur chef, mais d'autres prenaient déjà place ou jouaient des coudes, tâchant d'approcher du festin. Niawo gardait le sourcil froncé. Il lui était de plus en plus difficile de contenir l'excitation générale et l'appétit avec lequel les jeunes lorgnaient le m'boloko.

Impatiente, sa suivante se pencha sur l'animal, munie d'une pierre tranchante que Niawo lui prit des mains, pour découper elle-même la carcasse. Bousculée par les autres mères, qui se pressaient dans son dos, elle fut forcée de se lever et d'avancer de quelques pas, jusqu'à buter sur l'étranger qui se tenait obstinément prosterné devant elle. Comment garder ses distances, alors que son clan affamé les poussait l'un vers l'autre?

S'aidant de la pierre, Niawo parvint à pratiquer dans le

ventre de l'antilope une large entaille où Ken plongea les mains, comme dans un plat de victuailles. Dans les viscères encore tièdes de l'animal, ses doigts frôlaient ceux des adolescents les plus hardis, ainsi que ceux de Niawo, aussi fermes et vifs que de petits animaux.

Il tenta en vain d'accrocher son regard en lui jetant des coups d'œil furtifs, puis préféra concentrer toute son attention sur la viande, afin de manifester à Niawo son obéissance, son intérêt pour ce qu'ils partageaient et le respect qu'il avait pour elle.

Mais elle n'avait d'yeux que pour les enfants qui festoyaient.

Tous les doigts semblaient chercher le foie et le cœur du m'boloko — les morceaux de choix... Plongeant les mains jusqu'au coude dans le ventre de l'animal, Ken détacha le foie, l'éleva au-dessus de la mêlée et en déchira un morceau qu'il tendit à Longs-Pieds.

Niawo lui lança un regard si sombre que le coin de son œil parut s'emplir d'encre. Il se pencha vers elle et elle se mit à mastiquer bruyamment, comme pour le tenir à distance. Il la sentait perturbée par un problème qui dépassait ses capacités mentales. Elle s'interrogeait probablement avec angoisse sur la meilleure stratégie à adopter vis-à-vis de lui, dans l'intérêt du clan. Que devait-elle faire ? Ecouter la voix de la prudence et chasser cet intrus, ou accueillir dans la tribu cet allié dont l'amitié pouvait se révéler fructueuse ?

Il lui présenta le reste du foie dont elle préleva une généreuse bouchée, avant de l'abandonner aux mains fébriles des enfants.

Ken surprit le regard que Longs-Pieds avait posé sur sa tante — un regard empreint d'une surprenante maturité, et qui le rassura : « Cet étranger est un ami », semblait-il dire.

L'enfant avait compris que par ce geste, sa tante venait d'accepter l'offrande de Ken, et il l'approuvait d'un sourire.

Quoi de plus relatif que la notion d'humanité...

Niawo prit légèrement appui sur l'épaule de Ken, pour se relever. Il la suivit des yeux. Elle se dirigea vers une branche basse et y cueillit une poignée de mousse dont elle essuya son visage barbouillé de sang. Debout, sa sveltesse la faisait paraître plus grande.

Ken s'abandonna avec délice à un sentiment de paix et

de sécurité inespéré. Il était repu. Le contact de ces corps tièdes qui se pressaient contre lui, lui procurait un étrange plaisir. L'odeur de sueur et de terre qui s'en exhalait lui titillait agréablement les narines. Il retrouvait, parmi ces créatures primitives, une sensation d'intimité et de bien-être presque familial.

Mais, quoique paisible, cette scène réveillait peu à peu en lui une angoisse diffuse, qu'il parvint néanmoins à cerner : il avait perdu le sentiment de sa propre identité. Ils étaient si humains... Autour de lui, certains visages commençaient à lui paraître familiers. Sans même s'en apercevoir, il avait déjà mis des noms sur plusieurs d'entre eux.

Il appelait Longs-Pieds... Longs-Pieds, pratiquement depuis leur première rencontre. A présent, le gamin au crâne surmonté d'une crête sagittale était pour lui « Huron », et sa mère, « Busta ». Quant au fils de Niawo, à qui ce nom de « grande mère » allait comme un gant, il l'avait baptisé « Cheese »...

Au bout d'un moment, la grappe d'enfants qui grouillaient sur lui commença à lui peser. Il roula sur le côté pour s'en libérer et extirpa ses jambes de la mêlée. A la vue de ses pieds enflés, dont les plaies saignaient encore, Longs-Pieds lança un « Whooop ! » de surprise. Aussitôt, les enfants s'agglutinèrent autour de ses pieds. Ils les effleuraient, les palpaient, les pinçaient, rassurés : l'étranger saignait, comme n'importe quelle créature vivante...

Curieuse de voir ce qui causait cette agitation, Niawo approcha, jeta un coup d'œil sur les plaies de Ken et alla cueillir quelques feuilles qu'elle tire-bouchonna en une sorte de compresse. Accroupie devant lui, elle se mit à nettoyer ses écorchures, sans délicatesse superflue, mais avec dextérité. Elle prit l'un de ses pieds dans ses mains fines et fortes, et le palpa longuement, pour s'assurer qu'il n'avait rien de cassé. Elle fit jouer un à un ses orteils, si épais et si gauches, comparés aux siens, puis répéta l'opération avec son autre pied. Après quoi, elle les laissa retomber dans l'herbe, comme ceux d'un enfant qu'elle aurait trop gâté. Ken sentit monter en lui une bouffée de tendresse, aussi irrésistible que celles que Longs-Pieds lui avait inspirées, dans la savane.

OK, Longs-Pieds avait fait sa conquête, au fil des semaines où ils avaient ensemble sillonné la grande plaine...

Mais il n'allait tout de même pas craquer pour toute la tribu! L'idée le fit éclater de rire sous le nez de Niawo, qui resta à l'observer à la dérobée, déconcertée, en passant ses longs doigts dans sa chevelure emmêlée.

Brusquement, elle se leva, imitée par toutes les femelles du clan. Elles s'éloignèrent, échangeant des sons totalement hermétiques pour lui. Busta pointa l'index dans une direction, puis dans une autre. Peut-être discutaient-elles du dispositif de défense qu'elles adopteraient pour la nuit. Niawo signifia son accord d'un hochement de tête, qu'elle ponctua de quelques sons stridents, avant de fouetter l'air de sa main, en un geste éloquent qui, des chimpanzés aux *sapiens*, signifie universellement : « Ras le bol ! »

Ken, toujours allongé dans l'herbe, se redressa sous l'œil curieux des enfants. Les mères s'étaient momentanément éloignées. Le moment n'était pas plus mal choisi qu'un autre...

Il ramassa dans l'herbe l'éclat de pierre ensanglanté qui avait servi à découper le m'boloko et dégagea un carré de terre qu'il lissa du plat de la main. Puis il entreprit de dessiner un oiseau — un bec pointu, des pattes griffues, des plumes... des caractéristiques très simples, suffisamment évocatrices même pour des esprits primitifs.

Longs-Pieds vint s'accroupir devant son dessin, intrigué, et plusieurs enfants se joignirent à lui. Ken dégagea une autre surface. Cette fois, il dessina un arbre, au pied duquel il esquissa des zèbres.

Ken sentait sur sa nuque et ses épaules le souffle tiède des enfants, dont les couinements excités trahissaient l'étonnement plutôt qu'un sentiment de déjà-vu. La plupart d'entre eux n'ont jamais mis le pied dans la savane, se dit-il, en ajoutant à son dessin une girafe qui broutait la cime de l'arbre. Il procédait par essais successifs, effaçait, redessinait, tâchant de rendre au mieux les détails les plus parlants. Le ciel, l'horizon, le soleil, ne pouvaient se représenter que sous forme de symboles visuels précodés, conventionnels. Malgré toute sa bonne volonté, il ne parvenait pas à « rendre » la savane, de façon satisfaisante.

Les enfants se lancèrent dans des discussions passionnées. Longs-Pieds gazouillait ce qui lui parut être des explications. Ken pointa l'index sur lui, déclenchant une tempête de rires. Le gamin lui jeta un regard embarrassé, puis les autres enfants pointèrent à leur tour l'index vers Longs-Pieds, et les rires redoublèrent. Ken prit le garçon par le bras, leva sa petite main et la replia pour former un poing. Après quoi, il s'accroupit et dessina ce poing, refermé sur une pierre taillée. Il regarda les enfants par-dessus son épaule. Les yeux mi-clos, ils semblaient s'abîmer dans de profondes réflexions. Ken dessina alors le reste de Longs-Pieds, lançant un projectile sur un lièvre. Il s'absorbait dans sa tâche, laissant dépasser un bout de langue au coin de ses lèvres... Pourquoi les humains tirent-ils la langue, quand ils se livrent à un travail délicat... ? se demanda-t-il. Quels obscurs circuits de leur cerveau ce surcroît d'attention réactive-t-il ? Sans doute un vieux réflexe. Un reliquat de notre mémoire archaïque de primates, datant d'un temps où nos lointains ancêtres se servaient de leur bouche pour saisir ou tenir quelque chose. Tout comme cette inexplicable sensation de chute, au moment où nous sombrons dans le sommeil, et qui n'est qu'une réminiscence de l'époque où les humains vivaient et dormaient dans les arbres...

Il ne sentait plus l'haleine des enfants sur ses épaules. Levant les yeux, il vit que leurs regards convergeaient à présent vers Longs-Pieds.

Apparemment, le gamin avait entrepris de leur « raconter » une histoire. Ken vint s'accroupir derrière le groupe des petits dos nus. Longs-Pieds avait « pris la parole », mais sa narration s'adressait tout autant aux yeux de son auditoire qu'à ses oreilles. Il s'était tourné de trois quarts et produisait des sons très différents de ses « GRRR » habituels. La tête inclinée de côté, les bras étendus, il battit vivement les mains, puis ralentit ses gestes, mimant une sorte de vol plané, mais de quoi ?

Un avion s'apprêtant à atterrir !

Avec un hoquet de surprise, Ken comprit que Longs-Pieds tentait de décrire à ses cousins l'atterrissage du Beech Lightning.

C'était plus que de l'étonnement. Il était impressionné. Et pourtant, quoi de plus logique... ? Le langage gestuel était très antérieur au langage verbal. Ces enfants ne comprenaient pas les dessins. Ils n'avaient jamais eu besoin de dessiner quoi que ce soit, puisqu'ils avaient appris à s'exprimer par le mime, dans un environnement où la voix ne porte pas très loin et où les gestes, les signaux visuels, conviennent parfaitement aux impératifs de la chasse et de l'affût.

Ken eut un petit sourire navré en direction de ses dessins qui lui avaient coûté tant d'effort... Mais au moins avaient-ils inspiré à Longs-Pieds l'envie de raconter son histoire.

Devant son auditoire subjugué, le gamin décrivait maintenant l'arrivée de l'étranger, descendant de son igname volante venue du ciel. Il pointa à nouveau l'index vers Ken et tous les visages se tournèrent vers le héros de l'histoire, avant de revenir au jeune narrateur. Longs-Pieds utilisait toujours les sons brefs que Ken lui avait entendu produire dans la savane, mais il déployait à présent une gamme de gestes et d'expressions d'une richesse insoupçonnée. Son visage reflétait tour à tour la joie, le mécontentement, l'inquiétude, la colère, la peur. Ses mains s'élevaient, s'agitaient, s'écartaient, il serrait les poings, haussait les épaules, bombait le torse, désignant Ken de temps à autre, du geste ou du regard. Mais l'auditoire ne se tournait plus vers l'étranger qu'épisodiquement. Ils l'avaient assimilé à un personnage abstrait, à un protagoniste de l'histoire...

Puis Longs-Pieds passa à des scènes de chasse. Il lui suffit de bâiller à s'en décrocher la mâchoire, pour évoquer la dangereuse présence d'un lion. Il poussa ensuite un rugissement sonore et bondit en arrière avec une mimique de terreur — la sienne, lorsqu'il avait battu en retraite devant le fauve. Il ramassa un fémur du m'boloko, pour montrer comment l'épieu avait eu raison de l'animal — apparemment propulsé par sa propre main, car aucun regard ne se tourna vers Ken... Il clôtura son « récit » en mimant la chute du félin, et la façon dont il s'était empalé sur l'épieu. Cela fait, il brandit triomphalement son os au-dessus de sa tête et le laissa choir. Huron se précipita dessus et s'en empara.

Ken s'assit confortablement dans l'herbe pour suivre la suite de leurs aventures. Longs-Pieds semblait s'amuser follement et tenait admirablement son auditoire. Les visages de ses camarades reflétaient ses propres expressions. Leurs poings se serraient en même temps que les siens. Ils suffoquaient de stupeur ou soupiraient de soulagement, selon l'épisode évoqué, comme s'ils s'étaient trouvés devant un écran de cinéma.

Longs-Pieds avait successivement décrit leur rencontre et leurs premiers exploits de chasseurs. Très subtil, Longs-Pieds... se dit Ken. Excellente stratégie, pour leur donner envie de descendre de cette montagne et de regagner la savane!

Ken rayonnait d'espoir et de confiance — et, en toute honnêteté, d'une bonne dose de ce qui ressemblait à s'y méprendre à de l'orgueil paternel. Même si aucun journaliste ou aucun de ses confrères ne devait jamais avoir vent de tout cela, il se voyait déjà applaudi et ovationné dans un imaginaire congrès mondial, pour sa contribution à la sauvegarde d'une espèce aussi miraculeusement préservée. Il allait rétablir le cours naturel de l'évolution, pour cette humanité parallèle, qu'il sauverait d'une extinction quasi certaine, en lui rendant son habitat naturel...

De temps à autre, pourtant, il repensait au grand corps velu qu'il avait adossé à cet arbre, là-bas, dans la clairière, celui du jeune Robuste agonisant. Et la simple vue de la montre de Haksar suffisait à lui rappeler l'existence du monstrueux monument.

Mais il ne voulait pas penser à la mort. Il survola l'assistance du regard. Les mères avaient rejoint les enfants et suivaient attentivement les descriptions mimées de Longs-Pieds. Leurs réactions étaient nettement plus mitigées que celles des adolescents. Craignaient-elles de les voir s'aventurer dans la savane? Le souffle de Busta s'était fait saccadé et les autres femelles, l'œil fixe, balançaient leurs épaules, à la façon des chimpanzés en colère qui s'apprêtent à charger.

Ken s'éloigna discrètement à quatre pattes, pour réfléchir au calme. Il avançait dans cette posture simiesque, lorsque sa trajectoire croisa celle de Niawo. Elle avait fait disparaître de son visage les traces de son repas et s'était même fait une beauté, à en juger par les feuilles lancéolées qui étaient piquées dans ses cheveux. Elle se glissa une des feuilles entre les lèvres et la mordilla, répandant un parfum de menthe fraîche.

Il la regarda et elle soutint son regard.

Malgré l'énergie vitale qui émanait d'elle, ce petit bout de femme, qui ne pesait pas quarante kilos, lui parut soudain presque vulnérable. Mais il n'oubliait cependant pas qu'elle l'avait abandonné à son sort, sans le moindre regret, pas plus tard que le matin même. Que pouvait-elle avoir en tête ?

Le récit de Longs-Pieds s'achevait. Son auditoire excité s'égailla dans la clairière. Les mères se mêlèrent aux enfants, lançant vers Ken des regards où dominait la méfiance. Il devina d'où venait cette hostilité larvée. Leurs craintes étaient d'ailleurs fondées : sa présence posait un réel problème à la tribu.

Il vint s'allonger près de Longs-Pieds, qui se blottit contre lui, l'entourant d'un bras possessif. Sous ses paupières closes, Ken vit défiler des images de savane. Il revit leur première rencontre, au bord de cette mare couverte de lentilles d'eau, puis il se rendit compte que quelque chose avait profondément changé dans la manière dont son esprit évoquait ces souvenirs. La réalité semblait s'être rapprochée du sol. Les couleurs avaient perdu leur brillance et la perspective, tout relief. En revanche, il percevait les mouvements avec une surprenante acuité. Dans son souvenir, le lion le chargeait d'un bond encore plus terrifiant que lorsqu'il l'avait réellement affronté.

Puis il distingua un être à la peau claire, dont la tête, quoique d'aspect familier, le plongea dans l'étonnement, tout comme ses membres, et sa manière de se mouvoir. Cette bizarre créature brandissait un objet qui semblait luire, sans être pourtant ni transparent, ni à proprement parler lumineux. C'était sa forme droite et effilée qui lui conférait ce rayonnement, cette luminescence qui l'entourait d'une sorte de halo.

Le lion se jeta sur cet objet et s'y empala, ébranlant dans sa chute la savane tout entière. La curieuse créature darda vers lui un regard incandescent, tandis que de sa gorge jaillissait un cri, un rugissement terrifiant qui vibra longtemps dans l'air. Cet étrange surhomme n'était autre que... lui-même !

Il comprit soudain le sens de ces images et de l'angle inattendu sous lequel elles lui restituaient la réalité : c'était par les yeux de Longs-Pieds qu'il avait vu tout cela. Il venait de revivre la scène de leur victoire sur le lion selon le point de vue du gamin. Pour Longs-Pieds, l'étrange créature à la peau claire, cet être quasi magique, le représentant d'une autre humanité, c'était lui...

Ken ouvrit les yeux, ébahi. Il aurait voulu s'asseoir et protester : « Allez, quoi ! C'est impossible ! Trop, c'est trop ! » Mais son langage d'*Homo sapiens* semblait avoir déserté son cerveau.

Il venait de faire une plongée dans leur monde mental !

Il fut pris d'un violent accès de panique. Il promena son regard autour de lui. Chaque feuille, chaque brin d'herbe lui paraissait à la fois plus plat et plus proche. Chaque forme s'imposait avec un contraste accru, par rapport aux autres, sans doute parce que les yeux des australopithèques n'étaient pas aussi performants à longue portée, et parce qu'ils avaient perdu l'habitude des grandes étendues. La vie dans le cocon végétal de la forêt exigeait une conscience moins globale de l'espace, mais tout ce qui se mouvait dans cet espace limité irradiait une réalité plus intense, une présence plus dense — sans doute parce que son incidence sur la survie du sujet était plus déterminante.

Comme sa vue, tous ses autres sens lui semblaient plus aiguisés, eux aussi. Sa peau était devenue une sorte de champ vibratoire, sensible aux températures des corps avoisinants. La sueur et la poussière qui l'encrassaient lui irritaient certes la peau, mais ne lui inspiraient aucun dégoût. Il leva la main et entreprit de se gratter, pour se débarrasser de cette croûte. Sa poitrine, ses épaules, son ventre, ses jambes, entre ses orteils... Son corps entier disparaissait sous cette couche minérale, mêlée de débris végétaux. Il se racla la peau avec ses ongles, afin de laisser ses pores respirer un peu. Il avait déjà remarqué qu'aucun membre de la tribu n'utilisait d'eau pour sa toilette. Dans cette forêt, c'était un bien trop précieux, uniquement réservé à la boisson. Plus tard, dans la savane, au bord des mares et des trous d'eau, peut-être retrouveraient-ils l'envie de nager et de se laver à grande eau ?

Il se vit tel que le voyaient les hominiens : immense, massif, proférant de longues suites d'étranges barrissements, ne se mouvant que par saccades. Et pourtant, ils supportaient sa compagnie et le jugeaient digne de leur confiance... ! Une vague d'allégresse le submergea, tiède et éblouissante comme un orgasme : nous ne sommes donc pas si différents !

Il avait désormais la certitude que, tout en redoutant les

conséquences que pouvait avoir sa présence sur leur avenir, les Graciles voulaient établir le contact avec lui. Il aperçut Niawo, qui lui sembla toute proche, sans doute à cause de cet aplatissement de la perspective. Comme elle avançait, il discerna l'aura qui environnait son corps et comprit brusquement que ce parfum qu'elle exhalait n'était pas tant celui de son corps d'hominienne qu'un appel génétique, une sorte d'effervescence liée à un incoercible intérêt pour un endroit bien précis de son anatomie...

Ses organes génitaux étaient pourtant on ne pouvait plus « normaux ». Mais Niawo semblait avoir deviné qu'il n'avait jamais été père. Et elle en était d'autant plus intriguée qu'elle sentait bien qu'il n'était pas venu dans cette forêt en quête d'une compagne. Cette effervescence des gènes inspirait à Ken une terreur diffuse. Ses yeux avaient plongé dans ceux de Niawo. Il sentit à quel point ce flux d'énergie était essentiel à l'existence de l'hominienne. Il sous-tendait toutes ses autres facultés, physiques ou mentales, et de lui procédaient son intelligence, son dynamisme, son courage, sa détermination, sa capacité de décision...

Aux yeux de Niawo, cette force ancestrale était si puissante et si légitime qu'elle justifiait tout, pour pouvoir s'exercer — y compris le meurtre de ses congénères.

Ken se surprit à envier cette force inébranlable qui habitait Niawo. Il sonda le fond de son cœur pour savoir si lui, Ken Lauder, *Homo sapiens* de la fin du XXe siècle, en était toujours dépositaire. A son grand étonnement, il reconnut en lui ce besoin, cette nécessité vitale de s'unir à une femme. Chacune de ses cellules, chacun de ses pores palpitait de cet appel. Il s'immergea dans l'insondable mystère de ses ascendances, l'obscur dédale de cet arbre généalogique dont les racines plongeaient dans le pliocène, et bien au-delà.

Ses yeux croisèrent à nouveau ceux de l'hominienne. Il s'abandonna à leur emprise avec la sensation de tomber dans un gouffre sans fond, celui de l'instinct. Les battements de son cœur s'accélérèrent et il forma une prière muette dont l'objet lui demeura obscur. Il pria ainsi, avec une ferveur recueillie, jusqu'à ce qu'elle tourne les talons et le plante là, à son grand soulagement.

Puis il quitta l'espace mental des hominiens. Il sentait toujours en lui cette effervescence génétique, dont les remous se calmèrent peu à peu. Ses compétences de *sapiens*, dont le langage, lui étaient revenues...

Sa première pensée consciente fut : « Je te tuerai, Haksar, et toi aussi, Modibo ! Je vous étranglerai de mes propres mains si, de façon délibérée ou par négligence, vous avez fait quoi que ce soit pour hâter l'extinction de ces tribus. »

Puis ce fut Ngili qu'il invoqua : « Si seulement tu pouvais être ici, mon vieux... ! Cet appel des gènes... c'est plus fort que l'Ouganda Blue ! » — une variété de chanvre, qu'on disait toxique, et dont ils avaient tâté, du temps qu'ils officiaient au bar du Naivasha.

La différence, c'était que cet appel archaïque des gènes ne vous embrumait pas le cerveau. C'était un puissant hallucinogène, certes, mais qui vous laissait l'esprit parfaitement clair. Car ce n'était pas une drogue : c'était le but en soi de toute existence biologique.

Sous la conduite de Niawo, les femmes avaient entrepris de construire les abris pour la nuit. Ken ne la quittait pas des yeux. Elle était visiblement tendue. Elle rassemblait des branches flexibles qu'elle recourbait avant d'en lier l'extrémité avec une gaucherie que Ken ne lui avait jamais vue. Il en eut une suée. Leur préparait-elle une alcôve ?

Non, non... gardons la tête froide !

Comment savoir ce qu'elle avait en tête ? Elle l'avait superbement mené en bateau, le matin même. Avec ou sans capacités d'abstraction, elle était tout aussi capable de dissimulation que n'importe quel être humain. Son sens de l'abstraction à elle était tout entier tendu vers un but, et un seul : survivre, se perpétuer. La réalité physique était concrète, immédiate et sans équivoque, mais y survivre exigeait de prévoir la conduite d'autrui et de l'entraîner dans les méandres d'une réalité fictive. Or, pour cela, pas besoin de langage articulé, ni de concepts abstraits !

Niawo revenait vers lui. Il leva la tête, bien décidé à lui expliquer qu'il avait compris ses manigances, mais qu'il persisterait à suivre la tribu, en lui offrant en échange le bénéfice de son amitié, jusqu'à ce qu'il comprenne enfin ce qu'il était venu faire parmi eux. Plus tard, peut-être...

Non !

Je ne suis pas un Ulysse des temps modernes, échoué sur les rivages d'une île peuplée de nymphes du pliocène. Je suis un scientifique. Je suis Kenneth T. Lauder !

Mais son nom même, qui lui semblait naguère si intimement représentatif de sa personne, avait soudain des consonances incongrues, grotesques...

Niawo lui fit signe d'approcher et de se glisser dans la hutte qu'elle venait d'achever. Il contempla la petite alcôve de verdure sans mot dire. Etait-elle destinée à une personne ? A un couple ? Il sentit la sueur lui ruisseler sur le front. Lorsqu'il passa devant Niawo, il craignit qu'elle puisse interpréter cette réaction comme un signe d'émoi sexuel.

Il avait déjà le haut du corps dans la hutte, lorsque la poussée d'une masse tiède sur son arrière-train le fit basculer à l'intérieur. Il se retourna sur le dos, les genoux repliés, prêt à défendre sa virilité. C'était Longs-Pieds qui arrivait, tête baissée, comme un chiot se faufilant dans une niche déjà pleine. Le regard de Niawo, restée à l'extérieur, croisa celui de Ken. Elle eut un bref haut-le-corps et cracha la feuille de menthe qu'elle mâchonnait, puis elle se releva et fixa le toit, au-dessus d'eux.

Ken empoigna Longs-Pieds et l'attira à lui, tel un bouclier. Ravi, le gamin vint se nicher contre sa peau moite, en lâchant l'un de ces rots satisfaits dont il avait le secret, et qui signifiaient quelque chose comme : « Quelle chouette journée ! Et maintenant, bonsoir ! »

Niawo chassa les autres gamins qui s'étaient aussitôt attroupés. Son propre fils eut beau afficher son plus joli sourire, elle le repoussa comme les autres. Puis elle s'en fut ramasser d'autres branches, qu'elle lia ensemble pour agrandir l'abri. Après quoi, elle vint à son tour se blottir contre Longs-Pieds et Ken, qui sentit la tiédeur de son corps se mêler à la sienne et à celle de l'enfant.

Cette vie avait au moins appris à Ken à apprécier à leur juste valeur les petits agréments du confort. Bien que toujours nerveux de la savoir si près, il accueillit avec gratitude la précieuse chaleur qui émanait d'elle, et qui l'aida à trouver un profond sommeil.

* * *

La caresse d'un doigt sur son mollet le réveilla. Il se redressa en sursaut, cligna des yeux dans l'obscurité, et comprit que ce n'était pas une main qui l'avait tiré du sommeil, mais un pied. Niawo faisait aller et venir son gros orteil, si semblable à un pouce, sur sa jambe.

Elle se tenait sur le seuil de la hutte, les yeux rivés sur lui. Elle se pencha, l'effleurant de son corps, et tendit les bras. Il retint son souffle... Mais ce n'était pas à lui qu'elle en voulait. Elle se contenta de secouer Longs-Pieds par l'épaule. Le gamin s'assit si brusquement qu'il se cogna la tête dans les branches du toit.

D'un geste, Niawo leur montra la forêt, au-delà de la clairière où reposait le clan endormi, pour leur signifier qu'ils étaient libres, maintenant que tous les autres dormaient. Libres de retourner dans leur chère savane.

Que faire ? se demanda Ken.

Elle lui paraissait encore plus petite, plus vulnérable. Il se sentit vaciller, pris d'une cruelle indécision, où il discerna une pointe de lâcheté. Il était si bien, dans cette niche tiède... Il n'avait pas la moindre envie d'aller affronter les périls de la nuit !

Un cri les fit sursauter. Une sorte de ululement lointain...

Instantanément, Longs-Pieds se recroquevilla auprès de Ken, épaule contre épaule. Le ululement s'éleva de plus belle, suivi d'une clameur sauvage, où se mêlaient plusieurs types de voix. Certaines éraillées, et comme ensommeillées ; d'autres, beaucoup plus féroces. L'une des voix ensommeillées s'enfla en un atroce hurlement, puis toute la forêt se mit à retentir de cris de douleur et de râles d'agonie. Les deux clans s'affrontaient à nouveau, et l'un d'eux semblait prendre le dessus...

Du calme, se dit Ken. Estime-toi heureux de ne pas t'être trouvé là-bas au mauvais moment... Dans une minute, tout sera fini. Contente-toi de veiller sur le petit.

Près de lui, Longs-Pieds tremblait de tous ses membres. Ken l'attira à lui. Ça suffit ! songea-t-il. Combien êtes-vous, là-bas, à vous étriper à l'aveuglette dans le noir ? A quoi riment tous ces massacres ? Il y a tout l'espace qu'on veut... Pourquoi faut-il que...

Hurlements, bruits de coups et vociférations victorieuses se succédèrent, puis des cris d'alarme retentirent à nouveau, signalant sans doute une deuxième vague d'attaquants...

Ken serra les dents. Assez. Assez. ASSEZ !

Toutes les mères étaient éveillées, à présent. A quelques mètres, l'une d'elles se mit à hurler de panique, d'une voix si stridente que deux autres se précipitèrent sur elle pour la bâillonner. C'était Busta. Les autres femmes échangeaient de brefs signaux, évoquant les ordres que se transmettent les membres de l'équipage d'un navire en péril. La plupart des enfants étaient en larmes, et leurs mères s'efforçaient de les faire taire. Niawo bondit sur ses pieds et, suivie de deux femmes, s'élança dans la direction d'où venaient les clameurs.

Toutes trois disparurent dans le sous-bois, laissant le reste du clan s'organiser. Tout signe de panique avait disparu. Sans en connaître l'issue, chacun savait ce que ces bruits de lutte signifiaient, et le silence des enfants suggérait qu'ils étaient perturbés, certes, mais pas le moins du monde surpris par cette alerte nocturne. Enfin, la bataille parut se calmer. Les cris et les clameurs s'éloignèrent peu à peu, avant de s'éteindre dans l'immensité de la nuit, redevenue silencieuse.

Ken berçait doucement Longs-Pieds, dont le cœur palpitait comme celui d'un oiseau terrifié.

La silhouette de Niawo émergea des fourrés. A quelques mètres derrière, ses deux compagnes la suivaient à pas lents. Les femmes qui avaient jusque-là contenu Busta la lâchèrent et, de sa démarche chaloupée, elle s'élança en sanglotant vers Niawo, qui la prit dans ses bras. Elles s'étreignirent, dans un geste où s'exprimait toute la douleur de l'une et l'infinie compassion, teintée de soulagement, de l'autre.

Ken se recoucha, tremblant de tous ses membres. Il s'efforçait de museler en lui un très égoïste sentiment de soulagement.

Cette fois encore, les Graciles avaient triomphé de leurs adversaires...

5

— Tes petits bonshommes de l'âge de pierre ont fait grosse impression, mon cher ! dit Ramsay Beale. Mais pour l'instant, je ne vois personne qui soit prêt à engager un sou dans l'aventure...

Beale était l'un des banquiers d'investissement les plus influents, sur la place de Londres. Anderson et lui s'étaient rencontrés sur les bancs d'Oxford, dans les années cinquante. Depuis, ils étaient restés très liés.

— Harry Ends est passé à nos bureaux, ce matin — tu sais, Ends, de la Royal Dutch Shell... Il ne veut pas miser le moindre shilling sur ton projet. Ceci dit, il avait les yeux comme des soucoupes et il m'a bombardé de questions, genre « A quoi ils ressemblent, ces hommes de Cromagnon ? Combien ils mesurent ? Quelles sont leurs mœurs sexuelles ? » Et ça, j'aime mieux te dire que ça les passionne tous ! Enfin... Harry sera des nôtres, au dîner de ce soir. J'ai estimé judicieux de lui fournir une bonne occasion de changer d'avis. Tu verras qu'il te soûlera de questions mais, très franchement, je doute qu'il mette la main au portefeuille !

Anderson et son ami roulaient vers l'est de Londres, dans la grosse Bentley de Beale. Ils avaient pris un itinéraire inhabituel : la rive gauche de la Tamise, puis Jamaica Road et tout un dédale de petites rues qui constituaient autrefois le cœur du Londres historique, et n'étaient plus à présent que les frontières délimitant différents bastions ethniques, hauts en couleurs.

L'idée de cet itinéraire venait d'Anderson.

— Et du côté du gouvernement de sa très Gracieuse

Majesté? s'enquit Anderson, qui n'avait eu recours à cette obséquiosité ironique que pour désamorcer d'avance la réponse négative qu'il craignait.

— Pas grand-chose, hélas! Le Premier ministre a déclaré que ce projet était un joujou pour milliardaire. « J'ose espérer que votre ami ne compte pas sur nous pour financer ce genre de faribole...! » a-t-il ricané.

— Eh bien, me voilà prévenu! Et cet honorable gentleman sera-t-il des nôtres ce soir, lui aussi?

— Ça, mystère! Je l'ai quand même invité, à tout hasard...

Un brouillard glacé enveloppait la grande cité d'une insidieuse grisaille, dans laquelle les embouteillages prenaient des allures de galaxies surgies d'un Big Bang de brume. Droit devant eux jaillit une super nova sur quatre roues : un camion, qui leur barrait la route.

— Fais gaffe, Rams!

Beale évita de justesse le pare-chocs arrière du poids lourd. Anderson souffla un grand coup.

— Cette foutue ville ne changera donc jamais... maugréa-t-il. Assoupie dans sa brume et ses embouteillages, somnolant dans son inertie. Je leur apporte sur un plateau de quoi révolutionner le monde des sciences — une découverte de tout premier plan... et personne ne réagit! Je n'en crois pas mes oreilles!

— Justement, mon cher! Le poisson est peut-être un peu trop gros! » répondit Beale, avec un coup d'œil en direction de son vieil ami. Cyril accusait un état de tension et d'épuisement nerveux dans lequel il ne l'avait jamais vu. « Si tu prétends sérieusement décrocher des millions de livres, tu vas devoir envisager de nous présenter une de ces créatures, en chair et en os. Pourquoi n'en as-tu pas ramené une, dans tes bagages?

— Réfléchis une seconde, Rams! Ce ne sont pas des criquets ou des lézards, qu'on peut trimbaler dans un bocal!

— Bien sûr, bien sûr, excuse-moi. Mais tu sais ce que c'est, dans ma partie... Les rois de la finance sont de grands handicapés, côté imagination!

Anderson avait de bonnes raisons d'être à cran. La semaine précédente, un article du *London Times* avait annoncé la nomination de sa femme à l'Institut des sciences

Naturelles de Londres. La première mission que lui avait confié le musée était la datation d'un squelette d'australopithèque, découvert au Kenya par le professeur Randall Phillips, lequel déclarait avoir trouvé ce fossile « avec l'assistance de Kenneth Lauder, l'un de ses anciens étudiants ». L'article ne mentionnait même pas le nom de Ngiamena. Dans un bref communiqué de presse commun, Corinne et Phillips laissaient entendre que des tribus d'hominiens auraient pu survivre dans ce creuset naturel, isolé du reste du monde, qu'était le massif de la Mau.

Anderson était tombé sur cet article à Nairobi, le jour même où il avait reçu une lettre de Corinne lui annonçant qu'elle avait décidé de mettre fin à leur union, et qu'elle avait déjà contacté un avocat spécialisé dans les divorces.

Cyril avait tout de suite fait le lien entre cette lettre et l'article, qui présentait Corinne et Phillips comme un tandem professionnel constitué de longue date et solidement établi. Il avait aussitôt décroché son téléphone et appelé quelques collègues britanniques qui lui avaient appris qu'au lieu de s'envoler pour la Californie, comme prévu, Phillips avait effectivement fait escale à Londres. Il bombardait toute la communauté scientifique d'os fossiles et de photos d'empreintes. Corinne et lui semblaient inséparables. Elle avait loué, à South Kensington, un appartement où Phillips se faisait désormais adresser son courrier et ses fax.

Anderson avait aussi appris que pour promouvoir leur petite entreprise, ils s'étaient même offert les services d'un certain Luke Merrick, l'un des plus prestigieux agents britanniques. Si ces deux Judas essayaient de monnayer *son* travail, il devenait urgent de mettre le holà à leurs activités...

Il avait donc appelé à la rescousse son vieil ami Ramsay Beale, un homme d'affaires étranger au monde scientifique, mais qui disposait de relations autrement plus efficaces et plus puissantes. Après quoi, il s'était envolé pour Londres.

Du temps où ils fréquentaient les amphithéâtres d'Oxford, Anderson étudiait la paléontologie, tandis que Beale se consacrait aux arts de la finance, mais leurs virées nocturnes estudiantines avaient scellé leur amitié. Depuis, ils avaient fidèlement perpétué cette tradition, chaque fois que Cyril était de passage en Angleterre. Les établissements qu'ils fréquentaient étaient seulement devenus de plus en plus luxueux, au fil des ans, certains étant, en outre, agrémentés d'accortes hôtesses. Ces souvenirs de beuveries étaient à peu près tout ce que les deux hommes avaient en commun, exception faite, évidemment, de cet irréductible *esprit de corps* unissant des Anglo-Saxons de pure souche, qui avaient assisté au déclin de l'empire britannique et se voyaient désormais réduits, selon les propres termes de Ramsay, au rôle de « super-prestataires de services, à la solde du pouvoir Yankee ».

Mais leur vieille alliance tenait bon, envers et contre tout : en cas d'urgence, l'un comme l'autre pouvait compter sur cette solidarité forgée au fond des pubs d'Oxford, et s'en réclamer.

Sitôt franchie la douane à Heathrow, Anderson s'était empressé de relancer son complice de toujours. Et, plus concrètement, il lui avait demandé de l'aider à « vendre ses hominiens », des australopithèques vivants, qu'il avait vus dans la savane, de ses propres yeux ! Pas quelques fragments d'os pétrifiés, pas des créatures hypothétiques, mais des êtres de chair et de sang, dont l'existence était un fait tangible, avéré !

— Le temps presse, Ramsay, lui avait-il dit. Nous devons immédiatement rassembler dix mille livres, pour financer un voyage d'étude digne de ce nom, avant ces trois escrocs !

Les trois escrocs en question étaient son ex-femme, Phillips et Lauder. Anderson avait laissé entendre à son ami que Corinne avait eu une liaison avec Lauder. Maintenant qu'elle jetait son mariage aux orties, elle tenait à « assurer le coup » avec Phillips, tout en ménageant le jeune Lauder.

— Car, vois-tu, Rams, l'adultère est tout ce qu'il y a de moral... en termes de stratégie génétique, s'entend ! Corinne lorgne à la fois la sécurité professionnelle que peut lui garantir Phillips et les satisfactions plus « personnelles » que peut lui procurer l'autre. Bref, la stratégie classique de toute femelle qui se respecte !

— Des aspirations somme toute assez proches des nôtres... avait plaisanté Ramsay. Mais, compte sur moi, Cyril ! avait-il promis. A nous deux, nous n'aurons aucun mal à mettre Corinne et ce Phillips sur la touche.

— Merci, vieux ! D'autant que je vais avoir besoin de tes

lumières, pour superviser cette entreprise, dès que nous aurons réussi à la mettre sur les rails. A propos, dans l'immédiat, il va me falloir quelques liquidités...

Ramsay Beale lui avait aussitôt signé un chèque de dix mille livres, avant de l'emmener au Claridge. « Quand on vient présenter au monde une découverte de cette envergure, il est essentiel de tenir son rang ! Mais j'aime mieux te prévenir, Cyril. Je vais parler de ton affaire aux investisseurs les plus puissants du monde, alors tu as intérêt à avoir du répondant... Pas de promesses bidon, OK ?

— Fais-moi confiance... ! » La voix de Cyril était montée d'un ton. D'accord, il devrait improviser, mais n'était-il pas imbattable, sur ce terrain ? « Tu imagines, Rams ? Moi qui te parle, j'ai contemplé le passé de l'Humanité ! Une vision prodigieuse ! Et ce qui est plus vertigineux encore, c'est qu'il recèle la clé de notre avenir ! Il y a plus à apprendre — et à gagner ! — dans une seule des cellules cérébrales de mes créatures (car il les considérait déjà comme siennes...) que dans toute l'histoire de la conquête de l'espace !

— Parce que tu as réellement vu ces australopithèques, Cyril ?

— Comme je te vois ! mentit Anderson, sans sourciller.

Ramsay avait passé le reste de la journée à sonder le circuit des investisseurs. L'affaire les avait énormément impressionnés, sans pour autant les appâter. Même pour les plus gros requins de la finance, les temps étaient durs, la conjoncture incertaine... Cyril lui avait alors demandé d'organiser un dîner réunissant ses meilleurs amis et les principaux mécènes qui avaient déjà décliné son offre. Il était persuadé de pouvoir leur faire changer d'avis, s'il avait directement affaire à eux.

— Attends que je leur aie décrit ces époustouflantes créatures, Rams ! Ils n'en reviendront pas ! Songe qu'il suffirait de quelques croisements judicieux pour créer une nouvelle espèce humaine, ni plus ni moins !

— En combien de temps ? s'enquit Rams, pragmatique.

— Une dizaine d'années, disons. Dommage que tu n'aies pas réussi à décider ce type de la Shell... C'est exactement ce qu'il nous faudrait : notre sponsoring assuré pour des décennies, et une envergure propre à décourager les fouinards de la presse, et toute cette racaille médiatique...

Ce fameux dîner devait avoir lieu le soir même. Ils avaient laissé derrière eux la Tour de Londres et la Bentley descendait à présent Jamaica Road. Ramsay Beale jetait de temps à autre un coup d'œil dans son rétroviseur. Anderson l'avait averti qu'ils risquaient d'être suivis.

— Mais pourquoi diable te suivrait-on, Cyril... ? Ce projet n'existe que dans ton esprit, pour l'instant. Tu n'as même pas de quoi le financer...

— Réfléchis, Rams ! Supposons que mes créatures puissent être apprivoisées, domestiquées, soumises à des tests, etc. Te rends-tu compte des retombées de ma découverte ? Cela revient à lâcher dans la nature, dans *notre* monde, une nouvelle espèce humaine. Tu imagines un peu les problèmes que cela risque de poser ? » Beale eut un haut-le-corps qu'il s'efforça de réprimer. « Les tenir isolés du reste du monde, une fois que les médias auront eu vent de leur existence, va représenter un véritable casse-tête logistique. Leur présence même est un véritable signal d'alarme. Nous ne sommes plus les maîtres de cette planète, nous autres *sapiens*... Peut-être sont-ils les véritables élus... ? Il s'agit là d'une inconnue, capable de faire voler en éclats le monde tel que nous le connaissons... tu vois ça d'ici ?

De l'Anderson pur ! Ses paroles, sa voix, toute son expression avaient fait naître chez son ami une peur viscérale. Beale jugea utile de le mettre en garde :

— En ce cas, Cyril, ménageons-nous une marge de manœuvre... Mieux vaut pouvoir faire machine arrière, si nécessaire.

— Mais ça va sans dire ! convint Anderson. Nous ne déclinerons pas une offre visant à étouffer l'affaire, si elle est assortie d'une contrepartie intéressante...

Le banquier lui décocha un regard où la peur se mêlait à l'orgueil de l'initié.

— Qui viens-tu voir à Greenwich, Cyril ? Un collègue ?

— Oui... Quelqu'un qui s'interroge, comme nous, sur les implications de ce projet.

Ils traversèrent Greenwich sous la pluie. Devant eux se profilaient les chênes et les marronniers plusieurs fois centenaires de Greenwich Park, toujours royal. Au loin, face au fleuve gris, se dressait le vénérable musée de la Marine.

— Ça ne t'ennuie pas de rester un petit quart d'heure

dans les parages, Rams ? La personne que je dois rencontrer m'a donné rendez-vous dans le parc...

— Pas de problème. Tu vois ce petit pub, là-bas, le Lord Nelson ? Je vais t'y attendre.

— Merci, vieux !

Anderson claqua la portière de la luxueuse limousine et franchit les grilles du parc.

Dès qu'il se sentit à l'abri des arbres, il tira de sa poche un téléphone portable et composa un numéro, à South Kensington.

« Oui ? » fit une voix d'homme, laconique. Anderson s'étant identifié, son correspondant l'informa que Corinne se trouvait en ce moment en compagnie de Phillips et de Luke Merrick, dans l'appartement qu'elle louait, de l'autre côté de la rue. Comme Cyril s'inquiétait des effets de la pluie sur l'enregistrement de leur conversation, l'homme déclara qu'en effet, la réception avait été perturbée, quelques heures plus tôt, par une averse qui avait provoqué des interférences avec le rayon laser. Mais à présent, la pluie avait cessé et la réception était redevenue excellente. Désirait-il en entendre un échantillon ?

— Allez-y !

Un déclic lui signala que la connexion s'établissait, puis une voix inconnue de lui — celle de Merrick, manifestement — s'éleva :

— Je sais que vous m'apportez là un concept formidable ! D'autres créatures intelligentes, qui partageraient cette planète avec nous. Une humanité parallèle, autant dire... C'est tout bonnement prodigieux ! Mais pour l'instant, ce n'est jamais qu'un concept. Il va nous falloir le concrétiser un peu... Imaginons que vos hommes-singes recèlent dans leurs tissus ou dans leurs gènes une substance miracle qui pourrait, je ne sais pas, moi... traiter l'impuissance, ou la calvitie... Qui pourrait nous faire vivre deux cents ans, ou encore...

— Guérir le sida ? persifla Corinne.

— Et pourquoi pas ? rétorqua Merrick.

— Arrêtez de débloquer, nom de Dieu ! » Anderson avait reconnu la voix de Phillips qui protestait en arrière-plan, d'un ton dont la rudesse contrastait avec l'élégante affabilité du Britannique. « Qu'est-ce que c'est que ce baratin, Merrick ? Il s'agit d'une découverte capitale, une véritable révolution scientifique. Le poisson est assez gros — pourquoi le noyer ainsi sous un flot de merde pour torchon à scandale ?

— Allons, calme-toi, Randall !

Corinne... Anderson accusa le coup. Cette voix caressante dont elle venait de prononcer le nom de son rival... Ils étaient amants, c'était évident !

— Mais tu ne vois pas ce qu'il rêve de faire ? poursuivit Phillips. De l'anthropologie à la sauce E.T. !

— Et alors ? rétorqua l'agent. Vous voyez un autre moyen de décider les investisseurs à engloutir des millions dans un projet pareil ? Pour les faire bouger, il faudrait au minimum l'équivalent de la conquête des étoiles. C'est du sensationnel, qu'ils veulent !

— Là, je crois que vous vous fourvoyez complètement, mon cher Luke, fit Corinne, d'une voix ferme et posée. C'est contre ce genre de salades que j'ai dû me battre pied à pied, des années durant, avec ce pauvre Cyril, qui n'était qu'un insupportable marchand d'esbrouffe. J'aimerais pouvoir enfin bâtir ma vie sur un minimum de sérieux et d'intégrité !

— Le moment est mal choisi pour avoir des états d'âme, ma chère ! répliqua Merrick, d'un ton pincé. Songez que d'ici quelques minutes, neuf des décideurs les plus en vue de Londres franchiront cette porte. Il est un peu tard pour entamer un grand débat de fond !

Sous les arbres du parc, Anderson bouillait de rage. La voix de son correspondant couvrit brusquement la conversation :

— Alors, ce son... ?

— Parfait, parfait, parvint-il à articuler. Rien ne leur permet de soupçonner qu'ils sont écoutés, vous êtes sûr ?

— Pour ça, ne vous bilez pas. Cet équipement est ce qui se fait de plus fiable, dans le genre.

Dans l'une des allées désertes qui convergeaient vers l'Observatoire royal, un promeneur sanglé dans un trench-coat mastic et coiffé d'un chapeau mou venait d'apparaître. Anderson prit une profonde inspiration et coupa court à la conversation :

— Continuez d'enregistrer. Je vous rappelle d'ici une heure...

Il replia en hâte son appareil et le glissa dans sa poche intérieure. « Bâtir ma vie sur un minimum d'intégrité... ! » S'il n'avait pas eu ce nœud dans la gorge, il aurait éclaté de rire.

Il allongea le pas pour rejoindre le promeneur. L'homme avait la soixantaine, des yeux d'un bleu arctique et une petite moustache que masquait à demi son col remonté. La vraie caricature de l'espion d'après-guerre.

— Dans les années cinquante, Haksar était un agent de la police coloniale du Kenya, expliqua l'homme, quelques minutes plus tard, tandis qu'Anderson et lui déambulaient dans les allées détrempées. Il parlait couramment plusieurs dialectes africains. Il a un peu rechigné à travailler pour nous, au début, mais il n'avait pas le choix. Les études supérieures, ça coûte cher...

L'argent, toujours l'argent... soupira mentalement Anderson.

— Lorsque les indépendantistes ont commencé à s'agiter, nous avons facilement écrasé la révolte dans l'œuf. On a dit bien des choses sur la révolte des Mau-Mau : la cruauté des rebelles, leur pacte secret, leurs exactions contre les villageois qui refusaient de prêter serment, leur façon de châtier les traîtres en leur arrachant les yeux ou en les empalant sur des pieux. Eh bien, ce n'étaient pas des racontars, vous savez. Toutes ces atrocités ont réellement eu lieu... Mais nous avions pour nous notre puissance de feu et la maîtrise des airs, nous avons rapidement rétabli l'ordre.

Le crachin faisait ruisseler les cheveux d'Anderson et la moustache de son interlocuteur — une petite moustache méticuleusement taillée, emblème du vieux colonial anglais.

— Auriez-vous par hasard connu un pilote du nom de Hendrijks, à l'époque ? demanda Cyril.

— Un Hollandais du Cap ? En effet... Nous avions sous nos ordres tout un ramassis de rastaquouères et de franches crapules, qui se chargeaient des basses besognes. Et côté informateurs et espions, nous étions bien nantis, croyez-moi... » Il continuait à égréner ses souvenirs de guerre, d'un ton trop détaché pour émouvoir son auditeur : « C'est après que nous nous sommes retrouvés dans un fichu pétrin. Cette guerre nous était pour ainsi dire devenue indispensable. Nous en avions besoin pour justifier notre approvisionnement en munitions, en armes et en matériel — et pour gagner nos galons... Alors, on a monté cette histoire de toutes pièces — enfin, pour être plus précis, *je* l'ai montée...

L'homme à la moustache eut un petit rire d'autosatisfaction.

— Nous avons raconté que les Mau-Mau s'étaient retranchés sur les pentes de la Mau. J'avais repéré sur une carte ce massif, dont le nom rappelait si providentiellement celui de la guérilla. Je n'ai fait ni une ni deux : j'ai affirmé à l'état-major de Londres que des forces rebelles y étaient planquées...

— Il n'y avait rien de vrai, là-dedans ? s'étonna Anderson. Je venais d'arriver au Kenya, à l'époque, et je me souviens que l'histoire avait fait grand bruit.

— Pure intox ! fit l'homme, avec dédain. Nous avions fait jeter Jomo Kenyatta en prison et désorganisé ses partisans. Peut-être en restait-il une poignée, à demi morts de froid, dans les neiges du mont Kenya, mais... Enfin, bref, l'affaire a pris un tour inattendu. Nous avons fait nos comptes... Combien de Mau-Mau avaient été faits prisonniers, combien avaient été tués... Il n'en restait sûrement pas assez pour justifier cette campagne que nous tenions tant à prolonger. J'ai donc envoyé Haksar dans la Mau. Haksar était un excellent agent, et je tenais à souligner l'importance stratégique de ce secteur. Je lui ai adjoint un officier indigène, un certain Kalangi — une crapule finie, lui ! C'est sans doute par lui que vous êtes remonté jusqu'à moi... ?

— Absolument pas ! mentit Anderson — car c'était effectivement Kalangi qui lui avait donné les coordonnées de l'homme à la moustache poivre et sel. Non, j'ai simplement consulté la presse de l'époque. J'y ai retrouvé votre nom et j'ai contacté un ami que j'ai ici. Il faisait partie du gouvernement précédent. C'est lui qui a retrouvé votre adresse...

— Je suppose que ça n'a rien d'exceptionnel, de nos jours, même dans cette bonne vieille Angleterre si prompte à se poser en championne des libertés individuelles, marmonna l'ex-flic colonial, avec philosophie. Quoi qu'il en soit, j'ai donné à Haksar et à ce Kalangi un petit contingent de braconniers que j'avais sortis de taule, pour l'occasion — parce qu'à l'époque, ils étaient sous les verrous, les braconniers... ! J'ai expédié tout ce joli monde dans le Dogilani, au pied des contreforts de la Mau, avec mission de débusquer les rebelles et de les harceler. Les braconniers connaissaient un peu la région, mais Haksar n'y avait jamais mis les pieds. Pas à ma connaissance, du moins... » Il s'interrompit et laissa son regard errer en direction de la Tamise. L'ex-hôpital royal se dressait face au fleuve... Même sous la grisaille, le paysage était empreint d'une austère majesté. « Quand je pense que ce chef-d'œuvre est à vendre... Vous imaginez ?

— A vendre ? Le musée de la Marine ?

— Oui. Il paraît que l'Etat ne peut plus le financer. Ça coûte une véritable fortune au contribuable, en frais de fonctionnement... Et personne ne se porte acquéreur !

Anderson lui notifia sa compassion d'un hochement de tête entendu — effectivement, où allait l'Angleterre... ?

— L'Empire britannique n'avait pas que de mauvais côtés, fit l'ex-flic, avec amertume. Quand on pense à toutes ces guerres, à toutes ces révolutions... C'est à se demander si les choses ont vraiment évolué dans le bon sens. Nous sommes plutôt moins bien lotis que dans le temps, trouvez pas ? A propos, vous avez apporté la somme convenue ?

— Vous avez le document dont je vous ai parlé ?

L'homme au chapeau gris hocha la tête. Le regard d'Anderson se porta au-delà des hautes grilles du parc, vers ce pub qui se réclamait du grand amiral. Devant, se détachait la masse lustrée de la grosse Bentley. Il sortit une enveloppe qu'il tendit à son interlocuteur. Ce dernier l'empocha sans en vérifier le contenu et lui remit un épais carnet d'une laideur toute militaire, dont la couverture en cuir décoloré était maintenue par un fermoir métallique rouillé.

Anderson s'en empara, surpris par son poids.

— Et c'est tout ce que vous avez conservé des papiers de Haksar ? Rien d'autre ?

— Mais non !

Anderson dut lui lancer un regard incrédule, car l'homme reprit :

— Vous pouvez venir chez moi pour vérifier, si vous y tenez... Justement, ma femme serait curieuse de rencontrer l'homme qui est prêt à débourser mille livres pour une vieillerie pareille !

— Bon, bon ! Dites-moi plutôt ce qui est arrivé à Haksar et à ses hommes, au pied de la Mau.

— Les braconniers ont repéré une bande de sauvages, dans la savane. Nus comme des vers. Une tribu nomade, sans doute. Ils les ont tirés comme des lapins, en ont tué quelques-uns et ont refoulé les autres vers la montagne et la forêt.

— Et Haksar? Qu'a-t-il fait?

— Il est resté quelque temps dans le secteur. Kalangi et lui ont suivi la piste de ces sauvages assez haut dans la montagne, et là, ils ont perdu leurs traces. Mais aux dires de Kalangi, Haksar aurait complètement perdu les pédales. Il ne voulait plus quitter cette forêt! Kalangi est rentré seul, avec ce carnet de notes. Haksar a fini par refaire surface, mais seulement deux bonnes semaines plus tard.

— A-t-il rédigé un rapport?

— Ce n'était pas nécessaire. Tous les rapports étaient déjà établis et enregistrés. J'y avais personnellement veillé.

— Avez-vous vu ces autochtones, vous-même?

— Non. Les braconniers s'étaient empressés de désosser les cadavres — ce dont je n'avais évidemment pas donné l'ordre — pour revendre leurs squelettes. Profitant de ce que Haksar et Kalangi étaient dans la forêt, ils ont déserté et ont regagné Nairobi, où ils ont traité directement avec ces officines qui concoctent je ne sais quelles potions aphrodisiaques à base d'os de singes broyés... J'ai réussi à remettre la main sur ma bande de braconniers, et je les ai réexpédiés derrière les barreaux. Le hic, c'étaient ces ossements humains, censés être ceux de rebelles Mau-Mau, et qui avaient été transformés en poudre de perlimpinpin! La rumeur est parvenue aux oreilles de l'état-major, à Londres. Vous imaginez le scandale! Entre-temps, les vrais rebelles s'étaient regroupés et avaient levé de nouvelles troupes. J'ai donné l'ordre à mes hommes de se replier, puis de contre-attaquer, mais c'était inutile. Cette guerre était perdue pour nous.

— Et vous n'avez jamais eu la curiosité de lire ces notes?

— Jamais. C'est pur hasard si j'ai ramené ce carnet du Kenya. Je m'en étais servi pour caler ma collection de cornes d'antilopes, quand j'ai fait mes malles — ce qui ne les a d'ailleurs pas empêchées d'arriver ici en miettes... A mes yeux, cette affaire n'a été qu'un lamentable fiasco. Pourquoi aurais-je éprouvé le besoin de m'y replonger?

— Et vous n'avez pas été tenté d'interroger Haksar, à l'époque ?

— Haksar ? Cet illuminé ? Non, croyez-moi... Je n'avais qu'une envie : oublier ce peu glorieux épisode. D'ailleurs, nous étions tenus au secret militaire et, en temps de guerre, moins vous en savez...

— Mais vous avez tout de même gardé le contact avec Kalangi ?

— Vous n'y pensez pas ! » Une note de colère avait troublé son flegme habituel. « Je me fichais complètement de savoir ce qu'avait pu devenir ce fumier — même s'il m'a succédé à la tête de la police. Entre nous, si vous avez un jour besoin de vous débarrasser de quelqu'un, adressez-vous donc à Kalangi ! Le tiers-monde peut s'enorgueillir de posséder les réseaux criminels les mieux organisés de la planète. Voilà au moins un point sur lequel ils enfoncent les pays développés, et de loin ! Et si Kalangi demande de mes nouvelles, je vous serai reconnaissant de ne pas lui dire que vous m'avez retrouvé...

— N'ayez crainte, et merci pour votre aide ! Même de façon posthume, les notes du professeur Haksar pourraient bien se révéler d'un immense intérêt scientifique...

— Une chance que je ne m'en sois pas débarrassé ! J'ai vu la notice nécrologique de ce pauvre bougre, dans le journal. Jamais je n'aurais cru qu'il parviendrait à faire une si belle carrière.

L'homme souleva son chapeau alourdi par la pluie, dévoilant une chevelure clairsemée, aussi grisonnante que sa moustache.

— Eh bien, je vais vous laisser. Ah, ce parc à l'abandon... Quelle tristesse !

Ils s'éloignèrent, chacun de son côté.

Midi sonnait à l'horloge de l'Observatoire de Greenwich. Anderson réfléchit rapidement : une bonne demi-heure de trajet pour rallier le quartier général de Ramsay (qu'il laisserait à son bureau, aux prises avec ses téléphones), plus une vingtaine de minutes en taxi pour aller jusqu'à South Kensington... D'ici une heure au plus, il serait, comme prévu, à Brompton Road, dans l'appartement qu'il avait loué en face de celui de Corinne.

Celui où officiait son « opérateur ».

Il imagina le grand blond aux cheveux en brosse, installé dans cette pièce meublée, en tout et pour tout, d'un bureau, d'une chaise et de l'équipement laser mis au point durant la guerre froide pour « asperger » les fenêtres des ambassades. Tout un arsenal d'appareils sophistiqués, capables de capter les vibrations du verre et de les reconvertir en ondes sonores était braqué vers les vitres de Corinne. Les voix de sa femme, de Phillips et de Merrick, leur agent, étaient immédiatement enregistrées sur bande magnétique. Anderson s'était offert les services de cet ingénieur du son très spécial, moyennant cinq mille livres cash — une somme relativement raisonnable. Le type de matériel qu'il utilisait s'était considérablement banalisé, un même temps que l'espionnage industriel. On pouvait désormais se le procurer à des prix abordables...

Cyril se hâtait vers la Bentley, le nez plongé dans le carnet, qu'il n'avait pu s'empêcher d'ouvrir. Brusquement, il s'arrêta et, avec une fébrilité croissante, se mit à relire un paragraphe qui lui avait accroché l'œil. Tandis qu'il dévorait le passage avec avidité, un sourire émerveillé lui monta aux lèvres.

Une goutte de pluie vint s'écraser au beau milieu de la page. Il referma vivement le carnet, l'enfouit dans son pardessus et se mit à courir vers le Lord Nelson.

Au bruit de la sonnette, le jeune type ôta ses écouteurs et s'arma d'un automatique. Il alla jusqu'à la porte, colla son œil au judas et reconnut son employeur, à qui la lentille déformante faisait une trogne de masque de carnaval.

L'opérateur lui ouvrit et, à peine Anderson entré, le palpa de la tête aux pieds, en le tenant en joue. Enfin, apparemment satisfait, il glissa son revolver dans sa ceinture et lui fit signe de passer dans la pièce.

— Leur opération de marketing a foiré, annonça-t-il en effleurant ses cheveux d'une main machinale. Ils s'étaient pourtant fait livrer un super-buffet avec caviar et champagne, mais seuls deux de leurs neuf invités se sont pointés...

— Tiens ! Comment ça se fait ?

De l'autre côté de la rue, l'appartement de Corinne semblait si proche... Instinctivement, Anderson fit un pas en arrière.

— Relax ! fit le jeune type en se passant à nouveau la main dans les cheveux. Pas de danger qu'ils vous voient... D'après leur agent, si les investisseurs les boudent, c'est que leur fameux fossile n'en est pas vraiment un. Il est trop jeune d'un bon millier d'années, genre... Et à ce que j'ai cru comprendre, ce sont les *os* fossiles qui intéressent les gens, pas les *espèces* fossiles.

Anderson lui décocha un regard acéré. Toi, ton astuce te perdra, mon bonhomme... Le blond avait entrepris de fixer un silencieux au canon de son automatique.

— Alors, on y va ? Vous voulez venir avec moi et surveiller les opérations ?

Il leva le canon de son arme si près du visage de Cyril, que ce dernier put y distinguer un infinitésimal point noir — quelques atomes de carbone dans la surface polie de l'acier.

— Une minute, objecta Anderson. Attendons que leur agent soit parti...

— Pour moi, ça ne ferait pas grande différence, vous savez. Deux macchabs, ou trois... Une belle salope, votre femme, entre nous — mais sinon, ça a l'air d'être un bon coup ! Depuis combien de temps vous étiez mariés ?

— Auriez-vous entendu parler d'un certain Arnold Kalangi ? enchaîna Cyril, ravi de changer de sujet.

C'était Kalangi qui, au cours de leur conversation éclair, lui avait chaudement recommandé cet « opérateur » très spécial. « Vous avez besoin d'un homme sûr et efficace à Londres ? lui avait demandé le chef de la police de Nairobi. Cinq mille dollars et je vous donne un numéro... »

Cyril avait allongé la somme. « Retenez bien ces cinq chiffres », avait dit Kalangi, lorsqu'il l'avait rappelé. Cyril s'était exécuté, bien qu'il eût la certitude que tous les numéros de Londres avaient sept chiffres...

L'opérateur secoua la tête. Non, il ne connaissait aucun Kalangi. Quand Anderson lui demanda le nom de son supérieur, il répondit qu'il n'avait pas de chef hiérarchique. Il intervenait en tant que prestataire indépendant et ignorait jusqu'au nom de l'entreprise qui servait d'intermédiaire, pour ses contrats. Cyril subodora qu'il devait s'agir d'un réseau international, offrant des services que les institutions officielles ou privées, légales ou clandestines, ne pouvaient assumer parce que trop risqués, et qu'il leur fallait soustraiter.

— Où se trouve le siège social de cette entreprise? Ici, en Angleterre?

— Je dirais plutôt en Afrique... le continent le moins accessible aux investigations internationales...

Le blond, qui avait repris ses écouteurs, les ôta avec un sourire goguenard et les tendit à Anderson.

— Ils s'engueulent pour savoir qui a le plus foiré... Ça vous intéresse?

De l'autre côté de la rue, les canapés au caviar et les petits fours commençaient à se dessécher.

Les deux invités qui avaient répondu à l'invitation n'avaient fait qu'entrer et sortir. Entre deux gorgées d'un champagne trop frappé pour l'heure et la saison, ils avaient vaguement regardé les quelques os nettoyés en hâte à Nairobi, dans le garage de Phillips. Les échantillons avaient beau être disposés pour l'occasion sur une pièce de toile rustique, ces reliques du passé avaient un petit air dérisoire — pitoyable, presque — en regard du buffet pléthorique et prétentieux qui trônait à côté.

S'évertuant à garder un ton jovial, Phillips avait tenté d'expliquer ce qui faisait leur incroyable spécificité: ce n'étaient pas des fossiles, à proprement parler. C'était l'*espèce* à laquelle ils appartenaient qui était fossile, avait-il insisté. Les tests pratiqués par Corinne ne leur avaient donné que sept mille ans, preuve que ces créatures, officiellement disparues depuis deux millions d'années, avaient survécu jusqu'à l'ère moderne.

Posés auprès des fragments d'os, les agrandissements des photos de Ken suggéraient que ces hominiens existaient toujours. Qu'ils foulaient toujours le sol de cette planète.

Tout en grignotant quelques petits fours, les deux invités avaient poliment susurré qu'ils trouvaient tout cela « fantastique », mais l'intérêt scientifique de la découverte leur était visiblement passé au-dessus de la tête. Etait-ce des *fossiles,* oui ou non? Et quel rapport avec des créatures prétendument vivantes? Leurs regards perplexes faisaient la navette entre leurs hôtes, les photos et les fragments exposés que, pour ne rien arranger, Merrick s'obstinait à honorer du nom de « fossiles ».

Phillips dut le reprendre trois ou quatre fois et expliquer pourquoi ces « fossiles » n'en étaient pas : il fallait dix mille ans révolus pour que la minéralisation ait eu le temps de faire son œuvre. En deçà, les ossements n'étaient que partiellement pétrifiés.

Ces « éclaircissements » achevèrent de déboussoler les visiteurs, déjà sceptiques, qui s'éclipsèrent comme ils étaient venus, laissant leurs trois hôtes tirer le bilan de ces débuts peu prometteurs.

A peine la porte s'était-elle refermée sur eux que Corinne laissa libre cours à sa rage.

— Qu'est-ce que c'est que ce travail, Luke? C'est un ratage complet! Où êtes-vous allé pêcher cette paire d'idiots congénitaux? Ils ne sont même pas fichus de piger deux concepts d'une simplicité enfantine!

L'agent, qui n'avait pas l'habitude de s'entendre traiter de la sorte, se versa une coupe de champagne et tâcha de garder son flegme.

— Pas aussi enfantine, hélas, que vous l'espériez, ma chère! répliqua-t-il, en gobant quelques grains de caviar.

Les sourcils de Corinne s'arquèrent, au-dessus de l'acier glacial de son regard. Cet Anglais, avec son insupportable condescendance, avait le don de l'horripiler.

— Mettez-vous une seconde à leur place... reprit Merrick. Vous leur présentez des ossements — qui ne sont même pas de vrais fossiles... — tout en leur parlant de fossiles vivants... Si c'étaient vos fameux hominiens que vous vouliez leur vendre, c'étaient eux qu'il fallait leur montrer!

— En ce moment même, Ken Lauder, notre associé, est dans la savane. Ces créatures, il les a sous les yeux, à l'instant où je vous parle!

— En ce cas, mieux vaudrait peut-être attendre son retour... » objecta l'agent, qui commençait à se demander si le Ken Lauder en question n'aurait pas pris à cette découverte une part plus grande que ces deux-là ne voulaient bien le laisser entendre... « Une chance qu'Anderson, lui non plus, n'ait pas d'australopithèque vivant à exhiber! Je les ai fait suivre, lui et Ramsay Beale, et ils semblent se heurter au même problème de crédibilité que vous : où donc se trouve ce qu'ils essaient de vendre?

— Je me contrefiche de ce que fait Cyril! fulmina

Corinne. C'est pour vendre *notre* découverte que nous vous payons !

Après avoir soumis les ossements à une troisième série de tests — histoire d'éliminer tout risque d'erreur —, elle avait entraîné Randall dans le labo et, dans l'euphorie du moment, l'avait embrassé avec fougue. « A nous la gloire ! » lui avait-elle glissé à l'oreille. Randall avait été à la fois estomaqué et ravi de ce « nous ». L'enthousiasme de Corinne et celui avec lequel lui-même y répondait l'avait fasciné.

Il ne l'avait jamais trouvée particulièrement attirante, jusque-là. Corinne n'était pas son type. Elle ne ressemblait en rien à la femme idéale avec laquelle il fantasmait parfois de tromper Marcia. Mais elle avait aussitôt pris la direction des opérations, avec une autorité qui l'avait subjugué. C'était elle qui avait décidé de se mettre en quête de capitaux, en s'adjoignant les services de Luke Merrick. « Ils vont craquer, Randall, crois-moi ! D'ici peu, ils nous supplieront de bien vouloir accepter leurs millions ! » avait-elle ronronné, en l'entraînant dans sa chambre, moins d'une demi-heure plus tard. Elle faisait l'amour avec la même détermination exaltée...

Luke se resservit un doigt de champagne.

— Nous allons devoir recibler notre concept à partir de vos hommes-singes. Qu'est-ce qui, en eux, serait susceptible de séduire nos acheteurs éventuels ? Voyons voir... Des pouvoirs extra-sensoriels, peut-être ? Ou un potentiel sexuel décuplé ? A propos, les femelles sont-elles pourvues d'un clitoris ?

Phillips opina, médusé.

— Excellent ! exulta Luke. Pourquoi ont-elles développé un tel organe ? En quoi le clitoris représente-t-il un tournant crucial, dans l'évolution de l'humanité ? Et si vos australopithèques étaient capables de calculer à toute vitesse, sans même s'appuyer sur le concept de nombre... Imaginez un peu ! Des cerveaux miniature, capables de déployer la puissance d'un mini-ordinateur ! Des Einstein en réduction ! Je regrette de devoir vous le rappeler, une fois de plus, mon cher Phillips, mais l'investissement traverse actuellement une crise profonde. Avant d'engager leurs capitaux, les mécènes, même les plus dévoués à la cause de la science, tiennent à s'assurer qu'ils en retireront quelque bénéfice.

Que voulez-vous... La connaissance n'est plus un but en soi. Il nous faut des ancêtres, certes, mais des ancêtres qui puissent nous aider à solutionner quelques-uns de nos problèmes — et si possible, à tous!

— Sur ce chapitre, peut-être serait-il plus sage de compter d'abord sur nos propres ressources, vous ne croyez pas? ironisa Corinne.

Merrick soupira. Cette journée d'efforts si mal récompensés l'avait épuisé.

— Désolé, très chère, mais j'ai encore beaucoup à faire, déclara-t-il, avec un regard à sa montre.

Peut-être n'était-il pas trop tard pour rallier le camp d'Anderson, même s'il se colletait, lui aussi, avec des problèmes similaires... Il s'approcha du portemanteau de l'entrée.

— Une seconde, Merrick!

Phillips s'avançait vers lui d'un pas brusque, le visage cramoisi, manifestement décidé à regonfler un peu son ego mis à mal. Luke força l'allure en direction de son manteau.

— Ecoutez-moi bien! cracha Phillips. Nous sautons dans un avion ce soir même, Corinne et moi. Demain après-midi, nous serons en brousse. Nous en ramènerons de nouveaux échantillons — par caisses entières! Et je vous fiche mon billet que nous les vendrons, Merrick! Non pas ici, mais à New York ou à Berlin. Appelle immédiatement Oppelman et Fidos, lança-t-il à Corinne. Ce sont les deux meilleurs experts allemands. Ils travaillent avec l'Institut Max Planck et la Fondation Von Stein, qui sont à la fois l'avant-garde de la science mondiale, mais aussi et surtout des organismes de financement de premier plan! Nous vous avons donné votre chance, Luke, mais à partir de maintenant, nous nous dispenserons de vos services!

— A votre guise, murmura l'intéressé. Nous verrons où tout cela vous mènera. Vous recevrez sous peu ma note d'honoraires, ajouta-t-il, la main sur la poignée de la porte.

— Les Allemands ont encore le sens des valeurs culturelles, eux! jeta Corinne, forçant sa voix pour se faire entendre de l'agent qui franchissait le seuil. Ils sauront apprécier notre découverte à sa juste valeur! Vous rendez-vous compte que ces australopithèques ont été les contemporains de Luther et de Dürer?

La porte s'était refermée sur Merrick. Corinne serra les poings. Sa colère était plus violente que ne l'aurait laissé supposer la feinte jovialité de sa boutade. Elle avait eu tort de céder à son optimisme naturel. Vendre cette découverte était bien plus délicat qu'il n'y paraissait, et Randall n'était décidément pas l'homme de la situation...

— Excuse-moi une seconde, marmonna-t-il, en mettant le cap sur les toilettes. Le champagne...

Une fois là, il releva du bout du pied le luxueux abattant du siège. Les charnières dorées avaient un peu de jeu. Du toc, comme tout dans cet appartement! De la poudre aux yeux, et du boulot bâclé! Il fit cascader son jet avec une grimace de douleur. Et voilà où le menaient les appétits et l'insatiable avidité de Corinne...

— Appelle British Airlines et retiens-nous deux places pour Nairobi, lui cria-t-il à travers la porte des WC, non sans une pensée inquiète pour sa carte de crédit.

Combien de temps encore son compte en banque supporterait-il ce train de vie?

Il était descendu de son avion à Londres sur un coup de tête, laissant toute sa famille repartir sans lui pour la Californie. Sans Marcia à ses basques, et avec ces fragments de fossile en poche, il s'était imaginé que les portes s'ouvriraient devant lui, bien plus facilement qu'elles ne l'avaient fait lorsqu'il avait vingt, trente ou même quarante ans. Mais le milieu scientifique londonien était tout aussi coriace que celui de Berkeley. Ses pairs avaient exigé de la documentation, des preuves de l'authenticité des ossements, un compte rendu exhaustif des circonstances de leur découverte. Eux aussi avaient été sidérés par ce qu'elle impliquait, bien sûr, mais ils s'étaient montrés d'autant plus circonspects. Ils avaient du mal à accepter l'idée même d'un environnement qui n'aurait pas évolué depuis le pliocène.

Au lieu de se voir catapulté du jour au lendemain au firmament des grandes stars de sa discipline, Phillips se retrouvait, en fait, sur la sellette.

Entre-temps, Marcia était arrivée en Californie avec les enfants. Elle ne cessait de le bombarder de fax, qu'elle adressait au De Vere Hotel, où il était descendu le premier soir, mais qu'il avait quitté dès le lendemain pour s'installer chez Corinne. L'hôtel lui faisait suivre ses télex.

Il tira la chasse. Puis il se passa les mains à l'eau et regagna le séjour. Corinne était penchée sur le télécopieur.

— Encore des récriminations de Marcia?

— Non. Toujours ces trois pages que t'avait envoyées Haksar... annonça-t-elle, intriguée.

Elle les lui tendit d'une main, tout en commençant à défaire le bouton du haut de sa robe.

— Ah, cette bonne femme! Elle a dû encore me faxer ça par erreur... fit-il, en s'emparant des feuillets.

Quand elle avait bu, Marcia était capable de tout et de n'importe quoi : oublier de débrancher la cafetière électrique, provoquer un début d'incendie, voire pire...

Il n'avait toujours pas compris pourquoi Haksar lui avait faxé ce texte. C'était un article du *National Geographic* sur une tribu amazonienne. Le reporter y décrivait les pouvoirs paranormaux des indigènes qui l'avaient retenu prisonnier près de trois semaines. Pendant sa détention, le journaliste n'avait évidemment pas pu échanger un traître mot avec eux : les Mayorunas, qui n'avaient jamais vu d'homme blanc, ne parlaient ni l'espagnol ni le portugais, et le reporter ignorait tout de leur dialecte. Et pourtant, une sorte de communication s'était établie entre lui et ses « hôtes » — un langage infra-verbal. Il allait jusqu'à parler de télépathie.

— Mais, dis donc... fit Corinne, qui lisait par-dessus l'épaule de Randall. Et si c'était justement l'argument de vente que nous recherchons! » Elle avait défait un deuxième bouton de sa robe. « Imagine que le fonctionnement des cerveaux primitifs soit radicalement différent du nôtre... que ces hominiens aient accès à des moyens de communication extra-sensoriels... Une belle révolution en perspective, pour toute la sphère des communications!

— Mais pourquoi Haksar a-t-il éprouvé le besoin de m'envoyer ce texte juste avant de claquer?

— Pour enfoncer Cyril, tiens! Tu es bouché ou quoi? s'écria-telle, faisant du fax une boulette qu'elle expédia dans la corbeille à papier. Il va falloir reconsidérer toute cette affaire sous l'angle des communications. Ceci dit, tu ne trouves pas qu'on se gèle, dans ces immeubles londoniens? Si on s'offrait un peu d'exercice sous la couette...

Sa robe avait glissé à ses pieds. Le bout de ses seins effleura la chemise de Phillips, qui serra les lèvres.

— Un problème, chéri...?

Un triangle blond avait émergé de son slip.

— Je me demande ce que fabrique Cyril, en ce moment. Je n'aimerais pas le voir débarquer...

— Ce serait un peu délicat, bien sûr! Mais ne t'inquiète pas, pour Cyril. C'est un vieux phraseur prétentieux, mais il est inoffensif. Il n'a rien d'un homme d'action — et encore moins d'un tueur! » Elle l'entraîna vers la chambre et l'embrassa à pleine bouche, puis s'écarta de lui, haletante. « Tu sais que je commence à avoir quelques théories intéressantes concernant l'évolution sexuelle? Genre, pourquoi, chez la femme, le vagin a-t-il progressivement glissé vers l'avant du pubis, alors qu'à l'origine, chez les guenons, il s'ouvrait vers l'arrière, sous la queue?

— A cause de ce foutu passage à la bipédie... » grogna Randall, qui ne goûtait qu'à moitié la situation. Son sexe lui faisait un mal de chien. Ce fut un vrai supplice, lorsqu'il la pénétra. Il lui avait demandé d'acheter de la vaseline, mais elle avait oublié, sans doute débordée par les préparatifs de la réception. « Il y a deux millions d'années, si tu te faisais sauter par un mâle et que tu te mettais tout de suite après à trotter dans la savane, tu devais plus facilement garder son sperme en toi si ta... ta plomberie était orientée vers l'avant...

— « Plomberie »... Ah, qu'en termes galants...! Tu as vraiment l'art de dire les choses... Oh! Ooooh!

Elle avait, elle, l'art de jouir plus vite que son ombre... Corinne souffla sur les mèches blondes qui lui retombaient sur le front.

— Tu sais que tu fais l'amour comme un dieu?

— Tu es trop bonne... Et Ken?

— Ken? Pas mal, pas mal, mais... il est un peu coincé. Toujours obsédé par le boulot...

Elle le fit rouler sur le dos et vint s'installer à califourchon sur lui.

— Tu n'as jamais regretté de l'avoir quitté?

— S'il y a une chose que je regrette, c'est tout ce temps que j'ai perdu avec Cyril... Mais j'ai la vie devant moi! Dès que je me serai fait un nom dans la profession, j'irai m'inscrire à la banque du sperme la plus réputée, et je m'offrirai un enfant, pour moi toute seule. » Elle se trémoussait déjà, avide d'un nouvel orgasme. « Pas de mari, pas de coparent!

A quoi bon s'encombrer d'un homme ? Vous êtes si fragiles, au fond, vous autres mâles... Espérons que vos ancêtres hominiens avaient un peu plus de caractère !

Sentant le climax approcher, elle contracta son sexe autour du pénis de son amant, jusqu'à le faire grimacer de douleur. Au dernier moment, elle se retira brutalement et se laissa retomber auprès de Randall qui s'était recroquevillé sur le côté, trop endolori pour jouir.

— Faites gaffe en traversant, lança le type à la coupe en brosse. Ici, c'est l'hécatombe, régulièrement... » Il étendit le bras pour arrêter Anderson. « Pour les touristes étrangers surtout. Le mois dernier, un Italien a oublié qu'on roule à gauche, chez nous, et s'est encastré dans un bus. Ils étaient quatre dans la bagnole. Aucun survivant...

Le jeune homme observait le flux de voitures. Dès que les feux passèrent au rouge, il fit signe à Cyril, qui s'engagea sur la chaussée, les jambes flageolantes. Comme en rêve, il vit approcher le trottoir opposé. A sa droite et à sa gauche, des ombres défilaient avant de s'évanouir. La voix d'un marchand de journaux annonçait les grands titres de l'édition du soir. Une victoire de l'équipe de foot nationale...

Le blond trimbalait un sac à dos et un énorme fourre-tout où il avait réussi à enfourner tout son matériel. Il rectifia sa brosse d'une main machinale et précéda Cyril dans le hall de l'immeuble. Le portier jamaïcain, en grande conversation avec son téléphone, ne leur jeta qu'un regard distrait.

Ils prirent l'ascenseur. Lorsque le regard de Cyril croisa celui du jeune homme, ce dernier lui décocha un sourire confiant : tout allait pour le mieux. Il n'avait rien laissé au hasard.

Je devrais me décider à acheter un diaphragme, songea Corinne. Jusqu'à présent, le *coïtus interruptus* avait suffi, mais la méthode n'était pas sûre à cent pour cent. A côté d'elle, Randall gisait, épuisé.

— J'ai entendu du bruit, murmura-t-il soudain. Il y a quelqu'un dans l'entrée...

— Qu'est-ce que tu racontes ? C'est le lit qui a dû grincer...

— Chhtt... Je te dis qu'il y a quelqu'un!

Il l'énervait prodigieusement. Par moments, la main lui démangeait...

Elle se leva d'un bond, cueillit son peignoir au passage et passa dans le séjour. Elle enfilait ses manches quand elle aperçut un inconnu aux cheveux filasse, coupés en brosse, debout devant elle. Cyril était planté à côté de lui. Le blond tenait un automatique muni d'un silencieux.

Anderson avait maintes fois rêvé de cet instant, mais lorsqu'il vit l'arme se lever vers Corinne, il sentit quelque chose se briser en lui. C'était sa femme, malgré tout. Il battit en retraite vers la porte d'entrée, que le tueur avait ouverte à l'aide d'un passe-partout.

Corinne eut à peine le temps de comprendre ce qui lui arrivait. Il y eut un petit « plop! » étouffé, à peine plus fort qu'un bruit de ventouse, et elle eut l'impression que la pointe d'un bâton la frappait en pleine poitrine. Elle tituba et, les bras battant désespérément l'air, se sentit tomber en avant. Dans sa chute, une de ses mains rencontra la tête de son assassin et tenta de s'y raccrocher.

De l'entrée, Anderson entendit une détonation sourde, puis un cri de douleur. Une voix d'homme. Le hurlement était si déchirant qu'il ne fit qu'un bond jusqu'à la porte du séjour. Si Phillips avait son compte, il n'était pas question qu'il rate le spectacle!

La surprise le cloua sur le seuil. Etalé par terre, le blond se tordait de douleur, les deux mains crispées sur son crâne à vif. Il était littéralement scalpé. Corinne agonisait près de lui, le poing refermé sur une touffe de cheveux — les implants qu'elle avait arrachés à son assassin.

A la même seconde, Phillips fit irruption dans la pièce. Anderson n'eut même pas conscience de se baisser pour empoigner l'arme. Il se releva et le coup partit, avec le même petit « plop » anodin. Mais tout se passait trop vite pour qu'il goûte pleinement la situation. Comme Randall s'écroulait, Cyril braqua l'arme sur le tueur. *Plop! Plop!* Le visage du type retrouva instantanément sa sérénité.

Corinne gisait sur le dos. Anderson se précipita vers la fenêtre pour tirer les rideaux. Cela fait, il fonça à la salle de bains, y dénicha une serviette éponge, qu'il revint jeter sur le corps de sa femme. Puis, avisant la porte de l'appartement restée entrouverte, il s'empressa de réparer cet oubli d'un coup de pied et de tourner le verrou, s'enfermant en compagnie des trois cadavres — la femme, l'amant, le tueur à gages...

Tout cela était décidément d'une simplicité... Si fa, si faciiiile!

Un léger ronron le fit sursauter. Le fax... encore lui.

Anderson approcha. Une fois de plus, l'imprimante cracha l'article qui avait tant intéressé Corinne. Il le parcourut, incapable d'établir le lien qu'il pouvait avoir avec Haksar, mais suffisamment intrigué par les faits étranges qu'il relatait pour plier les feuillets et les fourrer dans sa poche. Il enjamba le corps de Phillips, décrocha le téléphone et composa le numéro de Ramsay.

— Mais où étais-tu passé, bon sang? s'exclama Beale, d'un ton que Cyril interpréta immédiatement comme de bon augure.

Rams avait du nouveau...

— J'ai trouvé trois messages de Harry Ends, en arrivant au bureau. Il a plaqué la Royal Dutch Shell pour se lancer dans le capital à hauts risques. Il a cinquante millions de livres disponibles et il est à la recherche d'un événement qui soit à la hauteur d'un tel investissement. Il a fallu que je prenne une décision rapide. J'espère que tu ne vas pas râler, Cyril, mais il exigeait une réponse ferme, et je n'arrivais pas à te joindre... J'ai donc accepté. J'ai fait mousser tes pithécanthropes. Je lui ai dit qu'ils avaient un gène anti-calvitie, ce qui laissait penser qu'ils en avaient probablement bien d'autres! Genre gène anti-impuissance, anti-cholestérol et, pourquoi pas, le gène de l'éternelle jeunesse... Tu m'as raconté que tes bonshommes ne dépassaient guère la trentaine. Et ça, en un sens, ça veut bien dire qu'ils restent jeunes toute leur vie, non? Bref, quoi qu'il en soit, Harry est prêt à financer ton projet. Il est lit-té-ra-le-ment enthousiasmé.

— Non! Sérieux?

Les yeux d'Anderson s'étaient embués. La providence semblait décidément s'en mêler... L'émotion le fit bafouiller :

— Mes... mes créatures n... n'ont pas fini de t'étonner, Rams! Attends un peu... T... tu n'en reviendras pas!

— Ça, n'hésite surtout pas à faire monter la mayonnaise ! Tu peux faire mousser ton sujet autant qu'il te plaira. D'ailleurs, tu vas te faire un plaisir de nous raconter tout ça par le menu, dès après-demain, dans l'avion...

— Dans l'avion ?

— Oui, mon vieux ! Harry nous emmène en Afrique, dans son jet privé.

— Quoi ? coassa Anderson, qui en oubliait de bégayer.

De Dieu... ! Tout cela dépassait ses espérances les plus folles...

— Reste à côté de ton téléphone. Je vais dire à Harry de t'appeler. Il meurt d'envie de faire ta connaissance. Tu m'appelles d'où, là ? J'ai essayé de t'avoir à ton hôtel et on m'a dit que tu n'y étais pas.

Le numéro de Corinne était inscrit sur un Post-it collé sur l'appareil. Un numéro, parmi des millions d'autres... Dans quelques secondes, Rams l'aurait oublié. Quelle importance ? Il le lui donna et Ramsay raccrocha.

En attendant le coup de fil du si providentiel Harry Ends, Anderson s'avisa que l'homme d'affaires exigerait sans doute de voir un australopithèque en chair et en os. Sinon, pourquoi ce voyage en Afrique ? Tout ça ne lui laissait pas beaucoup de temps pour s'organiser... Dire qu'il n'avait, lui-même, toujours pas vu l'ombre d'une de ces créatures... !

Le téléphone sonna.

— Cyril ? Ne quitte pas, je te passe Harry...

— Ravi de vous avoir au bout du fil, professeur Anderson !

Harry Ends avait une voix grave et nasillarde, un peu comme un ventriloque. Cyril rassembla son énergie.

— Pas autant que moi, répliqua-t-il. Vous savez que j'ai vu ces créatures de mes propres yeux...

— Je sais, je sais ! l'interrompit la basse profonde. Et je suis absolument enthousiasmé par notre projet...

Cyril se hérissa. Déjà possessif, dès le premier coup de fil... Un vrai requin, l'ami Harry !

— Comme je devais, de toute façon, me rendre en Afrique du Sud, poursuivit Ends, je me suis dit : Pourquoi ne pas en profiter pour faire une petite escale d'un jour ou deux à... Nairobi, je crois ? Vous m'accompagnerez, Rams et vous — à titre gracieux, bien entendu ! » Il partit d'un rire bon enfant, consciencieusement imité par Anderson, comme s'il avait dit quelque chose d'irrésistible. « Je compte sur vous pour prendre toutes les dispositions utiles, afin de nous présenter à un de vos petits pygmées... s'esclaffa-t-il encore. Vous comprendrez qu'il ne saurait être question d'investir de telles sommes dans ce projet, tant que je n'aurai pas jugé sur pièce de son intérêt.

Cyril se lança dans un début d'explication auquel Harry coupa court, avec l'aisance et l'autorité d'un homme habitué à mettre fin aux conversations à la seconde où il le décidait et dans les termes qui lui convenaient.

— Vous avez toute la journée de demain pour faire le nécessaire, mon cher. Et rappelez-vous : tous les frais sont à ma charge ! Alors, n'hésitez pas à passer des heures au téléphone, s'il le faut... acheva-t-il, en éclatant de rire.

Anderson, dans la tête duquel le mot « téléphone » venait de se mettre à clignoter, se demanda si Ends ne lisait pas directement dans ses pensées. Car il allait devoir longuement téléphoner à Nairobi...

— Eh bien, mon cher, ça a été un plaisir... conclut Ends. Je peux compter sur vous ? Jeudi, à l'aéroport, sans faute ?

— Mais... absolument. Jeudi, à l'aéroport, sans faute... répéta mécaniquement Anderson.

Il ne bafouillait plus. Son esprit se contentait d'aligner des éléments de sens. Il raccrocha, et resta planté devant le téléphone. Des mots sans suite tourbillonnaient dans sa tête. Nairobi... Pygmées... Téléphone...

Il prit une profonde inspiration, sortit son calepin et éplucha le répertoire téléphonique qu'il contenait... Ends avait été on ne peut plus clair : pas question d'investir un sou dans un truc dont il n'aurait pas vu la couleur... Il fallait qu'il lui déniche un « pygmée » !

Le peu qu'il avait lu des notes de Haksar indiquait que le vieil Indien avait copieusement décrit le secteur dans son journal. Il avait tout noté, tout documenté par le menu. A preuve les photos et tous ces croquis anatomiques hyperréalistes qu'il avait trouvés dans son bureau... Et Haksar était mort et bien mort. Pas de danger de ce côté-là. Quelle ironie du sort ! Au lieu de se dresser hors de sa tombe pour accuser son assassin, ce vieil imbécile allait lui servir de guide pour un fantastique voyage. Quant à lui, il avait vingt-quatre heures devant lui pour se retourner. Plus une journée d'avion et la nuit suivante... Deux jours et trois nuits. Ça devrait suffire amplement...

C'était pourtant vrai qu'il avait une veine de cocu. Sans Corinne et ses fredaines, il ne serait pas venu à Londres et n'aurait jamais mis la main sur ces notes. Il caressa la couverture fatiguée du carnet et couva d'un regard presque paternel ses trois dernières victimes, étalées à ses pieds.

La sonnerie du téléphone l'arracha à ses réflexions.

Il hésita à décrocher. Il avait déjà pris trop de risques en donnant ce numéro à Ramsay. Mieux valait laisser sonner... Mais si c'était Rams, qui rappelait ?

La curiosité l'emporta. Il était chez Corinne, et tout ce qui la concernait lui enflammait toujours l'imagination. Qui pouvait bien lui téléphoner ?

Je décroche, mais je ne dis rien...

Il empoigna le combiné et s'étonna de le trouver moite. Ses paumes ruisselaient de sueur.

— Cyril ? C'est moi, Rams !

Il réprima un soupir de soulagement.

— Salut, vieux ! Bravo pour ce coup de maître, hein ! C'est tout simplement fabuleux...

— Mais où te caches-tu, nom d'un chien... ? » Anderson n'eut même pas le temps de paniquer. Le ton de son ami indiquait clairement qu'il n'avait pas une seconde à perdre en mondanités. Il y avait de l'urgence dans l'air. « Il va falloir que tu montres à Harry une de tes créatures, Cyril ! La Shell vient de le rappeler. Ils insistent pour être associés au projet. Selon leurs propres termes, ils tiennent à « sponsoriser cette fantastique aventure scientifique en terre africaine ». Les enjeux sont colossaux. Peut-être encore plus importants que nous ne le soupçonnions ! Ils sont... immenses ! Alors, ne lâche pas ton téléphone, appelle Nairobi et arrange-toi pour nous dénicher au moins un de ces pithécanthropes ! Oh, attends... Un détail... Harry vient de me faxer un rapport des services secrets, concernant le Kenya. Il semblerait qu'une guerre civile couve, là-bas...

— Quoi ?

— Eh oui... Un genre de règlement de compte interethnique. Plusieurs divisions de l'armée ont déjà pris position autour des villages massaï. Tu vois le tableau...

Anderson voua mentalement Kalangi à tous les diables. Dire que ce faux-jeton lui avait juré ses grands dieux que rien de tel ne serait déclenché en son absence... Ces foutus nègres ! Laissez-leur la moitié d'une chance de merder et vous pouvez être sûr qu'ils la saisiront ! Le problème, c'est qu'il n'avait pas la moindre idée de ce qui se tramait.

Il préféra jouer la prudence :

— Sûrement des manœuvres de routine, Rams ! fit-il d'un ton évasif. La grande spécialité locale... Et entre nous, qu'est-ce qu'il en sait, ce cher Harry... ? Tout juste s'il saurait trouver Nairobi sur une carte !

— Ça, ne t'y fie surtout pas ! La base de données où il puise ses renseignements connaît parfaitement les coordonnées de Nairobi ! Ces gens ont à leur disposition les satellites espions les plus sophistiqués. Mais je ne vois pas où est le problème, pour toi qui fais partie du gouvernement en place. Demande à tes collègues concernés de différer leurs opérations de quelques jours — et si par hasard le gouvernement n'y est pour rien, entends-toi avec l'autre camp, quel qu'il soit... Qu'ils patientent un peu, que diable ! Nous nous sommes bien compris ? Tu as tous les éléments en main ? Alors, ciao, vieux !

Il avait raccroché.

Cyril s'accorda quelques instants de réflexion. Etait-il sage de téléphoner depuis cet appartement ? Non, décida-t-il. Ce qu'il avait à dire à Kalangi était trop lourd de conséquences. Et mieux valait ne pas s'attarder ici... Autant passer faire provision de monnaie dans une banque et appeler d'une cabine.

— Tu m'as menti, Arnold ! tempêta Anderson. Tu avais promis de m'obtenir des spécimens intéressants, par l'intermédiaire de Modibo, mais tu t'étais bien gardé de me dire que vous aviez vu des australopithèques, dans les années cinquante, toi, Haksar, Hendrijks et ce vieux putois de Modibo... !

Kalangi resta silencieux.

Anderson appelait d'un téléphone public, au premier étage d'un grand magasin de Kensington. A trente-cinq mille kilomètres au-dessus de sa tête, un satellite géostationnaire captait ses récriminations sous forme de signaux radio qu'il relayait vers l'Afrique, où ils aboutissaient dans un bureau du siège de la police métropolitaine de Nairobi.

— Tout comme tu t'es bien gardé de m'informer que vous en aviez descendu ! tonna-t-il, en glissant d'autres pièces dans la fente de l'appareil. Vous avez massacré les mâles qui résistaient, et pourchassé les survivants jusque dans la forêt !

Kalangi tenta vaguement de se justifier, mais Cyril lui coupa la parole :

— Vraiment pas très futé de ta part de me brancher avec un type qui détenait un document relatant vos exploits ! Ce vieux flic anglais... Tu ne te doutais pas qu'il aurait gardé le journal de Haksar, hein ?

Kalangi gardait un silence atterré.

— Combien de ces hominiens avez-vous descendus, depuis, Arnold ? Tu dois palper une bonne petite commission sur la revente de leurs os à Hong-Kong... A combien s'élève ton pourcentage ?

Kalangi retrouva subitement sa langue :

— Je ne sais même pas de quoi vous parlez... La région est totalement déserte. Il n'y a pas âme qui vive, dans ce secteur. Y avait bien une légende, dans le temps, comme quoi les Massaï auraient taillé en pièces une ancienne peuplade, et auraient refoulé ces Mangatis dans la forêt... Mais ce ne sont que des histoires.

— Pas de ça avec moi, Arnold ! Epargne-moi ton folklore. Ils se portent comme des charmes, tes Mangatis ! Et n'essaie surtout pas de nier, parce que je vais faire deux copies de ce passionnant carnet de notes. La première, je l'expédierai au Forum pour la Restauration de la Démocratie — tu sais qu'ils ont une antenne, ici, à Londres... L'autre, je l'enverrai directement à Richard Leakey !

Ses menaces n'étaient qu'un bluff grossier. Le Forum, le principal parti d'opposition kenyan, lui sauterait illico sur le râble, et quant à Leakey, son brillant rival, pour rien au monde il ne lui aurait communiqué ces précieux renseignements.

Mais son coup de poker s'avéra fructueux. Après quelques instants d'hésitation, Kalangi mordit à l'appât :

— Très bien, Mr Anderson... Qu'attendez-vous de moi, aujourd'hui ? commença-t-il d'un ton conciliant, où transparaissaient à la fois l'aveu de sa défaite et son désir de négocier. Quelles sont vos exigences? Va-t-il falloir à nouveau vous aider, vous et vos frères de race, à spolier l'Afrique d'un autre de ses trésors?

— Ce trésor n'appartient pas au seul Kenya, Arnold, mais à l'humanité tout entière. Mais peut-être ferais-je mieux de m'adresser directement à Ngiamena...? Je n'aurai pas besoin de lui graisser la patte, à lui — et ses rangers seront sûrement aussi efficaces que ta racaille, pour fouiller la savane.

— Mes hommes sont les meilleurs! aboya Kalangi. Ceux de Jakub peuvent toujours s'aligner! Et "graisser la patte", comme vous dites, ça ne se fait pas, entre amis... Car vous m'avez l'air d'oublier tous les gages d'amitié que je vous ai donnés, Cyril! Par exemple en reléguant aux oubliettes le témoignage de ces gens qui vous avaient vu balancer un corps dans la rivière, à côté de la décharge...

Anderson éclata de rire.

— Tu plaisantes, Arnold! La parole d'un ramassis de traîne-savates, contre celle d'une personnalité de renommée mondiale! Il me semble que je te donne une bien meilleure preuve de loyauté en gardant pour moi ces révélations fracassantes. Tu as fait le sale boulot des Anglais, mon pauvre Arnold... » Il laissa un instant errer son regard dans la foule qui grouillait autour de lui, et dont l'agitation reflétait assez fidèlement l'état de ses pensées. « Tu as trahi tes frères de race. Tu as failli effacer de la surface du globe une espèce rarissime, un inestimable trésor pour l'humanité tout entière!

Kalangi ne souffla mot. Il était vaincu.

— Ce carnet de notes ne reviendra pas en Afrique dans mes bagages, Arnold. Et je suis ici incognito, sous la protection d'un ami qui assurera ma sécurité jusqu'à mon retour à Nairobi.

Il prenait un rare plaisir à torturer son interlocuteur, en retournant ainsi dans sa plaie le fer du pouvoir. C'était presque aussi jouissif que de tuer... La mort était si rapide... A peine avait-on le temps de la sentir passer!

— Une dernière chose, Arnold. Ces hominiens que vous avez liquidés, étaient-ils sveltes ou plutôts râblés?

— Plutôt gringalets, je dirais...

— Evidemment, railla Cyril. Les autres vous auraient réduits en bouillie ! » Il y eut une pause. Anderson, qui voyait fondre sa pile de monnaie, décida de conclure : « Je vais t'accorder une seconde chance, Arnold. Malgré les crimes que tu as commis contre la science...

Kalangi garda un silence de vaincu, puis articula :

— Très bien. Quelles sont vos conditions ?

— Ecoute bien. Ce soulèvement que l'armée s'apprête à mater — ou à provoquer... —, diffère-le, ne serait-ce que d'une semaine. Compris ?

Le chef de la police se confondit en protestations, peut-être sincères.

— Mais je n'ai strictement rien à voir avec...

— Trouve-moi qui est derrière tout ça, et fais-les temporiser.

Silence. Puis :

— Entendu. Quoi d'autre, pour le service de l'homme blanc ?

— Je te le ferai savoir en temps utile.

6

Les braconniers avaient établi leur camp dans un repli du terrain, sous un bosquet d'acacias dont le feuillage les mettait à l'abri de toute surveillance aérienne. A l'ombre des arbres, les enclos destinés aux prises vivantes étaient camouflés sous des branches d'épineux, dont les extrémités, recourbées au sommet et liées ensemble, formaient de petites voûtes hérissées de piquants.

Vu du ciel, et surtout d'un œil inexpérimenté, ce n'était qu'un groupe d'arbres comme tant d'autres, un bouquet d'acacias entre lesquels poussaient d'épais buissons. Et si on discernait le mouvement d'un animal, là-dessous, on en concluait que la bête s'était glissée sous les buissons pour y trouver un peu de fraîcheur. Même un officier de police ou un gardien de réserve chevronné pouvait s'y laisser prendre. D'ailleurs, les rangers les plus expérimentés étaient aussi les plus faciles à soudoyer : leur salaire de misère suffisait à peine à nourrir une femme et des gosses.

S'il y avait quelque chose d'indétectable, à plusieurs centaines de mètres d'altitude, c'était le répugnant bourdonnement des mouches autour des lieux où les carcasses d'animaux étaient écorchées, puis dépecées. Les zèbres, dont la peau est universellement prisée, constituaient la moitié sinon les trois quarts des prises du camp. Lorsque le générateur fonctionnait, les braconniers diffusaient des coups de feu enregistrés sur bande magnétique pour éloigner les oiseaux de proie. Le reste du temps, ils se contentait d'accrocher aux arbres des calebasses pleines de graines desséchées, dont le bruit était censé avoir le même effet dissuasif, mais ces deux stratagèmes n'avaient qu'une efficacité limitée. Tôt ou tard, les charognards de la savane finissaient par comprendre que les braconniers n'étaient qu'une autre espèce de prédateurs, et qu'ils pouvaient donc prétendre à leur part du butin. Toutes sortes de rapaces, de marabouts et de vautours venaient tournoyer autour des acacias, tandis qu'au sol rôdaient de petits carnassiers de tout poil, dont les yeux luisaient dans les buissons d'alentour, dès la nuit tombée. Un peu comme si toute la savane s'était donné le mot pour récupérer une part de ce que les braconniers lui arrachaient.

Après quelques semaines, lorsque les carcasses pourries, les flaques de sang et les latrines atteindraient la cote d'alerte, les braconniers lèveraient le camp. Ils entasseraient dans leur camion le précieux générateur, ainsi que les tréteaux et les planches qui faisaient office de tables, pour débiter les carcasses, les énormes lessiveuses où l'on faisait bouillir l'eau pour laver les peaux, les tronçonneuses indispensables pour scier les pieds des éléphants et les pattes des zèbres, sans compter les maillets utilisés pour réduire en poudre les cornes d'antilope les moins belles, les fusils, les coutelas et les lances qui servaient à achever les proies capturées au collet, les ustensiles ménagers et le radio téléphone. Puis, tel un violeur en quête d'une victime vierge, la bande partirait à la recherche d'un nouveau secteur à piller.

Le soleil se levait sur le camp, réchauffant peu à peu les sept braconniers qui dormaient à même le sol. Tous étaient jeunes, hormis un petit homme aux jambes torses, enveloppé dans une grande capote militaire, qui leva vers le ciel matinal son visage marqué d'un tatouage tribal. L'aube éclaira un tas de collets munis de nœuds coulants assez larges pour enserrer l'encolure d'un buffle, voire d'un rhinocéros de taille respectable. Leur fil d'acier était si coupant qu'il tranchait le cuir ou la chair aussi facilement qu'un rasoir. Les grosses proies qui tentaient de résister — et c'était généralement le cas — se retrouvaient décapitées en un clin d'œil. Les hommes n'avaient même pas à jouer de la tronçonneuse. Les têtes de buffles et de rhinocéros montées en trophée étaient très recherchées. Elles se négociaient respectivement à dix et vingt mille dollars pièce sur les marchés asiatiques, de Singapour à Taipei et de Séoul à Tokyo. Sur toute la côte du Pacifique, on s'arrachait ces symboles de luxe et de pouvoir, autrefois réservés à l'élite coloniale blanche. Les industriels et les cadres supérieurs, qui passaient le plus clair de leur vie dans des bureaux aseptisés, aimaient se retrouver, le soir venu, dans des appartements décorés à la mode safari, qui leur donnaient le sentiment d'être des Teddy Roosevelt au petit pied...

Fidèle à sa pharmacopée traditionnelle, l'élite japonaise ou coréenne raffolait des médicaments et des aphrodisiaques à base de produits animaux pulvérisés, séchés, rôtis ou marinés. Il en circulait de toutes sortes et de toutes provenances : os, cornes, vésicules biliaires, foies, pattes d'ours, yeux de singes, carapaces de tortues, poissons d'Amazonie... Les milliardaires d'Asie avaient favorisé l'essor du braconnage mondial, dont la production s'était multipliée par vingt depuis les années soixante. Ils payaient cash et sans rechigner : deux mille dollars US pour une soupe de pattes d'ours; cinq mille dollars pièce pour certaines variétés de poissons tropicaux; cent mille pour une paire de défenses d'éléphant...

Evidemment, Modibo ignorait tout de ces prix pharamineux, mais il avait bien conscience de l'explosion du marché asiatique. Son « salaire » représentait à peine dix pour cent des sommes qu'atteignaient ses prises à Taipei ou à Tokyo mais, en quelques années, il l'avait vu doubler, puis tripler et ce, en dépit de la concurrence internationale. Car les Russes eux-mêmes s'étaient lancés sur ce créneau juteux. Les médicaments à base de produits animaux connaissaient une vogue sans précédent, qui dépassait largement la clientèle asiatique. Le monde entier boudait les antibiotiques. Par contrecoup, la moindre bestiole sauvage était tenue pour une mine de bienfaits, à cause de son aura de « produit naturel ».

Les produits de la savane, eux aussi, étaient très demandés. Dans sa jeunesse, Modibo avait vu pourrir sur place les cadavres d'éléphants percutés par les trains, sur la ligne Mombasa-Nairobi. On se contentait de les tirer hors des voies et on les abandonnait aux charognards. A présent, pour peu qu'on la dépèce assez vite, la moindre carcasse d'éléphant pouvait rapporter une petite fortune : un trésor de protéines, garanti engraissé à l'herbe de la savane, vierge de toute pollution humaine. Dans certains clubs huppés de Tokyo, on se régalait d'omelettes d'œufs d'autruche, de côtelettes d'antilope, de steak d'éléphant...

L'envol des prix avait rendu la concurrence plus féroce. Modibo avait appris que plus il y avait d'argent en jeu, plus il fallait graisser de pattes. Les rangers les harcelaient sans arrêt, lui et ses hommes. Rien que cette année, ils avaient brûlé trois de leurs six camps. Et puis le métier n'était plus ce qu'il était. La jeune génération était loin de valoir l'ancienne. Les jeunes ne savaient même plus suivre une piste. Ils ne voulaient boire que de l'eau désinfectée et refusaient de manger du singe ou du serpent. Quant à ces walkmans, qui leur déversaient du rap dans les oreilles à longueur de journée, ils lui coûtaient une fortune en piles de rechange...

Comme dans tant d'autres secteurs d'activité, il ne fallait plus compter sur la jeunesse, pour reprendre le flambeau.

Modibo s'était endormi à même le sol, la panse pleine d'un énorme steak de buffle, agrémenté d'un bon joint d'Ouganda Blue. La veille au soir, il était resté aux aguets jusqu'à une heure avancée, avec son équipe, à traquer une famille de civettes — de gros chats sauvages, si vifs qu'ils peuvent tomber sur une bande d'oiseaux occupés à picorer —, et en égorger plusieurs avant que la troupe ait eu le temps d'ouvrir les ailes. Leur poche anale sécrétait une huile musquée, dont les pharaons avaient été les premiers à exploiter les qualités olfactives. Après une longue éclipse, les parfums à base d'huile de civette s'arrachaient à prix d'or — toujours cet engouement pour les produits « 100 % naturels »... Mais chasser la civette n'était pas une sinécure : si les braconniers ne surveillaient pas leurs collets d'assez près, les hyènes se chargeaient de les relever avant eux — au risque de s'y prendre elles-mêmes. Modibo avait passé une bonne partie de la nuit à trotter d'un piège à l'autre. Il n'était donc pas d'humeur à faire des salamalecs lorsque le téléphone se mit à sonner, aux premières lueurs du jour.

Il rampa tout de même en direction de l'appareil, qu'il décrocha, non sans s'être flanqué les coudes dans un tas d'excréments, lâché au beau milieu du camp par un animal épouvanté, ou par l'un de ses hommes ivre mort. Tout en jurant, il chercha à tâtons de quoi essuyer les manches de sa capote militaire, dont il était si fier. Mais sa main ne rencontra que le sol dur, couvert de poussière et de quelques brindilles hérissées d'épines. Il ouvrit l'œil et décrocha.

— *Ndio*... ? Oui... ? » Abasourdi d'entendre la voix de son employeur à une heure aussi matinale, il cligna les paupières. « Chifi ? » demanda-t-il — une version swahili du mot « chef ».

Dans l'un des enclos, un bébé rhinocéros d'à peine trois mois, mais qui pesait déjà ses cent kilos, leva la tête vers les premiers rayons du soleil. Son groin encore dépourvu de corne lui donnait l'allure d'un énorme porcelet cuirassé. Il avait dû être pris au collet, comme l'indiquait la plaie profonde aux bords déchiquetés qui lui entaillait le cou, et où quelqu'un avait appliqué un emplâtre de boue. Le brave petit colosse, qui avait dû être d'une irrésistible espièglerie avant sa capture, semblait se remettre de ses blessures, malgré le sang qu'il avait perdu. Le sergent projetait de le vendre sur pied à un trafiquant d'animaux qui était en cheville avec des zoos. Mort, il n'en tirerait pratiquement rien — à part des steaks, pour lui et ses hommes. Mais pour l'heure, le petit rhinocéros convalescent avait trouvé la force de quitter sa litière de boue ensanglantée pour contempler l'aube, avec l'indomptable énergie de la jeunesse.

Modibo aussi s'était levé. Le téléphone à la main, il se tenait au garde-à-vous — du moins, aussi droit que le lui permettaient ses jambes arquées.

— Oui, chifi... C'est mal tombé que vous ayez appelé hier soir...

Il s'efforçait de faire le moins de bruit possible, mais son supérieur lui enjoignit de parler plus fort, nom d'un chien ! — et il dut élever la voix, au risque de réveiller ses hommes, qui le verraient trembler de tous ses membres devant le téléphone. Car Kalangi était d'une humeur massacrante.

— Oui, chifi... Désolé, chifi, mais on était allés surveiller les pièges à civette...

L'un des braconniers ouvrit les yeux et s'ébroua, faisant voler la masse incongrue de ses dreadlocks. Modibo reconnut Bilal, sa dernière recrue. D'entre les mèches de sa tignasse émergeaient de petits cylindres blancs qu'on aurait pu prendre pour des bigoudis.

— Espèce de vieille couille de hyène ! cracha Kalangi, qui cultivait l'art du juron imagé comme une vieille tradition de l'armée coloniale. Tu ne te demandes pas pourquoi j'appelle ?

— Ben si, chef, mais je vois pas.

Et ce n'étaient pas les sarcasmes de Kalangi qui risquaient de le mettre sur la voie...

— Tu as vu des Mangatis descendre de la forêt, récemment, Modibo, et tu ne m'en as rien dit !

Cette sortie prit le sergent au dépourvu. Il eut un hoquet ahuri et, lorsque sa glotte se libéra, ce fut pour lâcher, dans un souffle entrecoupé :

— Quoi ? Mais... y en a plus depuis longtemps, des Mangatis, chifi... Comme je vous ai dit. Ils sont tous partis, chef ! Tous !

— Dis-moi la vérité, fesse de guenon ! Ce *mzungu* que tu as laissé filer, il avait vu leurs empreintes. Une piste toute fraîche. Tu n'en aurais pas descendu quelques-uns, par hasard, histoire de revendre leurs os à ton propre compte ?

Lors de l'explosion du marché asiatique, Modibo avait pris une audacieuse décision. Kalangi ne méritait pas d'avoir sa part de certaines prises. Il lui avait donc menti, prétendant que les Mangatis avaient disparu jusqu'au dernier, et avait écoulé ses prises directement, par l'entremise de Zhang Chen. A la pensée de ce qu'il risquait pour avoir ainsi doublé son patron, Modibo faillit s'oublier dans son pardessus.

— Ah, non, chef ! Qui c'est qui vous a raconté ça ? Si c'est le Chinois, c'est un menteur, chifi ! Personne ne les a jamais vus, ces Mangatis. Il n'en reste plus un seul.

— C'est toi le menteur, crotte de taupe. Je veux, qu'il en reste, et pas qu'un peu ! Tout le monde en parle, ici, et jusqu'à Londres, sacré jus de merde !

Un à un, les hommes commençaient à émerger du sommeil. Les rayons du soleil ne laissaient plus aucun doute sur la nature des « bigoudis » de Bilal — des joints d'Ouganda Blue, qu'il avait jugé bon de mettre en lieu sûr dans sa tignasse. Bilal était le benjamin et l'âme la plus sensible de la bande. C'était lui qui avait soigné le petit rhino. Il avait appliqué cet emplâtre sur sa blessure et l'avait diligemment aspergé d'eau, ces deux derniers jours. Mais du point de vue du sergent, Bilal était une mauvaise recrue : le cerveau toujours embrumé, infoutu de surveiller correctement les pièges et de récupérer une prise avant les prédateurs. Mais pire, il se permettait de lui tenir tête et de répondre, à la limite de l'insolence... Ce maudit fumeur de joints devait boire du petit lait à voir son chef se faire ainsi remonter les bretelles !

— C'est qu'on n'est que huit, ici, chifi, moi compris ! » Modibo était bien réveillé, à présent. Ses traits épais s'étaient figés en une sorte de masque de stupeur épouvantée. « Mais pour ça, il va nous falloir des émetteurs, des munitions, des lunettes à infrarouge... Quand ça ? Bon, à vos ordres ! On va tâcher, chifi. Dès que l'avion nous aura livré le matériel, fit précipitamment Modibo, avant de raccrocher.

Il se baissa pour attraper le coin d'une vieille natte de paille, qu'il déchira pour essuyer ses manches, puis il se mit à arpenter le camp d'un pas rageur. Il balança un coup de pied au dernier dormeur, que la conversation téléphonique n'avait pas réveillé. Le type s'ébroua en grognant, tandis que Modibo exhumait de sa capote un P35, dont le canon était aussi encrassé et piqueté de rouille que s'il sortait d'un trou de vase.

Le Browning à bout de bras, il s'approcha de l'enclos du

petit rhinocéros, leva son arme et fit feu. Puis il visa un autre animal et tira encore, et encore, et encore... Les quatre braconniers regardaient, bouche bée, leur chef abattre une à une toutes leurs prises, dont certaines leur avaient coûté des heures et des heures d'affût.

Modibo s'arrêta pour recharger son arme et vint vers la cage des civettes qui, sentant l'odeur de la mort, se mirent à pousser d'affreux miaulements. Le sergent les arrosa d'un tir nourri, et le silence se fit. Il ne restait plus dans le camp aucun animal vivant.

Bilal était accouru près de l'enclos du petit rhinocéros, tué net d'une balle dans l'œil. Le jeune braconnier faisait grise mine.

— Pourquoi avoir descendu le *kifaru*, sergent? Il était pratiquement guéri...

— On va lui arracher les dents. Ça fera des jujus, pour moi et pour nous tous! rétorqua Modibo, avec un sourire mauvais.

Le carnage lui avait rendu un semblant de bonne humeur. Il enjoignit à ses hommes de se préparer. Un avion allait venir leur apporter des munitions, une autre radio et des instructions, pour une nouvelle mission. Un boulot payé cinq cents dollars par tête de pipe.

Les braconniers le regardèrent, sidérés. C'était plus qu'ils ne s'étaient jamais fait en une saison entière.

— On retourne sur les traces du *mzungu*, c'est ça? s'enquit Bilal.

Modibo lui rigola au nez.

— Non, crétin! Il a eu le temps de clamser trois fois, depuis le temps, le *mzungu*. Comment veux-tu qu'un Blanc ait tenu le coup, tout seul, dans la forêt?

En parlant, Modibo s'était approché d'un baril d'essence, qu'il tapotait du doigt, pour évaluer le niveau du liquide, à l'intérieur.

— Alors, pourquoi on va dans la forêt, si le *mzungu* est mort...? insista Bilal.

Modibo pivota pour lui faire face.

— Qui a dit qu'on allait dans la forêt?

Futée, cette tête de lard, songea-t-il. Ça risquait de lui jouer des tours...

— Ben, y a aucune raison d'abattre les animaux et de

les brûler, si on doit rester dans la savane, sergent ! répondit le jeune braconnier en regardant ses six acolytes du coin de l'œil.

Ça aussi, il l'avait deviné...

— Va donc me découper quelques steaks de rhino, et allez charger le camion, vous autres ! On mange et on s'en va.

Modibo laissa son regard errer en direction de la Mau, qui se dressait à une trentaine de kilomètres de là. A cette heure matinale, le massif ressemblait à une sombre forteresse prise dans les brumes, mais, plus on approcherait de midi et plus l'air brûlant se mettrait à vibrer sur ses pentes, qui redeviendraient plus vertes qu'une peau de serpent.

Avisant l'un des hommes, qui déambulait dans le camp, l'air désœuvré, le sergent lui enjoignit de récurer les pièges.

— Et pas la peine d'économiser l'eau, hein ! précisa-t-il. L'avion va nous en apporter une pleine piscine...

Kalangi lui avait donné deux jours pour ramener un Mangati vivant à Nairobi.

— Je n'ai toujours pas très bien saisi ce qui nous obligeait à perdre une journée entière de travail, grommela Harry Ends. Pourquoi a-t-il fallu attendre l'après-midi, pour décoller ?

Il était confortablement installé dans la luxueuse cabine de son jet privé, avec Cyril et Ramsay, un verre de Chivas à la main. A le voir avaler son scotch, Anderson subodora que ce cher Ends avait peur en avion, et qu'il avait besoin d'un petit remontant pour se requinquer.

Il lui expliqua en souriant que les gros appareils ne pouvaient atterrir à Nairobi qu'après la tombée de la nuit, ou aux premières heures de l'aube car, dans la journée et en haute altitude, les couches d'air torride qui enveloppaient la ville n'offraient pas une portance suffisante.

— Si nous arrivions en plein après-midi, cet avion s'écraserait comme une pierre sur Nairobi, au lieu de venir s'y poser en douceur...

Harry Ends se raidit, les yeux réduits à deux fentes. Il avait horreur d'être pris en flagrant délit d'ignorance.

— Tiens ! Je n'aurais jamais imaginé que nous représentions une telle charge, fit-il d'un ton badin.

— Mais rien ne nous empêche de mettre à profit les heures que nous passerons au-dessus de la Méditerranée et de l'Egypte pour travailler, suggéra Cyril, conciliant. Voulez-vous que je vous donne un avant-goût du programme que je vous ai concocté ?

Ends acquiesça d'un vague grognement et s'envoya une nouvelle gorgée de whisky. C'était un petit homme grassouillet. Il portait le cheveu assez long et arborait un teint hâlé. Anderson avait eu un choc en découvrant que la voix de stentor du téléphone émanait de ce corps d'enfant de chœur bedonnant.

« Harry est terriblement susceptible, et il a l'esprit de compétition chevillé au corps... » l'avait averti Rams, et Cyril n'avait pu résister au plaisir de lui rabattre un peu le caquet.

— Notre première matinée se déroulera dans mon fief personnel : le département d'anthropologie. Je vous ferai visiter notre collection de fossiles, puis nous visionnerons les films de mes précédentes expéditions. » Les expéditions en question étaient surtout celles de ses étudiants, mais Anderson avait toujours manœuvré pour y figurer, et en position avantageuse... « Après déjeuner, audience présidentielle et café avec les membres du gouvernement...

Harry se récria. Il avait horreur des mondanités officielles... Mais Cyril coupa court à ses objections :

— Il s'agit là d'une formalité indispensable ! Nous ne pouvons nous passer de l'appui des autorités locales. En fin d'après-midi, je vous ai prévu une petite visite de Nairobi. Le bazar devrait vous plaire : artisanat indigène et filles à gogo. Superbes, les filles, entre nous — et accueillantes ! Vous m'en donnerez des nouvelles ! insista-t-il, encore qu'il n'aurait su se prononcer sur les inclinations de Harry.

De son temps, les mâles se reconnaissaient mutuellement, d'instinct. Mais allez savoir, avec ces hommes d'affaires, qui avaient des circuits intégrés partout, jusque dans les roustons...

— Le lendemain, poursuivit-il, départ pour le Dogilani, à bord d'un de ces petits appareils qui ignorent les problèmes de portance, rassurez-vous ! précisa-t-il avec un sourire entendu. Nous consacrerons notre première journée en brousse à la recherche de fossiles. Après quoi, des camions nous emmèneront jusqu'au pied de la Mau. Là, nous aurons deux jours pour explorer le secteur à pied, puis nous regagnerons le monde civilisé.

— C'est tout ? demanda Ramsay.

— Mais c'est déjà énorme ! répliqua Anderson. En l'espace de quatre jours, toi et Harry en saurez plus long en anthropologie que tout le gratin mondial de la finance réuni !

— Une minute, cher ami ! » fit Harry, dont les doigts tripotaient sa ceinture de sécurité, comme pour s'assurer qu'elle était correctement bouclée — Cyril, lui, n'avait même pas mis la sienne, bien que l'avion ait commencé son ascension. « Il me semblait pourtant avoir été très clair, sur ce point : je tiens à voir *personnellement* l'une de vos créatures, Anderson !

— Avec un peu de chance, nous apercevrons au moins leurs traces...

Cyril avait quitté son siège, à dessein. L'hôtesse, qui venait s'assurer que ses passagers respectaient les consignes, fronça les sourcils, mais Anderson l'ignora ostensiblement.

— Peut-être tomberons-nous aussi sur des emplacements qu'ils ont récemment occupés, poursuivit-il.

Ends se tortilla sur son siège et tripota de plus belle la boucle de sa ceinture, avec un coup d'œil anxieux vers le signal « No smoking ».

— Vous avez vingt-quatre heures devant vous, Anderson... Vous ne pourriez pas envoyer... je ne sais pas, moi... quelques guides ou des pisteurs, pour en débusquer quelques-uns ?

— Des rabatteurs, vous voulez dire... ? Vous voudriez les lever, comme des cailles dans le Yorkshire ?

Devant la mine déconfite de Ends, Cyril jubila intérieurement. Piégé, le bougre ! Qu'est-ce qu'il pouvait faire ? Ordonner à son pilote de faire demi-tour ? D'un coup d'œil, Cyril s'assura que l'hôtesse avait retrouvé sa sérénité. Elle vaquait dans la cabine, prêtant discrètement l'oreille à leur conversation.

— Dites-vous bien que ce sont des êtres humains, Harry ! Au même titre que vous et moi ! Il ne leur manque que des villes, des embouteillages, des télés et des cartes de crédit — et les quelques centimètres cubes de cervelle supplémentaires qui nous ont permis d'inventer tout cela... » L'hôtesse ne perdait pas une de ses paroles. « Car voilà bien l'exacte mesure de cette découverte, cher ami : leur *humanité* ! C'est ce qui en fait l'exceptionnelle valeur. Et je ne saurais trop me féliciter d'avoir trouvé en vous un interlocuteur lucide et responsable, qui n'essaie pas aussitôt de convertir cette véritable mine de connaissances en un créneau de marketing !

Ends eut un geste embarrassé.

— Evidemment que je le sais, qu'ils sont comme nous... J'ai même passé la journée d'hier à y réfléchir, afin de trouver un point de convergence entre vos projets et les miens. Une stratégie commune, si vous préférez...

Là, mon petit vieux, tu te gargarises de mots ! songea Cyril, avec un coup d'œil en direction de l'hôtesse. Avait-elle mesuré le gouffre qui séparait un authentique penseur d'envergure mondiale de ce vulgaire perroquet ? Quoi qu'il en fût, elle s'humecta les lèvres et, détourna vivement le regard lorsque ses yeux rencontrèrent les siens. Pas vraiment l'affaire du siècle, cette fille, mais pour les douze prochaines heures, il s'en contenterait...

— Restons pragmatiques, Harry. Si nous devenons vraiment opérationnels, je vous promets que nous ne tarderons pas à voir cette espèce émerger de ses forêts. Ce sera une deuxième aube, pour l'humanité. Imaginez ce spectacle : l'Homme descendant à nouveau des arbres pour se lancer à la conquête de la savane... Grandiose ! Vous pourrez même inviter nos bailleurs de fonds, voire nos actionnaires, à y assister !

— Ça, c'est proprement génial, Cyril ! exulta Ramsay.

— N'est-ce pas...? Bon, à présent, vous m'excuserez, mais je dois appeler Nairobi, pour voir comment les choses se présentent.

Anderson tourna la tête vers Beale, à qui il signifia discrètement de le suivre.

Il attendit derrière le rideau qui isolait la cabine que son ami l'ait rejoint, puis, lui prenant le coude, lui murmura à l'oreille : — Alors, qu'est-ce que tu en dis ?

— L'avènement d'une nouvelle humanité... fantastique ! Tu pourras vraiment organiser ça pour nos futurs actionnaires ?

— Sans problème ! Donne-moi six mois de plus, et je me fais fort de le faire pour le monde entier... » L'appareil s'élevait rapidement. En quelques minutes, il était passé de deux mille à neuf mille mètres, plongeant Cyril dans une légère euphorie. Le monde était à ses pieds. Rien n'échappait à son pouvoir. Il ne reculerait plus devant rien — pas même devant le travail sur le terrain, le « gros œuvre ». « ... Y compris pour d'autres investisseurs que cette couille molle, ajouta-t-il, toujours à mi-voix. Car, entre nous soit dit, il n'a encore rien signé. Nous n'avons même pas une malheureuse lettre de lui nous confirmant son accord !

— Bon sang, mais détends-toi un peu, mon vieux ! Harry est un homme de parole. Qu'est-ce qui te met dans un état pareil ?

— L'amour de la Science, fit Anderson, avec un sourire qui voulait en dire long, avant de mettre le cap sur le téléphone, de l'autre côté de l'office.

— Puis-je vous servir quelque chose, monsieur ? demanda l'hôtesse, au passage.

— Ma foi... Donnez-moi un cognac.

Comme elle lui tendait sa consommation, il retint brièvement sa main dans la sienne, puis porta le grand verre bombé à ses narines et en huma le contenu d'un air connaisseur — ce qui le fit éternuer.

L'hôtesse eut un petit rire attendri et lui glissa une serviette de papier, pour s'essuyer le nez. Cela fait, il lui décocha un regard dévastateur, avant de poursuivre son chemin vers le téléphone.

— Comment vont les choses, à Nairobi ? lança Anderson d'un ton enjoué.

— Comme d'habitude, répondit Kalangi. Je ne sais pas où donner de la tête... » puis, comme Anderson lui demandait pourquoi il avait enclenché le haut-parleur de son téléphone, le chef de la police se récria : « Mais qu'allez-vous chercher ? Ce doit être la liaison satellite, qui provoque cette espèce d'écho...

Sinon, tout se déroulait comme prévu. Leur campement, au pied de la Mau, n'attendait plus qu'eux. Modibo et ses hommes exploraient déjà la zone inférieure de la forêt, mais il leur serait difficile de capturer une créature en si peu de temps...

— Ça, c'est leur problème! Qu'ils se débrouillent comme ils voudront, mais il m'en faut une! As-tu fait suivre Ngili et Yinka Ngiamena?

— Oui. Hier, la fille a vidé son compte en banque, mais pourquoi, je n'en sais rien... Selon les domestiques, Ngiamena aurait eu une violente dispute avec son fils. Ngili se prépare à quitter la maison.

— A quel sujet, cette dispute?

— Ngili voulait retourner dans le Dogilani pour tenter de retrouver Lauder et son père s'y est opposé.

— Aucun intérêt. Et du côté des manœuvres de l'armée?

— Ah, ça? J'attendais... Eh bien, j'ai fini par poser la question à mes amis de l'état-major, mais ils m'ont ri au nez. Rien ne se prépare — rien du tout! Aucun coup d'Etat en perspective! Vous m'appelez d'où, là?

— Je suis à neuf mille mètres au-dessus de la France. A bientôt!

— A bientôt... répliqua Kalangi.

Anderson raccrocha et demanda à l'hôtesse de l'excuser auprès de ses compagnons de voyage. Il avait besoin de s'isoler pour travailler. Il se trouva donc un siège tranquille près d'un hublot, dans la section arrière, et s'installa avec le carnet de Haksar, qu'il ouvrit avec une fébrilité presque enfantine.

A Nairobi, Kalangi reposa le combiné, coupa le haut-parleur et consulta du regard les quatre militaires galonnés — de capitaine à général — assis face à son vaste bureau, sur lequel trônaient une bonne demi-douzaine de téléphones.

Les officiers tenaient à la main une tasse de *kahawa*. Le général, qui était le plus âgé des quatre, avait les joues striées de scarifications rituelles qui lui donnaient en permanence l'air de vous scruter à travers un rideau de lianes. Un bâtonnet de *m'koma*, un bois aromatique, coincé entre les dents, il buvait son *kahawa* à petites gorgées.

— Alors, s'enquit Kalangi, quand comptez-vous lancer les opérations?

Tous les yeux se tournèrent vers le général, qui prit le temps de vider sa tasse.

— Bientôt... très bientôt ! Pendant la visite de votre ami, par exemple...

— Il n'a jamais été mon ami ! rectifia Kalangi. Et je vais avoir besoin de ce renseignement, si vous voulez que je joue correctement mon rôle.

— Disons lundi, ou jeudi... fit le général, avec un petit sourire entendu. Mais évidemment, on ne peut pas exclure tout à fait mardi ou mercredi ! acheva-t-il dans un éclat de rire.

Kalangi eut un haussement d'épaules agacé.

Les sous-fifres, eux, opinaient du chef et applaudissaient servilement l'humour et la subtilité de leur supérieur.

— Mais toi, Arnold ? demanda un lieutenant général. Tu seras où ? Dans la savane, avec Anderson ?

L'officier était petit, sec et nerveux. Le cerveau de l'affaire... subodora Kalangi.

— Sans doute. Mais ne vous inquiétez pas. Je laisserai des consignes précises avant de partir. Anderson nous amène un visiteur de marque. Une pointure, apparemment...

— Tant mieux ! fit le lieutenant. Quand ils nous auront vus à l'œuvre, ils comprendront que nous ne plaisantons pas.

Quelques rires approbateurs fusèrent, un tantinet forcés.

Un voyant se mit à clignoter sur l'un des téléphones, que Kalangi décrocha.

— Allô, oui ? ... En personne ! ... Très bien, ne les perdez pas de vue !

Il raccrocha et se tourna vers les quatre hommes.

— Ngili et Yinka Ngiamena sont à l'aéroport Wilson. Ils essaient de louer un avion.

— Jakub doit se douter qu'il est sur notre liste noire, déclara le général. Sa prétendue engueulade avec son fils n'est qu'une feinte. En fait, il se prépare à filer discrètement.

— Ngili ne trouvera aucun appareil à louer. J'ai fait passer le mot chez les pilotes privés, affirma Kalangi, rassurant. Quiconque les prendra à son bord se retrouvera immédiatement avec un missile en prime dans la carlingue. Autre chose ?

— Ramenez-nous une de ces créatures sur pied, que nous puissions juger de leur valeur », répliqua le général en prenant congé. Il avait ôté le bâtonnet de *m'koma* d'entre ses dents. « Nous devons songer à redorer un peu notre image nationale... et à renflouer nos finances !

Un chœur de rires, auquel Kalangi lui-même se joignit, salua cette dernière saillie.

— C'est sympa de m'avancer cet argent, Yinka, fit Ngili en se laissant choir sur le siège passager de la Mercedes, mais j'ai bien peur qu'il ne me serve pas à grand-chose... Je n'ai trouvé à louer qu'un coucou dans lequel je ne me risquerais pour rien au monde. Si nous explosons en vol avant même d'être arrivés dans le Dogilani, nous ne pourrons plus rien faire pour Ken...

Possible, songea Yinka, mais si nous tardons encore, ce ne sera bientôt même plus la peine d'essayer. Elle laissa errer son regard sur le tarmac, qui vibrait dans l'air brûlant de la saison sèche, comme un gigantesque mirage.

— Et ton copain Mtapani ? s'enquit-t-elle, comme elle quittait le parking de l'aéroport.

Mtapani, un excellent pilote de brousse, était l'un de leurs amis d'enfance.

— Je lui ai demandé son prix et il m'a répondu qu'il nous embarquerait gratuitement — mais à une condition... Que je soutienne son combat, comme il dit... » Ngili avait tiré de sa poche un morceau de papier listing. « Ecoute-moi ça ! “Nous prêtons solennellement allégeance à Engai”, déclama-t-il, d'un ton amusé qui ne parvenait pas à masquer une touche d'inquiétude. “Que les foudres d'Engai frappent quiconque trahit ce serment !”

Yinka avait froncé les sourcils. Dans la mythologie massaï, Engai était le dieu suprême, le roi du ciel.

— “Au commencement des temps, poursuivit Ngili, Engai fit don au peuple massaï de tout le bétail qui paissait à la surface de la terre et lui promit de veiller sur sa destinée. Il exigea en échange que les Massaï lui prêtent allégeance, par un serment scellé dans le sang. Car le sang peut sécher, mais il ne perd jamais sa couleur. Un guerrier loyal doit supporter les tourments de la capture et de la mort, sans jamais trahir Engai. Aujourd'hui, l'heure est venue, pour les guerriers d'Engai, de défendre leur liberté, les armes à la main. Quiconque se met au service du *mzungu*, ou de ses serviteurs noirs périra de la main d'Engai. Il est mille fois plus grave d'être un serviteur du *mzungu*, que d'être soi-même né *mzungu*. Nous réitérons aujourd'hui ce serment de tuer jusqu'au dernier les serviteurs du *mzungu*, qu'ils nous soient étrangers, ou qu'ils soient de notre propre sang. Quiconque se rend coupable de parjure s'expose aux foudres d'Engai..." C'est à peu près du même tonneau que les serments mau-mau, non? conclut Ngili, en repliant le papier.

Les yeux fixés sur la route, Yinka eut un haussement d'épaules. Le texte l'avait manifestement troublée.

— Mtapani m'a expliqué qu'ils scellaient l'initiation d'un nouveau membre par le sacrifice d'un veau. La nouvelle recrue doit ensuite porter au bras des lanières découpées dans la peau de la victime. Il a énormément insisté pour que je signe ce texte, sous prétexte que mon nom ne manquerait pas d'attirer d'autres amateurs... Et tu sais combien de signatures ils ont déjà recueilli?

Elle haussa à nouveau les épaules. Son *kikoi* lui moulait le corps. Elle avait beaucoup maigri.

— Une soixantaine! souffla-t-il. En majorité des anciens de notre lycée, à ce que dit Mtapani...

— Soixante... Un peu léger, s'ils ont l'ambition d'influer sur la ligne politique du gouvernement! Et surtout s'ils appartiennent à une ethnie aussi minoritaire que la nôtre. Qui est leur chef?

— J'espère seulement que ce n'est pas quelqu'un qu'on connaît, fit Ngili. Mtapani a refusé de me dévoiler son nom, si je ne signais pas. Mais à l'entendre, il s'agirait d'un personnage haut placé.

— J'en conclus que tu n'as pas signé...

— Tu me prends pour qui, Yinka? A ton avis, qui sont ces « serviteurs du *mzungu* » que dénonce Mtapani? Sûrement pas les Noires qui sont bonnes chez des Blancs... Plutôt les membres du gouvernement, je dirais, et quiconque collabore de près ou de loin avec le Fond monétaire international, l'OPEP ou la Banque mondiale... » Il s'interrompit et, lorsqu'il reprit la parole, l'angoisse qui lui assourdissait la voix fit frissonner sa sœur. « Ce serment est une sorte de licence pour massacrer à peu près n'importe qui, Yinka... Mais Mtapani n'est ni un Kikuyu, ni un Kalenjin affamé, et je ne me suis pas privé de le lui faire remarquer. Quand je lui ai demandé s'il se croyait revenu en 1953, il m'a répondu qu'à l'époque, nous nous étions conduits comme une bande de poules mouillées, nous autres Massaï. Que nous nous étions empressés de signer des accords privilégiés avec les Anglais et que nous nous étions bien gardés de soutenir la guérilla. "L'heure est venue de nous racheter, a-t-il ajouté. De nous montrer dignes de notre race et de notre ethnie !" Je lui ai dit que ce serment ressemblait surtout à celui d'une société secrète hostile à tous les non-Massaï, et il a répliqué : "Tu crois peut-être que les autres tribus n'en ont pas, elles, des sociétés secrètes dirigées contre nous... ? Personnellement, j'ai viré tous mes mécanos kikuyu !" Alors là, je ne me suis pas privé de lui demander : "Et ton concessionnaire anglais, hein ? le *mzungu* qui te vend les pièces détachées de tes avions, tu l'as envoyé paître, lui aussi ?"

— Ah, les *mzungu* ! lança Yinka avec agacement. Même après vingt-trois ans d'indépendance, ils nous obsèdent toujours autant !

Les *mzungu*... Yinka et Ngili employaient à présent ce terme qui n'appartenait pas, jusque-là, à leur vocabulaire habituel, mais qui leur semblait lourd d'un amer héritage.

Littéralement, le mot signifiait « Blanc » ou « Européen » mais, au fil des décennies, il s'était chargé de toute une gamme de connotations émotionnelles. Quand Mtesa, le roi Waganda, saluait de ce nom John Speke, découvreur des sources du Nil, il signifiait que cet étranger était un hôte miraculeux, envoyé par la providence. Mais dans la bouche des esclaves noirs qui trimbalaient les colons dans leurs chaises à porteurs, en courbant le dos sous les coups de fouet, le terme avait un tout autre sens. De même pour les mères qui amenaient un enfant malade au dispensaire, où les médecins occidentaux se révélaient parfois secourables, certes, mais tout aussi souvent cyniques et négligents. Quelques rares *mzungu* — tel missionnaire qui avait construit une école dans la jungle, tel pilote de brousse qui avait emmené à l'hôpital un homme victime d'une piqûre de serpent — forçaient la reconnaissance et le respect, mais le mot n'avait jamais totalement perdu cette aura de crainte, cette charge occulte de haine et de douleur. Pour Yinka, il évoquait tout ce que la condition africaine avait de plus vulnérable. Le point de vue d'un indigène effrayé, impuissant, dépossédé de sa propre terre, au profit d'une race étrangère qui, par une terrible injustice du sort, se trouvait disposer d'un plus grand savoir technique.

La fortune et le pouvoir de leur père avaient protégé Yinka et Ngili des rivalités tribales. Plus de deux cents tribus différentes occupaient l'Afrique de l'Est, dont soixante-dix rien qu'au Kenya. Les Massaï, peuple de pasteurs et de guerriers, méprisaient les Kikuyu, l'ethnie majoritaire, plus pauvre et dépourvue de troupeaux. En retour, ces derniers ne se privaient pas de traiter les Massaï de « sauvages de la brousse » — mais les deux tribus s'accordaient à écraser de leur dédain les Kalenjin, crasseux et cossards. Aux dires de tous, les Pygmées étaient d'abominables gnomes et les Bahaya s'accouplaient avec des singes. D'ailleurs, dans cette partie de l'Afrique, les prostituées étaient en majorité des Bahaya. Avec l'indépendance, cette confusion n'avait fait que croître et embellir. Les mérites respectifs des diverses ethnies avaient été réévalués en fonction de l'énergie avec laquelle elles avaient lutté contre les Anglais. Son aura de compagnon de la première heure de Kenyatta avait permis à Jakub Ngiamena d'échapper aux soupçons comme aux vieilles rancunes interethniques. Jamais ni lui, ni sa famille, n'avaient été inquiétés, du moins tant que le jeune Etat kenyan avait eu les moyens de remédier aux plus urgents de ses maux.

— Ça fait combien de temps que Ken est parti ? s'enquit Yinka, en s'engageant sur l'autoroute.

— Six semaines... » calcula Ngili, avant de se reprendre : « Quatre, je veux dire ! Qu'est-ce qui me prend, nom d'un chien ?

Il avait inconsciemment compté, à la façon massaï, en semaines de cinq jours — autant qu'une main a de doigts...

— Lapsus révélateur, mon vieux ! s'esclaffa sa sœur. L'ami Mtapani serait fier de toi !

— Tiens ! Tu retrouves ton mordant, petite sœur ! On dirait que ça va mieux...

— Bientôt un mois... Le délai limite de survie, pour un naufragé de la brousse.

— Selon certains experts...

— Si le *mzungu* est en mauvaise posture, il est peut-être en train d'agoniser en cet instant, qui sait... ?

— Tais-toi!

— Sérieusement, Ngili! Et si on annonçait à Mtapani qu'on a liquidé notre *mzungu*? Il nous a suffi de l'expédier seul au fin fond de la savane, et de ne pas lui porter secours à temps. Après un tel exploit, sa société secrète devrait nous décerner d'office le titre de membres honoraires, non?

— Arrête! Je sais, j'ai eu tort, mais j'étais sincèrement persuadé que mon devoir envers la famille et le pays passait avant tout... Et ça me rend malade malade, tu entends? Alors, je t'en prie, tais-toi...

— Malade... Pas tant que moi! » Un fort vent de face projetait des tourbillons de poussière sur le pare-brise de la Mercedes. « Parce que, moi aussi, j'ai été d'une lâcheté pas croyable, malgré mes grands airs. Je te voyais à deux doigts d'envoyer promener Um'tu et de te brouiller définitivement avec Ken... J'ai cherché un moyen de tout arranger. Je suis allée voir Ken et je lui ai proposé ce marché. Je savais qu'il sauterait dessus, et toi aussi...

Ngili hocha la tête. Son profil se découpait sur un décor de bidonvilles — les faubourgs de la capitale. Sa beauté semblait à présent si vaine — injuste, presque...

— Je vais trouver un avion, murmura-t-il.

— Chaque minute qui passe diminue nos chances de le retrouver vivant. Physiquement, il doit être au bout du rouleau. A supposer qu'il ait tenu jusqu'à maintenant comment survivre, largué en pleine brousse sans eau ni vivres? Comment se défendre?

— Un de ses objectifs, en partant là-bas, était de le découvrir.

— C'est ça! Et maintenant qu'il tient la réponse, il a décidé de ne pas revenir nous en faire part!

— Arrête, Yinka! A quoi ça t'avance, de te tourmenter? » Ngili lui pressa affectueusement l'épaule. « Tu l'aimais donc tant...?

— Eh oui, mon vieux! Moi, qui me flattais d'être l'intuition même, et qui lui reprochais de faire si peu confiance à ses propres émotions... Un bon tour que m'a joué Engai, non?

Elle quitta l'autoroute et s'engagea dans les rues de la vieille ville. Ngili avait quelques bricoles à acheter dans un magasin de matériel de brousse. Pendant que son frère faisait ses courses, Yinka s'abîma dans ses réflexions. Elle s'autorisait enfin à penser à Ken. Sa disparition et sa mort plus que probable abolissaient tous les interdits, conscients ou non, qu'elle s'était imposés jusque-là. Elle avait désormais le droit de se souvenir de lui.

Si le dicton africain disait vrai, selon lequel un homme dont la semence a touché la matrice d'une femme devient pour elle une sorte de deuxième ombre, elle pouvait s'attendre à ce qu'il revienne longtemps la hanter ainsi. Elle avait si souvent repensé à ces brefs instants d'intimité et de plaisir partagé qu'ils avaient dérobés au monde... S'il en réchappait, elle formait secrètement le projet de l'entraîner à nouveau dans sa chambre, pour exorciser ces rêveries... Car même si leur histoire tournait court, et même s'il n'était pas tombé amoureux d'elle, il le lui devait bien, ce diable d'homme ! Ensuite, basta...

Elle sourit, en reconnaissant le discours de l'autre Yinka, la provocatrice, celle qui était prête à défier le monde entier. Elle finirait bien par redevenir la jeune femme enjouée et sûre d'elle qu'elle avait été. Bien sûr, elle traînerait encore quelque temps cette amertume, mais tout finirait bien par rentrer dans l'ordre.

Toi aussi, je t'aime, Ngili... songea-t-elle, avec un petit pincement au cœur, comme son frère ouvrait la portière, les bras chargés de paquets, et s'installait près d'elle, l'air toujours préoccupé.

— Peux-tu m'aider à convaincre Um'tu de quitter Nairobi ? demanda-t-il. Je crains que ce soulèvement ne dégénère en affrontement interethnique et ne s'achève par un bain de sang, comme partout ailleurs. Un massacre généralisé, dont tout un chacun profitera pour se débarrasser de ses ennemis personnels — et Um'tu ne manque pas d'ennemis... Je préférerais le savoir loin de Nairobi, avec maman et toi. Quittez le pays, jusqu'à ce que les choses se décantent.

— Et toi, où iras-tu ?

— Dans la savane, répondit-il sans hésiter. Je ne veux surtout pas que notre découverte devienne un pion de plus sur l'échiquier politique...

— Ça, facile à dire, mon vieux ! Enfin, pour ce qui est de tenter de convaincre Um'tu, tu peux compter sur moi...

La Mercedes arrivait en vue de la maison. Le quartier

baignait toujours dans cette atmosphère d'opulence tranquille — si choquante, à présent. Dans la cour d'une maison voisine, une famille noire entassait des valises dans un break Volvo.

— Bon sang, mais qu'est-ce qui se passe, ici ? murmura Yinka, comme la Mercedes franchissait le portail.

Devant la maison d'hôte — un bungalow, dont Ngili et Gwee avaient fait leur garçonnière —, un car poussiéreux immatriculé en zone rurale était garé. A quelques mètres, la pelouse se hérissait de plusieurs dizaines de bâtons, fichés dans le sol.

Gwee était toujours en voyage de noces et, depuis son algarade avec son père, Ngili passait ses nuits au WMCA. La maison d'hôte aurait dû être déserte, et pourtant un nuage de fumée s'échappait de la porte d'entrée.

Le frère et la sœur mirent pied à terre et, instantanément, Yinka fut prise à la gorge par une âcre odeur de tabac. Ngili avait couru vers ce qu'il avait pris pour des bâtons. C'étaient des lances. Et à en juger par l'état d'oxydation de leurs pointes de fer, certaines d'entre elles devaient dater de Mathusalem. Elles avaient été plantées là, sans le moindre égard pour le gazon, entretenu avec amour.

— Mère ! s'écria Yinka, en voyant Itina descendre le perron de la maison, les traits figés dans une expression indéchiffrable.

Elle tenait à la main un plateau chargé de sandwichs. Chargé d'un second plateau, Patrick arrivait dans son sillage.

A la vue de Ngili, elle posa son plateau sur celui de Patrick et accourut en s'écriant :

— Tu es revenu, mon fils ! Quel bonheur... !

Elle le serra longuement contre elle, puis passa un bras autour de sa taille et l'autre autour de celle de Yinka.

— Nous avons des visiteurs, annonça-t-elle. Un groupe de chefs de Nakuru, et quelques vieux amis, venus s'entretenir avec Um'tu...

Autant les Ngiamena étaient grands, autant Itina était petite. Sous la fine résille des tatouages qui lui ornaient le front, ses yeux pétillaient d'intelligence. Aussi loin que Ngili pouvait remonter dans ses souvenirs, il avait toujours vu sa mère mener avec la même énergie son époux et sa maison.

— Comment se fait-il que Um'tu soit à la maison ? A cette heure-ci, il est à son bureau, non ? s'enquit Ngili.

— Il n'ira plus. Il a démissionné de son poste à l'Office des réserves.

— Quoi ? Quand ça ?

— Ce matin même. Le président l'a appelé au moment où il partait. Ils ont parlé une bonne demi-heure et ensuite, Um'tu a rédigé sa lettre de démission... » Une note de panique vibrait dans la voix limpide d'Itina. « Et maintenant, ces vieux fous essaient de le persuader de prendre la tête d'un soulèvement, pour constituer un gouvernement séparatiste. Ne le laisse pas donner son accord, Ngili ! S'il accepte ne serait-ce que du bout des lèvres, demain, tout le pays le saura. Il sera accusé de trahison et exécuté !

— Enfin, mère... protesta Ngili, en l'éloignant doucement de lui, Um'tu n'est même pas inscrit à un parti d'opposition ! Qu'est-ce que c'est que cette histoire de gouvernement séparatiste ?

— Un soulèvement tribal... Suis-moi, tu vas comprendre, murmura-t-elle en récupérant son plateau.

Patrick lui emboîta le pas, visiblement soulagé de voir arriver les renforts.

— *Karibu chakula !* Bon appétit à tous ! lança Itina en swahili, langue qu'elle utilisait peu dans l'intimité.

Ngili, qui était entré à sa suite, eut peine à reconnaître cette pièce si familière, dont les étagères croulaient pourtant toujours sous ses livres et ses échantillons de minéraux. Les visiteurs étaient tous des hommes d'âge mûr, voire des vieillards. Ils étaient assis par terre. Les pipes et les cigarettes roulées à la main avaient transformé la grande pièce en une véritable tabagie. Jakub émergea d'un épais nuage de fumée. Il se tenait seul, debout, face à l'assemblée. Son front ruisselait.

Les hôtes de son père portaient des vêtements campagnards : pantalons et chemises de cotonnade, sandales de cuir, accompagnées pour certains de socquettes de laine. Il repéra dans l'assemblée quelques complets-vestons, mais tous démodés et usés jusqu'à la corde. Ces costumes s'ornaient abondamment de colliers de cuivre, de perles de verre et de toutes sortes d'insignes indiquant leur rang et leur fonction tribale : conseiller, devin, chef des anciens, maître des rites d'initiation des adolescents, gardien des armes des guerriers, en temps de paix... Toute leur vie durant, ces hommes avaient été de vénérables institutions — les symboles mêmes de l'autorité. Ngili comprit immédiatement ce qui faisait transpirer son père. En dépit de leur dégaine presque cocasse — certains étaient de véritables quincailleries ambulantes, d'autres arboraient de vieux binocles rouillés; l'un d'eux cracha comiquement son chewing-gum avant de mordre dans l'un des sandwichs que lui présentait Itina... — ces vieillards étaient la tradition incarnée.

— Trêve de palabres! lança la maîtresse de maison. Mangez, maintenant!

Ngili se demanda si elle avait pris l'initiative de préparer ce lunch pour ménager un intermède dans cette discussion orageuse, si inconfortable pour son époux.

— Honorables chefs, annonça Jakub, voici mon fils et ma fille...

Plusieurs têtes s'inclinèrent avec raideur pour saluer Ngili (mais pas Yinka), puis les mains se tendirent vers les plateaux de sandwichs, tandis que Yinka venait se planter au beau milieu de la pièce, les bras croisés. Un vieux chef qui mastiquait en silence, assis en tailleur, parut à deux doigts de lui cracher sur les genoux.

Le regard de Jakub avait plongé dans celui de Ngili qui, s'attendant à un accueil glacial, eut la surprise de lire dans les yeux de son père ce qu'on aurait pu prendre pour une prière muette, mêlée d'une profonde gratitude. Quelque chose comme : « Je suis heureux de t'avoir à mes côtés, fils... Nous ne serons pas trop de deux...! »

Bon Dieu! se dit Ngili, en réponse à ce regard. Te voilà bien conciliant, tout à coup, père...! Serait-ce parce que tu as perdu le pouvoir qui s'attachait à ta fonction...?

Mais il se fraya un chemin jusqu'à lui, heurtant quelques genoux osseux au passage. Dès qu'il l'eut rejoint, il sentit converger vers lui les regards acérés qui émergeaient du brouillard de tabac.

— Voilà des années que tu fais ton beurre au sein du gouvernement, Jakub! cria l'un des chefs. Mais nous, on n'a jamais vu la couleur de rien! Pas ça... C'est peut-être ce qui explique que tu refuses de nous aider à former notre propre gouvernement, maintenant que tu as démissionné du tien!

— Je n'ai pas démissionné de mon plein gré, répliqua Jakub. J'ai été contraint à la démission.

Ngili avait reconnu le vieux râleur. C'était Desmond Ndbala, le doyen des anciens des quelques clans massaï autorisés à faire paître leurs troupeaux dans la réserve de Magadi.

— Nous voulons former notre propre gouvernement, n'est-ce pas, *laibons* ? poursuivit-il, en prenant les devins présents à témoin. Une république, un drapeau, une nation qui soient bien à nous. N'est-ce pas, mes frères ?

Il avait presque hurlé, bouillant d'une rage trop longtemps contenue.

— Oui ! Oui ! vociférèrent les *laibons*.

Une poignée d'entre eux avaient levé le poing et, dans un furieux cliquètement de bracelets, s'étaient mis à scander : « Le pouvoir aux tribus ! »

— Vous voulez vraiment que chacune des tribus de ce pays se constitue en république ? fit Jakub, tremblant de colère, lui aussi. Et vous croyez que le gouvernement va accepter ça sans réagir ? Et l'armée, donc ! Ce que tu lorgnes, Desmond, ce sont les privilèges du pouvoir, ses avantages en nature... As-tu seulement idée du prix qu'il faudra payer pour obtenir la création d'une telle république ? Tu veux plonger ce pays dans une guerre tribale ? C'est vraiment ça que tu veux ?

— Et alors ? Nous sommes venus te proposer de prendre le commandement de nos forces. Tu pourrais même peut-être devenir notre premier président !

Ndbala s'était levé et enjambait des genoux fléchis.

Jakub Ngiamena fit un effort si violent pour rester maître de lui, que Ngili qui l'observait craignit de le voir s'écrouler, foudroyé d'une crise cardiaque. Un sourire suffisant aux lèvres, Ndbala vint se planter face à lui.

— Ton gouvernement t'a fourré dans la peau d'un mouton malade ! lui cracha-t-il au visage — ce qui signifiait, en clair, que les autorités s'apprêtaient à l'éliminer, d'une façon ou d'une autre. Mais nos guerriers n'attendent qu'un signe pour attaquer le Parlement et le palais présidentiel. Tout ce que tu as à faire, c'est de diriger l'assaut !

— De toute façon, tu risques ta peau, renchérit un autre chef. Alors, autant jouer le tout pour le tout et mourir en héros, à la tête de ton peuple en armes !

Yinka retint de justesse sa mère qui s'élançait à la gorge

de Ndbala, en les traitant, lui et son compère, de bouchers et de fous dangereux. Jakub avait levé sa main vers Ndbala, mais pas pour le frapper. Il se contenta de l'agripper par l'épaule et de le pousser vers le sol jusqu'à ce que les genoux du vieillard fléchissent, se dérobant sous lui. Ngili se précipitait pour les séparer, mais Jakub s'effaça, tandis que Ndbala s'affalait à terre.

— J'ai combattu les Anglais aux côtés de Kenyatta, gronda Jakub. En ce temps-là, il ne nous serait pas venu à l'idée de prendre les armes contre les Kikuyu, les Meru ou les Massaï ! Nous étions des patriotes, avant tout. Ce que tu préconises, Desmond, c'est un bain de sang généralisé, dans tout le pays.

— Mais ce pays est au bord de la catastrophe ! Cette politique ne marche pas ! » clamèrent les vieux chefs, entre leurs mâchoires édentées.

Ndbala se releva en marmonnant : Ngiamena n'était qu'un traître à sa race — un *mzungu* noir ! « Il peut t'arriver d'abaisser ton arme, mais n'abaisse jamais ton œil », disaient jadis les Massaï — mais Ngiamena, lui, se résignait à faire les deux ! Il abdiquait tout pouvoir en faveur de ce gouvernement de pourris !

— Dehors ! Dehors ! hurlait Itina, qui avait réussi à échapper aux mains de sa fille.

Patrick interrogea Jakub du regard pour savoir s'il devait faire évacuer la pièce. Mais Ngiamena avait surmonté son accès de colère. Il s'efforçait à présent de faire appel au peu de bon sens que pouvaient avoir gardé ses visiteurs :

— Kiihuri, Djikane, écoutez-moi, vous qui me connaissez depuis toujours... !

Comme d'un commun accord, l'assemblée avait levé le siège et se pressait déjà devant la porte, piétinant allègrement les meubles renversés et les sandwichs écrasés sur le tapis.

Dans leur dos, Jakub plaida désespérément sa cause.

— Les tessons de verre ont beau scintiller au soleil, seule une cruche intacte peut recueillir l'eau de la source... dit-il. Il faut bien mesurer la force de son bras, avant de songer à serrer le poing... !

Les lances...

Ngili se précipita dehors et entreprit de les arracher de

terre une à une. Une vision s'imposa soudain à son esprit, se superposant à la scène de bousculade autour du vieil autocar. Il se revit dans ce bazar de Muindi Mbingu Road, avec Ken, juste avant qu'ils n'apportent les fossiles à Randall Phillips. Ils s'étaient dit quelque chose, cet après-midi-là, quelque chose d'important. Qu'était-ce donc...? Il arrachait toujours les lances. Puis, il les rassembla en un gros fagot, qu'il balança à l'intérieur du car. Elles roulèrent entre les sièges dans un cliquetis de ferraille. Les derniers des chefs grimpaient à bord. Au passage, Ndbala lui décocha un coup de poing, peut-être pas très puissant, mais asséné d'une main vengeresse. Le jeune homme poussa le vieux Massaï dans la cabine et claqua la portière sur lui. Déjà, le car bringuebalant s'ébranlait. Ngili se mit à courir derrière, indifférent au nuage de gaz d'échappement noirâtres que la vieille guimbarde crachait à plein pot. Il ne voulait qu'une chose : s'assurer qu'il partait.

Il attendit de voir le car disparaître au bout de la rue, pour faire demi-tour. Lentement, il revint vers la maison, avec la sensation bizarre de redécouvrir cette rue. Tout lui semblait étrangement nouveau, presque incongru. Ces jardins luxuriants, cette maison qui l'avait vu grandir, et jusqu'au vieux Patrick qui avait toujours fait partie de son univers...

Itina accourait vers lui. Elle l'enlaça de ses bras frêles, et si vigoureux pourtant.

— Alors, c'est vrai? interrogea-t-elle. Tu acceptes d'obéir à ton père? Tu vas revenir à la maison?

Il se dégagea de son étreinte.

— Je n'entrerai pas dans la diplomatie! dit-il. Et je n'irai pas à New York, quitte à ce que Um'tu ne m'adresse plus jamais la parole... Pour l'instant, l'important pour nous, c'est de quitter Nairobi. Aujourd'hui même!

Elle se hissa sur la pointe des pieds et lui posa un baiser sur la joue.

— Je sais, fit-elle. Va voir ton père. Explique-le-lui.

Yinka sortait de la maison d'hôte. Il eut à nouveau le sentiment que quelque chose reliait les événements présents à ce lointain après-midi au bazar, en compagnie de Ken. Et il lui semblait maintenant, confusément, que Yinka y avait part...

Elle s'effaça pour le laisser entrer. Décidément, même en ces temps troublés, les femmes sont tenues à l'écart des décisions importantes... songea-t-il. Cette fois, je vais dire à Um'tu tout ce que j'ai sur le cœur. Je vais vider mon sac...

Mais à peine eut-il franchi le seuil, qu'il oublia ses résolutions. Jakub avait tiré le tapis. Près du mur, dissimulée dans les lames du plancher, s'ouvrait une trappe. Ngili n'avait jamais prêté grande attention à ce qui se trouvait sous les tapis et, lorsque Patrick ou un autre domestique venait faire le ménage dans la pièce, il se contentait de vider les lieux.

Jakub souleva la trappe et en exhuma un carton oblong, qu'il ouvrit. Il y plongea les mains et souleva précautionneusement un objet bizarre, qu'il tendit à son fils. C'était un banal tube d'acier rouillé. Ngili dut y regarder à deux fois pour se convaincre que ce bout de tuyau était le canon d'un pistolet. A son extrémité, un simple clou fixé par un fil de fer faisait office de guidon. Une grosse pointe coudée et une mince lamelle de cuivre recourbée tenaient respectivement lieu de détente et de pontet. Le bois poli de la crosse, ni vernis, ni peint, devait visiblement sa patine au contact des mains qui l'avaient manipulé. Sous la crosse, une petite boîte en fer-blanc, style conserve d'anchois, servait de chargeur. L'ensemble avait quelque chose de grotesque et de dangereux à la fois. Un étrange joujou, sorti des mains d'un bricoleur fou, mais qui avait néanmoins le pouvoir de donner la mort.

Les yeux de Ngili s'étaient écarquillés. Jakub abaissa l'arme.

— C'est une arme mau-mau ? demanda Ngili.

— Oui. Et fabriquée de mes propres mains !

Ngili fit un pas en avant et empoigna l'arme.

— Tu as tiré avec ça ?

Jakub hocha la tête.

— Non seulement tiré, mais... tué.

Ngili garda le silence. Il tournait et retournait le pistolet entre ses mains, avec un respect mêlé de crainte.

— Le canon est un simple tuyau de plomberie, poursuivit son père. Le percuteur provient d'un obus de la Seconde Guerre mondiale. Il est actionné par un ressort de fil de fer barbelé. La crosse est taillée dans du bois de *thirikwa*, au grain si serré qu'il peut supporter aussi bien la chaleur que l'humidité, sans jamais se fendre. Ce pistolet tirait des balles de 9 mm, volées aux Anglais. J'avais choisi ce tuyau parce qu'il correspondait exactement à un calibre de munitions standard. Certains étaient forcés de limer leurs balles, mais moi, j'ai toujours eu le flair de dégoter des tubes qui avaient le bon diamètre... Il faut dire que j'avais de l'expérience, en matière d'armes à feu, à force de regarder bricoler un de mes oncles qui, toute sa vie, a chassé avec une vieille pétoire de sa fabrication. Il a d'ailleurs fini par se faire sauter trois doigts à la main droite... ajouta Jakub, en reprenant le pistolet.

Il le leva et visa l'un des murs. Lorsqu'il pressa la détente, le mécanisme grinça et le percuteur retomba avec un bruit mat. Le haut-le-corps de Ngili, qui s'était raidi dans l'attente d'une détonation, n'avait pas échappé à Jakub. Il éclata de rire.

— Tu ne crois quand même pas que j'aurais laissé une arme chargée, sous le plancher de ta chambre ! Je n'avais même pas l'intention de te la montrer.

Ngili souffla un grand coup.

— Pourquoi l'avoir cachée ici, en ce cas ?

— Pure superstition... Je me disais que cet engin qui m'avait sauvé la vie protégerait aussi la tienne...

— C'est toi qui l'as installée, cette trappe ?

— Non... Ce sont les Anglais qui habitaient cette maison avant nous. Pendant la révolte des Mau-Mau, les Blancs avaient tellement peur de se faire assassiner par leurs propres domestiques qu'ils aménageaient des caches d'armes un peu partout, chez eux. Le problème, c'était que les domestiques connaissaient aussi bien qu'eux l'emplacement de ces cachettes et que certains s'emparaient des armes avant même que leurs maîtres aient eu le temps de lever le petit doigt... » Ngiamena fit une pause. Il hésitait, comme s'il cherchait ses mots. « Tu te figurais peut-être que ton père avait été l'un des grands leaders de la guerre d'indépendance, un de ses meilleurs stratèges ? Eh bien, tu vois, c'est comme armurier amateur que j'ai commencé... C'est à ce titre que j'ai acquis une certaine notoriété dans les rangs des guérilleros kikuyu. Ils passaient dans notre village et nous voyaient, moi et mon oncle, toujours occupés à rafistoler nos pétoires, alors un beau jour, ils ont décidé de m'emmener voir Kenyatta. C'est comme ça que j'ai fait la connaissance du *Mzee*... Oh, bien sûr, je n'étais pas le seul à bricoler des armes, mais j'étais le meilleur !

Ngili avait perçu une trace d'orgueil, dans la voix de son père.

— Par la suite, nous avons monté un véritable atelier. On arrivait à fabriquer jusqu'à quatre fusils et un pistolet par semaine. Comme la plupart avaient la fâcheuse habitude de vous exploser dans les mains au premier coup, on les testait à distance, cachés dans une tranchée, en actionnant la détente avec une ficelle. Les armes qui résistaient partaient armer les Mau-Mau contre les Anglais. Voilà comment nous avons gagné cette guerre...

Il s'était penché pour remettre l'engin dans son carton.

— Voilà comment nous l'avons gagnée, notre indépendance... reprit-il. Pour que nos enfants puissent fréquenter les meilleures écoles, et côtoyer les Blancs, sans avoir à baisser les yeux.

Ngili connaissait le couplet par cœur... Mais cette fois, pas question de se laisser culpabiliser ! Pourtant, lorsque son regard tomba sur Jə   b, il s'aperçut que, loin de lui servir un de ses sermons habituels, son père lui parlait à cœur ouvert, avec une totale sincérité.

— Ce n'est que six mois après avoir rejoint le mouvement mau-mau, que j'ai eu mon baptême du feu. Un peu plus tard, j'ai été arrêté, en compagnie du *Mzee*. C'est surtout derrière les barreaux que j'ai gagné mes galons de leader...

Ngili ressortit le pistolet de sa boîte. Il le pointa sur le mur et pressa la détente. Le ressort rouillé joua et le percuteur cliqueta.

— Je veux que tu quittes Nairobi, Um'tu. Emmène toute la famille loin d'ici.

— Ne t'emballe pas, fils ! Quelqu'un a semé des idées de révolte tribale dans la tête de ces vieux hiboux, et je ne serais pas surpris que les militaires soient derrière tout ça. Ça leur fournirait un excellent prétexte pour intervenir. Ils enverraient l'armée contre nous, nous répliquerions et, en un rien de temps, le Kenya deviendrait la Yougoslavie de l'Afrique...

— Ça expliquerait ton limogeage. Ils espèrent que tu te laisseras embringuer dans la combine... » Jakub acquiesça.

« Mais tu es un patriote, Um'tu ! Tu as combattu les Anglais aux côtés du *Mzee* !

— Précisément. Nous avons lutté contre les Blancs, nous les avons contraints à partir et, quand nous avons estimé que nous pouvions désormais les regarder la tête haute, nous les avons autorisés à revenir dans ce pays, à titre d'hôtes... Mais aujourd'hui, l'Afrique est aux mains d'une nouvelle génération de dirigeants. Des hommes qui n'ont jamais combattu les Blancs les armes à la main. Ils étaient trop jeunes, à l'époque. Ils ne se sont frottés au *mzungu* qu'aux Nations unies, au Fond monétaire international ou à la Banque mondiale, là où se signent les contrats et où la puissance du Blanc est telle qu'il peut s'offrir des gouvernements, des pays entiers, s'il le désire.

— Et ils se sont laissé acheter ?

— Eh, oui... Mais leurs bailleurs de fonds avaient mis une condition à la clé : qu'ils s'acquitteraient de leurs dettes, un jour — et ce jour est venu. Or, ceux qui nous gouvernent sont totalement incapables d'honorer leurs engagements, tant vis-à-vis des banques étrangères que de leur propre pays. Et tout le problème vient de là : ils sont aux abois. Ceci dit, les Blancs ont aussi leur part de responsabilité, dans la situation... !

Ngili, qui songeait à part lui au manifeste que lui avait remis Mtapani, s'éclaircit la gorge :

— Qui aurait le plus à gagner d'un affrontement, selon toi ?

— L'armée et, surtout, la police. Je me méfie de ce Kalangi. Si les choses devaient dégénérer en guerre civile et que tu le trouves sur ta route, tire le premier, Ngili ! Tire sans hésiter. Et vise au ventre ! fit Jakub, avec une cruauté qui, bizarrement, semblait légitime. Ainsi, même si tu ne le tues pas, il ne pourra pas se relever assez vite pour te tuer, toi. Je sais qu'il a donné certains de nos camarades aux Anglais, fils. Ça n'a jamais pu être prouvé, mais je le sais. Et il trempe dans toutes sortes de trafics — drogue, braconnage et Dieu sait quoi...

Brusquement, Ngili revit Kalangi entrer avec Anderson chez Zhang Chen et Modibo débarquer, au volant du camion chargé de peaux de bêtes et de cornes d'antilopes. Le contact de la main de son père sur la sienne le ramena à la réalité.

— Fils, dis-moi ce que ta sœur a derrière la tête, concernant ton ami Ken. J'ai besoin d'en avoir le cœur net...

La signification de son souvenir lui apparut tout à coup, limpide. Ce jour-là, dans le bazar, s'ils s'étaient dressés l'un contre l'autre, Ken et lui, comme deux ennemis, c'était parce qu'il avait senti la force du lien qui unissait sa sœur et son ami.

— Je n'en ai pas la moindre idée, mentit-il.

Devant le regard incrédule de son père, il tenta vainement de s'éclaircir la voix.

— Mais que veux-tu qu'elle ait derrière la tête, un mois après sa disparition ? coassa-t-il. Il est probablement mort, à l'heure qu'il est !

— Tu crois qu'elle l'aimait ? insista Jakub.

— Oui. Et lui aussi, il l'aimait — ma main au feu.

Avec un pincement au cœur, il prit brusquement conscience du peu de profondeur de l'amitié qui les liait, Ken et lui. Une saine camaraderie masculine, pimentée d'un soupçon de défi aux préjugés raciaux et d'une pincée de vie de bohème... Yinka devait en savoir bien plus long sur son ami qu'il n'en avait appris au cours de toutes leurs années d'aventures communes — et qu'il n'en apprendrait vraisemblablement jamais. Un mois que Ken avait disparu...

— En quel honneur te préoccupes-tu subitement du sort de Lauder, Um'tu ? ricana-t-il, avec une âpreté destinée surtout à exorciser sa propre certitude de la mort de Ken.

— C'est le cadet de mes soucis, fils, mais je veux que tu comprennes bien pourquoi je refuse de te laisser partir pour le Dogilani et de continuer les recherches. Je sais que tu ne demanderais que ça, autant par amitié pour Lauder que par orgueil — pour ne pas perdre la face, vis-à-vis de lui... Mais tu ne peux pas y aller, Ngili. » Sa main serrait celle de son fils à la broyer, comme pour prévenir toute protestation. « J'ai besoin de toi pour emmener ta mère et Yinka à Johannesburg. Gwee est toujours là-bas, en lune de miel. Je veux vous voir quitter le pays, jusqu'à ce que tout ça se soit tassé. La nouvelle de ma démission mettra un certain temps à se répandre. Dans les vingt-quatre heures à venir, je pourrai encore vous trouver un avion. Tu dois m'aider, mon fils. Je peux compter sur toi ?

Ngili lui lança un regard noir et dégagea sa main de la vaste paume paternelle.

— Et si Ken n'était pas mort ?

— Il avait une radio. Pourquoi ne s'en est-il pas servi ? Tu as toi-même survolé le secteur à deux reprises, et il n'était à aucun des points de rendez-vous prévus. Les chances qu'il ait survécu sont quasi nulles, répliqua Ngiamena, toujours avec cette cruauté dépourvue de malveillance. L'heure est grave, Ngili, et ta famille a besoin de toi — *moi*, j'ai besoin de toi. Et nous sommes bien vivants, nous ! J'ai besoin de ton aide.

— Tu veux que j'emmène maman et Yinka, mais... et toi ? Où iras-tu ?

— J'ai un endroit sûr, ici, à Nairobi.

— Où ça ?

— Mieux vaut que tu l'ignores. Mais rassure-toi : j'ai des camarades de lutte, et nous sommes armés. Il reste encore dans ce pays quelques hommes qui n'ont pas baissé les bras. Si j'ai attendu aujourd'hui pour te dire tout ça, c'est que je ne voulais pas t'obliger à choisir entre moi et Lauder.

Ngili promena son regard sur sa panoplie de marteaux de géologue, qui lui semblait soudain aussi dérisoire qu'inutile. Au-dessus des outils était punaisée une photo les représentant, Ken et lui, sur un de leurs premiers chantiers de fouilles. Ken avait la même sur sa commode, dans sa chambre... Ils se tenaient côte à côte, jeunes, souriants, barbus, couverts de crasse et de poussière — heureux.

Il eut un regard qui brisa le cœur de son père. Il acceptait. Il se sacrifierait. Il sacrifierait le souvenir de cet ami américain, mort quelque part dans la brousse. Il renoncerait à une partie de lui-même — ce Ngili inconnu, qui échappait totalement à Jakub.

— Très bien ! Trouve-nous cet avion. Mais dès que j'aurai mis maman et Yinka en lieu sûr, dis-toi bien que je reprendrai ma liberté. Je retournerai dans la savane — et partout où ça me chantera.

Jakub aurait voulu répliquer, mais il craignit de compromettre leur fragile alliance. Sans mot dire, il remit son pistolet dans sa cachette.

— Viens ! Allons dans mon bureau, jeta-t-il, d'un ton faussement désinvolte. Je me suis procuré des armes, pour toi et ta sœur. Des vraies !

— Vas-y, je te rejoins...

Comme les pas de son père s'éloignaient en direction de la porte, Ngili s'absorba dans la contemplation de ses échantillons minéraux et de ses photos de fouilles. L'idée que son père se préparait au combat le glaçait d'angoisse.

Seigneur, pria-t-il, avec une ferveur qui dépassait l'amour filial, faites qu'il sorte vainqueur de cette épreuve! Puis il pensa à son ami, son ami le *mzungu*. Il répéta le mot, mentalement, plusieurs fois. *Mzungu, mzungu, mzungu*... La mort de Ken semblait avoir ôté à ce terme toute nuance péjorative.

En une vision d'une clarté hallucinante, Ngili découvrit son ami. Il gisait, inanimé, sur le sol de la forêt. Un groupe d'hominiens l'entourait.

7

Les clameurs de la bataille s'étaient tues depuis bien longtemps, mais Ken ne parvenait pas à trouver le sommeil.

Il berçait toujours le gamin dans ses bras, attentif au bruit de son souffle et au mouvement rythmique de sa poitrine. Il ne pouvait certes pas compter sur la vieille montre de Haksar pour tenir le compte des minutes qui s'écoulaient, mais il avait remarqué qu'environ tous les quarts d'heure, l'enfant se mettait à rêver. Son corps se crispait, sa respiration se faisait plus rapide, plus saccadée. De temps à autre, il grinçait des dents.

Ses rêves semblaient tous avoir un début, un développement, et une fin. Ils commençaient généralement par ces petites crispations, ponctuées de quelques grincements de dents, se poursuivaient par une phase active, durant laquelle le corps de l'enfant était secoué de frémissements, pour se conclure en une phase de relaxation. Les anthropologues modernes avaient décrété que les cerveaux primitifs étaient incapables d'abstraction, mais que sont donc les rêves, sinon l'expérience d'une réalité abstraite ?

Il y a tant de choses que nous ignorons... songea Ken, et cette pensée lui parut curieusement porteuse d'espoir. S'il en était ainsi, si le champ du savoir restait ouvert à l'infini, rien ne pouvait s'achever. Il lui restait une chance de transformer cette odyssée en une expérience positive. Lui — ce Ken Lauder famélique, épuisé, au visage envahi par une barbe embroussaillée, dont les ongles prenaient de plus en plus l'allure de griffes noirâtres, et qui sentait vaciller en lui toutes ses belles certitudes. Peut-être pourrait-il mettre à profit ses involontaires exploits pour... pour quoi, au juste ? Jeter un pont entre cet autre univers et le sien ?

Quelles conséquences aurait une telle confrontation ? Ces premiers représentants de l'humanité avaient leur propre destin et un avenir qu'il fallait se garder d'infléchir — fût-ce pour permettre aux *sapiens* d'accéder à un domaine inconnu de la connaissance.

Quelques heures plus tôt, pendant l'échauffourée, en écoutant fuser les clameurs et les hurlements d'agonie, il s'était retenu de justesse d'aller se jeter dans la mêlée en criant : « Arrêtez, imbéciles ! Vous avez une mission à remplir auprès de nous ! Vous seuls pouvez nous transmettre ce savoir unique que vous détenez ! »

Mais quand bien même il serait parvenu à leur faire comprendre qu'ils avaient devant eux leur propre descendance, en sa personne, ils auraient été en droit de lui répondre : « Imbéciles vous-mêmes ! Cessez de gaspiller ainsi les trésors que nous vous avons légués ! »

Un débat de fond entre ces survivants du pliocène et un panel composé de l'élite de ses contemporains ne manquerait pas de sel, se dit-il avec un amusement amer. Quelle tête feraient-ils, tous ces hommes de science, ces philosophes, ces historiens, ces moralistes de tout poil, laïcs ou religieux, ces politiciens, plébiscités ou auto-couronnés, ces dictateurs de droite ou de gauche... ? Il ne put s'empêcher de glousser intérieurement, à l'idée de la foire d'empoigne que ce serait, dans la communauté scientifique, lorsqu'il s'agirait de choisir entre tous ceux qui aspireraient à être les représentants officiels de la lignée *sapiens*, lors de ce face-à-face.

Mais contre toute attente, la perspective de pouvoir être un jour l'un de ces porte-parole de l'humanité moderne — voire le seul médiateur compétent — lui faisait toujours battre le cœur. Quel honneur, quel pouvoir, quelle vertigineuse responsabilité ! Pour la première fois, il lui sembla comprendre ce qui faisait courir un homme comme Anderson.

Mais telle n'est pas ma destinée, se dit-il. De toute façon, je n'en ai plus pour longtemps. Un de ces quatre, je vais claquer d'épuisement ou d'un effondrement de mon système immunitaire, ou encore victime d'un de leurs absurdes raids. La mort attendait son heure, discrète et silencieuse. Il la sentait rôder autour de lui, depuis qu'il s'était retrouvé seul dans la savane. Elle frappait aveuglément, n'importe qui, n'importe quoi. Son tour viendrait forcément, et peut-être plus tôt qu'il ne le pensait. Le plus étonnant, c'était que cette perspective ne l'effrayait pas plus que ça...

La mort vous prenait en un éclair. Trouverait-il la réponse à toutes ses interrogations, à l'instant suprême ? Connaîtrait-il l'illumination, ou bien son cerveau cesserait-il de fonctionner sans qu'il ait eu le temps de recevoir la moindre révélation ? Les philosophes, les mystiques et les poètes avaient beau avoir abondamment disserté sur la mort, prose ou vers, leurs traités n'étaient que des spéculations. Personne n'était jamais revenu d'outre-tombe pour rédiger un compte rendu de première main, et il n'échapperait pas à la règle...

Mais il s'enterrait peut-être un peu vite, là ! Mieux valait prendre les choses avec sérénité. Peut-être que l'espèce de miracle que représentait sa rencontre avec Longs-Pieds et ses semblables en augurait d'autres, dont il n'avait même pas idée. Qu'est-ce qui prouvait qu'une fois mort, il ne pourrait pas, par exemple, revenir dans ce monde qu'il avait tant aimé, sous une forme non incarnée... ?

Qui le regretterait le plus ? Sa mère ?

Ngili ? Il revit son ami, plein d'énergie, débordant de sève, riche de cette vie qu'il n'avait pas encore transmise. Non, Ngili se remettrait de sa disparition. Il lui manquerait, bien sûr, mais pas éternellement...

Quant à Yinka...

Il s'agita faiblement, dans le trou que son corps avait creusé dans la terre meuble. Il devait faire l'amour à une femme une dernière fois avant de mourir. Il le fallait. Un désir lancinant envahit son corps, son sexe, si impétueux que mieux valait pour Yinka qu'elle ne soit pas là. Une image s'imposa à lui. Celle de la jeune femme, nue auprès de lui, sa peau ambrée, comme illuminée de l'intérieur dans la pénombre. Il sentit monter en lui un sentiment d'amour, aux antipodes de la passion, fait d'une infinie gratitude pour la femme qui avait accueilli sa semence...

Je ne connaîtrai plus jamais cela, se dit-il. Je comprends maintenant tout ce que cela représente, et je ne le vivrai pas...

Il se souvint de la lettre qu'elle lui avait écrite, cet après-midi-là. « Evite de te faire tuer et reviens entier, ne serait-ce que pour me montrer comment ça se faisait, à l'aube de l'humanité... ! » Ma parole, tu le connais par cœur, son mot... Attention, Lauder ! se dit-il. Dommage que ça doive finir ainsi... Quel gâchis ! Ça aurait été le bonheur de rentrer à Nairobi, et de lui raconter tout ce qu'il avait découvert ici...

A quelques centimètres de lui, Busta grogna et se retourna. Bercé par les petits bruits qu'elle faisait dans son sommeil, il s'interrogea sur les raisons de sa présence parmi les Graciles.

Elle s'était manifestement faite à leurs mœurs. Peut-être regrettait-elle parfois celles de son ancien clan — les jeux sexuels ouverts à tous, la fièvre des jours de fécondité et les assauts répétés des mâles. Mais là-bas, elle n'avait pas de conjoint attitré, personne qui revînt vers elle chaque soir, pour partager avec elle les produits de sa chasse. Personne à attendre, avec le cœur battant.

Elle avait fini par s'identifier à une Gracile, à se considérer comme la compagne de ce chasseur dont elle portait l'enfant — le petit Huron, encore à naître, à l'époque. Puis son conjoint était mort. A son tour, elle avait tout naturellement rejoint le groupe des femelles graciles, dans la forêt. Et cette nuit, en écoutant les clameurs de la bataille, elle avait compris que ce qui se jouait là, c'était le destin de ses deux familles : celle qu'elle avait quittée et celle qu'elle s'était choisie.

Elle s'était endormie le cœur serré et avait dû plonger dans des rêves encore plus terrifiants que ceux des autres femelles. Autour d'elle, le clan communiait dans une même angoisse, se préparant à la victoire d'une race sur l'autre, ou même à l'extermination totale des deux. Mais leur esprit acceptait cette perspective avec fatalisme, un peu comme on appréhende une catastrophe naturelle tout en sachant qu'elle est inéluctable, alors que Ken, l'étranger qui s'était immiscé parmi eux, se retournait sur le sol, incapable de trouver le sommeil, l'esprit bourdonnant de l'exaltation du scientifique qui sent qu'il touche au but. Qu'il va enfin *comprendre*.

Dans une bouffée de gratitude, il serra plus fort l'enfant endormi contre lui. Sans ces empreintes, laissées dans la savane par ses petits pieds aventureux, il n'aurait jamais rien su de tout cela... De toute son âme, il repoussa la mort qui le séparerait non seulement de l'univers des *sapiens,* de Ngili, de Yinka, mais aussi et surtout de ce monde-ci — et de cet enfant assoupi dans ses bras.

Pendant ce temps, à des kilomètres de là, le camion des braconniers cahotait dans la savane, lancé vers les premiers escarpements de la Mau.

Modibo était au volant, équipé de ses lunettes à infrarouge, des Nighthawk flambant neuves, que Kalangi lui avait fait livrer le matin même. Une grappe de fétiches et d'amulettes, accrochée au rétroviseur, s'entrechoquaient devant son nez. Une petite vierge de plastique d'une dizaine de centimètres y voisinait avec un os pénien de hyène, un oiseau-mouche momifié, une balle de fusil et divers crocs ou dents d'animaux — dont une molaire d'hippopotame... Tous ces gris-gris étaient fixés sur une grossière monture de cuivre constituant l'*imani*, l'arbre porte-bonheur des braconniers. Où qu'ils campent, l'*imani* était suspendu au bout d'une perche, et rituellement décroché lorsque la bande pliait bagages. On l'empaquetait d'habitude avec la batterie de cuisine, mais cette fois, curieusement, Modibo avait exigé de l'avoir près de lui, dans la cabine.

Il avait fait gravir au véhicule les premières pentes, jusqu'à ce que le moteur commence à renâcler. Le camion refusait d'aller plus loin. Le sergent coupa le contact et mit pied à terre.

— Suivez-moi, vous autres ! enjoignit-il aux deux hommes qui avaient voyagé avec lui dans la cabine.

Les types descendirent, les bras chargés du matériel, tout neuf lui aussi, qui était arrivé en même temps que les Nighthawk : deux émetteurs-récepteurs E. F. Johnson et un détecteur Bushmaster à peine plus grand qu'un téléphone cellulaire, dont l'antenne de vingt-cinq centimètres était capable de capter à peu près n'importe quoi dans un rayon de soixante kilomètres, depuis les messages des rangers en reconnaissance terrestre ou aérienne jusqu'aux émissions des stations de radio des villes les plus proches.

Ce matin-là, Modibo avait échangé quelques mots avec le pilote de l'avion de ravitaillement : « A Nairobi, on arrive même à intercepter les conversations des flics en patrouille ou des vigiles de la Brink's, avec ces engins ! » lui avait-il glissé.

Modibo avait lâché un long sifflement admiratif. Manifestement, la cote de ces Mangatis avait décollé en flèche, et ne cesserait de grimper d'heure en heure...

Sur la plate-forme arrière, le bout d'un joint allumé rougeoya dans la nuit et disparut. Bilal et les quatre autres braconniers en descendirent, le fusil à l'épaule. Bilal jaugeait du regard les pentes obscures de la Mau, qui surplombaient le camion d'une hauteur impressionnante, quand le contact d'une main sur sa gorge le fit sursauter. Modibo essayait de lui passer au cou un bout de fil de fer où pendait une dent du bébé rhinocéros. Sa sœur jumelle se balançait sur la poitrine du sergent, que ses lunettes à infrarouge faisaient ressembler à un E.T. binoclard.

— Merci, sans façons... ! grogna Bilal.

— T'as tort, marmonna Modibo, qui faisait tourner le gri-gri entre ses doigts. C'est bon pour l'*imani* !

Bilal secoua opiniâtrement la tête et s'éloigna en direction d'un tulipier, dont les branches s'abaissaient jusqu'à frôler le sol. Vues à travers les lunettes du sergent, les fleurs pourpres dont elles étaient couvertes composaient d'inquiétantes guirlandes funéraires...

Parvenu au pied de l'arbre, Bilal eut un haut-le-cœur — résultat de plusieurs joints consécutifs, fumés l'estomac vide dans un camion qui l'avait ballotté sans merci pendant des heures.

— T'as intérêt à retrouver tes esprits, ou je te largue ici, tout seul ! menaça Modibo.

Bilal se redressa avec une grimace douloureuse, et s'essuya la bouche d'un revers de manche. Lorsqu'il rejoignit les autres près du camion, il vit qu'ils avaient déchargé deux séries de collets, des grands et des petits. Le fil métallique des boucles, récuré le matin même, luisait d'une lueur blafarde, au clair de lune.

Bilal poussa un juron et déclara que chasser des petits d'animaux, y avait rien de tel, pour s'attirer un mauvais *imani*. D'ailleurs, ajouta-t-il, cette histoire de chasse aux Mangatis ne lui disait rien de bon !

Modibo empoigna son Enfield.

— Tu te rappelles qui donne les ordres, ici ? C'est moi ! On chasse ce que je dis de chasser. Alors, tu la boucles ou je te colle une balle entre les deux yeux ! Tu serviras d'appât, vu ?

Bilal loucha sur l'orifice du canon braqué sur lui.

— Vu, sergent, murmura-t-il. A vos ordres...

— Parfait ! Et maintenant, passe devant. Tu m'éclaireras le chemin », fit Modibo en lui tendant une torche. (Avec un peu de chance, se dit-il à part soi, ce petit con va poser le pied sur un *boomslang* et se faire mordre...) « Et ne t'avise surtout pas de tourner la lampe vers moi, ou t'es un homme mort ! aboya-t-il encore.

Avec ses Nighthawk sur les yeux, l'intensité du pinceau de la torche l'aveuglerait instantanément.

— Prêts, les gars ? » Il y eut quelques grognements d'acquiescement. « Alors, en avant !

Modibo effleura son gri-gri et s'engagea sous les arbres, derrière Bilal. Les trois autres braconniers l'imitèrent avant de lui emboîter le pas.

A son réveil, Ken eut l'impression d'avoir quitté son corps. Sous le soleil matinal, la forêt semblait d'émeraude.

Un *wrrraaaa !* vibrant, jailli de plusieurs poitrines, rompit le silence. Ken n'eut même pas le temps de se frotter les yeux. Des mâles graciles surgissaient des buissons.

Ils devaient observer le clan depuis un bon moment, car lorsqu'ils tombèrent sur les femelles endormies, leurs pénis étaient déjà dressés. L'espace d'un instant, Ken s'émerveilla de la parfaite adaptation de ces organes et de la détermination avec laquelle ils s'érigeaient... puis il se demanda s'il n'était pas en plein rêve érotique. Mais la vue de Longs-Pieds, qui se réveillait dans ses bras l'assura du contraire. L'enfant s'ébroua avant de bondir sur ses pieds.

Deux mâles s'étaient déjà jetés sur Niawo, et quatre ou cinq autres s'en étaient pris à des femelles qui se couchaient sur le dos en poussant des cris d'orfraie. Pour se protéger, ou, au contraire, pour mieux recueillir la semence de leurs compagnons... ?

Niawo disparut un instant sous une grappe de prétendants, mais on entendit bientôt le choc d'un coup de pied ou de genou, suivi d'un cri de douleur, provenant d'un gosier mâle. Niawo émergea du groupe et se jeta sur son agresseur qui se releva et déguerpit. A l'exemple de leur chef, toutes les femelles résistaient bec et ongles aux assauts des mâles. Jouant du poing et du genou, elles pourchassaient ceux qu'elles avaient repoussés, en les harcelant de leurs cris rauques et gutturaux.

Les jeunes qui arrivaient à la rescousse se jetèrent dans la mêlée. Le fils de Busta se suspendit à la chevelure du mâle qui s'intéressait à sa mère d'un peu trop près et le tira sans ménagement en arrière. Busta se releva, le visage illuminé d'un sourire pour le moins équivoque. Huron fit aussitôt volte-face pour s'élancer sur les traces du mâle déconfit, qui s'enfuyait déjà en direction des fourrés.

Ken, qui observait la scène d'un œil fasciné, s'avisa que loin d'être une invite, la position couchée adoptée par les femelles constituait une posture défensive des plus efficaces. S'il s'agissait d'une simulation rituelle de viol collectif, ses règles semblaient précisément définies. Les mâles tentèrent bien de résister à la grêle de coups qui s'abattait sur eux, mais avant peu, ils finirent par capituler et battirent en retraite, qui boitillant, qui se massant l'entrejambe, sous les huées victorieuses des femelles qui les regardaient s'éloigner, avec une curieuse lueur dans le regard.

Jubilant d'excitation, les enfants couraient en tout sens dans la clairière et se jetaient sur les derniers couples à se livrer à cet étrange corps à corps. Le vacarme atteignait un niveau tel que le sous-bois en vibrait. Ken venait enfin de comprendre que ce raid n'était pas une réelle agression, mais une sorte de parade amoureuse, durant laquelle les couples se formaient. Il jugea plus prudent de s'éclipser. Tout ceci n'était pour les femelles qu'un aimable prélude mais, si les mâles le trouvaient ici à leur retour, les choses risquaient de s'envenimer.

Non loin poussait un buisson couvert de grandes fleurs rouges évoquant celles des azalées, et où il crut reconnaître une variété de bauhinia. Ses feuilles devaient faire le régal des fourmis, car certaines d'entre elles étaient déjà réduites à l'état de fines dentelles. Il courut se mettre à l'abri sous son feuillage et, tout en reprenant haleine, se demanda combien de temps s'écoulerait avant que les fourmis ne s'avisent de sa présence et ne le chassent de sa cachette à la force des mandibules...

Il éprouvait un immense soulagement. Ces mâles appartenaient bien au clan de Longs-Pieds. Pour l'instant, les Graciles semblaient avoir le dessus, dans cette guerre qui les opposait aux Robustes. Les yeux clos, il revit les derniers instants de ce jeune mâle robuste, mort dans ses bras. Combien de ses congénères avaient encore succombé, cette nuit ? Il aurait voulu pouvoir effacer de sa mémoire cette image douloureuse. La survie du plus apte... La race la plus vigoureuse et la mieux armée génétiquement l'emporterait. Autant t'y faire, songea-t-il. Ils ont atteint un degré d'évolution plus élevé. Ne te pose pas en juge, Lauder ! N'essaie surtout pas de t'en mêler. Et cesse de te prendre pour Dieu le Père, nom d'un chien !

Lorsqu'il rouvrit les yeux, les derniers mâles quittaient la clairière. La virilité en berne, l'un d'eux fermait la marche en clopinant, harcelé par les adolescentes du clan. Cet essaim de petites pestes glapissantes était plus qu'il n'en pouvait supporter... Dans un ultime effort pour leur échapper, il plongea dans le buisson de bauhinia.

Avec sa barbe d'un mois, sa tignasse hérissée de brindilles et sa peau noircie par l'effet conjugué du grand air et d'une épaisse couche de crasse, Ken n'avait plus grand-chose d'un *Homo sapiens*. Mais, même gercées, ses lèvres restaient plus roses et plus charnues que celles des hominiens. Ses yeux étaient d'un brun plus clair, son nez plus proéminent et son front nettement plus haut et plus bombé. Surtout, il mesurait deux bonnes têtes de plus que le Gracile.

A la vue de cette étrange créature tapie à l'abri du feuillage, le mâle étouffa un hurlement de surprise, mais sa réaction ne se fit pas attendre. Son bras musculeux se détendit, si vite que Ken eut à peine le temps de voir arriver le poing massif. Il partit à la renverse, dans un fracas de branches cassées. Puis le Gracile fila rejoindre ses compagnons. Ken distingua les grognements aigus et saccadés qui fusaient dans le sous-bois. La nouvelle de sa présence se répandait dans les rangs des mâles.

Il se hissa sur ses pieds et s'essuya le nez d'un revers de main. Du sang... Du bout de la langue, il inventoria les dégâts. Il avait la lèvre fendue et une de ses incisives supérieures branlait. OK, il était amoché, mais il était encore entier.

Allons, tout n'est pas perdu! se dit-il, pour se remonter le moral. Il suffit de leur faire comprendre que je n'ai pas de vues sur leurs femmes...!

Loin de lui simplifier la vie, les émetteurs et le Bushmaster s'avérèrent de vraies plaies, pour le sergent Modibo. Dès leur première halte, à peine ses hommes avaient-ils posé leur matériel qu'ils avaient déjà allumé le détecteur et écumaient la bande FM, en quête d'une station de radio diffusant du rap.

Lorsque Modibo, parti en éclaireur pour reconnaître le terrain, regagna le bivouac, il découvrit trois des braconniers — Bilal s'était abstenu — en train de se trémousser au son de Snoop Doggy Dogg, dans la lumière grise du petit matin. Le sergent s'étrangla de colère. Il se rua sur l'appareil, prêt à le réduire en miettes, mais il se ravisa. Il distribua quelques coups de crosse, et intima aux coupables l'ordre de tout ranger. Ils repartaient immédiatement.

Les sept hommes obéirent en maugréant. Aux premiers rayons du jour, le sergent fit signe à Bilal d'éteindre la lampe. Peu après, l'un des braconniers tenta de rallumer une radio, dans l'espoir de capter les infos du matin, mais Modibo lui colla son poing dans la figure, sans la moindre sommation. Rien de tel qu'un bon exemple pour les dresser, ces traîne-savates !

Kalangi lui avait fait parvenir une carte d'état-major très détaillée du secteur. Armé de cette carte, des indications de sa boussole et de ses souvenirs, le sergent pensait retrouver sans difficulté la piste ouverte en 1953 par le commando anti-indépendantiste dont il avait fait partie. Mais c'était compter sans le passage du temps. En quelques décennies, le paysage s'était métamorphosé. D'impénétrables broussailles envahissaient certaines pentes, dégagées à l'époque, tandis qu'ailleurs, l'érosion avait raviné des pans entiers de la montagne. Des escarpements, autrefois arides et nus, étaient à présent couronnés de bouquets d'arbres.

Dans le souvenir de Modibo, la piste grimpait en lacets jusqu'à un à-plat formant terrasse, bordé par une falaise orientée plein est. Cette plate-forme lui servirait de repère pour établir les autres coordonnées qui lui permettraient de définir la zone habitée par les Mangatis : sa localisation, son altitude, les obstacles naturels qui l'isolaient du reste du monde...

Sur le terrain, sa mémoire se révéla infiniment plus fiable et plus utile que toutes les indications portées sur la carte. Rien ne valait un bon sens de l'orientation, même si, comme il ne tarda pas à le constater, ses souvenirs n'avaient plus grand-chose à voir avec le paysage qu'il avait sous les yeux. Les chutes d'arbres, les glissements de terrain, la prolifération des broussailles, entre autres, avaient remodelé la montagne, bouleversant toutes les proportions. Çà et là, lui et ses hommes se heurtaient à des fourrés si impénétrables qu'ils devaient s'imposer de longs détours.

Plus ils grimpaient, plus ils avaient l'impression de s'enfoncer à l'infini dans un monde sauvage, dont les limites reculaient devant eux. Selon les calculs du sergent, cela faisait déjà deux heures qu'ils auraient dû tomber sur un repère qu'avait laissé son unité, en 1953. Un repère d'un genre très spécial. Immanquable, à l'en croire... Il avait été édifié pour inspirer une crainte salutaire aux Mangatis et les dissuader à tout jamais de s'aventurer hors de la forêt.

Où était passé ce foutu truc ?

Derrière lui, ses hommes commençaient à râler ferme. Certains n'avaient pas renoncé à tripoter le récepteur, pour capter quelques notes de rap...

Bilal, qui avait suivi un stage de trois mois de sylviculture dans une école professionnelle, avant de s'en faire virer pour avoir fauché le chèque mensuel d'un enseignant — haut fait qui l'avait obligé à filer en brousse pour échapper à la police — Bilal, donc, émergeait progressivement des brumes de l'Ouganda Blue. Il redécouvrait la forêt avec émerveillement. Malgré tout ce qu'il avait appris de la flore d'altitude durant sa formation écourtée, jamais il n'aurait imaginé qu'elle pût être si riche, si belle ! Pour quelques essences qu'il identifiait au passage, combien d'autres, dont il ne soupçonnait même pas l'existence ! Et toutes ces fleurs... Un vrai trip !

Pour juguler l'exaltation qui le gagnait, il tâcha de se concentrer sur ses pieds — ses pieds de braconnier, qui suivaient les empreintes de ces vieux godillots militaires, dans les rangs de ce commando de crapules dépenaillées qui pillaient sans vergogne le monde sauvage.

Cette végétation le replongeait dans ses souvenirs d'enfance. Car jusqu'à ses huit ans, avant que sa famille ne vienne habiter un taudis de Nairobi, et ne se désintègre au contact de la grande ville, il avait vécu dans un village des hauts plateaux.

Il reconnut un buisson de *m'deeree*, dont les feuilles passaient, dans sa tribu, pour soigner les fièvres. Plus loin, il huma l'odeur suave que répandait le tronc brisé d'un *m'cherenge*. C'était dans ce bois qu'on creusait les pots à lait, dans son village. Il sourit aux grandes fleurs jaunes d'un *m'talawanda*, qui lui rappela les tambours sur lesquels on rythmait les chants et les danses... La plupart des noms de plantes étaient précédés du *m'* des noms tribaux, et ce n'était pas par hasard. Dans les histoires que racontaient les vieux, les arbres et les plantes étaient des personnages à part entière.

Soudain requinqué, il interpella Modibo :

— Regardez, sergent ! Un *m'toondoo*. On peut en faire des pirogues, des tam-tams, des auges à cochons. Et avec les fibres des feuilles, on tresse des cordes ! » Modibo leva le nez vers la majestueuse frondaison du géant. « On pourrait faire camper tout un régiment, là-dessous, pas vrai, sergent ?

— Boucle-la... ! marmonna Modibo.

Par-dessus son épaule, Bilal jeta un coup d'œil en direction de ses compagnons. Les gouttes de sueur avaient dessiné de petits sillons plus clairs dans la poussière qui leur encroûtait le front et les joues. Bilal sentait encore les effets de son dernier joint, cette légère ivresse qu'il aurait voulu faire partager aux autres, ce sens de... Mais de quoi ? De la beauté ? Oui, quelque chose dans ce genre-là. Une exaltation qu'il croyait avoir perdue pour toujours. Il se rapprocha de son chef, avec dans les yeux une lueur qui poussa Modibo à garder ses distances.

— Vous bilez pas, sergent, ça gaze ! Ça, voyez... — il désignait un autre arbre — c'est un *m'oosimbatee*. Ses fruits calment la toux !

Il considérait en souriant le reste de la troupe. Devant leurs regards impavides, il se tourna à nouveau vers le sergent. Comment comptait-il s'y prendre pour repérer ces Mangatis, à propos ? Modibo n'en avait pas la moindre idée, mais se garda bien de l'avouer. Ils n'étaient plus très loin de leur territoire, répondit-il. Ils se construiraient des cabanes de branchages où ils se mettraient à l'affût, comme pour le rhinocéros. Ils n'auraient plus qu'à attendre que des Mangatis passent par là...

— Et qu'est-ce qu'on en fera, quand on les aura tués ? On leur arrachera les dents, à eux aussi... pour les mettre sur l'arbre à *imani* ? s'enquit Bilal, l'œil fixé sur la dent de bébé rhinocéros, qui pendait au bout de son lacet, sur la poitrine de Modibo.

— On ne les tuera pas. Il nous les faut vivants. Ils valent plus cher sur pied, répliqua le sergent.

Bilal sentit sur lui le regard de ce bébé rhino, qui l'observait depuis le pays des morts. Il ne supportait pas l'idée d'ôter la vie à ne serait-ce qu'une créature de plus, mais il ne savait pas trop comment l'annoncer aux autres. A Modibo, surtout.

— Et s'ils nous attaquent ? demanda-t-il.

— T'occupe ! aboya le sergent. Ton job, à toi, c'est de construire les cabanes — et n'oublie pas qu'il y a cinq cents dollars par tête de pipe à la clé, si on fait correctement le boulot ! » Il éleva la voix pour en faire profiter les autres. « Cinq cents chacun ! Un sacré paquet !

— J'irai pas plus loin ! fit Bilal et, se laissant choir sur le sol, il entreprit d'extirper ses pieds de ses bottes.

— Ah ! On fait de l'insubordination... » ricana Modibo.

Il leva le bras gauche et, d'un index menaçant, tapota la montre et la boussole qu'il portait au poignet — les seuls moyens d'orientation dont disposât le groupe. « Je vais finir par y aller tout seul, si ça continue, et je vous plante là, tous autant que vous êtes ! Vous n'aurez qu'à vous démerder !

La menace fit son effet. L'un des braconniers envoya un coup de botte en direction des côtes de Bilal.

— Lève-toi, mon pote, et arrête de jouer au con.

Bilal se redressa, quoique à contrecœur.

— C'est pas des singes, ces Mangatis ! C'est des gens ! J'ai vu leurs dents, chez Zhang Chen, et vous pouvez me croire ! C'étaient des dents d'hommes, pas des dents de singes. On devrait être payés beaucoup plus que ça pour capturer des gens !

La troupe se remit en route derrière Modibo, dont les yeux faisaient constamment la navette de la piste au cadran de sa boussole. Au bout d'un moment, il s'arrêta.

— Tiens-moi ça ! lança-t-il en tendant le détecteur à Bilal, qui le prit sans poser de question.

Modibo empoigna son Enfield, le pointa sur la poitrine du jeune braconnier et tira à bout portant. Le coup fut étouffé par son corps. La balle avait ouvert un trou sanglant dans le dos de Bilal, qui tomba en avant, le visage crispé de douleur. Le sergent récupéra prestement l'appareil et se le cala sous le bras, avant de se laisser glisser dans un petit fossé tapissé de lilium grimpant, d'un rouge écarlate, où il disparut.

— Sergent... ! glapit l'un des hommes.

Pas de réponse. Son voisin marmonna que le sergent était en train de se tirer avec leur fric. Cette idée rendit de l'énergie aux six survivants, qui empoignèrent leurs fusils et s'élancèrent sur ses traces dans les broussailles. A quelque distance, ils virent Modibo foncer vers un bouquet d'arbres, hésiter un instant, puis s'immobiliser. Ils se ruèrent dans sa direction et restèrent cloués sur place.

Au centre d'une petite clairière, se dressait un énorme arbre mort, fendu en deux par la foudre. Deux squelettes humains à demi enfouis sous des lianes desséchées s'adossaient à son tronc. L'un d'eux, vêtu d'un treillis en loques et d'un casque colonial, ne pouvait être que Modibo. Il étranglait un Mangati épouvanté, pris au collet. Plusieurs squelettes de Mangatis gisaient au pied de l'arbre, tels des morts sur un champ de bataille. On les avait enveloppés de lambeaux de mousse, pour évoquer une pilosité simiesque.

— Qui a fait ça? osa demander l'un des braconniers.

— C'est moi! fanfaronna Modibo d'une voix rauque. Histoire de leur rafraîchir la mémoire et de les obliger à rester ici, dans la forêt. Quant à vous, pensez à votre camarade Bilal! Ceux qui veulent se tirer ont une seconde pour le faire, mais ceux qui restent exécutent *mes* ordres! Et mes ordres, c'est ça : on capture des Mangatis, on les ramène à Nairobi et on les vend nous-mêmes — sans passer par Kalangi. Direct au client! » Il marqua une pause, pour laisser à ses paroles le temps d'infuser. « Des objections?

Il attendit leur réponse, mais ils étaient trop paniqués pour souffler mot.

— Eh ben, entendu! conclut-il pour eux, en shootant dans un squelette, pour bien montrer qui était le boss.

— Prêts, les gars?

L'un d'eux couina un acquiescement.

— Alors, on y va!

Ils s'éloignèrent en enjambant les ossements des hominiens.

L'arrangement que suggérait Modibo ne faisait que renouer avec les méthodes employées par les marchands d'esclaves de jadis. Ainsi les chefs waganda avaient-ils court-circuité les rois swahili de la côte et les princes arabes de Zanzibar, pour vendre leurs captifs directement aux sultans d'Oman, aux nababs de l'Inde, puis aux Européens. Depuis le temps des pharaons, l'Afrique avait été mise au pillage par des étrangers — et par ses propres fils — qui avaient impitoyablement exploité sa force de travail, sa faune, sa flore, et qui prétendaient à présent la déposséder de ses ancêtres.

Maintenant que le raid avait pris fin, les femelles donnaient libre cours à leur excitation. Toute la clairière résonnait de ululements et de gazouillis. Niawo rôdait entre les groupes survoltés, avec la sombre concentration d'une tigresse sur le qui-vive.

Les enfants dépensaient leur trop-plein d'énergie dans de grandes parties de course-poursuite où ils s'égosillaient à qui mieux mieux. Les sentiments équivoques qu'avait dû leur inspirer la vue de leurs mères se livrant à cette rude parade nuptiale en étaient sans doute un début d'explication, se dit Ken. Huron, notamment, semblait furieux. Lorsque sa mère avança la main vers sa joue pour le caresser, il la repoussa et ramassa une motte de terre qu'il lui lança à la figure, avant de s'enfuir à toutes jambes, entraînant Cheese et Longs-Pieds dans son sillage.

Ce matin, aucune femelle ne semblait se préoccuper du déjeuner, comme si le pressentiment de leurs maternités à venir avait supplanté l'instinct maternel qui les liait à leurs rejetons déjà mis au monde.

Ken remarqua qu'au lieu d'emprunter les sentiers existants, certaines s'éloignaient deux par deux, en se frayant un chemin dans les broussailles. Il s'interrogeait encore sur cette curieuse façon d'agir, lorsque s'éleva le chœur de leurs cris stridents, mêlé d'éclats de rire. Elles avaient dû tomber sur des mâles, embusqués aux alentours. Elles regagnèrent précipitamment la clairière en lançant des regards furtifs par-dessus leur épaule. Les enfants se sentirent autorisés à partir en éclaireurs. A leur tour, ils disparurent dans les buissons, pour revenir à toutes jambes, quelques instants plus tard. La plupart des femmes s'étaient assises sur l'herbe. Certaines se levèrent et firent mine de se mettre en quête de nourriture, mais elles étaient visiblement trop excitées pour vaquer à ce genre d'activité. Plusieurs se mirent à arpenter la clairière, en prenant des poses avantageuses, comme si elles paradaient.

Elles se savent observées... Les mâles ne doivent pas être loin, en déduisit Ken. Mais où exactement? Mystère...

Il allait à son tour plonger dans les fourrés, lorsque Niawo lui emboîta le pas d'un air résolu. Son regard croisa le sien et Ken fut surpris d'y lire de l'inquiétude. Serais-je en danger? se demanda-t-il. Les mâles se préparent-ils à me mettre en pièces sous les yeux de ces dames...?

Il sentit se hérisser les poils de sa nuque. Trois hominiens avaient surgi d'un buisson et arrivaient sur lui à grandes enjambées, le front baissé, les bras ballants, mais les mains vides. Ken avait immédiatement noté qu'ils ne tenaient aucune arme — pas de pierres, pas de bâtons...

Les trois mâles lui arrivaient à peine à mi-poitrine, mais

c'était lui pourtant qui se sentait ridicule à côté d'eux, avec son mètre quatre-vingt-dix et sa grosse tête. Tels trois radars jaugeant les forces de l'ennemi, leurs trois paires d'yeux convergèrent sur ses parties génitales. Outre l'embarras dans lequel le plongeaient leurs regards scrutateurs, Ken ne pouvait se défendre d'une certaine inquiétude. A trois contre un... Il aurait de loin préféré que Niawo ne soit pas là. Pourquoi diable restait-elle ainsi plantée à côté de lui ?

Elle n'avait apparemment aucune raison particulière... Elle avait croisé les bras sur sa poitrine et, le menton levé dans une attitude de défi, laissait les mâles approcher. Sentant que Ken l'observait, elle plongea ses yeux dans les siens et soutint son regard. Les mâles étaient suffisamment proches pour qu'il discerne l'odeur de leur sueur. L'un d'eux marcha jusqu'à lui et s'arrêta littéralement sous son nez. Il vit sa main se lever, lentement...

De longs doigts agiles, aussi rugueux et musculeux que ceux d'un singe, mais presque dépourvus de poils, se posèrent sur son bras. Ken retint son souffle. Le mâle avait entrepris de le palper. D'abord le biceps, puis l'épaule et enfin, le pectoral. Les doigts s'attardèrent sur l'un de ses tétons, qu'ils pincèrent. Ken comprit la perplexité de son examinateur et éclata de rire. Enfin, un morceau de mon anatomie qui ne soit pas plus grand, plus fort ou plus développé que les leurs ! Les trois hominiens laissèrent encore leurs yeux s'attarder sur son nombril, et sur ses génitoires, sans toutefois oser y porter la main, après quoi, sans doute satisfaits de leur inspection, ils tournèrent les talons et regagnèrent l'abri des buissons.

Eh, oui ! Je suis fait de chair et de sang, tout comme vous, songea-t-il. Et le besoin d'une compagne me torture, moi aussi... Mais je n'ai aucune prétention sur vos femmes, ni sur votre territoire.

Comment le leur faire comprendre ?

Il se retourna vers Niawo et la dévisagea en souriant. Tu leur as présenté ton petit animal exotique... Là, je crois que tu as réussi à les étonner !

Elle se détourna. Quelques feuilles adhéraient à la peau de ses reins. Il leva la main, machinalement... Non, surtout pas ! Ne surtout pas effleurer son dos nu...

Niawo avait sagement agi, se dit-il. Elle s'était arrangée

pour faire comprendre aux mâles qu'il ne présentait aucun danger. Mais je me trompe peut-être complètement... Et si elle leur avait dit, par exemple, que je ne ferai pas obstacle à leurs entreprises sur les femmes du clan, pour la bonne raison que j'étais son partenaire attitré... ?

Relax, Lauder! Pas de panique! Qu'est-ce que tu risques? Tu ne vas tout de même pas te faire violer par une femelle! C'est l'un des avantages de l'état de mâle...

Dans l'après-midi, le clan s'ébranla en direction de l'est. Les rayons du soleil semblaient couler comme du miel à travers le feuillage qui s'éclaircissait. Les mères marchaient groupées, tandis que les enfants galopaient d'un bout à l'autre de la colonne. Ils parvinrent au bord d'une petite ravine, nichée entre deux escarpements boisés.

Niawo s'engagea dans la descente, ouvrant la route pour les autres femelles, au risque de tomber dans une embuscade. Mais de toute évidence, elle savait ce qu'elle faisait. Sur le sommet de la falaise de gauche, on apercevait çà et là une tête émergeant du feuillage des arbres. Niawo ralentit sensiblement l'allure.

Les femelles défilèrent sous l'œil attentif de leurs prétendants, qui les observaient depuis leurs perchoirs — comme une bande d'adolescents désœuvrés, postés sur un coin de trottoir pour regarder passer les filles, se dit Ken, amusé. Puis, seuls ou par petits groupes, ils se laissèrent tomber des arbres et approchèrent, certains d'un pas vif, d'autres plus lentement. Une bonne dizaine s'étaient déjà attroupés au fond de la ravine, juste à la limite du territoire des femmes, sur lequel ils prenaient bien garde de ne pas empiéter. Des fragments de lianes et de feuilles s'entortillaient encore dans leurs crinières hirsutes, et autour de leurs membres.

On les croirait enfantés par cette montagne et cette forêt, se dit Ken, profondément troublé.

Les mâles ne firent rien pour s'opposer aux passages des femmes. Ils les couvaient d'un regard attentif — préoccupé, même —, comme s'ils avaient tenté d'apprécier les difficultés qui les attendaient. Niawo se dirigea vers un groupe de buissons — des arachides sauvages — et se mit à pousser des cris de gamine excitée en les montrant du doigt. Les autres femelles s'assirent autour d'elle. Elles la laissèrent décortiquer et distribuer les arachides, puis elles les savourèrent sans hâte, avec un grand luxe de gestes, de borborygmes et de bruits divers. Quel genre de message voulaient-elles transmettre à leurs mâles ? Que signifiait cet enthousiasme ostentatoire pour la nourriture dont elles se régalaient ? Voulaient-elles leur signifier que le meilleur chemin pour parvenir à leur cœur était celui de leur estomac ?

Possible...

En distribuant les petites graines avec tant d'emphase, c'était le partage de la nourriture que célébrait Niawo. Un lien profond et ancestral reliait le sexe aux aliments, songea Ken.

Mais une idée angoissante l'avait assailli. On finirait sans doute par organiser une expédition pour le retrouver, et si on le retrouvait, eux aussi seraient découverts. Il imagina une armée de guides, de rangers et d'anthropologues se frayant un chemin à coup de tronçonneuse dans cette forêt inviolée. Ils débarqueraient en masse, dans leurs jeeps et leurs hélicoptères, et déferleraient sur ces « sauvages » pour leur imposer d'autorité leur conception de l'humanité.

Qu'adviendrait-il alors ?

D'un autre côté, il se pouvait que personne ne soupçonne qu'il ait pu survivre. Je dois être un homme mort, à l'heure qu'il est, pour tous mes contemporains... Mais en ce cas, que vais-je devenir ? Devrai-je rester dans cette forêt ? Devrai-je y passer le reste de ma vie ?

Impossible. Je suis trop différent d'eux...

Il se demanda combien de temps encore les mâles souffriraient sa présence sans tenter de l'éjecter — ou pire... De toute façon, c'était inévitable...

Je vais sûrement devoir fuir, se dit-il. Et peut-être très bientôt.

D'instinct, il chercha Longs-Pieds du regard car, sans trop approfondir la question, il avait supposé que l'enfant partirait avec lui. Ils s'en iraient tous les deux.

Lui et moi, ensemble. Comme là-bas, dans la savane, songea-t-il en hochant la tête.

Avec un sourire, il regarda Longs-Pieds zigzaguer entre les mères qui se prélassaient dans l'herbe, poursuivi par Cheese et Huron, avec lesquels il formait un trio pour le moins remuant. Sans doute repue d'arachides, Busta s'était levée et s'éloignait, en compagnie de quelques autres femelles. Elles revinrent bientôt, les bras chargés de superbes fleurs écarlates, du lilium grimpant dont les pétales ondulés se recourbaient en crochet. Le dessert, peut-être?

Mais non... La forme de ces fleurs en faisait des parures toutes trouvées pour une chevelure de femme. Busta détacha une poignée de pétales, les jeta en l'air et les laissa retomber en pluie dans ses cheveux. Ainsi parée, elle se mit à parader avec coquetterie, les yeux mi-clos...

Que le sens de la beauté soit inné en l'homme, et le désir de plaire, un ingrédient essentiel de l'éternel féminin, Ken en avait la preuve sous les yeux.

Quelques rayons de soleil s'infiltraient sous les arbres. Il se sentit pris de vertige à l'idée du savoir immense qu'il emmagasinait, jour après jour, au contact de la tribu.

Ni lui ni les hominiens ne remarquèrent ce front noir, surmonté d'une touffe de cheveux crépus, qui émergea quelques secondes d'un buisson, à quelques dizaines de mètres. Des yeux noirs avaient fixé sur eux un regard qui brillait d'une curiosité avide. Ces yeux-là avaient l'habitude de guetter à distance. Ils les observèrent quelque temps, dilatés par l'excitation, et la bouche qui les accompagnait se tordit en un sourire mauvais.

Puis Modibo disparut dans les buissons et battit en retraite sur ses pattes de crabes, en dénombrant mentalement le groupe d'hominiens qu'il venait de repérer. Il calcula que ses hommes auraient besoin de plusieurs heures pour piéger tous les abords de la terrasse et transformer ce lieu de festivités en une vaste souricière.

Le soleil avait flétri les fleurs qui ornaient les cheveux des femmes. Niawo sentit glisser des siens les derniers pétales qui y restaient piqués. Elle les rassembla et les fit rouler entre ses doigts, avant de se les appliquer sur les joues.

Un nouveau jeu... se dit Ken.

Erreur, mon cher Lauder! Ce jeu n'a rien d'innocent! C'est un véritable appel du pied, et qui t'est directement destiné...

Il sentit son front s'empourprer, sous la couche de poussière qui lui maculait le visage. Que diable ferait-il si...?

Niawo se massa vigoureusement les joues puis, plus délicatement, les paupières. Cela fait, elle se leva d'un bond et s'enfonça dans la ravine. Tout le clan lui avait emboîté le pas.

A sa grande surprise, Ken ressentit le désir subit de s'approcher d'elle. Il la rattrapa en trois enjambées, mais hésita au dernier moment. Vas-y, mon vieux ! Qu'est-ce que tu attends ? Tu la dépasses, tu te retournes et tu la regardes droit dans les yeux, comme si tu la rencontrais par le plus grand des hasards...

Mais il n'osait pas — il se sentait si bête. D'ailleurs, tout cela était ridicule... Mais vas-y ! Personne ne te regarde ! Personne ? En tout cas, aucun de ses contemporains du monde dit civilisé...

Il dépassa le petit bout de femme et se tourna négligemment vers elle, avec un air d'indifférence étudiée qui devait être un chef-d'œuvre du genre.

Un frisson le parcourut de la tête aux pieds. Elle avait posé sur lui des pupilles immenses — un effet du suc de ces fleurs, peut-être...

Il resta médusé. Ce n'était pas possible !

Elle pouvait dilater à volonté ses pupilles pour lui témoigner son intérêt... ? Elle intercepta son regard et lorsqu'elle plongea les yeux dans les siens, il eut la sensation que c'était lui qui tombait dans un abîme.

Ils approchaient de l'extrémité de la ravine. Brusquement, la végétation s'éclaircit et ils débouchèrent sur une sorte de grande terrasse naturelle, bordée d'arbres à gauche comme à droite, mais ouverte, en face d'eux, sur le vide et, au-delà, sur la savane.

Il y avait longtemps que Ken n'avait pas eu devant lui autant d'espace. Il ferma les yeux et s'offrit à la caresse bienfaisante du soleil qui réchauffait sa peau nue. Quand il s'ébroua, ébloui, il aperçut Niawo debout auprès de lui. Il battit en retraite si précipitamment, qu'il manqua de trébucher.

J'ai dû brûler mes vaisseaux, auprès d'elle, songea-t-il, mais ça vaut mieux. Ce n'est même plus la peine d'y repenser...

Ken contempla la plaine immense qui s'étendait à ses pieds.

Les enfants s'étaient rassemblés au bord de la terrasse et pépiaient avec animation. Longs-Pieds s'était lancé dans un de ses interminables récits gestuels. Les doigts réunis en bec, le poignet cassé et le bras levé pour imiter un long cou, il leur mimait une autruche en train de s'activer autour de sa couvée avant de s'accroupir sur son nid...

Ken ramena son regard vers la savane, vers ces innombrables petits points mouvants qui étaient autant d'animaux. Et eux, ici ? A quoi pouvaient-ils bien ressembler, vus d'en bas, les enfants et lui ? Etaient-ils à portée de vue d'un éventuel observateur, posté quelque part dans la brousse ? Il approcha du bord de la falaise, si près que le sol s'effrita sous son poids. Quelques mottes de terre roulèrent sous ses pieds et tombèrent dans le vide. En bas, à mi-pente, s'étirait un promontoire de roche nue, marqué d'une trace circulaire, où il reconnut des empreintes de pas...

C'était l'éperon rocheux qu'il avait photographié depuis l'avion de Hendrijks.

VI

LE CHOIX

1

Cette fois, on le tient, Ngili ! se dit Ken. Il est là, cet éperon qu'on avait vu du ciel. Ce qu'on a pu se creuser les méninges pour essayer de comprendre la raison d'être de ces empreintes... Nous commencions même à douter de les avoir vraiment vues. Mais on n'avait pas rêvé, mon vieux : je les ai sous les yeux ! Et nous tenons du même coup la preuve qu'ils vivent ici, depuis la nuit des temps, depuis cette époque reculée où ils étaient les seuls humains sur cette terre ! La preuve de leur miraculeuse pérennité...

A son esprit afflua soudain la multitude des souvenirs liés à ces empreintes — la première trace matérielle de l'existence de cette espèce unique.

En contrebas, un coup de vent avait soulevé un nuage de poussière, qui masqua brièvement les empreintes, avant d'être entraîné plus loin. Happées par un tourbillon ascendant, ses fines particules balayèrent les pentes jusqu'à Ken, dont elles vinrent frapper le visage.

Il tourna les talons et s'éloigna du ravin. Une colonne d'une vingtaine d'hominiens débouchait sur la terrasse.

A peine arrivés, ils s'éparpillèrent parmi les femelles. Ils se mirent à déambuler par deux ou trois, regardant à la dérobée telle ou telle compagne potentielle, mollement allongée dans l'herbe. Les enfants leur couraient entre les jambes, surexcités, dévorant du regard les nouveaux venus, comme s'ils tentaient de deviner sur lequel d'entre eux se porterait le choix de leur mère. Au bord de la terrasse, s'était rassemblé un groupe d'adolescents qui contemplaient la plaine, à leurs pieds. Cette savane qui regorgeait de mouvements et de couleurs. Tous ces animaux qui n'attendaient que d'être chassés !

Les mâles adultes défilaient devant les femelles — comme des garçons endimanchés draguant des filles, un soir de bal, songea Ken, avec un sourire amusé. Déjà, çà et là, quelques-uns se dandinaient devant une femelle qu'ils avaient repérée, ou sautillaient d'un pied sur l'autre pour mettre en valeur leurs avantages anatomiques. Puis ils s'éloignaient de quelques pas et se pavanaient, en bombant le torse et en prenant des poses. Certains réservaient leurs faveurs à une seule femelle, mais d'autres tentaient successivement leur chance auprès de toutes, sans distinction. Ken eut l'impression que ceux qui s'empressaient auprès d'une femelle précise la connaissaient déjà. Peut-être s'agissait-il de leur compagne attitrée, dont ils avaient déjà des enfants ? Certains petits tournaient d'ailleurs autour du prétendant de leur mère avec une curiosité non dissimulée, mais là s'arrêtait leur audace.

Ce doit être cette guerre qui a contraint le groupe à se scinder, se dit Ken. Cette ségrégation forcée avait permis aux membres de la tribu de comparer les avantages de la liberté et ceux d'une relation monogame suivie. Mais, à l'évidence, le besoin d'une relation était le plus fort car, contrairement à ce qui s'était passé dans la matinée, les mâles étaient venus conclure... Les mères s'étaient assises par terre. Elles se balançaient de droite et de gauche, à la façon des guenons, et semblaient prêter moins d'attention au visage de leurs prétendants qu'à leurs hanches, à leurs cuisses ou à leurs génitoires.

Le soleil monta au zénith, puis entama sa descente. Fasciné par le spectacle de cette parade nuptiale ancestrale, Ken avait perdu la notion du temps. Enfin, l'ombre de la Mau s'allongea sur la terrasse, apportant une brise plus fraîche, qui le fit frissonner. Il leva les yeux. Déjà la crête s'embrasait des feux du soleil qui avait plongé derrière la montagne.

Les mères se levaient, une à une. Plusieurs convergèrent vers le milieu de la terrasse, et se mirent à tourner à la queue-leu-leu, en une ronde dont les rangs, d'abord clairsemés, s'étoffèrent rapidement. Les mâles qui les avaient courtisées vinrent se joindre à elles, et le cercle s'agrandit d'autant. Les femelles se regroupèrent au centre et serrèrent les rangs, excluant les mâles, mais à nouveau, ils s'immiscèrent dans leur ronde et se remirent à tourner avec elles.

Ken fit volte-face. Une petite main s'était posée sur son dos. S'attendant à voir Longs-Pieds, il fut surpris de découvrir Niawo, dont la main n'était effectivement pas beaucoup plus grande que celle du garçon. Elle le poussa vers le cercle ondulant.

Voyant Ken prendre place entre deux femelles, plusieurs mâles en profitèrent pour se glisser à leur tour dans la ronde — qui avait à présent la taille du cercle d'empreintes qu'il avait photographié. En quelques instants, la plupart des mâles réussirent à se faufiler parmi les femelles, qu'ils s'appliquaient à isoler de Ken.

Bizarrement, c'était à Ngili qu'allaient les pensées de Ken. Il tenait enfin la clé de cette énigme qui les avait tant intrigués : ces empreintes circulaires étaient la trace d'une danse comparable à celle de ce soir. Un « cercle de rencontre », façon pliocène, qui permettait aux couples de se former...

Perdu dans ses songes, il avait inconsciemment ralenti l'allure, mais un coup de genou à l'arrière de la jambe l'expédia en avant. Il jeta un œil par-dessus son épaule. Le genou appartenait à un jeune mâle tout en muscles, qui haletait d'excitation. Au-dessus de ses narines palpitantes et de son nez écrasé, ses yeux lui lançaient un message éloquent : Avance, crétin, c'est pas le moment de rêvasser ! Ken fit une embardée, atterrissant dans les omoplates de l'hominien qui le précédait. Alors, quoi, Lauder ! On ne sait même plus marcher... ?

Il marchait donc dans ce sillon creusé par d'innombrables paires de pieds. Mais il avait le plus grand mal à régler son allure, car le cercle ne cessait de s'élargir et de se rétrécir. Les mâles s'en éloignaient pour y revenir quelques instants plus tard, jouant des coudes, pour se glisser à telle place convoitée. Les femelles observaient leur manège d'un œil entendu, paupières mi-closes, avec ce regard qu'il avait déjà vu à Busta. De temps à autre, l'une d'elles semblait perdre la cadence, et rétrogradait ou remontait de quelques places dans la ronde. Elles aussi cherchaient à se rapprocher de certains mâles...

Ken tournait en rond au milieu de tous ces corps nus depuis un bon moment, lorsqu'il aperçut une silhouette qui se tenait à l'écart, et reconnut Niawo. En la voyant frissonner, il s'avisa que la nuit commençait à se faire fraîche. A l'intérieur du groupe, qui incluait à présent la plupart des adultes, régnait une douce chaleur.

La lune faisait briller son disque au-dessus de la savane, en un cercle aussi parfaitement dessiné que celui qui se creusait sous leurs pieds, songea Ken. L'obscurité serait bientôt là. Alors, le groupe se disperserait et, tel un collier brisé dont les perles s'éparpilleraient deux par deux, les couples se formeraient, et s'éloigneraient dans les sous-bois, sous la lune.

Juste en face de lui, Ken repéra Busta, qui semblait s'amuser follement. Lorsqu'elle se mit à sauter sur place, la ronde se fragmenta et bientôt tous les danseurs, mâles et femelles confondus, se mirent à bondir, eux aussi.

Comme les Massaï, se dit Ken. Dans un cas comme dans l'autre, ces bonds n'avaient d'autre but que de manifester sa puissance sexuelle, de faire parade de ces organes qui ne demandaient qu'à s'unir. Peut-être était-ce ainsi qu'était née la danse traditionnelle des Massaï, dont le caractère sexuel librement affiché avait tellement choqué les missionnaires du siècle dernier? Cette danse que Livingstone, qui n'y voyait qu'un rite de fertilité d'une extraordinaire innocence, avait vainement tenté de défendre, était en train de s'inventer sous ses yeux.

Déjà les premiers couples commençaient à s'éclipser et le cercle fondait à vue d'œil. Ken comprit que le moment était venu de se faire oublier, et de laisser s'accomplir ce rituel amoureux. La présence d'un intrus risquait d'en rompre le charme. Il s'éloigna discrètement.

Regagner la savane ne serait pas une partie de plaisir, songea-t-il. Il n'y avait pas la moindre piste en vue. Il allait devoir s'en ouvrir une à travers la végétation.

Il chercha Longs-Pieds du regard. L'enfant s'était assis sur un gros rocher, au bord de la terrasse et semblait contempler l'obscurité qui s'épaississait au-dessous de lui. Il se retourna et vit Ken, seul, sans compagne.

Il comprit immédiatement qu'il faudrait bientôt lui dire adieu. Si Ken ne s'attachait à aucune femelle, c'est qu'il partirait, tôt ou tard. Qu'est-ce qui pouvait le retenir au sein du clan ?

Ken avait lu tout cela dans le regard de l'enfant.

Et toi, Longs-Pieds ? Qu'est-ce que tu vas faire ?

L'enfant inclina la tête de côté, en signe d'indécision. Il était tenté de rester — pour l'instant du moins... Le clan familial avait encore pas mal de choses à lui offrir.

Ken lui signifia son approbation d'un sourire. Ici, il était chez lui. Il avait des compagnons de jeux, des oncles, des tantes... Et sans doute ses multiples talents lui permettraient-ils, un jour, de prouver qu'il avait l'étoffe d'un chef ?

Oui, mais... la savane ?

Les pensées de Longs-Pieds devaient suivre le même cours, car il tourna les yeux vers la mer de graminées, cette étendue obscure, vibrante de cris et murmures. La savane...

Le regard de Ken fit la navette entre la plaine infinie et l'enfant. Je reviendrai peut-être un jour, mon petit vieux... Qui sait ?

Arrête, Lauder ! se morigéna-t-il. Tu sais parfaitement que c'est une expérience unique, qui ne se reproduira pas. C'est fini. Terminé. Adieu, la préhistoire...

Longs-Pieds lança un cri et aussitôt apparut Cheese — qui devait se trouver à proximité —, suivi de Huron et de tous les autres garçons. L'étranger s'en allait. Leur grand copain leur faisait ses adieux.

Ken empoigna un jeune séneçon qu'il entreprit de déraciner. Il aurait besoin d'un solide bâton pour se frayer un chemin à travers la végétation qui couvrait les pentes de la Mau. Mieux valait s'activer utilement... En partant tout de suite, il pourrait marcher une bonne heure, avant de se trouver un coin pour la nuit, et il repartirait le lendemain, dès l'aube. Il esquiva le regard de Longs-Pieds et se concentra sur sa tâche.

Les gamins se poussaient du coude, d'abord perplexes puis carrément hilares, à le voir ainsi s'acharner sur le petit arbre. Ils finirent par venir lui prêter main forte. Enfin, il le sentit céder et le brandit victorieusement. Les enfants l'aidèrent à le débarrasser de ses feuilles.

Il était prêt à partir.

Il s'engagea dans la pente, et se sentit déraper sur le sol meuble, qui s'effritait à chacun de ses pas. Il parvint à se rétablir et, s'aidant de son bâton, dévala tant bien que mal plusieurs centaines de mètres. Les enfants gambadaient dans son sillage. La nuit ne semblait pas les impressionner, peut-être parce que Longs-Pieds était avec eux. Longs-Pieds, qui avait triomphé de la jungle et de la savane.

Un peu plus bas, la végétation se faisait plus dense. Ken avait supposé que les enfants n'oseraient pas s'aventurer aussi loin. Il baissa résolument les yeux et concentra toute son attention sur le sol, pour ne pas être tenté de se retourner et de regarder ceux qu'il laissait derrière lui.

Il les entendait échanger des rires et des petits grognements, mais ne pouvait se résoudre à se retourner vers Longs-Pieds. Il y eut tout à coup un bruit de chute, et, presque malgré lui, il jeta un coup d'œil par-dessus son épaule. Cheese se relevait déjà, en s'ébrouant. Et Longs-Pieds... Impossible de ne pas le voir. L'enfant baissa aussitôt les yeux, comme pour inspecter les buissons et les rochers d'alentour. Il marchait, la mine sombre, sans mêler son rire à ceux de la petite bande.

Ken détourna la tête. Le silence obstiné de Longs-Pieds lui semblait plus assourdissant que le tapage de ses camarades.

Il contempla la savane, à ses pieds, et tenta de repousser les souvenirs qui lui revenaient en foule : ces journées de chasse, ces nuits où ils avaient dormi, blottis l'un contre l'autre... S'il voulait partir, il devait renoncer à cet enfant dont la présence lui manquait déjà.

Assez, Longs-Pieds ! Cesse de jouer sur la corde sensible...

S'il avait pu se transporter par magie à cent lieues de là, et regagner instantanément la civilisation, il l'aurait fait sans hésiter. Mais ç'aurait été une fuite, un terrible aveu de lâcheté — et d'égoïsme. Il se retourna et plongea son regard dans celui de son ami.

L'enfant lui décocha un petit sourire d'encouragement. Qu'il lui paraissait vulnérable, tout à coup, ce géant qui avait terrassé un énorme lion, sous ses yeux ! Ce n'était plus le même homme.

Ken poursuivit sa descente, toujours escorté par la

bande des enfants. Ils venaient de traverser un taillis quand ils se retrouvèrent à la lisière d'un véritable maquis de buissons et d'arbustes enchevêtrés. Cette fois, il est grand temps de leur faire rebrousser chemin, se dit Ken. Ils sont déjà descendus trop loin.

Il n'eut pas le temps de faire un geste. Son pied s'était posé sur une liane, qu'il sentit se nouer autour de sa cheville. Elle était rigide, comme un filin métallique. Deux pas derrière lui, un des enfants poussa un cri et, comme il tournait la tête, il sentit quelque chose lui immobiliser l'autre cheville.

Brutalement, le ciel et la terre basculèrent. Une autre liane s'était enroulée autour de son cou. Instinctivement, il y porta la main et reconnut la boucle d'un collet de braconnier. Il allait se faire étrangler comme un lapin... Un dernier réflexe lui fit glisser son bâton sous le fil de fer. Quelque part dans les buissons, un émetteur-radio nasillait, puis une voix s'éleva, toute proche. « *Upesi ! Upesi !* Vite ! Vite ! »

Ken voulut tourner la tête vers les enfants, pour les mettre en garde — surtout pas eux, pas Longs-Pieds ! — mais il était incapable de remuer le cou. Ses muscles étaient tétanisés par la peur, et le fil de fer commençait à lui entamer la peau. Les filins qui lui entravaient les pieds se tendirent brutalement et le sol se déroba sous ses pieds. Il s'affala par terre de tout son long.

Un homme se tenait devant lui. Il portait un vieux treillis militaire et des lunettes à infrarouge qui le faisaient ressembler à un gros insecte. Il avait un fusil à la main et, dans l'autre, un bout de bois dont il se servait comme d'un tourniquet pour tendre le collet. Ken l'agrippa par une jambe et parvint à le faire tomber. Cette odeur, à la fois âcre et rance... Un sourire découvrit les dents de l'homme.

— *Upesi, Mangati !* Vite, les Mangatis ! se mit à hurler Modibo.

Le petit sergent se releva d'un bond, mais parut hésiter à se servir de son Enfield. Il empoigna une grosse torche électrique, passée dans la ceinture de son pantalon et en asséna un bon coup sur la tête de Ken, qu'il n'avait pas reconnu. Pour lui, ce n'était qu'un Mangati d'une taille inhabituelle.

Sonné, Ken lâcha son bâton. Il empoigna le collet à deux mains et parvint à le desserrer juste assez pour éviter de suffoquer. Comme il tentait de se hisser sur ses pieds, Modibo lui décocha un deuxième coup de torche qui l'assomma net. Le sergent le regarda s'effondrer et laissa choir sa torche. A quelques mètres de lui, les enfants se débattaient en hurlant contre les boucles de fil de fer qui leur enserraient le cou ou les chevilles.

— Où ils sont, ces crétins ? enragea Modibo. Qu'est-ce qu'ils foutent ? Ils devraient être là, pour m'aider à ramasser le gibier !

Il expédia un coup de crosse rageur dans les côtes du grand Mangati, puis bondit vers les petits qui poussaient des cris d'effroi et de douleur. Il allait les faire taire, lui ! Un bon coup sur le crâne — juste de quoi les estourbir, car il les lui fallait vivants !

Ken revenait à lui. Il entendit un son mat, suivi d'un gémissement. Pas les enfants ! Il y eut un autre bruit de coup, puis un nouveau cri de douleur. Il se releva laborieusement. Le collet ne l'étranglait plus. Dans sa hâte de faire taire les petits Mangatis, Modibo avait négligé de coincer son tourniquet. Ken fit passer la boucle par-dessus sa tête et s'attaqua aux filins qui lui immobilisaient les chevilles. Il entendait les cris des enfants et le souffle rauque de Modibo qui courait de l'un à l'autre pour les assommer, en hurlant à tue-tête : « Magnez-vous, bordel ! Par ici ! Vite ! »

L'un des braconniers apparut enfin, équipé, lui aussi, de lunettes à infrarouge et d'un fusil. Il rejoignit Modibo et, pour faire preuve de zèle, abattit diligemment son arme sur la tête d'un enfant.

La lampe-torche luisait dans l'herbe, aux pieds de Ken. Il l'empoigna. Tu n'as pas droit à l'erreur, se dit-il. Il s'élança et percuta le braconnier au moment où, pour la troisième fois, il brandissait son fusil au-dessus d'un crâne — celui de Longs-Pieds ? Il n'eut pas le temps de s'en assurer. L'homme se tournait vers lui. Une pensée lui déchira l'esprit : NE RATE PAS TON COUP ! Son pouce écrasa le bouton de la torche et, intensifié soixante-dix mille fois par les lunettes à infrarouge, le faisceau lumineux explosa dans les yeux du braconnier, l'aveuglant instantanément. Un coup de feu partit en l'air et le fusil roula à terre. Les mains de l'homme s'étaient nouées autour de son cou mais, d'une poussée, il l'expédia à quinze pas. Le braconnier s'était relevé et tâtonnait en aveugle, quand ses cinq acolytes surgirent des taillis, dans un fracas de branches cassées. Sans prendre le temps de réfléchir, ils criblèrent de balles le fantôme gémissant qui s'avançait vers eux.

Au premier coup de feu, Modibo avait lâché son fusil et s'était jeté à plat ventre. Dès que le silence revint, il se débarrassa de ses Nighthawk d'un geste rageur et prit la tangente en rampant.

Ken brandit la torche, bondit sur le braconnier le plus proche et l'assomma. Puis il l'empoigna par ses vêtements et, le tenant devant lui comme un bélier, fonça sur le reste de la bande. Criant à la diablerie et croyant leur dernière heure arrivée, les quatre hommes tournèrent les talons et déguerpirent sans demander leur reste. Ken continua de charger, les refoulant dans la direction où il entendait nasiller la radio. Soudain la voix de Kalangi explosa parmi les arbres : « Modibo ! Où es-tu passé, nom de Dieu ? Modibo ? Ici Kalangi. Donne-moi ta position. L'avion de l'expédition part demain matin. Il se posera au pied de la Mau... »

Un braconnier, encore indemne, échappa à Ken et se rua sur l'émetteur qu'il renversa d'un coup de pied. Ken courut vers les deux corps qui gisaient à terre et les examina rapidement. Modibo n'était pas parmi eux. Il eut beau fouiller les taillis, le sergent s'était évaporé dans la nature. Restait à libérer les enfants, toujours prisonniers des collets... Il revint à toutes jambes vers eux.

Lui qui n'avait pas eu la force de briser ses propres liens, se découvrit des ressources insoupçonnées. Il s'escrima sur les fils de fer qui lui entaillaient les doigts, jusqu'à ce qu'il ait libéré tous les gamins. Presque aussitôt, les petits corps s'agitèrent faiblement. Longs-Pieds ouvrit les yeux et découvrit Ken avec un soupir de soulagement.

Du haut du plateau, les Graciles avaient entendu les clameurs et les coups de feu. Les mères, suivies d'une bonne moitié des mâles, se précipitèrent dans la pente. Mais lorsqu'elles arrivèrent sur le lieu de l'embuscade, tout était terminé. L'un des enfants gisait, inerte, le visage tourné vers la lune. Ken souleva sa main et lui palpa le poignet. Son pouls avait cessé de battre.

Huron était mort, étranglé par le collet, le crâne défoncé à coups de crosse. Pour lui, l'évolution s'était arrêtée à tout jamais.

* * *

« Continue à appeler Modibo ! » lança Kalangi à son bras droit, le lieutenant Sampa. Il se leva et s'éloigna de la table — provisoirement transformée en poste d'écoute — qui trônait dans le salon de la suite qu'il avait investie, au deuxième étage de l'hôtel Naivasha. « Et continue à balayer toute la bande des fréquences. Si c'est parce qu'il a fait une prise que ce fumier ne se signale pas, il va sans doute utiliser une autre fréquence pour prévenir ses acheteurs.

— On a des hommes en planque partout où il a des contacts mais, pour l'instant, il ne s'est manifesté nulle part, fit Sampa.

Le lieutenant n'avait rien trouvé de mieux, comme tenue de camouflage, que la panoplie d'un sorcier kamba. Le plastron de son boubou crasseux était couvert d'un véritable étalage de gris-gris qui s'entrechoquaient, suspendus à de petits crochets.

— Qu'est-ce que tu veux qu'il soit arrivé à sept solides gaillards armés jusqu'aux dents et disposant de ce qui se fait de mieux en matière d'équipement ? grommela Kalangi.

Sampa eut un haussement d'épaules qui fit tinter sa quincaillerie.

Kalangi avait converti ses appartements en un véritable PC opérationnel. Les pièces grouillaient de gardes du corps et d'ordonnances — tous gros fumeurs, à en juger par l'odeur qui flottait dans l'air... Le chef de la police disparut dans la chambre à coucher. Le lit, qui n'avait visiblement pas servi, était jonché de photocopies du carnet de Haksar. Quelques heures plus tôt, les barbouzes de Kalangi s'étaient introduits dans la suite de Harry Ends, au dernier étage de l'hôtel, avaient fait main basse sur l'original, l'avaient photocopié *in extenso* et dûment remis en place.

Kalangi exhuma d'une de ses poches la liste des clients étrangers du Naivasha, et cocha ceux avec lesquels il avait déjà pris contact : un représentant américain de AID, alias l'Agency for International Development ; le P-DG d'une chaîne d'hôtellerie suisse, qui cherchait à s'implanter au Kenya ; le secrétaire du World Council of Anglican Churches ; un constructeur automobile allemand, spécialisé dans les véhicules tout terrain. D'ici trois jours, si l'opération « Coup de balai » se déroulait comme prévu, Kalangi serait aux yeux de tous ces braves gens un élément clé de la future équipe gouvernante.

Mais, pour l'heure, il avait rendez-vous avec deux délégués de Giving Back to Africa, une organisation humanitaire noire américaine.

— Où se trouvent Harry Ends et les deux autres ? lança-t-il à Sampa, en remettant la liste dans sa poche.

— Après leur petite visite aux fossiles, Anderson et Ends ont laissé Ramsay à l'université et sont allés à leur rendez-vous avec le président. L'audience a duré huit minutes et s'est déroulée sans accroc. Après quoi, ils ont récupéré Ramsay, et Anderson les a emmenés faire du shopping au marché de Muindi Mbingu Road. Ils doivent y être encore, en ce moment...

— Anderson n'a pas cherché à me joindre ?

— Non, chef.

— Ils vont sans doute revenir à l'hôtel d'une minute à l'autre. Tenez-vous prêts, tous autant que vous êtes !

La suite de Harry Ends était truffée de micros, reliés à la table d'écoute installée dans celle de Kalangi, et à laquelle un opérateur était spécialement affecté. Pour l'instant désœuvré, il tuait le temps en feuilletant une revue porno.

— Eh bien, tout m'a l'air en ordre. Je reviens d'ici une demi-heure.

— Entendu, chef.

Kalangi se glissa hors de la suite et se dirigea vers l'ascenseur.

Deux minutes plus tard, il était devant les délégués de Giving Back to Africa.

— J'ai été navré d'apprendre que vous vous étiez fait détrousser par des voyous en voiture. Vous n'êtes pas les seuls, hélas... Rien que la semaine dernière, quatre groupes de touristes se sont fait dévaliser, eux aussi, et en plein Nairobi ! Deux cars ont été rançonnés par des pirates de la route dans une réserve, et je pourrais continuer...

Ses deux interlocuteurs, un Noir et une Noire d'à peine

trente ans, portaient encore les traces de leur empoignade avec leurs agresseurs. Ils ne paraissaient pas goûter énormément la situation. Lucius Conroy — un mètre quatre-vingt-dix, une carrure d'armoire à glace, et une vitalité qui lui donnaient de faux airs d'Orson Welles jeune en Othello — se lança dans l'énumération des faits divers qui s'étaient produits depuis leur arrivée au Kenya. Des cambrioleurs avaient percé un trou dans le mur de la résidence de l'attaché culturel américain, et avaient pris le large en emportant des objets d'art africain et du matériel électronique. Un incendie avait ravagé le siège de la mission économique du Malawi, le matin même où ils devaient s'y rendre. Il ne se passait pas de jour sans que des affrontements violents n'éclatent entre immigrés et habitants des bas quartiers de Nairobi, pour des questions de préséance autour des points d'eau. D'ailleurs, il semblait que dans cette ville, les échanges de coups soient le prélude obligé à tous les rapports sociaux... Au train où allaient les choses, la rue imposerait bientôt sa loi — et sa justice expéditive. Conroy était déjà venu à Nairobi, cinq ans plus tôt, et il ne reconnaissait pas la ville.

Cynthia Palmer, avocate en droit social et féministe convaincue, déclara tout de go à Kalangi que la condition des Kenyanes dépassait tout ce dont elle avait pu être témoin auparavant. Elle avait rarement vu des femmes être traitées avec une telle barbarie. Non seulement leurs salaires étaient très inférieurs à ceux de leurs collègues masculins, mais elles en étaient réduites à verser des pots-de-vin — voire à payer de leur personne — pour décrocher un job. Et que dire des violences conjugales dont elles étaient quotidiennement victimes, à domicile... !

Dès que Kalangi parvint à l'interrompre, il lui assura qu'il n'en était rien, que tout cela reposait sur de simples rumeurs, véhiculées par des opposants au régime — de la désinformation caractérisée ! Le Kenya était une vraie démocratie.

Conroy monta au filet :

— Et le trou de six cents millions de dollars dans les caisses de l'Etat, c'est une rumeur ? La presse locale s'en est largement fait l'écho. Enfin, tout de même ! Ça représente l'équivalent de trois ans d'aide internationale !

Kalangi décida d'y aller prudemment. Giving Back to

Africa était une organisation dynamique, à la fois plus dure en affaires et mieux informée que les coopérants de l'US Peace Corps. L'association, financée et gérée par des Noirs, était au-dessus de tout soupçon. Personne ne pouvait l'accuser de racisme !

Il se fendit d'un large sourire.

— Je suis ici en ami, dit-il en baissant la voix, comme s'il y avait des micros plein la pièce — ce qui était le cas... Je voulais justement vous conseiller de ne pas investir dans ce pays, en ce moment. Nous sommes à la veille d'un grand bouleversement politique.

— Et vous comptez aussi « bouleverser » le je-m'en-foutisme de vos fonctionnaires et l'immobilisme forcené de votre administration, par la même occasion ? demanda Conroy, avec un sourire en coin.

— Absolument ! fit Kalangi, avec un regard appuyé en direction des murs de la pièce. Pour l'instant, je n'ai, hélas, pas les mains libres. A cause de tous ces vieux bureaucrates en place, vous comprenez... Mais je tenais à vous informer qu'une nouvelle équipe gouvernementale s'apprêtait à reprendre les choses en mains et à réformer tout cela !

— Ça ne serait pas du luxe ! s'écria Cynthia Palmer, qui s'était posée sur le bord de sa chaise, la jupe sagement tirée sur les genoux. Notre fondation est entièrement financée par la communauté noire américaine qui n'est pas, tant s'en faut, la minorité la plus riche des Etats-Unis. En clair, vous nous demandez de réserver nos subventions pour votre prochain gouvernement. C'est fort aimable à vous, mais nous attendrons tout de même de l'avoir vu à l'œuvre... Quand ces remaniements doivent-ils intervenir ?

Kalangi réfléchit rapidement. L'opération « Coup de balai » bis était imminente. Mieux valait que ces deux Yankees n'y assistent pas... Il fallait provisoirement les occuper ailleurs.

— Permettez que je passe un coup de fil ? demanda-t-il.

Ses hôtes hochèrent la tête. Il appela sa propre suite et s'informa à mots couverts de la situation. Modibo ne s'était toujours pas signalé et Anderson n'avait pas téléphoné — ce qui inquiétait autant Kalangi que d'être sans nouvelles de Modibo. Dans la matinée, il avait cédé à l'appât du gain et annoncé à Anderson qu'à moins de lui faire une rallonge de cinq mille dollars, il pouvait faire une croix sur l'avion militaire qui devait les conduire le lendemain dans le Dogilani. Anderson lui avait ri au nez et, à présent, Kalangi ne savait plus sur quel pied danser, avec lui — surtout depuis qu'il avait lu les notes de Haksar.

Il raccrocha.

— Que diriez-vous de faire un petit voyage dans le nord du pays et de visiter une réserve que je vous garantis hors des circuits touristiques ? Un de mes hommes vous y accompagnera... pour vous éviter d'autres mésaventures ! Croyez-moi, ce pays est beaucoup plus respectueux des lois que bien d'autres. Au Nigeria, neuf militants écologistes ont été pendus rien que pour avoir dénoncé le saccage du delta du Niger par la Royal Dutch Shell, ajouta-t-il, avec un sourire, tout aussi contraint que le précédent, et en se gardant bien de préciser que l'ex-vice-président de ladite Shell se trouvait justement dans l'hôtel. « Dans ce pays, le progrès ne peut pas emprunter les mêmes voies qu'en Occident. Mais, comme je vous l'ai dit, nous sommes à la veille d'un grand changement de cap. Et maintenant, je vais vous laisser. Bonne nuit et... que Dieu vous protège !

Kalangi sortit, laissant Lucius Conroy méditer sur ce « Dieu vous protège », dans un pays en pleine tourmente.

Dans sa suite, au dernier étage du Naivasha, Harry Ends était plongé dans le journal de Raj Haksar, que Cyril Anderson lui avait remis dans l'après-midi.

Entre deux rendez-vous, il n'avait pas résisté à l'envie d'y mettre le nez, aussi curieux qu'un gosse à qui on vient d'offrir un album de BD, et ce qu'il y avait lu l'avait tellement fasciné qu'à peine rentré de leur expédition au marché de Muindi Mbingu Road, il avait ressorti le carnet. Il avait le temps d'en lire encore quelques pages avant de manger. Le dîner qu'il avait commandé pour lui, Anderson et Ramsay Beale, tardait à arriver — comme ses invités.

L'écriture était fine, mais régulière et très lisible, tracée d'une main ferme, guidée par un esprit posé et lucide. Sur la première page figurait une date : 24 mars 1953.

« Mon nom est I.V.H. » (Anderson lui avait expliqué que ces initiales désignaient un vieil anthropologue indien, du nom de Induprakash Vasant Haksar.) « Je suis, à ma connaissance, le seul homme civilisé à avoir jamais exploré cette contrée — exception faite de mes compagnons, qui se réduisent à quelques officiers de la police coloniale et une poignée de braconniers, devenus soldats de fortune dans cette guerre d'ores et déjà perdue. »

Harry Ends lisait, conscient d'avoir entre les mains un document d'une importance cruciale. En tant que vice-président de la Shell, il avait pas mal sillonné le tiers-monde, sans jamais se sentir réellement concerné par la misère ou le sort des populations locales, mais le trajet de l'aéroport à l'hôtel lui avait suffi pour diagnostiquer l'état où se trouvait le Kenya. Ce pays était au bord de la catastrophe. Et pourtant, depuis son arrivée, il était pénétré d'un extraordinaire sentiment de continuité de la lignée humaine. Le déclic s'était produit pendant qu'il était dans l'antre de Cyril Anderson, en train d'examiner les crânes de ses fossiles. Il avait levé la tête et son regard était tombé sur une assistante de Cyril, une ravissante — et fort brillante — jeune Kikuyu, au type très pur. A cet instant, l'idée l'avait frappé que les Kenyans appartenaient à un peuple très ancien — qu'ils descendaient peut-être en ligne directe des ancêtres de l'humanité qu'abritait ce musée. La jeune femme aurait pu être une lointaine petite-fille, subtilement stylisée, d'un de ces fossiles. Du coup, Harry s'était mis à observer les Kenyans — le chauffeur de leur minibus, les petits laveurs de pare-brise qui se précipitaient sur les voitures aux feux rouges, les agents qui réglaient la circulation, le personnel de l'hôtel. Tous auraient pu être issus d'une même souche originelle...

Bizarrement, pour une fois, ce n'étaient pas des magnats du pétrole, des milliardaires ou des têtes couronnées qui l'impressionnaient, mais des gens ordinaires, aperçus par la portière de la voiture ou depuis les fenêtres de sa suite. Il éprouvait à leur égard le sentiment, tout nouveau pour lui, d'une parenté remontant à la nuit des temps. Il avait toujours été persuadé d'appartenir à une élite et n'aimait pas les gens de couleur — il n'en connaissait d'ailleurs pour ainsi dire pas... Et puis, côtoyer tous ces hommes de science était extrêmement flatteur. Cela lui donnait l'impression d'être des leurs.

Anderson, à qui l'euphorie d'Ends n'avait pas échappé,

avait glissé à Ramsay Beale : « Ce pauvre Harry... Le cas classique. Il a chopé la fièvre des origines. Tu vas voir que, sous peu, il va se mettre au swahili... »

Cet engouement de l'homme d'affaires entrait tout à fait dans les plans d'Anderson. D'ailleurs, Rams lui-même n'avait pas échappé à la contagion...

Pendant que Cyril et Ends se rendaient à leur audience avec le président, à Uhuru Park, Ramsay Beale — qui, sur les tablettes du chef du protocole, avait le statut de simple « conseiller » et qu'à ce titre, on n'avait pas jugé utile de recevoir — était resté à l'université. Il était allé tuer le temps à la bibliothèque du département d'anthropologie. Une liste de lectures recommandées signalait un article du *National Geographic*, dans lequel un photographe maison racontait sa rencontre avec une tribu d'Indiens amazoniens télépathes. Intrigué, Beale avait dégoté la revue et avait eu la surprise de trouver l'article annoté de la main de Raj Haksar. Lorsque Cyril et Harry étaient venus le récupérer, il s'était répandu avec enthousiasme sur les commentaires de Haksar et la communication non verbale. A leur avis, les hominiens étaient-ils dotés de facultés analogues ? Haksar avait-il pu communiquer avec eux par télépathie — ou du moins, s'imaginer qu'il l'avait fait ?

— Décidément, ce projet s'annonce de plus en plus prometteur ! avait lancé Harry. A propos, vous deux, ça m'a toujours paru plus que suspect, votre histoire de gène anticalvitie ! Heureusement pour vous, nous avons désormais quelque chose de bien supérieur à vendre...

— Ah oui ? Quoi donc ? avait riposté Anderson.

— *NOUS !*

« En regard de ma découverte, l'histoire de l'humanité telle que l'enseignent aujourd'hui tous les manuels est donc amputée de moitié, écrivait Haksar. Cette humanité parallèle coexiste avec la nôtre depuis la nuit des temps. Ces hominidés étaient là à l'époque des Ming, à la Renaissance, du temps où Shakespeare écrivait ses chefs-d'œuvre, pendant la guerre de Sécession, et ils sont toujours là... Ils ont survécu dans des poches de la forêt tropicale, en Afrique, mais peut-être aussi sur d'autres continents. Ils ont évolué à un rythme plus lent que le reste de la planète... »

Plus loin, il affirmait : « Leur découverte aura des conséquences incommensurables sur notre avenir, et ce d'autant plus que je suis en train de faire de ces créatures les germes d'une humanité nouvelle. »

Harry Ends fronça les sourcils. Une « humanité nouvelle »... De quoi voulait-il parler ?

Son mémoire était un étonnant mélange d'observations scientifiques, de spéculations concernant l'évolution et de détails biographiques. Raj Haksar était né en Inde, du temps où ce pays était encore le plus beau fleuron de la Couronne britannique. A cette époque, lorsqu'une partie de chasse était organisée pour honorer un visiteur anglais de marque, le petit écolier qu'il était participait parfois, muni d'un tambour, aux battues organisées dans la forêt pour rabattre le gibier ailé vers le sahib. Un jour qu'il plongeait dans un étang pour récupérer un faisan, il avait entendu l'Anglais glisser à un notable indien : « Eh bien ! Que dites-vous de mon petit setter à deux pattes ? » Le notable en question n'était autre que le père de Raj qui, révolté, avait sauté en marche de la calèche, avait empoigné son fils encore dégoulinant d'eau, et était rentré chez lui à pied.

Les Haksar n'étaient pas de haute caste. Ils avaient espéré s'élever dans l'échelle sociale en émigrant en Afrique. Ils ignoraient que la société coloniale était encore plus compartimentée que celle de l'Inde. La petite affaire paternelle périclita et l'argent se fit rare. Le jeune Raj, doué pour les langues, apprit le swahili et entra comme interprète dans l'administration coloniale. Il économisait sur son salaire pour faire des études d'anthropologie, espérant un jour passer son diplôme et faire tranquillement carrière à l'université, mais l'Histoire en décida autrement. L'Afrique entamait son combat pour l'indépendance. La révolte des Mau-Mau embrasait le Kenya, et le jeune Raj se retrouva dans la police coloniale. « Quel beau geste de la part des Britanniques ! ironisait Haksar. Après m'avoir traité de setter à deux pattes, les voilà qui font de moi un bon petit Anglais bon teint, prêt à mourir pour leur "très Gracieuse Majesté"...

« Et voilà comment je me retrouve ici, dans la peau d'un officier de renseignements, ou plutôt, ne nous voilons pas la face — pourquoi écrire ces pages si ce n'est pour dire la vérité — dans celle d'un espion... O Hanuman ! continuait

Haksar, versant soudain dans un lyrisme échevelé, aide-moi à oublier par quelles voies je suis arrivé ici, et puisse ta figure symbolique m'inspirer ! Comme dans les mythes hindous, l'humanité nouvelle sera engendrée à la faveur d'un monstrueux secret. O Hanuman, si tu avais été à mes côtés, tu aurais été ensorcelé par la beauté de ces deux jeunes Graciles que j'ai surpris, il y a quelques heures. Contrairement aux australopithèques robustes, le mâle possède un pénis de dimensions respectables. Comme si les mâles de son espèce n'avaient perdu en force musculaire que pour mieux gagner en puissance sexuelle. »

Suivaient plusieurs pages où Haksar dissertait sur l'importance de l'affectif dans les relations sexuelles humaines — « la dimension d'intimité, de tendresse, qui préside à l'acte lui-même et distingue l'homme des autres primates... ».

« J'en conclus que nombre d'évolutions d'ordre physiologique ont été déterminantes dans l'établissement de liens privilégiés entre partenaires. D'un véritable attachement. »

Là, Haksar interrompait ses spéculations pour noter : « A en croire cette canaille de M., les hominidés qui vivent dans la forêt sont très différents. Il dit qu'ils sont plus grands, mais que leur appareil génital est moins développé, et qu'ils ont une sexualité débridée, comme les singes anthropoïdes. D'après lui, ils sont arboricoles, mais se déplacent à l'occasion en position bipède. Il faut absolument que je parvienne à les observer. Rien qu'à l'idée qu'ils pourraient appartenir à l'espèce *robustus*, le souffle me manque. Seigneur ! Combien d'autres mystères peut receler ce coin de savane perdue ? »

Haksar dissertait ensuite de l'influence de la morphologie sur le comportement sexuel, avant d'en revenir à des détails anecdotiques touchant au couple de Graciles qu'il avait observé dans la savane.

« Ils ont fait l'amour et, après une pause, ont recommencé. Lorsqu'ils ont fini par s'apercevoir de ma présence, elle s'est levée d'un bond et s'est perdue dans les buissons, tandis que son compagnon arrachait une branche d'acacia et se campait devant moi dans une attitude menaçante, pour protéger sa fuite. Il roulait des yeux effarés (j'étais le premier *Homo sapiens* qu'il voyait — et encore, j'ai la peau teintée... Le choc aurait été bien plus fort s'il s'était trouvé devant Hendrijks, avec sa trogne de goret!), mais il savait que son devoir était de faire front pour protéger, fût-ce au prix de sa vie, celle qui était désormais la dépositaire de ses gènes.

« La taille du pénis humain, bien plus grand que celui des autres primates, est à l'origine de toutes les cultures. L'adoration du phallus, en tant que symbole des forces fécondatrices, se retrouve dans la plupart des mythologies. Il n'est pas jusqu'à toi, Hanuman, qui ne sois une extension de ces grands mythes. Je suis sûr que, par le passé, des Hindous ont découvert des préhominiens, peut-être de l'espèce *Ramapithecus*, qui avaient survécu dans des régions reculées. La culture repose forcément sur quelque chose de concret. Nous en reparlerons bientôt, Hanuman! »

On avait frappé. Harry Ends délaissa le carnet pour aller ouvrir à ses deux convives. « Qui est ce foutu Hanuman, dont Haksar n'arrête pas de parler? » demanda-t-il, en se tournant vers Anderson.

Le garçon d'étage arrivait avec leur dîner. Il dressa la table et, dès qu'il fut sorti, Anderson se fit un plaisir d'étaler sa science : Hanuman était un héros immortel, mi-homme, mi-singe, né dans une forêt des amours du Vent et d'une Apsara changée en guenon. D'une grande bravoure et d'une égale virilité, il avait servi le prince Rama, un des avatars de Vishnu. Par là, il était donc lié au culte d'Ekamukhalinga (le phallus à visage humain), dans la tradition duquel le phallus était divisé en trois, chaque partie représentant une des trois divinités majeures du panthéon hindou, Brahmâ, Vishnu et Shiva. Hanuman était traditionnellement représenté avec un corps d'homme et un visage simiesque, évoquant celui d'un hominidé : mâchoires prognathes, nez écrasé, yeux enfoncés sous d'épaisses arcades sourcilières, front fuyant...

— Moitié homme, moitié singe... Le bâtard de Haksar! conclut Anderson, en s'esclaffant.

Harry Ends sursauta.

— Vous voulez dire que Haksar aurait semé des rejetons là-bas? Ce serait ça qu'il entend par « humanité nouvelle »?

— Mais non! Tout ce délire à propos de Hanuman n'est

que de l'hyperbole. Haksar était Hindou et, en tant que tel, il a toujours tiré vanité de son héritage culturel.

— Qu'est-ce qu'il veut dire, alors ?

— La réponse est dans son journal. Lisez... et vous trouverez ! fit Anderson avec un sourire mystérieux.

Harry Ends se plongea à nouveau dans le carnet. Curieux, Ramsay vint se planter à côté de lui et se mit à lire par-dessus son épaule. Tous deux s'arrêtèrent sur un paragraphe aussi bref qu'énigmatique.

« Sur la Mau. Ça y est ! J'ai vu ceux qui vivent dans la forêt. Ils appartiennent, sans doute possible, à l'espèce robuste. Et ils sont aussi majestueusement primitifs que les Graciles sont touchants d'humanité. A l'avenir, le monde pourrait n'être peuplé que d'une seule espèce. Quel rêve ! »

Suivait un passage où Haksar spéculait sur la date de la prochaine période glaciaire, et concluait qu'elle se produirait d'ici deux ou trois millénaires. La page suivante était barrée d'une unique phrase, griffonnée en diagonale : « Je ne suis tout de même pas Dieu le Père !!! » Les lettres étaient tremblées, et la plume de Haksar avait crevé le papier.

Puis, d'une écriture irrégulière, et serrée : « A.K. nous a apporté nos nouveaux ordres. Ils sont aussi barbares que les précédents. Nous allons massacrer d'autres Graciles, et les survivants iront se réfugier dans la forêt. Ainsi s'accomplira brutalement et sur une grande échelle, ce que j'aurais voulu tenter de façon expérimentale, et sur un nombre limité de sujets.

« Est-ce une ruse du destin pour me forcer la main ? Que vais-je faire ? Tuer M. et A.K. ? »

— Vous savez qui se cache derrière ces initiales, Cyril ? demanda Harry Ends.

— Je n'en ai pas la moindre idée, malheureusement...

Ends reprit sa lecture.

« Dans la forêt avec eux deux. Fiasco complet. L'occasion rêvée de les descendre, mais trop paniqué pour ça.

« Impossible de dormir depuis mercredi. Tâche de me convaincre que la lignée future acquerra la superbe musculature et la combativité des *robustus*, et que ces hybrides seront parfaitement armés pour affronter la prochaine glaciation. » L'écriture était redevenue irrégulière et fébrile. Sur la page suivante, d'une main plus calme, Haksar avait écrit :

« L'homme qui viendra ici après moi y verra — s'il sait se faire accepter par ces créatures — les prémices d'une humanité nouvelle. A cet homme, je dis... »

Harry Ends tourna la page en hâte.

Là s'arrêtait le carnet de Haksar. Il fixa un instant la couverture décolorée, puis jeta un coup d'œil vers Ramsay Beale, qui avait l'air aussi ahuri qu'impressionné. Anderson, les bras croisés, chantonnait d'un petit air satisfait.

Harry perdit patience :

— Alors ?

— Mais... tout est là ! Vous n'avez pas saisi ?

— Arrêtez de jouer au plus fin, Anderson !

— Il parle de la lignée d'australopithèques que j'ai découverte, et que j'ai baptisée *Homo andersoni* — l'Homme d'Anderson, traduisit-il, subodorant que l'ex-vice-président de la Shell n'était pas un latiniste chevronné. Un nouveau type d'hominidés hybrides, né du croisement des Graciles avec des Robustes. A l'époque, le petit détachement auquel appartenait Haksar avait ordre de faire des victimes, n'importe lesquelles, et de les présenter comme des rebelles mau-mau. Les soldats ont tué quelques Graciles et ont refoulé le reste dans la forêt, où vivaient des Robustes. En forçant les deux races à cohabiter sur un même territoire, ils les ont amenées à se métisser. En d'autres termes, ils ont obtenu par accident le résultat qu'avait prévu Haksar. Cette opération militaire a été le point de départ d'un processus que le temps a parachevé, et moi, je... j'en ai découvert les fruits, acheva-t-il.

Harry Ends bondit, envoyant valser le carnet :

— Vous voulez dire que cette race nouvelle *existe* ?

— Si mes yeux ne m'ont pas trompé... mentit Anderson.

Il resta médusé par la réaction de Harry Ends, qui s'était mis à arpenter la pièce d'un pas fébrile, faisant trembler au passage la table chargée du dîner auquel personne n'avait encore touché. Enfin, il se rua sur Cyril et lui empoigna le bras.

— A quel stade en est ce croisement ? Y a-t-il encore suffisamment de représentants des deux races d'origine ?

— Mais évidemment ! Du moment qu'il reste un couple de chaque, c'est amplement suffisant !

— Alors, ne perdons pas une minute. Décrochez votre

téléphone et faites venir les plus grands anthropologues et les meilleurs zoologistes de Londres, de New York, de Paris... Je me charge de trouver un avion pour les emmener dans cette forêt. Il faut absolument mettre un terme à cette abomination, et le plus tôt sera le mieux ! De quelle autre assistance scientifique aurez-vous besoin ? Combien le gouvernement kenyan exigerait-il pour mettre l'aviation et l'armée à notre disposition ?

— Mais... pourquoi l'armée ? intervint Ramsay.

— Pour stopper ce processus de métissage ! hurla Ends. Pour cerner tout le massif, là... la Mau, c'est ça ? Pour quadriller la forêt et isoler les Graciles des Robustes, par la force si nécessaire.

— Vous perdez la tête ? riposta Anderson. Vous voulez qu'une horde d'ignares déferle là-bas, comme un troupeau d'éléphants ? Vous voulez voir réduire à néant quelque chose qui doit être observé et évalué de façon scientifique ? Je croyais que nous étions d'accord pour garder tout cela secret !

— Rien à foutre de votre secret ! Nous pouvons tout déballer, maintenant. Et en fait, c'est plutôt de publicité que nous aurons besoin ! Parce que ce n'est plus une, mais *deux* lignées d'ancêtres de l'Homme, que la Shell va pouvoir sauver de l'extinction...

— La Shell ? souffla Anderson, sidéré.

Ends secoua vigoureusement la tête, comme s'il s'en voulait de s'être trahi.

— Et pourquoi pas la Shell, hein ? Vous vouliez le soutien financier d'une multinationale, non, Anderson ? Sinon, c'est à l'une de vos associations scientifiques fauchées que vous auriez réservé l'exclusivité de votre découverte... !

— Il n'est pas question que je laisse une multinationale s'en emparer ! Et pourquoi remettre en cause l'existence de mon *Homo andersoni*, s'il allie le développement mental des Graciles aux qualités physiques des Robustes ?

— Parce que ce métissage serait une erreur ! Une monstrueuse aberration ! tonna Ends, qui s'était remis à arpenter la pièce. Comment Haksar a-t-il pu laisser faire une chose pareille ? Et s'il n'avait pas les moyens de l'empêcher, comment a-t-il pu se taire pendant tant d'années ? Qu'est-ce qu'il avait donc dans le crâne, cet abruti !

Anderson ne s'attendait pas à une telle explosion de rage.

— J'imagine qu'ayant personnellement eu à souffrir de la discrimination et du racisme, il a vu dans la création d'un homme nouveau une chance inespérée de salut pour la race humaine... Car le métissage a ses vertus, non? lança-t-il en prenant Ramsay à témoin. Vous autres juifs, qui avez si longtemps vécu en vase clos, vous êtes bien placés pour le savoir...

— Qu'on nous y ait contraints ou qu'on nous l'ait interdit, rétorqua l'intéressé, sache que nous autres juifs, comme tu dis, n'avons jamais été très partisans du métissage! Je te prie de m'épargner ce genre de plaisanterie, Cyril! Ceci dit, ajouta-t-il pour Harry Ends, quel mal y aurait-il à favoriser l'émergence d'un nouveau type humain?

— C'est une véritable aberration, que d'en créer un de façon artificielle! Cela revient à contrecarrer les lois de l'évolution, l'ordre naturel... à jouer les apprentis sorciers!

Harry Ends parvint à grand peine à se dominer. Il allait ajouter quelque chose, quand Ramsay lui coupa la parole :

— Si vous voulez absolument parler de ça, on ferait peut-être mieux de descendre au bar... Le sujet est un peu trop sensible pour qu'on en discute dans une chambre d'hôtel... glissa-t-il, en balayant la pièce d'un regard éloquent.

Harry Ends saisit aussitôt le message. Il referma la bouche, alla jeter un coup d'œil sur la terrasse et, sans un mot, fit signe aux deux hommes de le rejoindre.

Sur le toit de l'hôtel, à quelques mètres d'eux, se dressait une énorme enseigne au néon orange vif — dont quelques lettres étaient défaillantes.

Ramsay sourit.

— Nous serons nettement plus tranquilles ici! fit-il, en forçant sa voix pour couvrir l'insupportable grésillement des néons. On peut toujours truffer une pièce de micros, mais une enseigne au néon, jamais...

— Ça, je m'en contrefous! cria Cyril, pour se faire entendre. Que compte faire la Shell de mon *Homo andersoni*, Harry?

Ends, lui, n'avait pas l'intention de s'époumoner. D'un geste de main, il fit approcher les deux hommes et entreprit de leur expliquer que le grand capital tenait là une chance unique de redorer son blason, en prouvant que, loin de ravager l'environnement ou de détruire les grands équilibres naturels, il pouvait être le sauveur de l'espèce humaine, le protecteur de ses lointains ancêtres. Et cette chance, la Shell devait la saisir au bond. Elle avait connu de gros déboires en Afrique depuis l'affaire des neuf militants écologistes ogonis, exécutés au mois de novembre précédent au Nigeria — où sa filiale locale pompait à pleins barils le pétrole du delta du Niger tout en arrosant libéralement la junte au pouvoir. Les écologistes libériens, à la tête desquels se trouvait un certain Saro-Wiwa, dramaturge et poète de renom, réclamaient qu'une part équitable de la manne des revenus pétroliers profite aux Ogonis, une des vingt ethnies établies dans le delta. Accéder à leurs revendications aurait encouragé les dix-neuf autres groupes ethniques de la région à exiger, eux aussi, leur part du pactole et des compensations pour les dégâts causés à leur environnement par les installations pétrolières. Pour la Shell, ce n'était pas envisageable, et elle avait donc pudiquement détourné les yeux pendant que la junte nigériane procédait à l'exécution sommaire des neuf militants par pendaison. Eclaboussée par cette affaire, la Shell avait besoin, pour restaurer son image, d'un grand projet africain. Un projet « positif », où elle investirait des sommes considérables. Et c'était l'occasion rêvée.

Harry Ends s'arrêta pour reprendre haleine et laissa son regard errer sur la ville. A la périphérie, des lumières perçaient l'obscurité : celles des bas quartiers africains, chichement éclairés par des ampoules anémiques, et celles des bidonvilles, où seules tremblaient les lueurs de feux alimentés par des détritus... Depuis la terrasse du Naivasha, Nairobi ressemblait à n'importe quelle grande agglomération du tiers-monde. Isolée, dangereuse, à deux doigts de la révolte. Une marmite sous pression.

Harry Ends se tourna vers ses deux compagnons et reprit, d'un ton catégorique :

— Il est hors de question que la Shell se retrouve mêlée à une affaire de manipulation génétique ! Nous donnerions l'impression de vouloir spéculer sur le patrimoine héréditaire de nos propres ancêtres.

— Mais ce métissage est loin d'être accompli ! s'écria Anderson, furieux de voir avec quel aplomb Ends tranchait la question, comme s'il avait la haute main non seulement sur l'avenir des hominiens, mais aussi sur le sien. Un processus de cette ampleur exige des générations et des générations... Investir militairement la région serait une véritable catastrophe...

— Nous devons boucler tout le secteur, expliqua Harry à Ramsay. Et pour cela, il nous faut la coopération de quelqu'un d'influent.

— Le chef de la police a le bras long... intervint Anderson, en se maudissant d'avoir refusé de verser à Kalangi les cinq mille dollars supplémentaires qu'il lui avait réclamés.

— La Shell ne peut pas prendre le risque de collaborer avec les autorités policières, fit Ends. Pas après ce qui s'est passé au Nigeria. Ça serait catastrophique pour notre image...

— Une seconde, Harry! Est-ce que la Shell est déjà sur le coup? demanda Ramsay Beale.

— Cette question! cracha Anderson. Mais je vois clair dans votre jeu, Harry! Votre prétendu départ de la Shell n'était qu'un coup monté, n'est-ce pas? Une magouille pour permettre à vos employeurs de s'approprier ma découverte à peu de frais...

— *Votre* découverte? D'après ce que j'ai pu lire, ce serait plutôt celle de Haksar... contre-attaqua Ends.

— Très bien! Puisque vous le prenez comme ça, débrouillez-vous sans moi! » lui jeta Anderson — il lui aurait suffi d'une chiquenaude pour balancer cet avorton bedonnant du haut de la terrasse. « De toute façon, ce projet était mal engagé, dès le début. Désolé pour toi, Rams! Mais ni moi, ni ma découverte ne sont à vendre...

— Ah, vous voulez tout plaquer! Vous croyez pouvoir vous débarrasser comme ça de moi et de la Shell! gronda Ends. Vous oubliez certains faits, pour le moins troublants, entre lesquels il vaudrait mieux pour vous qu'on ne fasse pas de rapprochements... La disparition de Haksar, juste avant que vous ne fassiez état de votre fameuse « découverte », par exemple — sans parler de l'assassinat de votre femme, et de ce Phillips...

Cyril mit un pas entre lui et Ends, qui combla aussitôt la distance.

— Ecoutez-moi bien, poursuivit l'homme d'affaires. Si

vous vous engagez à suivre mes directives, je vous garderai dans mon équipe. Mais si vous ruez dans les brancards, je veillerai à ce que ces rapprochements soient faits. Et, croyez-moi, je n'aurai aucun mal à trouver un bon millier de chercheurs disposés à travailler pour moi, et à annoncer au monde entier qu'il existe deux espèces d'hominidés, qui ont survécu depuis deux millions d'années. Me suis-je bien fait comprendre ? lança-t-il, en regardant Anderson droit dans les yeux.

L'autre émit un vague grognement, sur fond de néons grésillants, tandis que Ramsay, sidéré par les insinuations de Harry Ends, ne pouvait s'empêcher de se rappeler l'inexplicable nervosité de son compère, à Londres.

— Je pense que nous sommes bien d'accord, cette fois ? insista Ends, avec un regard qui englobait Ramsay Beale.

Anderson hocha la tête.

— Parfait ! déclara Harry en se dirigeant vers la porte.

Ramsay se mit à marmonner qu'il n'avait pas vraiment mesuré toutes les implications de cette entreprise et qu'il serait peut-être préférable, avant de s'engager plus avant...

— Mais vous *êtes* engagé, et jusqu'au cou ! l'interrompit Ends. Et c'est moi qui donne les ordres. Vu ? acheva-t-il, fort de l'autorité d'une des multinationales les plus puissantes de la planète.

Tournant les talons, il quitta la terrasse, suivi des deux autres.

A peine revenu dans la pièce, Cyril se dirigea vers une desserte chargée de bouteilles, et se versa un scotch bien tassé qu'il descendit d'un trait. Au-dessus des capsules colorées des bouteilles, un miroir lui renvoyait son visage. Brusquement, s'y substitua celui de Hendrijks. Hendrijks, qui était tombé comme une loque sur ce plancher miteux. Ensuite, ça avait été le tour de cette vieille momie de Haksar. Puis il y avait eu Corinne, qu'il avait laissée, près du corps de Phillips. Et cet imbécile de tueur à gage, pour faire bonne mesure...

Cinq cadavres... Et tout cela pour rien ?

Ramsay le rejoignit et se versa un verre.

— Cyril ? Je veux croire qu'il n'y a pas un mot de vrai, dans ce qu'insinue Harry...

Anderson jeta un œil au miroir. Attablé devant leur

dîner depuis longtemps refroidi, Harry Ends vidait méthodiquement son assiette. La discussion sur la terrasse ne semblait pas lui avoir coupé l'appétit...

— Allez, ne fais pas l'idiot, vieux! lança-t-il à Ramsay, avec désinvolture.

Le téléphone sonna. Dans le miroir, il aperçut Ends qui décrochait, puis agitait le combiné dans sa direction. Il alla prendre l'appel. Harry Ends s'était remis à table et avait repris son dîner, l'air absent, mais l'oreille aux aguets...

Anderson borna ses réponses à quelques monosyllabes. Lorsqu'il raccrocha, il vint s'asseoir à la table, et se mit en demeure de persuader ses deux compagnons qu'ils auraient tout intérêt, dans un premier temps, à se rendre seuls dans la savane, pour observer par eux-mêmes les hominiens. Il demanderait à Kalangi de les accompagner. Le chef de la police leur serait d'une aide précieuse... souligna-t-il.

Il dut déployer toute sa force de persuasion et argumenter pied à pied, mais il finit par les convaincre.

2

Busta éclata en sanglots. Avec un cri déchirant, elle se jeta sur le corps de Huron et tenta de le soulever, mais son fils était trop lourd. Elle resta accroupie à côté de lui à le regarder fixement. De grosses larmes roulaient sur ses joues.

Du bout des doigts, elle effleura le sillon rouge que le collet avait laissé sur le cou de Huron, comme si elle espérait faire disparaître la boursouflure et rendre la vie à son enfant. Elle se laissa tomber auprès du petit corps, prit la tête de son fils dans ses mains, et la pressa tendrement contre sa joue.

Quelques mères, parmi lesquelles Niawo, se tenaient un peu à l'écart, silencieuses.

Au bout d'un moment, Ken entendit s'élever des grognements. Les mâles avaient découvert la cahute des braconniers, et s'employaient à la détruire systématiquement. Des objets volaient en tous sens. Ken vit passer un bidon d'eau en plastique, suivi d'une carabine. Les dents serrées, Ken se précipita et empoigna l'arme par son canon. A son poids, il sentit qu'elle était chargée. Comme il se passait la bretelle à l'épaule, il avisa un émetteur radio et plongea dessus.

Aussitôt, les mâles se ruèrent sur lui avec des hurlements de protestation. Il fallait qu'il leur abandonne quelque chose en tribut, et ce ne pouvait être que la carabine... Il actionna fébrilement la culasse pour éjecter les balles du magasin et jeta l'arme sur le sol. Au même instant, il aperçut dans l'herbe un collet qui n'avait pas fonctionné. Il se précipita vers lui et en écarta les Graciles, puis se mit à explorer les environs immédiats de la cachette des braconniers, soupçonnant qu'il pouvait y en avoir d'autres. Les mâles lui emboîtèrent le pas, comme s'ils comprenaient intuitivement ce qu'il faisait.

Modibo n'avait pas lésiné : il avait piégé toute la pente. Armé d'une branche dont il balayait les herbes, Ken montra aux hominiens comment repérer les collets puis se lança dans le nettoyage du secteur. A l'aide de quelques gestes simples, il leur indiquait quand se ranger en file indienne derrière lui et quand se disperser en éventail. Il se trouva bientôt à la tête d'une équipe relativement organisée et efficace — et d'une jolie moisson de collets.

Que faire de ces instruments de mort? Avisant un lobelia, il les y suspendit. Là au moins, ils ne feraient pas d'autres victimes...

Au hasard de leurs recherches, les mâles et lui s'étaient enfoncés dans la végétation. Une petite mare de sang attira leur attention — un cochon sauvage, à demi décapité par un collet. Avec l'aide du Gracile qui le suivait, Ken dégagea l'animal que l'hominien chargea sur ses épaules. Un repas d'assuré, pour le clan... Ken jeta un regard au reste de sa troupe. Un mâle, qui venait de trouver deux nouveaux collets, les arracha et, le visage fendu d'un sourire satisfait, les pendit à une branche.

Ils poussèrent leurs recherches sur le dévers, au pied de la falaise, jusqu'à ce qu'ils se heurtent à une formation basaltique qui luisait sous la lune, tel un crâne géant. Impossible d'aller plus loin.

Leur butin s'élevait à vingt-quatre collets. Vingt-quatre... se répéta Ken, avec la sensation de tomber tout à coup d'une autre planète, tant il avait perdu l'habitude de penser en chiffres et en nombres. Outre les collets, il était aussi à la tête de plusieurs émetteurs radio, d'un détecteur qui valait trois cents dollars minimum, et de lunettes à infrarouge. Même à moitié écrasées, elles étaient facilement reconnaissables : c'étaient des Nighthawk, ce qui se faisait de mieux dans le genre — huit cents dollars la paire, au bas mot. Pas vraiment le genre de matériel que pouvait s'offrir le braconnier de base... D'ailleurs, les braconniers de base recevaient rarement des appels radio du chef de la police en personne. Il se rappela brusquement le message de Kalangi à Modibo, qu'il avait intercepté. Qu'est-ce que c'était que cette expédition dont il annonçait l'arrivée ? Qui l'avait organisée ?

Toujours escorté de sa troupe, Ken rebroussa chemin, et ils rejoignirent le reste du clan qui les attendait, près de la hutte des braconniers. Longs-Pieds était assis à l'écart, encore un peu secoué, mais l'œil vif. Non loin de là, quelques femelles s'apprêtaient à dépecer le cadavre d'un braconnier qu'elles avaient dépouillé de ses vêtements. « Fonce les arrêter avant qu'elles le mettent en pièces et qu'elles le bouffent tout cru ! », fit une petite voix dans sa tête. Il allait s'élancer quand une pensée le retint : le braconnier n'aurait eu aucun scrupule, lui, à les écorcher et à monnayer leurs os à prix d'or, pour en faire de la poudre de dragon... Au même moment, l'hominien qui portait le cochon s'avança et laissa tomber sa prise dans l'herbe. Aussitôt, les femelles se désintéressèrent du cadavre pour se jeter dessus.

Ken fut tiré de ses réflexions par une cacophonie de hurlements qui s'éleva dans un arbre, au-dessus de sa tête. Des singes — dont le pelage brun se fondait dans l'obscurité, mais que leur museau blanc trahissait — sautaient furieusement de branche en branche avec des cris suraigus, apparemment dérangés dans leur sommeil. Il distingua une masse sombre qui dégringolait le long du tronc. L'intrus roula à terre et un rictus découvrit ses dents.

Modibo !

Le sergent bondit sur ses pieds, regarda autour de lui et aperçut Ken. Sans sa capote militaire, il avait soudain l'air tout petit, avec ce short kaki et ces godillots trop grands pour lui. Sans doute aurait-il réussi à s'éclipser si les singes n'avaient donné l'alerte. Se voyant découvert, il s'élança, le couteau brandi, enjamba d'un bond les femelles penchées sur le cochon, et s'enfuit à toutes jambes sous le nez de Ken, attrapant Longs-Pieds au passage.

L'enfant se débattait comme un beau diable. Modibo leva son couteau mais ne put l'abattre : il trébucha sur une racine et s'affala. La lame se ficha dans le sol.

En un éclair, Modibo récupéra son couteau, se releva, se saisit à nouveau de Longs-Pieds et se jeta dans la pente. Ken plongea derrière lui à corps perdu, les yeux rivés sur Modibo qui détalait devant lui, l'enfant jeté sur une épaule comme un paquet. Des prières qu'il croyait avoir oubliées lui fusaient dans la tête. Son cerveau exigeait de chacun de ses muscles un effort surhumain. Un souffle d'air frais monta d'un à-plat, en contrebas. Tout à sa poursuite, Ken heurta de plein fouet une branche basse et perdit l'équilibre.

Lorsqu'il émergea d'entre les arbres, il découvrit Modibo, affalé par terre. Penché sur lui, Longs-Pieds le rouait de coups de poings. L'enfant avait apparemment retrouvé toute sa combativité.

Sans trop savoir comment, Ken se retrouva, à moitié groggy, devant Modibo qui se relevait. Il n'avait d'autres armes que ses mains nues, mais il mit toute sa force dans le direct qu'il lui décocha. Son poing manqua sa cible. Entraîné par son élan, Ken alla s'écraser contre un arbre. Il se retourna d'un bond. Modibo se ruait sur lui, le couteau levé. Un réflexe le fit se jeter de côté *in extremis*. La lame siffla à ses oreilles. Déjà, Modibo faisait volte-face. Ken vit Longs-Pieds, qui farfouillait dans la terre, se relever. Lancée d'une main sûre, une pierre vint frapper le braconnier en plein front. Modibo s'abattit comme une masse.

Ken, qui se précipitait vers lui, sentit une douleur lui vriller la plante du pied. C'était le caillou que l'enfant avait si providentiellement trouvé — ou plutôt, comme il s'en aperçut, un fragment de fourmilière, fait d'argile agglomérée, dure comme de la pierre.

Le sergent gisait sur le dos, la mâchoire agitée d'un tic convulsif, les bras et les jambes remuant faiblement, tel un jouet mécanique cassé. Un sourire de triomphe étira les lèvres de Longs-Pieds. Epuisé, couvert d'égratignures, il fit un pas vers le braconnier agonisant et lui envoya un bon coup de pied dans les côtes. Puis il se recula pour observer les tressaillements qui agitaient les membres du sergent. Ils s'accélérèrent, puis cessèrent brusquement. Avec un ultime spasme qui fit crisser le sol sous ses godillots éculés, Modibo se raidit et s'immobilisa.

Sous le clair de lune, il paraissait dérisoire.

Ken se pencha sur le corps de celui qui, depuis des semaines, hantait ses cauchemars. La mort l'avait dépouillé de toute malignité. Sur sa poitrine maigre reposait le gri-gri qui avait été impuissant à le protéger.

Ken entendit le clan lancé sur leurs traces, qui approchait à travers les arbres. Il comprit soudain qu'il aurait beau faire, jamais il ne pourrait convaincre les Graciles de regagner l'asile de la forêt. Lorsqu'ils verraient Modibo étalé par terre, vaincu par Longs-Pieds, ils décideraient de livrer bataille pour défendre leur territoire.

Accablé, il se dirigea vers l'extrémité de l'à-plat, où les arbres étaient plus clairsemés. Les derniers contreforts de la montagne s'étageaient au-dessous de lui, baignés de clair de lune. A leur base s'étendait la savane, avec ses bouquets d'acacias. En y regardant mieux, il distingua un étroit ruban de terre nue — trop bien débroussaillé pour être l'œuvre de la nature. Plus probablement une piste d'atterrissage inachevée...

Il la contempla, écrasé par la certitude que la confrontation entre hommes et hominidés était inévitable. Le théâtre de la bataille était prêt.

Il prit une profonde inspiration puis, fendant résolument les rangs du clan rassemblé, rebroussa chemin vers le haut de l'escarpement. Il grimpa jusqu'à ce qu'une subtile différence d'odeurs lui indique qu'il avait atteint la hutte des braconniers. Il y entra, se laissa tomber à quatre pattes et se mit à tâtonner dans le noir. Enfin, il sentit sous ses doigts la forme d'un poste émetteur.

L'appareil avait souffert, mais quand il l'approcha de son oreille, il entendit un imperceptible grésillement à l'intérieur. Il le reposa par terre, s'accroupit et poussa l'interrupteur en position « Marche ».

Un minuscule voyant rouge fulgura dans la nuit, tel l'œil d'une étrange bête borgne.

* * *

A Karen, la maison des Ngiamena était calme et silencieuse. Seules quelques rares lumières y brillaient. Itina et Jakub étaient allés dîner en ville. Jakub avait insisté pour qu'ils se comportent comme s'ils étaient à cent lieues de songer à fuir le pays.

Ngili était dans le bungalow, en train de trier des piles de vieux relevés géologiques. Dans moins de douze heures, il s'envolerait pour Johannesburg en compagnie de sa mère et de sa sœur.

Yinka était descendue dans le jardin et, les yeux fixés sur les massifs de caféiers, tentait de se faire à l'idée qu'elle était sur le point de quitter Nairobi. Elle entendit le téléphone sonner dans la maison, mais ne bougea pas. Pourquoi ce départ lui était-il si pénible ? Et puis il s'y mêlait tant de choses... Ils s'apprêtaient à abandonner leur terre natale — ce qui signifiait aussi renoncer à leur rang social. Son père devrait désormais vivre dans la clandestinité — une décision lourde de dangers. Yinka s'efforça d'imaginer leur existence, au cours des semaines ou des mois à venir, séparés de Jakub, dans ce pays où ils ne connaissaient personne. Qu'adviendrait-il s'il était dénoncé, arrêté ou assassiné ?

A nouveau, le téléphone sonna.

Faire comme si tout était normal, lui avait recommandé son père... Elle courut vers le salon et décrocha.

— Allô ?

Il y eut un grésillement de friture et une sorte d'écho, comme s'il s'était agi d'une communication radio. Puis une voix masculine fit, d'un ton chantant :

— Allô ? Ici la réserve de Magadi. Nous avons un appel pour Mr Ngili Ngiamena...

— Une seconde, je vais le chercher. » Lorsqu'une réserve appelait chez eux, c'était plutôt pour parler à son père. « Vous êtes sûr que ce n'est pas *Jakub* Ngiamena que vous demandez ?

— Absolument sûr. Quelqu'un nous a contactés par radio et nous a demandé de relayer son appel à votre numéro. Il désire parler à... Ngili Ngiamena. Il s'agit d'un certain monsieur... Lau-dah ? fit le standardiste, en marquant une pause devant les noms propres, comme s'il consultait des notes.

Un flot d'explications se bouscula dans la tête de Yinka. Peut-être un parent de Ken qui téléphonait des Etats-Unis ? Mais pourquoi une communication internationale transiterait-elle via la réserve de Magadi ? Ça n'avait pas de sens... Non ! C'était Ken qui appelait ! Il était quelque part en brousse, et il avait réussi à trouver une radio en état de marche. Il avait contacté Magadi parce qu'il connaissait la fréquence de leur émetteur, pour l'avoir souvent utilisée avec Ngili, au cours de leurs expéditions. De plus, l'administrateur de la réserve était un cousin éloigné des Ngiamena et connaissait leur numéro personnel.

— Je fais prévenir Ngili, répondit-elle, mais entretemps, pouvez-vous me passer Mr Lauder ?

L'angoisse qui l'accablait depuis des semaines s'évanouit subitement. Elle se sentit soudain toute légère.

— A vous ! Parlez ! fit la voix du standardiste, presque inaudible sous les craquements de la friture.

Sa main se crispa sur le combiné. Pourvu qu'on ne soit pas coupés ! Puis une voix étrange, à la fois rauque et monocorde, retentit à son oreille. Une voix qui semblait venir d'un autre monde.

— Ngili ? Allô, Ngili ? » Silence. « Tu m'entends ? C'est moi, Ken...

Ce n'était pas sa voix habituelle.

— Ken ? Ici Yinka !

Il resta muet quelques secondes, puis partit d'un rire éraillé.

— Je suis désolé...

— C'est Yinka, Ken ! Yinka ! Pourquoi, désolé ?

— C'est que...

Il paraissait parler avec effort. Etait-il malade ? Ou affaibli au point de divaguer ?

— C'est à Ngili que je voulais parler, articula-t-il. L'émetteur que j'utilise est presque HS. Je ne sais pas combien de temps il va tenir... Yinka... Il se prépare quelque chose de terrible...

— Tu vas bien ?

— Non... Oui... On nous... On nous traque, Yinka...

— Nous ?

De nouveau, il se tut, puis coassa une sorte de rire. Yinka fit une prière muette pour qu'il ne soit pas devenu fou, ou que ses épreuves ne l'aient pas totalement métamorphosé. Pour que ce ne soit que de l'épuisement.

— C'est pour ça que je voulais parler à Ngili... Yinka... » Même dans ces circonstances, elle était troublée de l'entendre prononcer son nom. « Tu te rappelles... ce que je t'ai dit, la dernière fois que je suis venu chez vous ? » Elle hocha la tête, comme s'il pouvait la voir. « Le jour où je t'ai offert... ces fleurs fossiles ?

Yinka poussa un petit gloussement nerveux, tandis que de toutes ses forces, elle l'encourageait mentalement : « Oui, oui, je te suis, continue ! » Il dut l'entendre rire car il l'imita et, d'un seul coup, elle retrouva le Ken Lauder qu'elle connaissait.

— Yinka... Faut que je te dise... Tu es assise ?

Elle secoua la tête, sans trouver la force de parler.

— Cette espèce... reprit-il, elle existe vraiment...

Yinka respira un grand coup. C'était de *ça* qu'il parlait... Qu'est-ce qu'elle était allée chercher ?

— Alors ? Qu'est-ce que tu fabriques, parmi eux ? Tu les étudies ?

— Je suis avec eux, là... Ils sont autour de moi... Je t'en prie, passe-moi Ngili...

— Ken ?

— Oui ?

— Je vais aller le chercher, mais j'ai besoin de te parler.

— Tu peux rester en ligne...

— J'ai besoin de te parler !

— Moi aussi, j'ai envie de te parler, dit-il comme à contrecœur. Mais ils nous traquent, Yinka... On vient juste d'être attaqués...

— Ne reste pas là-bas ! Qu'est-ce que tu espères ? Les sauver à toi tout seul ? Pourquoi ? Qu'est-ce qui les rend si importants ? s'écria Yinka.

La lumière de la lampe fit briller une larme au coin de ses paupières. Elle tapa du pied, envahie d'une rage impuissante. De façon incongrue, ce geste lui rappela le mariage de Gwee, et la danse qu'elle n'y avait pas dansée avec Ken.

Elle éclata en sanglots.

— Yinka ! fit Ken stupéfait.

— Ne quitte pas... Je vais chercher Ngili...

Elle posa le combiné, s'essuya les joues d'un revers de main et se dirigea vers le bungalow. Dans le jardin, tout était terriblement normal. Elle ne rêvait pas.

Depuis la porte, elle annonça à son frère que Ken était au bout du fil. Ngili la contempla, le souffle coupé, comme par un direct à l'estomac. Remarquant ses joues humides, il lui passa un bras autour des épaules et la serra une seconde contre lui avant de filer vers la maison.

Yinka ne fit qu'un bond jusqu'à sa chambre et décrocha le téléphone. A travers la friture qui parasitait la ligne, elle entendit les deux garçons échanger un salut laconique — la voix de Ngili haletante d'émotion, celle de Ken tendue par la fatigue. Il devait être encore plus mal en point que l'émetteur dont il se servait...

Elle avait tant espéré qu'il était en vie et c'était à présent une certitude ! Mais elle sentait obscurément que la seule façon d'arracher Ken à son obsession serait de lui apporter l'aide qu'il réclamait.

Il expliqua à Ngili où il se trouvait. *Ils* existaient bel et bien. *Ils* étaient là, autour de lui. Il fallait absolument trouver un moyen de les sauver.

— Bien sûr, je peux toujours tenter d'appeler Dan Johanson à Berkeley, voire téléphoner à Sherwood Washburn ou Phil Tobias à Witwatersrand, fit Ngili, mais même si je parviens à les joindre, à leur expliquer de quoi il retourne et à les convaincre que ce n'est pas un canular, ils ne pourront pas être ici avant huit jours minimum... Quant à décider un quelconque organisme international à prendre des mesures concrètes, ça risque d'être beaucoup plus long encore. Plusieurs semaines, au bas mot...

— Je sais... Ce n'est pas la solution...

— Dis-moi, Ken... A quoi ils ressemblent ?

Yinka observait son frère par la porte entrouverte de sa chambre — cette même porte par laquelle Ken l'avait vue nue, il n'y avait pas si longtemps. Elle attendit la réponse de Ken, l'estomac noué.

— Ils sont... incroyables... uniques... Ngili, cette aide, il nous la faut de toute urgence... Demain, si possible ! Ils nous ont déjà tué un enfant...

Nous, une fois de plus !

Ngili entortillait nerveusement le fil du téléphone autour de ses doigts. Son visage, qui s'était illuminé à l'évocation de ces hominiens dont il était le co-découvreur, se rembrunit.

— Mais enfin, Ken... On ne peut rien faire en si peu de temps ! La situation est plus que préoccupante, ici... Nous... nous quittons Nairobi...

— Quoi ? fit Ken, estomaqué.

— Essaie de comprendre ! On est carrément sur la liste noire. Ceci dit...

Ngili hésita, manifestement confronté à un cas de conscience.

Ken est en vie, il a besoin d'aide et toi, tu te tâtes ! Tu ne vas quand même pas l'abandonner à son sort et rester les bras croisés pendant qu'il se fait massacrer !, faillit lui crier Yinka, mais elle se mordit les lèvres. De quel droit voulait-elle envoyer son frère à la mort ? Comme s'il ne courait pas déjà assez de dangers, ici...

Ken avait donc tant d'importance ? Il comptait à ce point pour elle ?

— Ils vont revenir, j'en suis sûr... fit la voix de Ken. Bardés de fusils et de pièges... Mais s'ils ne le font pas tout de suite, j'ai peut-être une chance de nous en sortir... La frontière ougandaise n'est qu'à quatre cent cinquante kilomètres à l'ouest... Et là-bas, il reste encore des pans entiers de forêt totalement vierge...

Ce projet était une pire folie, mais Ngili enchaîna, comme si ça tombait sous le sens :

— Tu peux tenter le coup, Ken... Mais n'oublie pas que l'Ouganda grouille de braconniers et de trafiquants de drogue... La région est une vraie autoroute pour les passeurs de Blue... A ta place, je ne les emmènerais pas vers l'ouest...

— Vers le nord, alors ? suggéra Ken. Douze cents bornes... et on est au Soudan ou en Ethiopie... Des milliers de kilomètres carrés de brousse déserte... pas d'aéroports, pas de pistes, pas l'ombre d'une tribu...

— C'est une entreprise désespérée, Ken!

— Comme toutes les opérations survie...

A plat ventre dans l'herbe, Ken surveillait le voyant qui clignotait comme la flamme d'une chandelle sur le point de s'éteindre. Des reflets rouges passaient sur le visage de Longs-Pieds, accroupi à côté de l'émetteur.

Ken serra les dents. C'était le moment ou jamais de penser vite et bien, même si ce que disait Ngili lui faisait froid dans le dos. Il bannit résolument Yinka de ses pensées. Il y avait des choses autrement plus importantes en jeu. Si le monde perdait Ken Lauder, cette disparition serait infiniment moins grave que celle de l'enfant qui était assis dans l'herbe auprès de lui. Et s'il ne pouvait pas compter sur Ngili, il ferait l'impossible pour sauver les hominidés sans lui. Il se sentait prêt à mourir pour eux, si nécessaire.

— Mon émetteur est en train d'agoniser, marmonna-t-il.

— Je te rejoins demain! déclara Ngili.

— Comment vas-tu faire?

— T'occupe! Je me débrouillerai. Ecoute, Ken... c'est promis, je vais venir, mais... c'est bien vrai? *Ils* sont réellement là, avec toi?

Ken s'esclaffa, surpris de constater combien le fait de rire avec un autre *Homo sapiens* avait pu lui manquer.

— Tu te figures que je débloque à ce point? Tu veux que je pince le gosse qui est à côté de moi, pour te faire entendre le beuglement que peut pousser un larynx du pliocène?

— Non, pas la peine! Je te crois. Je serai là demain.

— Ngili...

Ken se tut, à court de mots. Comment remercier son ami, lui dire ce qu'il pensait de son cran, de sa fidélité?

— Yinka est avec toi? souffla-t-il gauchement.

De la pièce à côté, la jeune femme fit signe à Ngili qu'elle ne voulait pas lui parler.

— Non, elle n'est plus là...

— C'est aussi bien. Tu as une sœur géniale, tu sais...

— Je sais! M'est avis que tu ferais bien d'économiser tes piles.

— Je crois aussi... Salut!

— A demain! Et, Ken... ajouta Ngili d'un ton anxieux, accroche-toi, hein! Tiens bon! Tâche de les sortir de là!

— Compte sur moi...

Yinka laissa tomber le téléphone sur son lit et passa dans la pièce voisine. Ngili serrait le combiné à le broyer. Il avait les yeux secs. Seule la crispation de son corps trahissait son émotion.

— On y arrivera Ken, on trouvera le moyen de les sauver, jeta-t-il en hâte. Et ne joue pas les héros, tu entends? Fais gaffe à toi!

Un bruit sec lui signala que Ken avait coupé son émetteur, mais il resta planté devant le téléphone, le combiné à l'oreille. Il se tourna vers Yinka. Elle le regarda intensément, puis traversa la pièce en courant et vint se jeter contre sa poitrine.

— La communication est terminée? demanda l'opérateur de Magadi.

Il répondit que oui, le remercia, et raccrocha. Puis il referma les bras autour de sa sœur et l'étreignit longuement.

Cyril Anderson émergea de la suite de Harry Ends et mit le cap sur l'ascenseur. Tout en l'attendant, il se tâta machinalement les poches, à la recherche de ses clés. Il songea à la maison vide qui l'attendait...

Et si je laissais tout tomber? se dit-il. Et si je laissais Ramsay et cette ordure de Ends décoller pour le Dogilani sans moi, demain? Et si je ne me pointais même pas à l'aéroport?

Mais il savait déjà ce qui se passerait: Harry Ends se ficherait complètement de savoir ce qui avait pu lui arriver. Comme il le lui avait dit, il n'avait qu'à se baisser pour trouver des chercheurs qui seraient trop heureux de travailler avec lui — pour lui — et d'annoncer au monde entier la découverte de deux lignées d'hominidés, restées inchangées depuis des millions d'années.

Comment osait-il le traiter ainsi, *lui*, Cyril Anderson? Suggérer qu'il n'était pas irremplaçable, menacer l'existence même de son *Homo andersoni*... J'en ai tué pour moins que ça...

Dès que les portes de l'ascenseur s'ouvrirent sur le foyer de l'hôtel, il repéra Arnold Kalangi, confortablement installé dans un fauteuil club. L'homme se leva, comme s'il l'attendait, et vint vers lui.

— Ah ! Mr Anderson ! J'aimerais vous faire écouter quelque chose qui devrait vous passionner. Une conversation d'un de vos ex-étudiants. Vous savez, Lauder... Mes hommes l'ont interceptée par hasard il n'y a pas une demi-heure, en tentant d'établir une liaison radio avec Modibo. Lauder se trouve quelque part sur les pentes de la Mau, à la tête, semble-t-il... — Kalangi marqua une pause, pour ménager son effet — ... d'une bande de préhominiens.

Une bande de... ? Avec *Lauder* à leur tête ?

L'espace d'un instant, Cyril Anderson crut que la foudre s'était abattue sur lui. Il fut presque surpris de constater que les dalles de marbre du grand hall ne s'étaient pas ouvertes sous ses pieds.

— Qu'est-ce qui est arrivé à Modibo ? demanda-t-il.

— Je l'ignore, et c'est sans importance. Mr And... mon cher Cyril... j'ai bien peur que la présence de Lauder là-bas ne m'offre une option des plus intéressantes. Celle de le considérer comme un partenaire potentiel...

Anderson en resta sans voix.

— Jamais Lauder n'acceptera de collaborer avec vous ! lâcha-t-il enfin.

— N'en soyez pas si sûr ! Vous n'imaginez pas à quoi certains hommes sont prêts pour protéger le rêve de leur vie, déclara Kalangi. Et il n'est pas exclu que je décide d'aider Lauder à sauver ses précieux hominidés... Ce qui fait, reprit-il après une courte pause stratégique, que vous allez devoir y mettre le prix, si vous tenez à sauvegarder notre collaboration. La somme que je vous ai réclamée pour cet avion n'était pas une plaisanterie. Un avion de transport militaire a des coûts opérationnels très élevés, vous savez... En fait, ils ont même augmenté depuis notre dernière conversation !

— Très bien. Quel est votre prix ?

— Si nous montions dans ma suite ? suggéra Kalangi, débordant d'amabilité. Je vous ferai entendre cette bande. L'enregistrement est de mauvaise qualité, et la conversation tient en quelques phrases, mais je suis certain que cela vous intéressera... Il s'entretenait avec un autre de vos étudiants. Le jeune Ngiamena... qui aurait l'intention d'affréter un avion dès demain, pour voler au secours de Lauder et de ses hominidés. Mais je pense qu'il est encore temps de l'en empêcher — si toutefois nous parvenons à un nouvel accord...

Il se dirigea vers les ascenseurs et appuya sur le bouton d'appel. Sans une hésitation, Cyril lui emboîta le pas et attendit avec lui qu'une cabine veuille bien les emmener dans les étages.

Anderson resta à peine plus d'un quart d'heure dans la suite de Kalangi. Après son départ, le chef de la police s'accorda quelques minutes de réflexion, puis tendit la main vers son téléphone. Il appela le général qu'il avait reçu la veille au siège de la police, et lui demanda de le retrouver devant le Naivasha.

Une demi-heure plus tard, une Oldsmobile noire non immatriculée se rangeait le long du trottoir, en face de l'hôtel. Presque immédiatement, un essaim de prostituées convergea vers la voiture. L'un de ses trois occupants passa la tête à la portière et aboya quelques mots qui provoquèrent la dispersion de ces dames, dans un cliquetis de talons aiguilles.

Kalangi émergeait de l'hôtel. Il traversa l'avenue, ouvrit la portière et s'installa sur la banquette arrière, à côté du général. Tout était prêt pour un deuxième « Coup de balai », l'informa-t-il. La police serait en état d'alerte dès l'aube, mais l'opération ne débuterait pas avant qu'un certain avion ait décollé pour le Dogilani. Un Embraer, à l'intérieur duquel il se trouverait, en compagnie d'un représentant de la Shell et de ses collaborateurs. Il savait de source bien informée que la Shell était disposée à débourser des millions pour obtenir la concession de la région désertique où vivaient les Mangatis, annonça-t-il au général et à ses aides de camp, mais il ne leur en dirait pas davantage, à moins qu'ils n'acceptent de lui offrir un poste de responsabilité dans le prochain gouvernement. Il se faisait décidément trop vieux pour jouer les super flics... Il suggéra qu'un fauteuil de ministre des Finances ne lui déplairait pas.

Ses déclarations provoquèrent quelques remous à l'intérieur de l'Oldsmobile. L'un des officiers objecta que le ministère des Finances était un poste clé, et qu'une telle nomination ne pouvait se faire sans avoir été débattue par le Comité révolutionnaire du futur régime. Kalangi éclata de rire : rien n'empêchait d'examiner sur-le-champ sa proposition, puisque tous les membres dudit Comité se trouvaient dans la voiture. Incidemment, la décision des forces de police d'apporter ou non leur soutien à l'opération prévue pour le lendemain dépendait de leur décision...

Suivit un échange de regards entre les trois militaires, au terme duquel le général annonça que le Comité révolutionnaire estimait que Kalangi ferait un excellent ministre des Finances. Maintenant que ce détail était réglé, il aimerait examiner personnellement les informations que Kalangi détenait concernant les projets du représentant de la Shell. Le futur ministre invita ses futurs collègues à monter jusqu'à sa suite.

Dans l'intervalle, les prostituées avaient reflué vers l'entrée du Naivasha. Comme les quatre hommes s'extrayaient de l'Oldsmobile et pénétraient dans le foyer, elles purent entendre le général affirmer que d'ici que le représentant de la Shell et ses collaborateurs reviennent de leur excursion dans la savane, les choses se seraient décantées et le calme serait revenu à Nairobi.

3

L'Embraer avait été remorqué hors de son hangar et, dans la lumière du petit matin, quelques hommes effectuaient les dernières vérifications avant son décollage à destination du Dogilani. Bien que le bimoteur fût avant tout un avion de transport de troupes, il disposait d'une puissance de feu considérable : deux lance-roquettes, flanqués de mitrailleuses, pointaient de leur logement à l'intérieur des ailes, et les soutes à bombes s'ouvraient sous son ventre comme deux paires d'ouïes. Le constructeur brésilien de l'appareil l'avait conçu comme un avion polyvalent, capable d'effectuer des missions d'escorte, d'attaque, de bombardement et de transport de troupes — autrement dit, aisément adaptable à tous les types d'opérations les plus couramment requises dans les conflits du tiers-monde.

Le panneau de largage de parachutistes était ouvert et une échelle y était appuyée.

L'équipe de maintenance qui s'activait à l'intérieur de la carlingue ne s'attendait pas à voir une silhouette s'encadrer dans l'ouverture à une heure pareille. L'intrus n'était autre que Cyril Anderson, sac de randonnée à l'épaule et arborant une tenue safari flambant neuve — pantalon de toile, saharienne, rangers et chapeau de brousse à larges bords. Il salua les nettoyeurs d'un jovial « *Jambo !* ».

Le chef d'équipe approcha et lui fit remarquer qu'il se trouvait dans une zone interdite au public.

— Je sais ! Mais cet appareil a été affrété par le chef de la police, Arnold Kalangi, et je suis du voyage, rétorqua Anderson, avec un sourire suffisant.

D'un coup d'œil, il examina l'intérieur de la cabine, en veillant à respirer par la bouche, à cause de la puanteur qui y régnait. L'avion avait dû récemment effectuer un transport d'animaux et, malgré le détergent qui moussait encore sur les plaques métalliques du plancher, une odeur de sang et de crottin l'imprégnait toujours.

Des pas ébranlèrent l'échelle, derrière lui, et un grand Kikuyu à la mine peu engageante, vêtu d'une veste blanche de steward, lui enjoignit sans ménagement de dégager le passage. Anderson s'effaça, prit une gorgée d'air frais et replongea dans l'atmosphère pestilentielle de la cabine. De quoi donner à ce cher Harry un avant-goût de l'Afrique profonde, se dit-il. Le steward lui ayant offert de le débarrasser de son sac à dos, il le lui passa, puis il se retourna et jeta un œil à l'extérieur.

Il consulta sa montre. Huit heures à peine... Il avait une bonne heure d'avance sur l'horaire prévu pour le décollage.

Il laissa ses yeux errer sur l'aérogare, tout pimpant sous les rayons du soleil matinal. Au-delà des pistes, se dressaient les cahutes du bidonville de Kanisa Kusini et on devinait dans le lointain les silhouettes des gratte-ciel de Nairobi.

En swahili, *kanisa* signifie « église » et *kusini*, « sud », et le nom de Kanisa Kusini était tout ce qui subsistait de la Mission du Sud, une organisation caritative catholique belge qui avait jadis œuvré dans le bidonville, et qui avait dû cesser ses activités dans les années soixante, sur ordre du gouvernement de la République du Kenya, nouvellement indépendante. Depuis, les masures avaient proliféré dans les anciens potagers de la Mission. La nef de l'église, désormais à ciel ouvert et couverte de graffiti, était divisée en petites échoppes où l'on pouvait se procurer aussi bien de l'huile que de la farine, des bonbonnes de Butane ou des plantes médicinales.

La pompe, installée aux frais de la Mission, était le centre de la vie sociale de Kanisa Kusini. En Afrique, le dieu de l'eau a toujours fait une concurrence déloyale au Dieu du ciel : l'eau régit la vie quotidienne des gens et irrigue puissamment leur imaginaire. Pour les gosses de Kanisa Kusini, l'eau — fût-ce le maigre filet que crachotait le robinet rouillé de la pompe de la Mission — avait quelque chose de miraculeux. Non seulement elle étanchait leur soif et les aidait, bien souvent, à tromper leur faim, mais, mêlée à de la terre, elle permettait de faire de fantastiques pâtés de sable.

Depuis qu'ils avaient annoncé leur intention de doter Kanisa Kusini d'un système d'adduction d'eau moins primitif, Lucius Conroy et Cynthia Palmer jouissaient d'un prestige considérable auprès de la population du bidonville. Avec beaucoup d'à-propos, les gosses les avaient immédiatement surnommés les *Mmerikani Maji* — les « American-eau »...

Les événements de cette journée pas comme les autres débutèrent avec l'arrivée des « American-eau » au volant de leur minibus Toyota de location. Aussitôt, une nuée d'enfants — maigres comme des chats écorchés, mais d'une beauté saisissante avec leur peau d'ébène, leurs lèvres d'un rose irréel et leurs dents éclatantes — assiégea la Toyota en glapissant : « *Polisi hapa! Polisi hapa!* La police est là ! », comme s'il s'agissait d'une nouvelle sensationnelle. Au moment où les deux délégués de Giving back to Africa mettaient pied à terre, plusieurs véhicules de la police, deux camions et un bulldozer investirent la place de la pompe, où s'entassaient déjà deux bonnes centaines de femmes, armées de seaux et de bidons. Celles qui se trouvaient en première ligne étaient déjà aux prises avec un cordon de policiers, qui tentaient de les refouler, tandis que des employés municipaux s'attaquaient à la pompe.

Ensuite, tout se passa très vite.

Lucius Conroy se dirigea vers l'attroupement, sa collègue sur les talons, et plongea dans le concert de vociférations. Un fonctionnaire municipal était en train d'expliquer à tue-tête que la pompe devait être démolie à cause des risques d'empoisonnement qu'elle faisait courir à la population. Une fois la pompe démontée, jamais on ne la remplacerait, rétorquèrent les femmes en furie. Et sans eau, qu'est-ce qu'ils allaient boire, ici, et avec quoi elles feraient la cuisine? Conroy se précipita sur le fonctionnaire et se mit à renchérir : supprimer ce point d'eau sans prévoir une solution de rechange ne pouvait que déclencher une émeute. Les femmes, pour la plupart des mères de famille avec un bébé ficelé dans le dos, commencèrent à houspiller les employés municipaux, sous l'œil impavide d'un photographe qui prenait tranquillement photo sur photo.

Un peu à l'écart, un lieutenant de police, penché sur un talkie-walkie, réclamait l'envoi de l'armée en renfort. Conroy l'empoigna par le bras et lui demanda pourquoi la police ne tentait pas d'abord de calmer les esprits. A quoi bon faire intervenir l'armée pour ça? Le lieutenant Sampa lui demanda de quoi il se mêlait et exigea de voir ses papiers. Conroy tira de sa poche un portefeuille rebondi. Il n'eut pas le temps d'en sortir son passeport. Sampa le lui arracha des mains, le fourra dans sa poche et lui lança, à haute et intelligible voix : « Va te faire foutre, sale *Mmerikani* ! »

Une détonation claqua et Conroy s'effondra, une lueur d'étonnement dans l'œil. Aussitôt, une salve de coups de feu tomba du haut du clocher branlant de l'église, fauchant plusieurs mères.

Cynthia Palmer s'élançait au secours de Lucius quand elle vit de petits cratères exploser dans la poussière, à ses pieds. L'air se mit à crépiter de rafales d'armes automatiques. Cynthia reconnut sans mal le *taca-taca-tac* caractéristique des Kalachnikov — un son qui lui était devenu familier en Afrique. Comprenant qu'elle ne pourrait pas sauver Lucius et qu'elle risquait d'y laisser sa propre peau, elle fit volte-face et, coudes au corps, fonça vers la Toyota.

« *Elikopta ! Elikopta !* » hurlaient des gens, réfugiés dans l'embrasure des portes de leurs cahutes de tôle et de carton d'emballage. Elle leva les yeux et vit grossir un hélicoptère dont l'ombre passa, dans un rugissement, au-dessus d'elle et de la ruelle sordide. Elle était tellement certaine qu'il l'avait prise pour cible qu'elle fut sidérée d'entendre une série d'explosions à plusieurs dizaines de mètres de là. Toute une section du bidonville se volatilisa sous ses yeux.

Elle sauta au volant du minibus et, comme elle mettait le contact, l'autoradio s'alluma. Elle n'en crut pas ses oreilles : un reporter annonçait qu'un incident bénin autour de la borne-fontaine de Kanisa Kusini avait dégénéré lorsque des fauteurs de trouble, appartenant à un groupuscule autonomiste tribal, avaient ouvert le feu sur la population locale qui réclamait la protection de la police. Les forces de l'ordre avaient tenté de s'interposer mais, prises sous un tir nourri, avaient demandé l'envoi de renforts militaires. L'armée était entrée en action. Le gouvernement avertissait les agitateurs qui seraient tentés de profiter de la situation qu'il ne laisserait pas le désordre s'instaurer...

L'incident n'était pas terminé qu'il faisait déjà l'objet d'un flash spécial à la radio... Cynthia n'avait pas aperçu l'ombre d'un de ces prétendus fauteurs de trouble, mais elle avait séjourné suffisamment longtemps au Mozambique et au Rwanda pour reconnaître les prémices d'une de ces guerres civiles qui ensanglantaient périodiquement l'Afrique.

Des balles firent voler la poussière tout près du minibus. Elle se pencha, ouvrit les portières du côté opposé et une grappe d'enfants plongea à l'intérieur. La plupart n'avaient pas un fil sur le dos et ce devait être la première fois qu'ils montaient dans une voiture... Cynthia lança la Toyota à tombeau ouvert dans la ruelle et, à sa grande surprise, parvint à rallier l'autoroute sans encombre. Derrière elle, l'hélicoptère vira pour repasser en rase-mottes au-dessus du bidonville et lâcha une nouvelle roquette sur les masures branlantes.

A plusieurs kilomètres au sud, un autre hélicoptère apparut dans le ciel, non loin de l'aéroport, et plongea en vrombissant. Une explosion ébranla une casse automobile, à faible distance de l'aérogare. La déflagration ne fut pas très forte, mais le geyser de flammes et de fumée qui s'élevait des carcasses en train de brûler était visible depuis le terminal. De nouveau, l'hélicoptère tira un projectile qui fit mouche dans un remblai, en contrebas d'une bretelle d'échangeur bloquée par un embouteillage. Un cratère s'ouvrit au milieu d'un bouquet de jacarandas. Sous la violence des flammes, les vitres du restaurant Simba et d'une succursale de la Barclays Bank volèrent en éclat.

Jakub Ngiamena se trouvait dans l'agence, en grande discussion avec un guichetier qui venait de lui refuser un retrait de dix mille dollars. Depuis ce matin, répétait l'homme, tous les achats de devises d'un montant supérieur à deux mille dollars devaient recevoir l'approbation du ministre des Finances. Jakub demanda à voir le directeur de l'agence et commençait à décliner son identité lorsque le guichetier l'interrompit : il savait parfaitement à qui il avait affaire. Il le pria de patienter quelques minutes et revint bientôt, une liasse de billets de banque à la main. La nouvelle réglementation ne s'appliquait pas à la monnaie locale, expliqua-t-il en la lui tendant. Dans l'épaisseur de la liasse, Jakub avait reconnu le vert pâle de la devise américaine. Il demanda son nom au guichetier, le remercia chaleureusement et quitta l'agence en toute hâte.

Dans une salle d'attente de l'aérogare grouillante de voyageurs, Itina attendait son époux, en compagnie de son fils et de sa fille. Tous trois avaient les yeux rougies de fatigue : la famille avait tenu conseil une bonne partie de la nuit pour discuter de son avenir. En fin de compte, il avait été décidé qu'Itina et Yinka partiraient pour Johannesburg par le premier vol du lendemain. Ngili, lui, était resté intraitable : il ne quitterait pas le Kenya. D'ailleurs, avait-il fait valoir, il serait plus en sécurité dans la brousse qu'à Nairobi. La discussion avait été longue, d'autant plus que Jakub avait été constamment interrompu par des coups de fil émanant de chefs coutumiers qui se préparaient à monter sur la capitale. A force d'arguments, Ngili avait fini par convaincre son père de le laisser agir à sa guise. Il avait alors fait un saut en Mercedes chez Mtapani, qui avait accepté de l'emmener dans le Dogilani en avion. A son retour, toute la famille, harassée par cette nuit blanche, avait partagé un petit déjeuner silencieux. Puis, chose rarissime, Jakub avait passé un complet veston, et les Ngiamena avaient rallié l'aéroport.

Brusquement, une annonce tomba des haut-parleurs de la salle d'attente : tous les vols étaient annulés jusqu'à nouvel ordre, et les passagers étaient invités à évacuer l'aérogare. Des exclamations montèrent de la foule, qui se mit à refluer dans la plus grande confusion. Itina aperçut la haute silhouette de Jakub qui tentait de se frayer un chemin à travers la presse. Quelques secondes s'écoulèrent, puis une voix différente retentit dans les haut-parleurs, annonçant cette fois qu'un hélicoptère non identifié, vraisemblablement piloté par des agents provocateurs à la solde de l'étranger, attaquait l'aéroport. Des appareils de l'armée de l'air l'avaient pris en chasse et tentaient de l'intercepter. Par mesure de sécurité, la direction de l'aéroport priait messieurs les voyageurs de bien vouloir s'allonger par terre.

Tout près d'Itina, deux vieilles religieuses africaines en cornette se signèrent et plongèrent à plat ventre, mais d'autres passagers, moins rompus à la discipline, se mirent à protester avec véhémence et à exiger des explications. Ngili eut l'œil attiré par un agent de la sécurité de l'aéroport qui gesticulait, penché à la mezzanine. Son bras décrivit un arc de cercle au-dessus de la foule. Presque instantanément, une explosion assourdissante ébranla la salle d'attente, et un écran opaque de fumée noirâtre s'éleva. Il y eut un moment de silence absolu, puis des cris fusèrent çà et là : « *Hatari! Moto!* Attention! Au feu! *Msaada, daktari!* Au secours! Vite, un médecin! »

Ce vigile a délibérément lancé un fumigène pour semer la panique! eut le temps de penser Ngili, avant d'être emporté par une marée de corps affolés vers une porte barrée de l'inscription ACCES INTERDIT AU PUBLIC.

Jakub empoigna sa femme et sa fille par le bras et s'élança derrière Ngili pour fuir la salle qu'envahissait la fumée. Les cris des passagers résonnaient dans une sorte de passage couvert, qui débouchait sur un parking inondé de soleil.

Dès qu'elle jaillit à l'air libre, la foule s'égailla sans demander son reste, mais les Ngiamena s'arrêtèrent à l'écart pour tenir conseil. Il était presque l'heure du rendez-vous de Ngili avec Mtapani, qui devait être prêt à décoller pour le

Dogilani. Jakub avait contacté la réserve de Magadi, et son cousin lui avait promis d'envoyer quelques rangers vers le nord, où ils retrouveraient Ngili. L'appareil de Mtapani se trouvait à quelques centaines de mètres, au terminal des avions de tourisme. Jakub trancha :

— Ngili, fonce retrouver Mtapani et tâche de le convaincre de prendre ta mère et Yinka à son bord pour les faire passer en Tanzanie. Il te déposera dans le secteur de la Mau au retour.

— Il n'en est pas question, Jakub ! protesta Itina. Comment ferons-nous, Yinka et moi, pour gagner l'Afrique du Sud, une fois là-bas ? D'ailleurs, je n'ai aucune envie de te laisser tout seul ici ! Tu as passé l'âge de jouer les guérilleros !

— Ne discutons pas, Itina ! Ma décision est prise. Et toi, Ngili, fais ce que je t'ai dit — file !

Jakub avait du mal à se faire entendre. Sur le parking, c'était le sauve-qui-peut général. Au milieu d'une cacophonie de klaxons, les automobilistes s'éperonnaient les uns les autres, dans leur hâte de quitter les lieux.

— Qu'est-ce que tu attends, Ngili ? Pars devant, on te retrouvera à l'avion. Allez, va ! ordonna Jakub, en tendant à son fils la moitié de sa liasse de billets.

Ngili fourra l'argent dans une poche de son pantalon, bondit par-dessus une haie de buis taillés et s'élança, coudes au corps, parmi les voitures et les gens qui tournaient, affolés. Dès qu'il atteignit les pistes, il piqua vers les vieux hangars de l'aéroport de tourisme. Le colt 45 et les deux boîtes de balles qu'il avait glissés dans les poches de son blouson lui battaient les côtes. Droit devant lui, il aperçut un Cessna, à demi sorti d'un hangar, et allongea sa foulée.

Au pied de l'avion, Mtapani bavardait avec un mécano. Derrière eux, une Land Rover de service, marquée du logo de l'aéroport, approchait à faible allure le long des hangars. Ngili distingua deux hommes à l'intérieur. L'un d'eux passa le bras à la portière et jeta quelque chose par terre. On aurait dit un journal roulé serré. Le cylindre glissait vers Mtapani. Il explosa juste devant le Cessna, dont le nez se désintégra, tandis que l'hélice voltigeait dans les airs. Un trou béant s'ouvrit dans le mur du hangar et un nuage de fumée engloutit Mtapani et le mécano.

Ils n'ont pas pu se désintégrer comme ça ! pensa Ngili. C'est juste la fumée qui les masque...

La Land Rover obliqua brusquement pour se diriger vers lui. L'homme qu'il avait vu jeter l'explosif s'encadra de nouveau à la portière. Il était jeune et portait des vêtements civils, sans signes particuliers.

— Ngili Ngiamena? demanda-t-il d'un ton amical.

Il tenait à la main un autre journal roulé, duquel émergeait la mèche allumée d'un bâton de dynamite.

Ngili plongea la main dans sa poche, en tira le colt et, d'un coup de pouce, débloqua le cran de sûreté. Tandis que le bâton de dynamite tombait sur le tarmac et rebondissait vers lui, il ajusta son tir et pressa la détente. Rien ne se passa...

Son corps réagit plus vite que son cerveau. D'instinct, il bondit en avant et posa le pied sur la mèche. Simultanément, il se souvint : son colt avait un second cran de sûreté, sur la crosse. D'un doigt, il le débloqua.

NE RATE PAS TON COUP!

La Land Rover était presque sur lui. A bout portant, il lâcha une série de coups de feu. Derrière le pare-brise pulvérisé, les deux hommes s'effondrèrent. Privée de son chauffeur, la Land fit une embardée, alla percuter une jeep garée en bordure de piste et s'immobilisa. Sous la violence du choc, le chauffeur fut projeté sur le tarmac. Ngili fonça vers la Land Rover, sauta sur le siège couvert de sang et, d'un coup de pied, éjecta le corps du deuxième homme.

Il jeta un coup d'œil derrière lui. Une jeep Toyota arrivait pleins gaz, chargée de trois hommes en civil qui épaulaient des Kalachnikov. Ngili vit les balles jaillir des canons. D'un coup de volant, il fit virer la Land Rover sur deux roues, écrasa l'accélérateur et piqua vers l'ouest. Lancé pied au plancher, il n'aperçut la chaîne tendue en travers de sa route qu'au dernier moment. Le temps de baisser la tête derrière le pare-brise éclaté, et la chaîne céda, faisant pleuvoir une grêle de maillons sur lui.

Il se redressa sur son siège et se retourna pour voir si la jeep le suivait toujours. Deux camions de transport étaient en train de s'arrêter sur la piste et des soldats en armes en sautaient. Il regarda autour de lui. Des véhicules de l'armée approchaient, sur la route reliant la capitale à l'aéroport.

L'aéroport... Où étaient ses parents et Yinka? La peur l'envahit. Peut-être étaient-ils déjà aux mains de l'armée? Un hélicoptère passa au-dessus de sa tête en vrombissant et s'éloigna vers l'ouest. La direction de la savane... Il avait déjà laissé tomber Ken, et maintenant, c'était sa famille qu'il abandonnait à son sort, songea-t-il, tenaillé par un insupportable sentiment de culpabilité. Les mains crispées sur le volant, il enfonça résolument l'accélérateur et continua sa route. Des bruits d'explosion lointains lui parvenaient et, quand il regarda en direction de Nairobi, il vit d'épaisses colonnes de fumée s'élever au-dessus des buildings du centre-ville.

Machinalement, il vérifia la jauge du réservoir. Il disposait d'un plein. De quoi faire pas mal de route... Dans l'espoir de comprendre ce qui se passait, il alluma l'autoradio. Une station accusait des « fomentateurs de violences ethniques » d'être à l'origine des troubles, tandis qu'une autre faisait allusion à un « complot international » — la thèse favorite du gouvernement... Il préféra éteindre la radio. Vu la situation, le mieux pour lui était de filer sur Magadi, en croisant les doigts pour que l'armée n'y débarque pas dans les heures à venir. Avec un peu de chance, il pourrait utiliser l'émetteur des rangers pour découvrir ce qu'il était advenu de sa famille.

Il eut bientôt laissé derrière lui les banlieues de Nairobi et se lança sur la piste défoncée qui s'accrochait le long du versant est de la vallée du Rift. Elle aboutissait au lac de Magadi — le « chaudron de la Préhistoire », comme Ken et lui surnommaient ce lac de soude à demi asséché... Il roulait depuis un bon moment quand le besoin de nouvelles lui fit rallumer la radio. Il tomba sur un communiqué expliquant que l'armée avait lancé une nouvelle opération « Coup de balai », mais qu'elle entendait maintenant « s'en prendre à la corruption qui régnait dans les hautes sphères du pouvoir et aux menées séditieuses de certaines ethnies. » A preuve certains textes qui circulaient sous le manteau... Ngili n'en crut pas ses oreilles : le journaliste citait des extraits du manifeste de Mtapani. Le couvre-feu était instauré et prenait effet immédiatement, précisait le communiqué. Une commission nationale allait être créée afin d'examiner les responsabilités du personnel politique et des élus dans cette crise. Le chef de l'Etat, retranché dans le palais présidentiel, n'avait fait aucune déclaration.

* * *

Au-dessus de la savane, les cris d'oiseaux furent noyés par le fracas d'un hélicoptère qui apparut à l'est, lancé droit vers la Mau. A l'approche des contreforts, il prit de l'altitude et décrivit une large courbe au-dessus des pentes envahies par la végétation, tandis qu'une main anonyme larguait plusieurs dizaines de bouteilles de verre, du goulot desquelles sortait une mèche allumée. Elle crevèrent le feuillage des arbres, à quelques centaines de mètres les unes des autres, et s'écrasèrent sur le sol...

L'hélicoptère fit demi-tour, et disparut à l'horizon, vers l'ouest.

Il ne s'était pas écoulé quelques minutes que se profila l'Embraer affrété par Kalangi survolant le massif selon un axe nord-ouest sud-est, comme s'il effectuait des relevés.

Plusieurs fois déjà, le steward était passé dans la cabine avec un plateau de rafraîchissements. Vu la forte odeur animale qui flottait encore dans l'air, Harry Ends s'était emparé d'un verre de scotch, qu'il sirotait à petites gorgées, sans relever le nez, imité en cela par Ramsay Beale. Anderson, lui, s'était déjà envoyé deux whiskys coup sur coup. Passablement excités, les trois hommes regardaient par l'unique hublot les pentes verdoyantes qui défilaient sous leurs pieds, vaguement pris de vertige à l'idée que cette forêt n'avait pas changé depuis le pliocène — comme Cyril n'avait pas manqué de le rappeler à plusieurs reprises.

Installé dans le poste de pilotage, Kalangi, lui, s'entretenait par radio avec Nairobi. Apparemment, les choses n'allaient pas tout à fait comme prévu : la prise de l'aéroport s'était déroulée sans difficulté, mais la garde du palais présidentiel avait repoussé une unité de l'armée, en lui infligeant de lourdes pertes. Plus inquiétant encore, Kalangi ne parvenait pas à établir le contact avec son P.C. de l'hôtel Naivasha, et il commençait à se demander si le palace n'aurait pas été enlevé par des troupes restées fidèles au gouvernement.

A travers la vitre du cockpit, Kalangi remarqua un éperon dépourvu de végétation, dont le sommet était marqué par une formation circulaire. Il l'observa à la jumelle, puis ordonna au pilote de faire un deuxième passage au-dessus.

Harry Ends téléphonait à Londres sur son portable à liaison satellite — le dernier-né de la gamme Mitsubishi, avec option fax — lorsque le steward apparut avec un message de Kalangi, qui provoqua la ruée des trois occupants de la cabine vers le hublot. Comme il n'offrait qu'une vue partielle de l'éperon, Anderson fit signe à ses deux compagnons de le suivre. L'avion avait perdu de l'altitude et réduit sa vitesse. Cyril actionna le levier qui ouvrait le panneau de largage. Au comble de l'excitation, Harry et Ramsay passèrent la tête par l'ouverture et, les yeux larmoyants sous l'effet du vent violent, observèrent le cercle d'empreintes.

Cyril était debout dans leur dos. Le Sig-Hammerli de Hendrijks pendait à sa ceinture, dans un holster que dissimulait un pan de sa saharienne.

Il contempla les deux hommes, qui se dévissaient le cou, penchés au-dessus du vide. Au même moment, Kalangi fit son entrée.

— Refermez-moi ce volet et regagnez vos sièges ! lança-t-il d'un ton sans réplique. On atterrit dans une minute.

Dans la forêt, le contenu des bouteilles larguées par l'hélicoptère brûlait toujours. Connus sous le nom de « cocktails de brousse », ces engins incendiaires à la portée du premier venu — deux tiers d'essence et un tiers d'huile végétale — servaient aux braconniers à allumer des feux de brousse, qui leur permettaient de débusquer facilement leurs proies. Dans la savane, leur effet était instantané mais, sous l'épais couvert de la forêt et en l'absence de vent, les flammes ne se propageraient que lentement, consumant en un premier temps les débris végétaux qui jonchaient le sol avant de se communiquer aux buissons environnants et, éventuellement, à un arbre mort. Alors seulement l'incendie prendrait pour de bon, projetant graines ou brindilles enflammées sur les arbres voisins, jusqu'à former un véritable mur de feu. Mais cela pourrait prendre des heures.

Yinka, Jakub et Itina arrivèrent en bordure de piste juste à temps pour assister de loin à l'explosion du Cessna et au duel de Ngili avec la Land Rover. Ils le virent s'emparer du véhicule et disparaître à son volant.

Et maintenant? se demandait Yinka avec anxiété, lorsqu'elle entendit une voix familière l'appeler par son nom. C'était leur vieil ami, Jack Dimathi. Elle s'élança vers lui. Jack, d'ordinaire si pointilleux sur sa tenue, avait les cheveux et les épaules saupoudrés de ce qui lui parut être des copeaux de plâtre. Il pointa l'index vers la terrasse du terminal.

— J'ai un hélicoptère qui attend là-haut. Jakub ferait bien de sauter dedans et de filer d'ici. L'armée le recherche...

Il s'interrompit, le souffle court.

— Mais qui va le faire voler, cet hélicoptère? demanda Yinka.

— Mon pilote personnel. Passez par là...

De la main, Jack Dimathi indiquait un escalier métallique qui menait à la terrasse. Soudain, il vacilla et s'abattit face contre terre. La surprise priva Yinka de toute réaction. Dans le dos de Jack béait un large trou, autour duquel une tache de sang s'élargissait.

Une telle bouffée de colère et d'amertume envahit Yinka qu'elle resta sans voix. Elle enjamba le corps de Jack et se précipita vers ses parents. Encore haletante, elle glissa la main à l'intérieur du veston de son père et, malgré sa résistance, lui arracha son Mauser. Puis elle s'élança vers l'escalier et le grimpa quatre à quatre.

De gros rires l'arrêtèrent. Elle risqua un œil prudent.

Un hélicoptère léger était posé sur la terrasse. Trois soldats hilares chahutaient, suspendus aux pales du rotor, sous les yeux d'un quatrième qui tentait vainement de les en faire descendre. Un homme, apparemment mort, gisait par terre dans une mare de sang. Le pilote de Jack, devina Yinka.

— Qu'est-ce que tu veux faire? lui chuchota Jakub, qui venait de la rejoindre avec Itina et qui contemplait la scène, interdit.

— Aller leur demander s'il y en a un parmi eux qui est capable de piloter cet engin... murmura-t-elle.

Elle soupesa le revolver et le contempla fixement, avant de baisser les yeux sur son corsage.

— Si je lâche un ou deux boutons, tu crois que ça les distraira assez pour que tu aies le temps de les neutraliser, Um'tu?

— Ne dis pas de bêtises!

— Tu as une meilleure idée ?

Elle lui tendit le revolver et Jakub le prit. L'arme lui parut peser des kilos.

— C'est de la folie, Yinka ! intervint Itina. Mieux vaut...

— Jack a dit qu'ils recherchaient papa ! siffla Yinka. Et il y a des chances pour qu'ils nous recherchent aussi, toi et moi !

Jamais Jakub n'avait envisagé une situation pareille. Yinka allait risquer sa vie pour lui. Lui, qui avait toujours obscurément redouté de mourir sous les yeux de ses enfants... Il fit une prière muette pour qu'au moins son fils aîné leur survive, si leur vie à tous trois devait s'achever ici, sur la terrasse de cet aéroport.

Déjà Yinka se dirigeait vers les soldats de son pas nonchalant. Un des militaires l'aperçut du coin de l'œil. Il lâcha la pale à laquelle il se balançait et se laissa tomber à terre. Les deux autres en firent autant.

Jakub vit Yinka leur parler, mais à peine leur avait-elle révélé qui était son père et où il se trouvait que les trois soldats se ruèrent dans sa direction, prêts à l'empoigner. Il leva son arme et hurla à Yinka de s'écarter.

Il y avait huit balles dans le Mauser. Le doigt de Jakub pressa la détente à six reprises, tandis que son bras balayait le groupe de soldats de gauche à droite puis revenait dans l'autre sens. Les trois hommes s'effondrèrent. Sans abaisser son arme, Ngiamena se tourna vers le quatrième larron, qui criait grâce en jurant ses grands dieux qu'il savait piloter.

— Qu'est-ce qui prouve qu'il ne ment pas ? lança Yinka.

Jakub mit l'homme en joue.

— Je vous jure ! j'en suis capable ! Parole ! bredouilla le soldat, avec le regard traqué d'un animal qui sait que sa vie ne tient qu'à un fil.

Il finit par avouer qu'il n'avait pas son brevet, mais qu'il avait travaillé pour une compagnie minière où il avait appris à piloter sur le tas.

— Si tu parviens à nous sortir d'ici, il ne t'arrivera rien, promit Jakub.

D'un ton geignard, le soldat déclara qu'il ne savait même pas pourquoi l'armée avait attaqué l'aéroport. Il n'y avait que trois semaines qu'il était incorporé. A l'aube, un gradé leur avait annoncé que leur unité allait devoir participer à un nouveau « Coup de balai », parce que, avait-il expliqué, « le gouvernement était noyauté par des agents de l'étranger ».

— Comment t'appelles-tu ? demanda Jakub.

— Uledi Kinanda. Je viens de Mombasa.

— Eh bien, moi qui suis membre du gouvernement, Uledi, je peux t'assurer que cette opération « Coup de balai » ne vise qu'à renverser le régime et à abolir la constitution. Or, tu as bien prêté serment de défendre la constitution, quand tu as été incorporé, non ?

Le soldat hocha frénétiquement la tête et le supplia de détourner son arme. Jakub glissa le Mauser dans sa ceinture, puis empoigna l'homme par le collet et le poussa vers l'hélicoptère dans lequel la famille s'entassa.

— Il faut que j'aille à la radio de toute urgence, fit-il en se tournant vers Itina et Yinka. Nous redoutions plus ou moins une tentative de ce genre, mais pas si tôt.

— Qui ça, "nous"? Toi et tes valeureux petits soldats de plomb, peut-être ? demanda Itina qui avait redressé son mètre soixante et toisait son époux, en vraie mamma africaine.

Le soldat s'attendait à tout, sauf à voir éclater une querelle domestique au moment où il décollait. Jakub reprocha vertement à Yinka d'avoir pris tant de risques : même si tout s'était heureusement terminé, ils étaient passés très près de la catastrophe. De son côté, Itina traita son mari d'inconscient : envoyer Ngili retrouver Mtapani tout seul... — brillante idée ! Quant à ses fameux « amis », ce n'étaient que des rigolos, qui n'avaient même pas su prévoir ce putsch. Jakub rétorqua que leurs forces étaient prêtes à résister aux mutins. Sur ce, Itina demanda au pilote combien il voulait pour leur faire franchir la frontière tanzanienne, mais Jakub déclara tout net qu'elle pouvait passer en Tanzanie avec Yinka si elle le voulait, mais que lui, il était obligé de rester.

Entre-temps, l'hélicoptère avait atteint Nairobi et Yinka observait, fascinée, la panique et le chaos qui régnaient dans le centre de la capitale.

— Regardez moi ça ! s'écria-t-elle. Les soldats sont en train de mettre la ville à sac !

— Tant mieux ! Pendant ce temps, ils ne pensent plus au coup d'état ! marmonna Jakub.

Partout, au-dessous d'eux, des blindés et des transports

de troupes bloquaient les grandes artères et les carrefours stratégiques. Des grappes de soldats surgissaient de boutiques aux vitrines éventrées, les bras chargés qui d'un téléviseur, d'une chaîne hi-fi ou d'un ordinateur, qui de vêtements ou de caisses de bouteilles, et entassaient leur butin à l'arrière de leurs camions, dont certains commençaient à ressembler à de vrais chars de carnaval. Déjà la fumée des incendies flottait dans l'air et des corps jonchaient les rues par dizaines.

Comme l'hélicoptère survolait un hôpital, Yinka vit un minibus Toyota piler devant l'entrée des urgences et une jeune Noire en faire sortir une douzaine d'enfants, certains nus comme des vers.

Depuis quelques instants, l'appareil était secoué par des tirs de mortier qui ébranlaient l'air. Des projectiles passaient en sifflant au ras du cockpit. Au-dessous d'eux, le Naivasha apparut. Une de ses façades latérales était éventrée et des traînées de suie maculaient le tour des fenêtres. Le cadavre d'un chien flottait dans la piscine, autour de laquelle parasols et chaises longues achevaient de se consumer. Un drap de lit, faisant office de drapeau blanc, flottait sur la marquise. Un bataillon d'irréguliers, vêtus de jeans et de vestes en tissu camouflage, voire de simples T-shirts, s'éloignait au pas cadencé vers les rues où le pillage continuait, à quelques pâtés de maisons de l'hôtel.

Comme Jakub conseillait au pilote de s'éloigner, une énorme déflagration retentit juste sous leurs pieds et une plaque du plancher de la cabine se fendilla, puis se détacha. Avec un sifflement, l'air se rua dans l'habitacle. Jakub cria au pilote de changer de cap, tandis qu'Itina lui ordonnait d'atterrir. Une nouvelle explosion secoua l'appareil. Yinka se retourna : la queue de l'appareil s'était désintégrée et des flammes s'échappaient du fuselage.

— Pose-toi, nom de Dieu ! Pose-toi ! s'époumona Jakub, le visage collé à la vitre.

Le rotor avait tenu bon, mais l'hélicoptère chuta d'une vingtaine de mètres avant que le pilote parvienne à le stabiliser. Une grêle de coups de feu crépita autour de la cabine. L'appareil donna de la bande et, dans un bruit de ferraille, se posa en catastrophe devant l'hôtel.

Au sommet d'une barricade faite de carcasses de voitures carbonisées se dressait un grand Africain aux cheveux blancs, arborant une antique veste militaire aux couleurs passées, qui bâillait sur sa poitrine. Un collier massaï en cuivre martelé brillait à son cou, et de lourds pendants d'oreille, typiquement massaï, eux aussi, distendaient ses lobes. Un talkie-walkie dans une main et un *panga* — l'épée traditionnelle des Massaï — dans l'autre, il dirigeait les opérations. Il avait le visage épanoui d'un homme qui, au soir de sa vie, voit enfin se réaliser un rêve d'enfant.

Des soldats environnèrent l'hélicoptère, embuant ses vitres de leur haleine. Cette fois, ça y est ! songea Yinka. C'est là qu'on se fait violer et torturer, avant de prendre une balle dans la tête, et d'être livrés aux mouches... Elle eut vaguement conscience que la porte s'ouvrait, puis des mains l'empoignèrent et la déposèrent à terre. Il lui semblait sentir toute l'histoire de l'Afrique dans le contact de ces doigts brûlants sur son bras nu. Elle entendit son père s'exclamer et vit le commandant dégringoler de sa barricade pour se précipiter vers eux, suivi de ses aides de camp — deux jeunes gars coiffés d'un casque de combat barbouillé de motifs camouflage, dont émergeaient leurs boucles d'oreilles massaï.

Comme il approchait, elle reconnut Desmond Ndbala, le vieux chef séparatiste massaï avec qui son père avait eu des mots quelques jours plus tôt, dans la maison d'hôte. Sous sa veste d'uniforme, il portait un T-shirt où s'étalait l'inscription : TRIBAL POWER.

Les soldats la lâchèrent. Jakub ouvrit les bras et donna l'accolade à Ndbala, qui le serra sur sa poitrine, en s'appliquant à avoir le triomphe modeste. La victoire le rendait magnanime... Ndbala annonça à ses hommes que Jakub Ngiamena, héros de la guerre d'indépendance et compagnon d'armes du *Mzee* en personne, était un ardent défenseur de leur cause. Une acclamation jaillit de la poitrine des soldats et, de nouveau, Ndbala pressa Jakub sur son cœur tandis que ses hommes, dont plus de la moitié portaient des T-shirts aux couleurs du mouvement, vidaient leurs chargeurs en l'air.

* * *

Au deuxième étage du Naivasha, Ndbala et Jakub, qui

inspectaient les lieux, découvrirent le PC de Kalangi. Tous les acolytes du chef de la police avaient déserté leur poste, à l'exception d'un seul, qui dormait du sommeil du juste, allongé par terre au fond d'une penderie. Une jeune prostituée ronflait à ses côtés. Tous deux avaient visiblement abusé de l'Ouganda Blue.

Ndbala et Jakub les réveillèrent sans ménagement et se mirent à les interroger. La fille n'avait rien à révéler, sinon peut-être le tarif auquel elle avait monnayé ses charmes, mais le garçon, stimulé par la lame du *panga* que Ndbala lui brandissait sous le nez, se mit volontiers à table. Non content de livrer les noms des chefs de la mutinerie, il déballa en sus tout ce qu'ils avaient projeté de faire, une fois installés au pouvoir — notamment, transformer la zone frontière avec l'Ouganda en une plaque tournante du trafic de drogue.

— Les salauds! lança Ndbala, en se tournant vers Jakub. Avoue que nos revendications d'autonomie régionale sont préférables à ça, quand même!

En veine de confession, le jeune gars se mit à leur raconter une histoire abracadabrante où intervenaient Kalangi, des magnats du pétrole, les Mangatis et Cyril Anderson. Yinka, qui avait suivi son père, le vit écarquiller les yeux à la mention de ce dernier nom.

— Oui, oui, Mr Anderson! Je l'ai vu ici même, pas plus tard qu'hier soir! renchérit l'adjoint de Kalangi, en hochant la tête. Même que le chef lui a fait écouter un appel radio qu'on avait intercepté... Et après, Mr Anderson lui a signé un chèque pour l'avion...

— Quel avion?

— Le transport de troupes avec lequel ils sont tous partis pour le Dogilani, ce matin...

— Qui ça, "tous"? demanda Ndbala.

— Le chef, le professeur Anderson, et ce roi du pétrole...

Ndbala fit virevolter le *panga* dans ses mains. La vision de la lame qui étincelait suffit à raviver la mémoire de l'homme.

— Et puis aussi, le chef a envoyé un hélicoptère balancer des cocktails de brousse sur la Mau, pour déclencher un incendie... en haut, dans la forêt...

— Pourquoi ça? s'inquiéta Yinka.

Le jeune gars haussa les épaules. Apparemment il l'ignorait.

Jakub ne savait trop que croire. Quant à Ndbala, il se désintéressait complètement du sort des Mangatis. Le putsch était en train de s'essouffler. Les tentatives des mutins contre l'immeuble de la télévision et la présidence avaient été repoussées par des unités restées loyales.

Pendant l'interrogatoire, quelques hommes de Ndbala s'étaient groupés autour de la table chargée d'émetteurs et de détecteurs. Jakub demanda si l'un d'eux pouvait contacter par radio la station météorologique qui se trouvait au sommet des Aberdares. De là-bas, on apercevait la Mau, et il voulait en avoir le cœur net sur cette histoire d'incendie. Mais lorsqu'ils parvinrent à joindre la station météo, ce fut pour apprendre qu'à première vue, tout était normal sur les pentes de la Mau.

— Qu'est-ce que tu en penses, Yinka? demanda Jakub à sa fille.

— Ça ne m'étonnerait pas qu'Anderson soit allé fouiner du côté du Dogilani. D'après Ngili et Ken sa spécialité, c'est l'OPA sauvage sur les découvertes des autres. Or, hier, *Ken était là-bas, bien vivant, Um'tu... Je lui ai parlé.*

— Je suis au courant, fit Jakub.

Au même moment, Ndbala s'approcha de lui et lui tapa sur l'épaule.

— Que dirais-tu de lancer un appel à tous les postes de police et à toutes les casernes, et de proposer aux officiers mutins de déposer les armes contre la promesse qu'il n'y aura ni sanctions, ni représailles? Ensuite, on ira parler au président. Il s'est retranché au fond de son palais. C'est le moment ou jamais de lui forcer la main et de faire avancer nos revendications de régionalisation ethnique.

— Yinka, tâche de joindre la réserve de Magadi et vois si Ngili n'y serait pas, demanda Jakub. C'est l'endroit le plus proche où il puisse être en sécurité.

Il fallut près de deux heures à Yinka pour établir le contact avec Magadi. Dès qu'elle entendit la voix de Ngili, elle se mit à agiter frénétiquement le bras pour appeler ses parents. Jakub délaissa le poste émetteur sur lequel il était penché pour accourir, tandis qu'Itina jaillissait de sa chaise.

Tous deux parlèrent longuement à leur fils, qui leur assura qu'il était indemne, puis ils laissèrent la place à Yinka pour qu'elle dise quelques mots à son frère.

— D'où je suis, je vois les bord du lac, fit Ngili. C'est superbe ! Il y a toute une flottille de pélicans blancs. Incidemment, j'aperçois aussi une vingtaine de gardes en train de fourbir leurs armes... Ils se sont mis en tête de sauter dans un camion et de foncer à Nairobi pour sauver Um'tu...

Yinka éclata de rire.

— Bah... tu n'es pas au courant ? Les parents ne t'ont pas dit ? Um'tu ne court plus aucun danger. Le président en personne l'a appelé au Naivasha et lui a demandé de former un gouvernement de transition. Il est même d'accord pour la représentation ethnique. Il n'a posé qu'une seule condition : qu'il reste à la tête de l'Etat.

— Ça se comprend ! lança Ngili. Dis-moi, Yinka, est-ce que tu as eu d'autres messages de Ken ?

Elle expliqua que non, mais lui résuma la confession pour le moins surprenante de l'adjoint de Kalangi. La nouvelle déclencha l'enthousiasme de Ngili : si Anderson avait traîné un bailleur de fonds potentiel jusque dans le Dogilani, ça prouvait que les hominidés n'étaient pas le fruit de l'imagination délirante de Ken.

— Repasse-moi Um'tu, Yinka ! Je vais partir pour le Dogilani avec les rangers, lança-t-il, si excité qu'il en criait presque. Et fais-moi confiance ! Où que soit Ken, on le retrouvera et on le ramènera sain et sauf.

— Tu en es sûr, Ngili ?

— Et comment ! Il est tellement barjot que rien ne peut l'atteindre...

— J'appelle papa, dit-elle en faisant signe à son père de se dépêcher.

Malgré sa corpulence, Jakub ne fit qu'un bond jusqu'au téléphone, Itina sur les talons. Yinka l'entendit demander à son fils de quelles armes les rangers disposaient, puis se renseigner sur l'état du véhicule avec lequel Ngili comptait partir.

— Si ce camion a déjà des problèmes mécaniques, tu crois qu'il va tenir jusqu'au Dogilani ?

— Il y a un excellent mécanicien ici, répondit Ngili, et le

— C'est un Magirus tout terrain. La qualité allemande... Bien sûr, il a un petit pépin de carburateur mais, d'après le mécano, ça devrait être réglé d'ici une heure ou deux. Sinon, il est en parfait état.

— Eh bien, assure-toi que la réparation tiendra. Tu sais que ça va être du hors piste en permanence! lança Jakub, songeant à part soi que si le camion tombait en panne quelque part entre la réserve et la Mau, son fils courrait moins de risques en pleine brousse que face à Kalangi et à ses hommes.

— Souhaite-moi bonne chance, Um'tu!

— Réfléchis encore, fils! Pèse bien le pour et le contre pendant que ton mécano répare ce camion.

— C'est tout réfléchi, Um'tu. Pourquoi? Tu ne veux pas que j'y aille?

— Je ne veux pas t'influencer. La décision t'appartient, Ngili...

Ngili prit une profonde inspiration, comme un plongeur avant de se jeter à l'eau.

— Eh bien, ma décision est prise...

— Songe que tu as bien cent cinquante bornes à faire avant d'être seulement en vue de la Mau... l'avertit Jakub.

— Je sais.

— Comment est-ce qu'on saura comment ça s'est passé?

— Ne t'inquiète pas, Um'tu. Je vous contacterai par radio de là-bas.

Dans la forêt, les foyers d'incendie s'étendaient.

Çà et là, le feu s'était mis à ramper, grignotant de proche en proche un peu plus de terrain. Jusque-là, il n'avait fait d'autres victimes que des fourmis, des escargots et des chenilles. Mais c'était la saison sèche, et les flammes progressaient. Et ce n'était pas le brouillard ni même une malheureuse averse qui pourrait les arrêter.

Sur sa route, un des foyers rencontra le cadavre de Bilal. Tel un bûcher funèbre, son treillis militaire crasseux commença à fumer, puis à se couvrir de flammes bondissantes. L'étoffe râpée noircit et les dépôts de sels minéraux qui la marbraient aux aisselles et à l'aine s'embrasèrent en crépitant. Dans son fourreau de vêtements brûlants, la peau du braconnier se craquela et prit feu. Bientôt une odeur de viande grillée envahit le sous-bois.

Ce seul cadavre suffit à donner aux flammes la vigueur

qui leur manquait pour se communiquer aux branches basses des arbres avoisinants. Sous l'effet de la chaleur, une sève collante et sucrée avait suinté des rameaux et elle s'unit à l'écorce et au bois pour nourrir l'ogre de feu, que rien ne semblait désormais pouvoir rassasier : plus il dévorait, plus il devenait insatiable.

Le macabre monument érigé par Modibo et les squelettes d'hominidés entassés à ses pieds furent une autre aubaine pour les flammes. La mousse partit en fumée avec un petit grésillement, puis des flammes de six mètres de haut jaillirent. Un acajou mort qui se dressait à quelques pas de là se transforma aussitôt en torche. Dès lors, l'incendie se mit à s'alimenter lui-même. Sous le dais du feuillage, l'air surchauffé avait transformé la forêt en une véritable fournaise. Feuilles, buissons, épineux, rideaux de lianes s'enflammèrent. Tout ce qui pouvait brûler vit ses qualités combustibles multipliées par deux. Les feuilles, assez minces pour se dessécher en une seconde, prenaient feu comme du papier. Les pousses et les racines aériennes des plantes parasites roussissaient avant de se recroqueviller, rongées par de petites flammes vacillantes. Au fur et à mesure que la température s'élevait, l'air chaud venait s'accumuler sous la voûte du feuillage, sans parvenir à la crever. Son souffle brûlant refoulait les flammes vers le sol, et la chaleur pénétra plus profondément la couche d'humus. Scolopendres et mille-pattes n'émergèrent de leurs retraites que pour se ratatiner, calcinés. Rats, taupes, crapauds et lézards désertèrent l'obscurité de leurs trous, et se mirent à fuir en tous sens. Les insectes tentèrent de s'envoler mais leurs ailes se pulvérisaient instantanément au contact de l'air. Sur ce véritable tapis d'amadou, une pluie de branches enflammées commença à tomber.

Déjà, la panique gagnait de proche en proche les autres animaux. Les incendies de forêt sont une rareté sous ces latitudes, mais avec leur vue et leur flair infaillibles, les singes ne tardèrent pas à déceler la présence du feu. Pris de frénésie, ils poussaient des cris stridents en sautant de branche en branche. Les carnassiers, alertés, se mirent à feuler en lacérant nerveusement l'écorce des arbres à coups de griffes. Les femelles qui avaient des petits décidèrent d'aller mettre leur progéniture à l'abri, vers la savane. Comme toujours, les antilopes — depuis les minuscules dik-diks jusqu'aux massifs bongos — furent les premières à fuir.

Peu à peu, la fumée avait réussi à filtrer à travers le toit de la forêt, mais elle demeurait invisible car elle se mêlait aux bancs de brume qui descendaient des crêtes de la Mau. Pourtant, à l'approche du crépuscule, les flammes embrasèrent les clairières où elles avaient couvé dans l'herbe sèche. Leur apparition rappela aux oiseaux de proie ces incendies de brousse, qui étaient pour eux annonciateurs d'une orgie de nourriture : après le passage du feu, il leur suffisait d'arpenter les cendres fumantes pour que des proies toutes rôties leur tombent sous le bec.

Avant longtemps, une véritable escadrille de rapaces se forma dans le ciel. Elle se mit à tournoyer au-dessus de la montagne, l'œil aux aguets, prête à festoyer.

Il allait être six heures du soir et, dans le petit campement — trois tentes dressées en bordure de la piste d'atterrissage de fortune —, le dîner des passagers de l'Embraer se préparait. Au menu : steaks de chèvre, purée de cassaves et galettes de pain, le tout arrosé de Coca Cola ou d'eau au goût de plastique prononcé, provenant des réservoirs de l'avion.

Harry et Ramsay étaient allés se dégourdir les jambes aux environs du camp, sous la conduite d'Anderson qui pérorait sur la miraculeuse pérennité de la région, ramassant çà et là des fragments d'os qu'il examinait avant de les rejeter. De leur côté, Harry et Ramsay s'extasiaient à qui mieux mieux sur le « feeling » extraordinaire qui émanait des lieux. Sur une petite butte, une femelle léopard poussa un feulement étouffé, tandis qu'au loin, quelques éléphants étiraient leurs trompes pour atteindre les hautes branches d'un acacia.

— Cyril, lança Harry Ends, expliquez-moi pourquoi le monde des affaires, qui est pourtant régi par des cerveaux humains, est incapable de s'adapter plus rapidement aux nouvelles donnes du marché mondial, alors que de simples mammifères savent faire preuve d'aussi fantastiques capacités d'adaptation à leur environnement !

— Peut-être justement parce que vous autres, hommes d'affaires, cherchez à aller toujours plus vite, ironisa Anderson. La vitesse est, pour vous, l'alpha et l'oméga, à la fois votre critère de base et votre objectif unique. Mais l'adaptation est le fruit d'une longue patience. Jamais elle ne se fixe d'échéance...

Ends se tut et les trois hommes continuèrent à marcher en silence. Sur l'herbe de la savane, leurs ombres s'allongeaient démesurément.

Le soleil atteignait l'horizon lorsque Anderson s'arrêta et dégaina son revolver. Ends crut que c'était parce qu'il commençait à faire nuit et qu'ils se trouvaient à une bonne distance du campement.

— Ne me dites pas que vous avez peur de vous faire détrousser ici, Cyril ! plaisanta-t-il. Moi qui croyais que cette nature inviolée était un havre de paix... Aurais-je eu tort ?

— Non ! Ou plutôt, si. Vous avez eu le tort de ne pas croire à mon *Homo andersoni*, rétorqua Cyril, avec un sourire mauvais. Allez, Ends, fini de rire. Haut les mains ! ordonna-t-il, soudain sérieux, et restez où vous êtes ! Toi aussi, Rams, les mains en l'air ! Va te mettre à côté de l'ami Harry, ajouta-t-il en faisant sauter le cran de sûreté de son arme. Inutile de nous voiler la face : nous n'aurions jamais pu nous entendre. Or, ce qui se joue ici est bien trop important pour moi.

Ends fixait le canon du revolver d'un œil incrédule, mais Beale avait compris ce qu'Anderson avait derrière la tête. Sa respiration se fit haletante.

— Ne f-fais p-pas ça, Cyril ! bredouilla-t-il. Tu veux vraiment compromettre ta découverte et perdre un joli paquet d'argent, sans compter tout le reste... ? Et tout ça, pour quoi ? Ne rêve pas... Jamais tu n'y arriveras seul ! Personne n'y arriverait !

— Moi, si ! Et je ferai sans fléchir tout ce que j'estime nécessaire pour assurer l'avenir de notre lignée, déclara Cyril, comme s'il réfutait un argument intellectuel.

— Anderson ! s'écria Ends. Etes-vous devenu fou ?

— Je suis on ne peut plus sain d'esprit, mon cher ! J'ai liquidé Haksar, qui avait pourtant une vision de l'avenir autrement plus ample que la vôtre ! Il avait compris que la race humaine avait besoin de mon *Homo andersoni* pour survivre non seulement à la prochaine glaciation, mais aussi au processus d'autodestruction dans lequel elle est irrémédiablement engagée.

Anderson eut un petit rire, impressionné par ses propres paroles. Voilà une envolée qui ferait merveille dans une tournée de conférences...

— Vous voulez parler de votre stupide projet de métissage, c'est ça ? demanda Ends, qui l'écoutait attentivement. Vous avez réellement l'intention de remplacer l'espèce humaine par... cet ersatz ? » Il était tellement sidéré par les propos démentiels de Cyril qu'il en oublia sa peur. « Combien voulez-vous pour oublier ce stupide incident ? proposa-t-il, très homme d'affaires. J'appelle Londres et je vous fais virer la somme de votre choix par fax, en cinq minutes...

— Je vous conseille plutôt de vous retourner et de regarder ailleurs, fit Anderson. Ça vous rendra la mort plus douce...

Harry Ends jeta un regard à Ramsay, qui ne quittait pas des yeux la main de Cyril.

— Vous êtes un vrai fils de pute, Anderson... laissa-t-il tomber sur le ton de la constatation.

— Je ne crois pas que ce soit le terme qui convienne ici, dit Cyril. Souvenez-vous ! Nous sommes en plein pliocène...

Aucun d'eux n'entendit Kalangi approcher. De loin, il aperçut les trois hommes face à face, puis distingua l'arme qu'Anderson pointait sur ses compagnons. D'instinct, ses mains se portèrent à son ceinturon, mais il avait bêtement laissé son revolver au camp. La première détonation le fit sursauter. Il vit un jet de sang jaillir de la gorge de Harry Ends, qui s'effondra. Anderson braquait tranquillement son revolver sur son vieil ami Ramsay. Ce dernier tenta de fuir et se mit à courir en zigzag parmi les épineux. Cyril fit feu à deux reprises. Ramsay chancela, tomba à genoux puis, lentement, bascula face contre terre et resta immobile.

Kalangi tremblait si fort que ses dents se mirent à claquer. Anderson se dirigea vers ses victimes et les poussa du bout du pied. Alors seulement il se retourna, et découvrit Kalangi.

A grandes enjambées, il rejoignit le policier et s'arrêta à quelques centimètres de lui.

— Vous êtes complètement fou ! balbutia Kalangi.

— Oh, que non ! C'est lui qui l'était, rétorqua Anderson, avec un geste en direction du cadavre de Ends. Moi, je suis l'exemple parfait de ce que Haksar espérait créer : la force pure alliée à une intelligence supérieure...

Devant le regard d'incompréhension que lui jetait le chef de la police, il daigna expliciter sa pensée :

— Je suis le premier représentant de la race à venir. *Homo andersoni*, c'est moi!

Les deux hommes regagnèrent le campement. Kalangi ouvrait la marche et Anderson le suivait, son arme braquée sur lui.

Ils remarquèrent immédiatement le pilote, le steward et la demi-douzaine de braconniers recrutés par Kalangi debout, immobiles, les yeux fixés sur la Mau. A peu près aux deux tiers de sa hauteur, une frange jaune d'or dansait, faisant paraître le versant de la montagne plus noir encore.

Anderson resta pétrifié. Il tenait toujours Kalangi en joue mais c'étaient les flammes qui aimantaient son regard. Il avait l'impression que c'était sous son crâne que l'incendie faisait rage.

Il pivota vers Kalangi et, sans crier gare, lui abattit sa crosse sur la tête. Le policier tomba comme une masse et il se mit à le rouer de coups de pied en hurlant comme un possédé.

— Ordure! C'est toi, hein? C'est toi qui as mis le feu là-haut! Pourquoi as-tu fait ça? Pourquoi, hein?

Un des braconniers eut la mauvaise idée de bouger. Aussitôt, Anderson fit volte-face et lui lâcha une balle au-dessus de la tête.

— Jetez vos armes, et vite! ordonna-t-il.

Les hommes s'exécutèrent. Un revolver et plusieurs couteaux roulèrent sur le sol.

Leur armement lourd — fusils et automatiques — était resté sous leur tente. Anderson n'y fit qu'un bond et réapparut, une Kalachnikov à la main et deux autres en bandoulière. Kalangi, qui s'attendait à ce qu'il les massacre tous sur-le-champ, le vit se ruer vers l'avion et vider son chargeur sur le train d'atterrissage. Les balles se logèrent dans les pneus en faisant voler des copeaux de caoutchouc. L'Embraer s'affaissa lourdement. Impossible désormais de le faire décoller.

Les hommes auraient pu profiter de la fusillade pour s'enfuir et se perdre dans les hautes herbes, mais pas un n'esquissa le moindre geste.

Partagés entre la terreur et l'ahurissement, ils attendaient, fascinés, de voir ce que le *mzungu* fou allait faire. Anderson éjecta le chargeur vide, en glissa un autre à la place, puis revint auprès de Kalangi et, de nouveau, le somma de s'expliquer.

Entre deux gémissements, Kalangi avoua qu'il avait espéré capturer des Mangatis. En montrer quelques spécimens au représentant de la Shell lui aurait permis de faire monter les enchères. Mais l'incendie pouvait encore être circonscrit, si un avion-citerne intervenait rapidement ! ajouta-t-il.

Cyril lui ordonna de contacter Nairobi et de réquisitionner un de ces appareils. Impossible, répondit Kalangi. Du moins, pas dans l'immédiat... Juste avant de quitter le camp, il avait eu une liaison radio avec Nairobi : le putsch avait échoué et les mutins s'étaient rendus. Mais il ne fallait pas désespérer, marmonna-t-il. Le feu s'éteindrait probablement de lui-même pendant la nuit, sitôt que l'humidité tomberait sur les pentes de la montagne et que le brouillard se formerait.

Les hommes de Kalangi observaient la scène sans bouger. Ils n'étaient plus de la première jeunesse et avaient eu plus d'une fois l'occasion de voir la mort de près. Mais la folie les terrifiait — un peu comme une maladie contagieuse qui risquait de les infecter.

Sous la menace de son fusil, Cyril leur ordonna de démonter les tentes : ils n'en auraient pas besoin, car ils allaient devoir se trouver un coin de savane pour passer la nuit à la belle étoile — sans armes...

— Et maintenant, qu'on m'apporte un siège ! ordonna-t-il.

Deux hommes coururent chercher un fauteuil pliant, qu'il leur fit placer face à la montagne.

Alors, lentement, les hommes s'éloignèrent dans l'obscurité, en se retournant périodiquement pour observer le *mzungu* qui trônait sur sa chaise de camping, les yeux fixés sur les pentes embrasées de la Mau.

Le mécanicien de Magadi avait été trop optimiste : deux heures ne lui avaient pas suffi pour réparer le Magirus. Malgré quatre heures d'efforts, le moteur refusait toujours obstinément de démarrer. Et tandis que le malheureux plongeait encore et encore sous le capot, Ngili tournait autour du camion comme un lion en cage.

Lorsque la nuit tomba, les choses en étaient au même point. Ngili se résigna à rentrer à l'intérieur du poste, où la vue d'une banquette en bois lui rappela qu'il n'avait pas fermé l'œil, la nuit précédente. Il s'allongea, persuadé que la dureté de sa couche l'empêcherait de s'endormir, et sombra instantanément dans un sommeil de plomb.

Plusieurs heures plus tard, le mécanicien vint le secouer et lui marmonna que ça faisait déjà un bon moment que le camion était prêt à partir. Les gardes n'avaient pas osé le réveiller mais là, son père appelait par radio de Nairobi, alors...

— J'ai de bonnes nouvelles, Ngili! lança Jakub. Les combats sont terminés. A présent, c'est la bataille politique qui va s'engager. Je t'appelle du palais présidentiel...

— Mais qu'est-ce que tu fais là-bas? s'étonna Ngili, songeant à la façon dont son père avait été si cavalièrement « démissionné ».

— Il semblerait que je sois appelé à jouer les médiateurs. Le président a demandé à tous les partis en présence d'envoyer leurs représentants. Mais ce n'est pas pour ça que je t'appelais... Tu te souviens de ce que racontait ce type qu'on a coincé dans le PC de Kalangi, au Naivasha? Que la Mau était en feu? Eh bien, il disait vrai, malheureusement! La station météo des Aberdares vient de signaler un incendie de forêt, juste sous la crête. Apparemment, le sinistre est très étendu et progresse rapidement...

Ngili resta sans voix. Il imaginait sans peine les ravages qu'un incendie pourrait faire sur les pentes de la montagne.

— Le camion est enfin réparé, répondit-il de façon indirecte.

— A la bonne heure! Oh, j'oubliais... Le bras droit de Kalangi a été arrêté. D'après ce lieutenant Sampa, son chef n'aurait que huit ou neuf hommes avec lui, et ce sont pour la plupart de simples braconniers, pas des militaires. Dis-moi, tu es toujours décidé à aller là-bas?

— Oui.

— Kalangi a la gâchette facile, fils...

— Les rangers ont des fusils de chasse. Et même un petit stock de dynamite.

— Ngili ? Est-ce que c'est vraiment...

— Ça l'est, Um'tu. A ma place, tu hésiterais si ton meilleur ami t'appelait à l'aide ?

— Tu as raison, fils... fit Jakub avec un profond soupir. Dès que la situation se sera un peu décantée ici, je tâcherai de rassembler quelques hommes et de trouver un avion pour te les envoyer. Bonne chance !

— Je t'appellerai par radio, Um'tu.

Une demi-heure plus tard, le camion conduit par Ngili s'ébranla et franchit les grilles du poste de Magadi, avec deux gardes entassés près de lui dans la cabine et quinze autres, emmitouflés dans des couvertures, sur le plateau arrière.

4

Lorsque le flot de petits rongeurs déferla sur le campement des Graciles, leur débandade tournait à la panique généralisée. Trois ou quatre vagues d'écureuils, de rats à crinière et de taupes passèrent sur les corps nus des dormeurs, avec des couinements affolés qui réveillèrent tout le clan.

Ken se redressa en sursaut, une main plongée dans les cheveux de Longs-Pieds. Il s'était endormi en caressant la tête du gamin...

La marée animale disparut aussi vite qu'elle était venue. Ses piaillements suraigus n'avaient pas fini de résonner que d'autres cris s'élevèrent — hurlements de singes, grognements de cochons sauvages et feulements de léopards, auxquels se mêlaient d'autres sons que Ken ne parvint pas à identifier. Ce qui était clair, c'était que ces bruits provenaient des pentes de la Mau, au-dessus de lui. Le danger, quel qu'il fût, venait de là-haut...

Ken bondit sur ses pieds. Des corps nus, dont tous les muscles tressaillaient, le frôlaient dans le noir.

Longs-Pieds, qui se levait, lui heurta la cuisse. Ken l'empoigna par les épaules et le força à se baisser. L'air était plus chaud qu'il n'aurait dû l'être en pleine nuit, et une vague lueur, une sorte de halo diffus sourdait d'entre les arbres. Son nez lui révéla ce dont il s'agissait avant même que le mot « feu » ne lui soit venu à l'esprit. Et dans la nature, qui disait « feu » disait « catastrophe »...

Garde ton sang froid, se raisonna-t-il. D'accord, il y avait un incendie, mais apparemment, ça se passait très au-dessus d'eux. Il prit une profonde inspiration et, fut aussitôt saisi d'une quinte de toux, tant l'air était lourd de fumée. Il en resta la mâchoire tremblante, la gorge nouée d'une peur archaïque.

Quelque chose de grave se préparait.

Inutile de rester là à se battre les flancs. S'il n'avait aucun moyen de combattre cet incendie, il pouvait quand même aller voir de quoi il retournait. Trouille ou pas trouille, il fallait qu'il se bouge. Il serra les dents, et tenta de ravaler sa peur. De l'enfouir au plus profond de lui. Ce n'est pas le moment de paniquer, Lauder !

Il entendit des pas derrière lui et se retourna, exaspéré. Plusieurs mâles l'avaient suivi et le regardaient, comme s'ils lui faisaient confiance d'instinct. Ils sentaient sa peur, mais lui, au moins, ne restait pas paralysé : il tentait quelque chose, et ils voulaient l'avoir à leurs côtés.

Il se lança à l'assaut de la pente, et ils lui emboîtèrent le pas. Peu à peu, l'obscurité passa du noir absolu au gris, puis une lueur dorée s'intensifia tandis que l'air devenait plus chaud.

Ken tâcha de se souvenir de la topographie des lieux. Entre eux et le sommet s'étageaient une succession de terrasses, boisées pour la plupart. Mais sur certaines, la végétation se réduisait à de l'herbe et de rares buissons. Et quelque part au-dessus d'eux se trouvait aussi cet énorme bloc basaltique, qui ressemblait à un crâne. Pratiquement rien qui puisse alimenter le feu, de ce côté. S'il devait s'étendre, ce ne pourrait être que vers le bas...

Bougre d'idiot! se dit-il, en se rappelant brusquement qu'il avait laissé l'émetteur radio en bas, dans le camp. Trop tard pour retourner le chercher. Les lueurs de l'incendie étaient maintenant toutes proches. Il tourna la tête et s'aperçut que seuls quatre Graciles le suivaient encore. Les autres avaient dû se décourager... Ils le fixèrent droit dans les yeux, pleins d'une muette solidarité.

Ce regard lui fit l'effet d'un coup de fouet. Comme si une force dépassant tout ce qu'il avait jamais ressenti l'irriguait de la tête aux pieds. Ils le croyaient réellement capable de les sauver du feu?

A propos de feu... songea-t-il, plutôt curieux qu'un incendie se déclare comme ça, en pleine nuit, à cette altitude... Il devait y avoir une explication. Et s'il voulait la trouver, il avait intérêt à émerger de sa bulle de pliocène, et à réintégrer le présent.

Il se remit en marche, tous ses sens en alerte et, avant longtemps, tomba sur un cocktail de brousse qui avait fait long feu. En touchant terre, la mèche s'était éteinte et le mélange d'essence et d'huile s'était perdu dans le sol, sans s'enflammer.

Ken comprit instantanément ce que sa découverte impliquait, et fut atterré par la barbarie du procédé. Mais comment expliquer la situation aux quatre Graciles qui l'entouraient?

L'air était couleur de soufre et, autour d'eux, des animaux commençaient à dévaler la pente, trop affolés pour se soucier de la présence des humains. A la lueur des flammes, qui gagnaient en intensité d'instant en instant, ils étaient clairement visibles dans l'obscurité. Aussi visibles que les prunelles luisantes des Graciles qui, bien que terrifiés, ne quittaient pas Ken d'une semelle, même quand il s'enfonça parmi les arbres, dont certains commençaient déjà à flamber.

D'une main, il empoigna le mâle le plus proche par le coude, et l'attira à lui avec un grognement d'encouragement, puis fit de même avec son autre voisin. Les deux derniers se joignirent à la chaîne et, épaule contre épaule, ils tâchèrent tous les cinq de se frayer tant bien que mal un chemin à travers la végétation, cherchant des trouées où passer de front. Ils entendaient le feu crépiter, mais ils continuèrent d'avancer, comme s'ils le mettaient au défi d'approcher.

Quelques dizaines de mètres plus loin, un énorme léopard ramassé sur lui-même leur barra la route. Un même frisson les parcourut, mais l'animal avait dû se blesser en tentant d'échapper aux flammes. Il détourna ses yeux mordorés et s'enfuit vers le bas de la pente en boitant bas, trop heureux que les humains ne lui cherchent pas noise. Mais Ken et ses compagnons avaient d'autres chats à fouetter...

Ils grimpèrent longtemps avant de franchir le dernier rideau d'arbres qui les séparait de l'incendie. Ils se figèrent, leurs cinq cœurs battant à l'unisson. Devant eux, les flammes ravageaient une terrasse au centre de laquelle un bongo se dressait, étrangement immobile au cœur de cette fournaise. L'animal était mort d'asphyxie, et seules ses longues cornes spiralées prises dans un enchevêtrement d'épineux le maintenaient debout.

Son voisin de droite tenta de dégager son bras, mais Ken serra le coude et le força à rester en place. Il sentait le pouls des deux Graciles qui l'encadraient s'emballer et il lutta de toutes ses forces pour maintenir leur cohésion mais, dès qu'il se résigna à relâcher son étreinte, la chaîne qu'ils formaient se disloqua.

Eh bien, maintenant, je suis fixé, se dit-il : ça va être mes muscles et mon cerveau contre ce feu...

Il secoua la tête, avec un sourire amer. Les chances n'étaient guère en faveur des Graciles. Ils étaient peu nombreux et leurs armes n'étaient pas de taille à lutter contre l'arsenal dont disposaient ceux qu'ils allaient devoir affronter. Parce que, quels qu'ils soient, ceux qui cherchaient à les anéantir ne renonceraient pas à leurs sinistres projets.

Et que se passerait-il alors... ?

Fendant l'air surchauffé, il avança jusqu'au bord de l'à-plat où ils se trouvaient. De ce côté, où la végétation était plus clairsemée, l'escarpement tombait à pic vers la savane. Il fit demi-tour et se dirigea vers l'autre extrémité de la terrasse, suivi des quatre mâles qui avaient l'air un peu déboussolés, mais confiants. Sur ce versant aussi, la pente tombait pratiquement à la verticale.

Debout au bord du vide, il examina le ciel à travers les branches. Il était couvert d'étoiles. Inutile de compter sur un orage providentiel. Si le feu continuait à descendre, il serait bientôt sur eux...

OK, se dit-il. Il n'y a pas d'autre solution : il faut qu'ils quittent cette forêt.

Au bout de deux heures de route, le moteur du Magirus donna des signes de surchauffe. Ngili sauta de la cabine et leva le capot.

Apparemment, le moteur tenait le choc. C'était juste cette conduite tout terrain qui le mettait à rude épreuve. Il dévissa le bouchon du radiateur et refit le niveau avec de l'eau potable prélevée sur la réserve que les gardes avaient emportée. Par prudence, il décida tout de même de laisser le moteur refroidir une demi-heure.

D'ailleurs il éprouvait, lui aussi, le besoin de faire une pause. A force de se cramponner au volant, il avait les bras, les épaules et la nuque aussi endoloris que s'il avait charrié des pierres. Il se sentait dans un état second. Les innombrables paires d'yeux phosphorescents qu'il avait clouées dans le pinceau de ses phares continuaient à défiler devant lui.

Frissonnant de froid et de fatigue, il s'éloigna du camion pour se dégourdir les jambes. Bien qu'il ait mangé avant de quitter la réserve — des œufs au plat et une salade de tomates à peine mûres, préparés par un garde —, il avait l'estomac dans les talons. Il avait avalé ce maigre dîner en compagnie de ses hommes, inquiet de les savoir si mal préparés à affronter ce qui les attendait.

A quelque distance de la masse sombre du camion, des exclamations excitées s'élevèrent brusquement. Sans doute une hyène un peu trop curieuse, que les gardes essayaient de mettre en fuite par leurs cris... Ngili fonça dans leur direction et fut tout surpris de les voir approcher, leurs lampes torches et leurs fusils braqués sur une silhouette humaine.

Il se figea. L'individu était pieds nus et avait le visage en sang. Pas seulement le visage, à y mieux regarder : chaque pouce de sa peau que ne protégeaient pas ses vêtements était zébré d'estafilades. Il roulait des yeux hallucinés, comme s'il avait vu des apparitions. Un des gardes lui tendit une gourde qu'il téta goulûment, en inondant le devant de sa chemise en loques.

L'homme était l'unique survivant de l'équipe de Modibo.

Quelques minutes plus tard, le camion fonçait de nouveau à travers la brousse, laissant derrière lui un sillon d'herbes et de buissons couchés.

Le braconnier était assis à côté de Ngili. Il se trouvait dans un tel état de faiblesse et d'épuisement qu'il avait fallu, littéralement, le ficeler au dossier de son siège pour qu'il ne s'effondre pas. (Bien que relativement neuf, le Magirus avait déjà perdu ses ceintures de sécurité...) L'homme leur avait fait un étrange récit concernant un Mangati d'une taille extraordinaire, qui avait exterminé tous ses compagnons. Pour Ngili, il ne pouvait s'agir que de Ken.

Tandis qu'il écrasait l'accélérateur, poussant le camion à la limite de sa résistance, il tenta d'imaginer à quoi Ken pouvait bien ressembler, après tant de semaines de vie à la dure. Il comparait mentalement l'image qu'il gardait de son ami avec le portrait monstrueux qu'en avait brossé le braconnier. Restait que ce « monstre » avait su utiliser ses ressources pour survivre, gagner la confiance des hominiens et même venir à bout de leurs agresseurs...

Comment as-tu réussi ce prodige, Ken? se demanda Ngili, partagé entre l'inquiétude et un sentiment entièrement nouveau. Il ne connaissait pas ce Ken-là. Il avait soudain l'impression qu'une part de son ami lui avait toujours échappé. Que leurs préoccupations scientifiques avaient été des espèces d'œillères. Il avait fallu que l'adversité s'en mêle pour que le vrai Ken et le vrai Ngili se révèlent l'un à l'autre. Mais à présent, ils allaient pouvoir être amis. Vraiment amis...

Avec de terribles cahots, le Magirus passa sur un amas de pierres que Ngili n'avait pas vu. Les rangers, rudement secoués sur le plateau arrière, se mirent à tambouriner du poing sur le toit de la cabine. Ngili était devenu fou, ou quoi?

Non, je ne suis pas devenu fou, songea-t-il. Je vais simplement retrouver un ami. Mon ami.

Il contempla la savane qui l'environnait, s'imprégnant de la beauté de cet univers sauvage sur lequel tombait la clarté des étoiles. La situation n'était pas complètement désespérée. Les choses pouvaient s'arranger, si des hommes comme lui s'y mettaient. Même ici, en Afrique...

A une cinquantaine de kilomètres de là, l'incendie s'était propagé si bas sur les pentes de la Mau, que ses reflets commençaient à danser sur le visage de Cyril Anderson, qui sommeillait, avachi sur son fauteuil pliant.

Dans la brousse, les braconniers, le steward et le pilote dormaient d'un sommeil agité, couchés sur la maigre épaisseur de terre qu'ils avaient entassée de leurs mains nues.

Il fallut plus d'une heure à Kalangi pour ramper jusqu'à l'avion, en s'arrêtant vingt fois pour se plaquer au sol, persuadé qu'Anderson allait bondir sur lui et le clouer au sol d'une balle de Kalachnikov.

Enfin, il atteignit le pied de l'échelle et se hissa dans la carlingue. Sans bruit, il se glissa jusqu'au cockpit et alluma l'émetteur radio — heureusement alimenté par une batterie auxiliaire. Il ne restait sûrement pas beaucoup de bases aériennes aux mains des putschistes, mais l'une d'entre elles au moins devait encore disposer d'un avion de combat opérationnel...

A l'endroit où le clan avait passé la nuit, Longs-Pieds, aidé de ses amis et de quelques adultes, avait entrepris de démanteler une fourmilière et s'évertuait à dégrossir les fragments de mortier aggloméré par la salive des insectes, pour en faire des projectiles acceptables. Dès qu'il vit Ken arriver, escorté des quatre mâles avec lesquels il était allé en reconnaissance, il se dressa d'un bond et, tout fier, lui montra une de ses boulettes d'argile durcie.

Tu vois, on se prépare ! semblait-il dire.

Une main bouscula Ken sans ménagement. Niawo passa devant lui et se dirigea vers un bouquet d'arbres couverts de baies à la peau dure et écailleuse. Elle se mit à en cueillir, d'abord une par une puis, trouvant sans doute que cela n'allait pas assez vite, sauta en l'air, se suspendit à une branche et la secoua. Une pluie de petits fruits se répandit par terre. Elle lança un regard à Ken, qui se sentit obligé d'aller l'aider. D'une détente, Niawo attrapa une autre branche qui lui resta dans la main. Ken, qui arrivait, sentit son corps tiède atterrir contre le sien. Niawo s'accroupit et eut bientôt tressé une sorte de sac avec les feuilles du rameau qu'elle avait cassé. D'un geste du menton, elle lui fit comprendre qu'il devait mettre les baies à l'intérieur. Comme il en faisait un tas devant elle, il lui donna un coup de tête involontaire et resta front à front avec elle, le cœur battant la chamade.

Peut-être le sentit-elle, car elle avança la main et la lui posa sur la poitrine. Puis, du regard, elle lui montra une branche, trop haute et trop grosse pour qu'elle la casse à elle seule. Ils s'y suspendirent ensemble et tirèrent, jusqu'à ce que la branche cède. Ils roulèrent par terre, parmi les feuilles tombées, tandis qu'une grêle de baies s'abattait sur eux.

Ken sentit un frisson courir sur sa peau. Niawo était tombée sur lui et il avait cruellement conscience de ce corps nu, plus lourd qu'il ne l'aurait cru, qui reposait sur le sien. Soudain, elle pressa son bas-ventre contre lui. Une seule et unique fois. Un contact aussi fugace qu'impérieux, comme un appel émanant de son sexe de femme. Ce geste était si suggestif qu'une sensation de plaisir purement mentale envahit Ken, violente comme un orgasme. Il repoussa Niawo, qui roula sur le lit de feuilles, les jambes ouvertes. Elle eut un sourire puis se releva et, s'emparant de la branche cassée, entreprit d'en détacher les feuilles à l'aide de ses dents.

Ken se hissa sur ses pieds, craignant de comprendre ce qui lui arrivait. Le souffle court, il s'adossa à un arbre, tout à la fois excité, bouleversé, interdit et tremblant.

« Eh oui, Lauder, c'est ça... murmura dans sa tête la voix désincarnée de Haksar. La féminité à son stade le plus archaïque... Ses attraits sont-ils inférieurs ou supérieurs à ceux des femmes d'aujourd'hui ? Vous pourriez être le premier *Homo sapiens* à le découvrir, Lauder ! »

Ken respira profondément et s'efforça de ne pas penser.

« Laissez-vous tenter, Lauder. Comme tous les *sapiens*, vous êtes curieux, par définition...

« Mais... suis-je encore un *Homo sapiens* ? objecta Ken.

« Evidemment, Lauder ! L'évolution est ainsi faite qu'aucun individu ne peut régresser à un stade antérieur de sa propre espèce. Vous êtes et vous serez toujours un *sapiens*, mais vous pourriez tenter une expérience unique. Vous pourriez essayer de trouver... »

Terrifié, Ken baissa les yeux pour les détourner aussitôt des signes manifestes de son excitation.

« Trouver quoi ? C'est d'aide dont ils ont besoin ! Il faut les emmener loin d'ici.

« Et vous comptez prendre leur tête ? Devenir leur chef ? Ah ! l'incorrigible outrecuidance des *sapiens*... ! Ce n'est pas un chef qu'il faut, Lauder. Ils ont les leurs. En revanche, ils vous accepteront volontiers en tant que géniteur. La qualité de vos gènes n'est plus à démontrer. »

Non ! se rebella Ken. Non !

Il aperçut Niawo, chargée de deux sacs pleins de baies comestibles. Il y avait, dans sa démarche, un allant auquel il sentit qu'il n'était pas étranger, et cette pensée le fit frémir.

Il donna un bon coup de tête dans le tronc d'arbre. La douleur l'aida à se ressaisir.

Comme il s'éloignait, encore passablement secoué, il croisa Niawo qui redescendait, débarrassée de son fardeau. Du fait de la déclivité, ils étaient pratiquement face à face. Elle lui lança un regard appuyé. Pas une œillade. C'était plus une déclaration d'intérêt, l'affirmation de son désir, surgissant du plus profond d'elle-même avec tant d'intensité qu'il eut peur que sa raison ne capitule : soudain, rien ne lui semblait plus désirable que son corps, plus irrésistible que son odeur, plus légitime que leur union. Tout en elle disait sa détermination farouche de s'accoupler.

Ken battit en retraite, puis tourna les talons et fit ce dont il avait été incapable, depuis des jours : il s'enfuit à toutes jambes.

Quelques centaines de mètres plus bas, l'air était plus respirable. Il s'arrêta, conscient que cette fuite était peut-être l'acte le plus héroïque de toute son existence. Il se prit la tête à deux mains, comme si c'était son cerveau qu'il palpait. Son cerveau d'homme, fruit de deux millions d'années d'évolution. Comment pourrait-il y renoncer ?

Une lointaine déflagration monta de la savane. Rien, dans la nature, n'aurait pu produire un son pareil. Il y avait des *hommes*, là-bas. Une succession d'explosions ébranla l'air. Il s'élança à toutes jambes vers le bas de la montagne.

5

Au loin, un avion piqua vers un point noir, qui fonçait à travers la savane, en soulevant des tourbillons de poussière. L'appareil fondit sur son objectif et lâcha une rafale de mitrailleuse dont le bruit se répercuta à des kilomètres à la ronde. De petits geysers de sable jaillirent du sol, mais le point noir continua sur sa lancée.

Dans la brousse, tous les braconniers se réveillèrent en sursaut.

Les déflagrations avaient aussi tiré Cyril Anderson du sommeil. D'un bond, il jaillit de son fauteuil, les mains crispées sur sa Kalachnikov, et ouvrit les yeux sur un paysage teint en rouge par les rayons du soleil levant. Jusqu'au nez de l'Embraer qui luisait, cramoisi, comme passé au minium. Anderson se souvint de l'incendie qui dévorait les pentes de la montagne. Il fit volte-face mais, ainsi que Kalangi l'avait prédit, un épais brouillard masquait les crêtes de la Mau. Un brouillard d'un gris sale, comme s'il s'y mêlait de la fumée... Au même moment, un souffle de vent souleva le bord inférieur du manteau de brume, révélant les lueurs de l'incendie. Il faisait rage. Les flammes descendaient beaucoup plus bas sur les pentes que la nuit précédente.

A nouveau, Cyril entendit l'appareil non identifié piquer sur son mystérieux objectif.

Déjà les braconniers, paniqués, refluaient vers le camp, en hurlant : « Où sont nos armes ? Rendez-les-nous ! » Anderson lâcha une rafale d'automatique et tous plongèrent à terre, à l'exception du steward qui fonça vers l'Embraer, suivi du pilote qui lui criait de ne pas tenter de lancer les moteurs, que jamais l'avion ne décollerait avec des pneus dans cet état. Le pilote rattrapa le steward alors que celui-ci était à mi-échelle. Il l'empoigna par le pied et le tira violemment. L'homme s'écrasa sur le sol. Cyril éclata d'un rire de dément et tira une autre rafale dans le flanc de l'appareil. Les balles sectionnèrent net un des crochets qui fixaient l'échelle à la carlingue. Elle se mit à danser sous l'impact, puis la deuxième fixation sauta. L'échelle bascula à terre.

Le pilote se retourna et se rua sur Anderson, les poings levés. Ce dernier le laissa approcher, puis lâcha une volée de balles juste à ses pieds. L'homme se figea.

— Je suis *Homo andersoni* ! tonna Cyril. Où est passée cette vermine de Kalangi ?

— J'en sais rien ! brailla le pilote.

— Il est dans l'avion ! fit Cyril, dans un éclair de lucidité. Kalangi ! Sors de là ou je te fais rôtir avec ce zinc !

Il tira deux rafales, qui s'inscrivirent en pointillés sur le flanc de l'Embraer. La tête hirsute de Kalangi s'encadra dans l'ouverture de la porte.

— J'essayais de joindre Nairobi par radio pour qu'on nous envoie un avion-citerne ! protesta Kalangi.

— Et cet avion, là-bas, d'où est-ce qu'il sort, hein ? demanda Cyril en tendant le bras.

— Comment voulez-vous que je le sache, nom de Dieu ?

Mais Kalangi le savait pertinemment : pendant la nuit, il avait réussi à contacter une base aérienne encore tenue par des officiers putschistes et, songeant à la promesse qu'avait faite Ngili de venir au secours de Ken, avait demandé à un pilote de chasse de survoler la région et d'intercepter tout avion ou tout véhicule appartenant aux rangers. Si le chasseur mitraillait ce camion, ce ne pouvait être que celui de Ngili.

— Descends de là et amène-toi, et vite ! rugit Cyril, en ponctuant son ordre d'un coup de feu.

Kalangi sentit une sueur froide l'inonder. Il avait recommandé au pilote d'épargner l'Embraer, mais d'ouvrir le feu sur quiconque se trouvait à proximité — d'où son peu d'enthousiasme à quitter l'appareil pour s'exposer à découvert... Mais allez discuter avec une Kalachnikov chargée ! Anderson lâcha une nouvelle balle dans sa direction. La mort dans l'âme, Kalangi se laissa choir du haut de la carlingue et approcha d'un pas hésitant.

Comme l'avion de chasse remontait en chandelle au-dessus de son objectif, tous aperçurent un panache de fumée qui s'échappait de l'extrémité de son aile droite.

— Il est touché ! lança une voix.

L'appareil donna de la bande, vira sur l'aile et parut se volatiliser dans le reflet aveuglant du soleil sur son fuselage.

Lorsqu'il redevint visible aux yeux des hommes qui l'observaient, il était presque à la verticale au-dessus d'eux. Kalangi s'élançait pour tenter de s'éloigner de la cible parfaite qu'ils formaient mais, d'un coup de crosse, Anderson le fit rouler à terre. Cela n'arrêta pas le chef de la police, qui se releva d'un bond et se mit à hurler, le nez au ciel :

— Ne tirez pas ! Ne tirez pas !

A nouveau, l'appareil piqua sur eux, toutes mitrailleuses en action. Atteint de plein fouet, le corps du steward se souleva en tressautant, se disloqua et retomba en plusieurs morceaux. Complètement paniqués, les braconniers détalèrent dans la brousse en hurlant de terreur. Kalangi, qui s'était jeté à plat ventre pendant l'attaque, tenta de se hisser sur ses pieds mais, d'un revers de sa Kalachnikov, Anderson le refit tomber. Ce dernier avait retrouvé sa voix et maudissait tour à tour le ciel, la savane et ce judas de Kalangi, qui avait fait venir cet avion pour le tuer, lui, Cyril Anderson.

— Qui est dans ce camion ? demanda-t-il.

— A mon humble avis... Ngili Ngiamena, bredouilla lamentablement le chef de la police.

Pour la troisième fois, Anderson lui allongea un coup de crosse. Kalangi s'effondra. Ngili Ngiamena était là-bas, dans la savane, à quelques kilomètres à peine ! Une telle bouffée de rage l'envahit qu'il en oublia toute peur. Tandis que l'avion entamait un nouveau piqué, il nota avec une joie perverse que Kalangi venait de s'oublier dans son pantalon. Il ne prit conscience de la proximité du chasseur qu'à la seconde où une roquette perforait le fuselage de l'Embraer. Une explosion l'aveugla. Lorsque le vent eut dissipé la fumée, il s'aperçut que l'appareil avait perdu une aile et qu'un de ses moteurs gisait par terre, à une trentaine de mètres de là.

A quelques kilomètres plus au sud, le Magirus n'avait

échappé à la première attaque du chasseur que grâce à la présence d'esprit de Ngili, qui avait foncé dans un bouquet d'arbres. L'avion était passé en rase-mottes en tirant une rafale de mitrailleuse, mais n'avait réussi qu'à décapiter un acacia à quelques pas du camion, qui n'avait subi aucun dommage. Sur le plateau arrière, plusieurs des gardes avaient tenté de tirer dans le cockpit de l'appareil, mais leurs balles s'étaient logées dans son aile droite.

De loin, Ngili et les gardes entendirent les détonations des projectiles qui frappaient l'Embraer, puis le bruit du moteur qui explosait.

Le chasseur revenait à l'attaque. Le panache de fumée qui s'échappait de son aile s'était épaissi, mais le pilote ne semblait pas s'en soucier.

Ngili n'avait que deux options : ordonner à ses hommes de sauter du camion et laisser l'avion le réduire en miettes, ou foncer dans la savane en multipliant les crochets, afin de forcer le chasseur à modifier sa trajectoire et à virer, ce qui laisserait aux gardes quelques précieuses secondes pour tenter de descendre le pilote. Cette seconde solution était plus risquée, mais elle leur laissait une chance de sauver le véhicule.

Ngili accorda au chasseur le temps de fixer son cap, avant d'écraser l'accélérateur et de jaillir du bouquet d'acacias. Cette fois, le pilote avait tiré une roquette, qui embrasa instantanément les arbres. Ngili accéléra encore, vira brusquement à quatre-vingt-dix degrés sur la droite et vit l'avion monter dans le ciel. Sa manœuvre avait réussi ! Le pilote reprenait de l'altitude pour élargir son champ de vision.

Ngili était tellement obnubilé par le chasseur qu'il n'aperçut le tertre dont Ken et lui avaient exhumé leur fossile qu'à la dernière seconde. Il pila et donna un coup de volant si brutal que le camion faillit faire un tonneau. Il tourna la tête. L'avion revenait déjà sur eux. Dans un rugissement de moteur, Ngili poussa le Magirus à pleins gaz, droit devant lui, comptant sur leur vitesse pour que les projectiles s'écrasent derrière eux.

— Tirez ! hurla-t-il à ses hommes. Et visez juste !

Une explosion souleva une gerbe de poussière, loin derrière le camion. Cramponné au volant et arc-bouté sur la pédale d'accélérateur, Ngili se pencha à la portière. Il vit les balles des rangers s'écraser avec de petites bouffées de fumée sur le nez de l'appareil, puis il y eut un bruit de verre brisé et le cockpit vola en éclats.

Les rangers poussèrent un hourra triomphal.

L'avion amorça une chandelle, mais en ligne brisée. Ngili détacha une main du volant et se mit à frapper du poing contre le plafond de la cabine. Aussi excités que lui, les gardes répondirent à son signal en tambourinant frénétiquement sur la tôle, et le Magirus poursuivit sa course dans un véritable concert de percussions improvisé, tandis que tous ses passagers suivaient de l'œil les évolutions du chasseur.

L'appareil perdait de l'altitude, mais impossible de savoir s'il était en difficulté, ou s'il préparait une nouvelle attaque...

A quelques kilomètres de là, Cyril Anderson vit le chasseur grossir de seconde en seconde, puis il fut suffisamment proche pour qu'il puisse distinguer, sous son ventre, tout l'arsenal qu'il transportait. Brutalement, l'avion sembla buter contre un obstacle invisible, se déséquilibra et amorça une vrille avant de tomber, une de ses ailes pointant presque à la verticale vers le sol. L'index crispé sur la détente de sa Kalachnikov, Anderson vida son chargeur dans sa direction et eut le sentiment d'avoir touché un point névralgique.

En rugissant, l'appareil passa au-dessus de sa tête et fonça vers les pentes de la Mau où il s'écrasa, dans une explosion qui ébranla tout l'escarpement et dont Cyril sentit le contrecoup jusque sous ses pieds.

Ken courait à toutes jambes en direction des coups de feu et des déflagrations qui montaient de la savane lorsque l'onde de choc le jeta à terre. Il s'affala sur le flanc et sentit le souffle brûlant des moteurs passer sur lui. Les ailes se détachèrent du fuselage et achevèrent leur vol plané dans des arbres où elles se fichèrent, tandis que la carlingue labourait le sol avant de s'ouvrir en deux, telle une monstrueuse cosse d'aluminium, projetant autour de Ken une grêle d'objets, auxquels se mêlaient quelques corps.

Il tentait encore de se relever lorsqu'un geyser de flammes, jailli d'un des moteurs, l'envoya à nouveau rouler à terre. Il leva les yeux. Un cadavre — celui d'un soldat, à en juger son treillis et les munitions qu'il portait encore en bandoulière — gisait sur le sol, à quelques pas de lui, un bout de tôle tordue planté dans la poitrine. Son fusil mitrailleur était tombé à côté de lui. Ken se traîna jusqu'à l'homme et ramassa l'arme — un AKM dernier modèle.

Dans un état second, il se hissa sur ses pieds, s'étonnant du poids de la Kalachnikov, mais tout naturellement, son index s'arrondit autour de la détente. Quelque chose sembla se briser dans son esprit et, comme s'il avait été soudain projeté dans le présent, il se sentit émerger de la bulle de pliocène dans laquelle il vivait depuis des semaines. Dépouillé de ce moi archaïque qu'il s'était découvert, il se vit tel qu'il était : un homme nu, terriblement vulnérable et tout aussi anxieux de sauver sa peau.

Ni la terreur ancestrale qu'il avait ressentie face aux flammes, la nuit précédente, ni la panique où l'avait plongé le magnétisme quasi irrésistible qui émanait du corps de Niawo n'avaient rien eu de comparable avec la peur qui lui nouait le ventre. Et pourtant, confronté à l'épave de l'avion de chasse qui se consumait sous ses yeux et aux tirs d'armes automatiques dont résonnait l'air de la savane, il se sentit redevenir lui-même.

Les balles que ces hommes échangeaient à quelques centaines de mètres de lui représentaient, certes, un danger, mais un danger connu, *actuel*. Et il pouvait affronter ce danger à égalité avec ses ennemis : avec une arme semblable à celles dont ils disposaient, et un cerveau identique aux leurs.

Une deuxième déflagration retentit. Le dernier moteur de l'avion de chasse venait d'exploser. Ken fut catapulté dans un buisson. Comme il se relevait, un peu sonné, son doigt se crispa sur la détente de l'AKM. Une volée de balles siffla au-dessus de sa tête, hachant menu branches et feuilles. Le pouvoir de la technologie... ! Il contempla un instant les douilles qui jonchaient le sol, puis tendit l'oreille, s'efforçant de compter les coups de feu qui claquaient afin d'évaluer les forces en présence.

Une rumeur montait des profondeurs du sous-bois. En s'écrasant, l'avion avait semé la panique parmi les habitants de la forêt, qui retentissait de leurs cris apeurés.

Un bruit de branches cassées tomba des arbres, au-dessus de lui. Ken leva la tête. Par dizaines entières, des

Robustes fuyaient les hauteurs de la Mau par la voie des airs, dans une cacophonie de grognements affolés. La peur les poussait d'instinct à chercher refuge loin du sol, mais, ce faisant, ils se trouvaient refoulés vers le bas des pentes par l'avance inexorable de l'incendie.

Comme tétanisé, Ken suivit des yeux leur étrange ballet aérien. Mâles et jeunes défilèrent au-dessus de lui. Puis vinrent des femelles, reconnaissables à leurs fessiers glabres et rebondis. En s'aidant de leurs pieds, aussi préhensiles que des mains, les Robustes passaient de branche en branche, d'arbre en arbre. Comme s'ils disaient adieu à leur vie arboricole par cette ultime démonstration d'agilité, les Robustes fuyaient vers la savane...

Ils ne tardèrent pas à se heurter à un mur de flammes.

Attisé par le vent et alimenté par le carburant de l'avion, ce nouveau foyer d'incendie se propageait beaucoup plus vite que le feu qui ravageait les hauteurs, et la fournaise s'éleva rapidement jusqu'au niveau des frondaisons. De rares passages subsistaient encore entre les arbres transformés en torches, mais les Robustes refusaient d'abandonner leurs refuges pour profiter de cette chance de salut.

Mais descendez donc de vos perchoirs et tirez-vous, bougres d'idiots! eut envie de leur hurler Ken.

Il songea à tirer une rafale en l'air, mais il savait que loin de les faire dégringoler des arbres, les détonations ne les inciteraient qu'à se cramponner plus farouchement encore à leurs branches.

Frénétiquement, il envisagea toutes sortes de plans, aussi impraticables les uns que les autres, avant d'admettre qu'à lui seul, il ne pouvait rien pour eux. La seule solution était d'affronter les tueurs embusqués dans la savane, quels qu'ils soient, et de tenter de les persuader de faire preuve d'humanité. Ou de les y contraindre à la force du fusil...

Il se rua vers le cadavre du soldat, que les flammes commençaient déjà à lécher, et lui arracha plusieurs chargeurs, mais où les mettre? Il était en costume d'Adam, et donc sans poches... En désespoir de cause, il se suspendit l'AKM à l'épaule et, des chargeurs plein des bras, le lourd fusil claquant sur sa peau nue, fila vers la lisière de la forêt.

— Rendez-nous nos armes! hurlaient le pilote et les

braconniers à Cyril Anderson, qui les tenait en respect, le canon de sa Kalachnikov braqué sur eux.

Dans leur dos, le camion de Ngili fonçait en direction du campement. Depuis la plate-forme arrière, les rangers les arrosaient d'un tir nourri. Un des hommes de Kalangi poussa un cri. Un jet de sang lui jaillit de la bouche et il tomba raide mort.

Anderson comprit que ce n'était plus qu'une question de secondes avant que les braconniers affolés ne parviennent à le maîtriser. Même s'il parvenait à vider son chargeur sur eux, une de ces canailles risquait d'en réchapper et de se jeter sur lui pour l'étrangler.

Il fit un pas en arrière et buta sur les armes qu'il avait entassées au pied de son trône improvisé, la nuit précédente. Il se pencha, empoigna deux fusils, les épaula et s'empara d'un revolver. Ainsi armé, il agrippa Kalangi par le collet. Le chef de la police, trop épuisé pour esquisser un geste de résistance, eut un frémissement convulsif, comme un poulet qui sent approcher la lame du couteau qui va l'égorger.

Anderson lui colla le canon de son revolver sous le menton, si brutalement que ses dents en claquèrent. Qu'un des hommes tente quelque chose contre lui et il ferait sauter la cervelle de leur chef, lança-t-il à la cantonade. Puis, traînant Kalangi, il s'éloigna du tas de fusils.

— Reprenez vos armes ! gronda-t-il aux hommes, qui plongèrent pour les ramasser. Et maintenant, allez vous poster là-bas et formez une ligne de défense, ajouta-t-il en indiquant la lisière des arbres.

Il fourra le revolver dans la ceinture de son pantalon et secoua Kalangi.

— Allez, en avant ! Direction la forêt ! lui ordonna-t-il.

Kalangi était dans un état semi-comateux et il fallut qu'Anderson lui décoche un coup de pied derrière les genoux pour le mettre en branle. Même encombré de plusieurs Kalachnikov et du policier, qu'il propulsait à bout de bras, tel un poids mort, Anderson se déplaçait avec une vitesse étonnante pour son âge et faisait preuve d'un esprit de décision d'une efficacité redoutable.

— La forêt ! Vous n'êtes pas fou ? Et le feu ? souffla Kalangi.

— J'ai dit : Direction la forêt ! répéta Anderson, d'un ton sans réplique.

— Je n'y arriverai pas, coassa Kalangi. Tuez-moi plutôt sur place, espèce de sale *mzungu* !

— Si je peux y arriver, tu le peux, toi aussi !

Joignant le geste à la parole, il poussa le chef de la police devant lui, avec une vigueur redoublée. Déjà, les braconniers fonçaient à toutes jambes vers l'orée de la forêt. Au moment où ils l'atteignaient, une rafale d'arme automatique crépita. Le cuistot de l'expédition eut juste le temps d'entrevoir la silhouette simiesque d'un tireur nu comme un ver, avant qu'une balle ne lui transperce le cœur. Il mourut, les yeux fixés sur les pentes de la Mau.

Depuis sa cachette, Ken avait reconnu Anderson et Kalangi. Il vida son arme sur eux en hurlant comme un possédé. Le chef de la police finit par identifier leur assaillant, tout nu qu'il était, et trouva la force d'envoyer Cyril rouler à terre.

Le Magirus était à présent suffisamment proche pour que le bruit de son moteur parvienne aux oreilles de Ken. L'idée rassurante que Ngili se trouvait peut-être au volant lui fit cesser le feu. Autant économiser ses munitions... En contrebas, les hommes de Kalangi tiraient dans tous les sens, certains sur le camion, d'autres en direction de la forêt. Mais déjà le Magirus fonçait dans le campement désert.

Ngili sauta à terre et, avec de grands moulinets, enjoignit aux tireurs de cesser le feu. « Couche-toi, Ngili ! Couche-toi ! » lui hurla Ken. Ne sachant trop si sa voix avait porté, il se redressa. Au moment où il émergeait du taillis, un braconnier embusqué derrière un buisson lui logea une balle dans l'épaule droite.

D'un œil incrédule, Ken contempla la plaie qui balafrait sa peau. Du sang commençait à sourdre. Une autre balle qui sifflait à ses oreilles le tira de sa stupeur. Il plongea derrière un arbre.

Il pouvait encore remuer le bras, mais il lui semblait peser un poids fou. Il se passa l'AKM à l'épaule et plaqua sa main gauche sur sa blessure. Elle saignait si peu que la simple pression de sa paume suffit à stopper l'hémorragie.

Une plaie apparemment superficielle, mais il savait qu'en brousse, aucune blessure par balle n'est bénigne. Comme il reculait encore pour se mettre à couvert, un souffle brûlant l'environna soudain et il se sentit chanceler.

Le feu... Longs-Pieds! s'affola-t-il. Puis il se rappela. Ngili... Ngili, son ami, venait d'arriver dans ce camion. Longs-Pieds est vivant, Ngili! *Ils* sont toujours vivants! Qu'est-ce que tu attends pour nous rejoindre, maintenant que tu es enfin là!

Le temps pressait. Il subsistait de moins en moins de passages, au milieu des arbres embrasés, par lesquels échapper aux flammes pour...

... pour se jeter en plein carnage, là-bas, dans la savane?

Ce carnage orchestré par des hommes semblables à lui, avec toute leur « sapience » de *sapiens*...

Ce n'était pas dans ces conditions que l'évolution avait dû prévoir que ces hominiens renonceraient un jour à la vie arboricole.

Ken se figea.

Il venait d'apercevoir Longs-Pieds.

* * *

— Allez, ordure! Dans la forêt! répéta pour la énième fois Anderson, en poussant Kalangi du canon de son automatique.

— Vous êtes complètement dingue! protesta Kalangi en se retournant. Vous allez nous faire cramer! On ferait mieux de redescendre et d'essayer de parlementer avec Ngiamena!

— Dans la forêt, j'ai dit! répéta Anderson.

Jamais Ngili n'accepterait de traiter avec eux...

Cernés par les flammes, les Robustes se laissèrent tomber des arbres et se regroupèrent dans l'un des rares couloirs que l'incendie avait jusque-là épargnés. Leurs corps massés les uns contre les autres formaient une véritable muraille de muscles. Au-dessus d'eux, les Graciles apparurent, formés en colonne. En tête marchait Longs-Pieds, les mains pleines de mottes d'argile provenant de la fourmilière démantelée. Derrière lui se pressaient les mâles, jeunes et adultes confondus, certains armés comme lui de boulettes de terre, d'autres brandissant des branches cassées. Enfin, fermant la marche et protégées par un cordon de mâles, venaient les mères, leurs bébés dans les bras.

Longs-Pieds se mordait la lèvre inférieure d'un air résolu et affichait une autorité que Ken ne lui avait jamais vue. Il paraissait si sûr de lui que Ken ne put s'empêcher de sourire, en lui envoyant le message muet qu'il savait désormais être le maître mot de la survie, dans la savane : Ne rate pas ton coup !

NE RATE PAS TON COUP, LONGS-PIEDS !

Mais pourquoi Longs-Pieds était-il à la tête des Graciles ? se demanda-t-il soudain. L'auraient-ils pris pour chef ? S'inclinaient-ils devant l'expérience qu'il avait acquise au contact de l'étrange créature qu'il était ? Comment le clan ne se rend-il pas compte que Longs-Pieds n'est encore qu'un enfant ? songea Ken, partagé entre fierté et instinct protecteur. Peut-être était-ce le fracas meurtrier des armes à feu qui avait décidé le clan à se ranger derrière lui : Longs-Pieds avait survécu aux collets des braconniers et triomphé de Modibo... Et puis, c'était désormais un chasseur aguerri, à qui ni la savane ni les grands espaces n'en imposaient plus.

Ken en était là de ses réflexions, lorsqu'un des adultes tenta de passer devant Longs-Pieds. D'un bond, l'enfant reprit sa place à la tête du clan et, ayant refoulé l'audacieux d'un coup de coude, se mit à brandir ses boulettes de terre en direction des Robustes qui les observaient, sur la défensive. Son manège éclaira brusquement Ken : Longs-Pieds était un leader naturel, et le clan l'avait reconnu comme tel.

A présent, tous les mâles faisaient, comme lui, étalage de leur technologie guerrière fraîchement acquise — gourdins et boulettes de terre. Les Robustes qui avaient besoin de leurs deux mains pour se déplacer dans les arbres étaient sans armes. La détermination des Graciles, alliée à leur petit arsenal, fit hésiter les Robustes, qui préférèrent ne pas tenter l'épreuve de force.

Profitant de cet avantage momentané pour échapper aux flammes qui les cernaient, le clan s'engouffra derrière Longs-Pieds dans le passage, sous les regards noirs des Robustes. Ken se sentit submergé de joie : l'affrontement décisif entre frères ennemis n'aurait pas lieu. Pas dans l'immédiat, du moins...

Graciles et Robustes appartenaient à deux lignées distinctes, mais les événements les contraignaient à quitter la forêt en même temps — ou presque...

Sous ses yeux émerveillés, le clan défila fièrement devant les Robustes et les laissa derrière eux.

Bonne chance, Longs-Pieds !

Une rafale d'armes automatiques, à la lisière de la forêt, arracha Ken à sa contemplation. Il se mit à courir vers le bas de la pente, et émergea des arbres sur un dévers où s'accrochaient quelques maigres buissons. Ebloui par la lumière du soleil, il cligna les paupières. Kalangi était là, à quelques mètres de lui, un fusil encore fumant entre les mains. Il le vit plonger derrière un buisson, poursuivi par Cyril Anderson, qui brandissait une Kalachnikov et un revolver. Sur son visage, la stupeur le disputait à la rage. D'une main, il épaula son arme et lâcha plusieurs coups, dont aucun n'atteignit Kalangi.

— Arrêtez ! Ils quittent la forêt ! se mit à hurler Ken. Je vous abandonne la paternité de leur découverte, Anderson, mais ne tirez plus !

— Qu'est-ce que vous attendez, Lauder ? Tuez-le, nom de Dieu ! Il est fou à lier ! s'écria Kalangi de derrière son buisson.

— Aidez-moi plutôt à me débarrasser de cette vermine ! ordonna Anderson.

De nouveau, il pointa sa Kalachnikov vers le buisson et pressa la détente, mais il n'y eut qu'un déclic. Kalangi se dressa d'un bond et fit feu. Deux taches de sang explosèrent sur la poitrine d'Anderson. Ken tenta de mettre Kalangi en joue, mais son bras était comme mort et l'AKM retomba lourdement. Le temps qu'il épaule, Kalangi avait gagné la lisière des arbres où la fumée l'engloutit.

En titubant, Ken descendit jusqu'à Anderson et s'arrêta à quelques pas de lui. Il se palpait la poitrine.

— Vite, Lauder... fit-il, en contemplant ses doigts maculés de sang. Je suis touché, mais c'est... superficiel... Aidez-moi à redescendre...

Songeant à l'état de sa propre épaule, Ken faillit éclater de rire. Décidément, quelles que soient les circonstances, Caruso ne pensait qu'à lui...

Anderson fit un pas vers lui, mais ses forces le trahirent et il tomba, le genou à terre.

— Aidez-moi donc ! jeta-t-il d'une voix impérieuse.

D'un geste d'impatience, il se passa la main dans les cheveux et sa crinière blanche se teignit de sang.

— Je suis O positif ! ajouta-t-il en s'accrochant à Ken et en l'attirant vers lui. Ngili est ici. Rien ne nous empêche de collaborer... bredouilla-t-il d'une voix qui s'empâtait.

Soudain, comme irrité par l'absence de réaction de Ken, il braqua son revolver sur lui. Ken n'eut que le temps d'armer son AKM et de tirer. Anderson roula sur le dos. Sur sa saharienne s'étoilaient des trous sanguinolents.

Kalangi fonçait à travers le sous-bois lorsqu'il entendit quelque chose siffler à ses oreilles. Une pierre le frôla, puis, avec un bruit mat, une autre le frappa en plein front. Comme il chancelait, il vit les Graciles se ruer vers lui. Il tenta de les mettre en joue, mais une grêle de projectiles s'abattit sur lui et il laissa son arme lui échapper des mains. Il fut englouti par une mêlée de corps qui le piétinèrent et il ne resta bientôt plus de lui qu'un pantin désarticulé.

Enjambant la dépouille de Kalangi, le clan poursuivit sa marche, vers la savane qui s'étalait à ses pieds. Sous le regard de Ken et d'Anderson. Rassemblant ses dernières forces, ce dernier se redressa sur un coude.

Derrière les Graciles se profilèrent quelques mâles robustes qui se laissaient glisser le long de la pente, appuyés sur leurs doigts repliés. Ils s'arrêtèrent et, émirent des grognements sonores, pour signifier aux femelles et aux plus jeunes, restés derrière, qu'ils pouvaient quitter l'abri des arbres. Un à un, ils s'avancèrent, certains debout, d'autres à quatre pattes.

Ken se pencha sur Anderson et tenta de le soulever, mais son épaule et son bras droit lui refusèrent tout service. Anderson lui fit signe de le laisser là où il était. Il délirait à voix basse et Ken dut tendre l'oreille pour saisir ses paroles.

— Nous aurions pu collaborer... Deux lignées... cohabitent... ici... Mon *Homo andersoni*... et nous aurions pu donner votre nom à l'autre... murmura Cyril, grand seigneur.

Même au seuil de la mort, il tenait à distribuer les honneurs...

Une quinte de toux le secoua et ses lèvres se tachèrent de sang. Ses yeux cherchèrent ceux de Ken, qui soutint son regard. Sur le visage d'Anderson s'épanouissait un sourire suffisant.

Le mourant tourna la tête vers les hominiens qui poursuivaient leur périlleuse descente vers le bas de l'escarpement et la savane. Ken suivit son regard. Il n'avait jamais songé à les compter. Il s'avisa qu'ils n'étaient qu'une petite centaine. Moins nombreux que toutes les tribus recensées de la planète... Mais cette centaine d'individus constituait un trésor inestimable.

Là où il se trouvait, il lui était impossible de s'assurer que Longs-Pieds était toujours à leur tête.

Il tendait le cou dans l'espoir de l'apercevoir quand la colonne obliqua pour éviter un petit groupe d'hommes qui se dressait sur sa route. Ken distingua l'uniforme kaki des rangers et reconnut Ngili parmi eux.

Ken eut soudain la certitude que Cyril était mort, mais il ne pouvait se résoudre à regarder son cadavre, comme si sa seule vue risquait de compromettre son existence. Il se mit en marche, les jambes chancelantes, dans l'herbe rase que venaient de fouler les hominiens.

Au même instant, Ngili aperçut son ami et s'élança vers lui. Tandis qu'il approchait, un véritable kaléidoscope d'émotions se succédèrent sur son visage — surprise, joie, curiosité, choc, inquiétude, euphorie... Ce fut l'inquiétude qui l'emporta. Ken était couvert de sang.

Il lui cria de s'allonger, de ne plus bouger, de l'attendre... Plus il approchait, plus il prenait conscience de l'état pitoyable de son ami.

Mais Ken s'obstina à tituber dans sa direction, jusqu'à ce qu'il soit assez proche pour le toucher. Il s'effondra alors dans les bras de Ngili.

6

— Il va falloir que vous le teniez, fit une voix à l'accent indien prononcé. Je n'ai aucun anesthésique. Une vraie chance qu'il n'ait pris qu'une balle et qu'elle soit restée en surface...

Ken perçut ces mots dans une sorte de brouillard cotonneux. Il cilla et s'efforça d'ouvrir les yeux, mais la lumière lui parvenait à travers une substance visqueuse qui lui troublait la vue. Il distingua enfin les contours de trois taches pâles — trois visages, penchés sur lui.

— OK, on va le tenir, mais comment avez-vous pu oublier vos produits d'anesthésie?

Il avait reconnu la voix de Ngili.

Un toubib, et Ngili... Ngili est ici, sain et sauf. Le clan aussi s'en est tiré. Je les ai vus quitter la forêt. Mais combien de temps a pu s'écouler, depuis...?

Et qu'est-ce qu'ils vont me faire?

— L'hôpital où je travaille a été bombardé pendant le coup d'Etat, expliqua le médecin, et la pharmacie a été nettoyée par des pillards. Votre ami peut s'estimer heureux que j'aie réussi à mettre la main sur des antibiotiques. Ceci dit, j'espère que vous avez le cœur bien accroché. Vous croyez que vous pourrez nous donner un coup de main, mademoiselle? Il va sans doute saigner...

— Ne vous en faites pas, je tiendrai le coup, fit une voix de femme.

Yinka!

Ken voulut se redresser, mais il ne pouvait remuer ni bras ni jambes. Il avait les poignets et les chevilles immobilisés. Il huma l'air, pour tenter de se repérer. Il n'était pas en ville. Ni dans un hôpital. Il y eut un cri de touraco, puis le ronronnement lointain d'un moteur d'avion. Il était toujours dans la savane...

— Yinka? articula-t-il d'une voix hésitante, redoutant que le seul fait de prononcer son nom ne l'arrache à son rêve.

Après un silence qui l'effraya, il entendit sa voix, tout près de son oreille.

— Oui?

— Ça va, Ken? lança Ngili. Tu sais que ça fait quarante-huit heures que tu roupilles?

Ken imagina le spectacle qu'il pouvait offrir, couvert de crasse — et nu comme un ver, à en juger par le souffle d'air qu'il sentait passer sur sa peau. Il craignit soudain que sa vessie ne le trahisse, si ce n'était déjà fait... Malade d'angoisse, il tourna les yeux vers l'un des visages qui lui apparaissaient dans un brouillard et cligna les paupières.

— Qu'est-ce que j'ai? Qu'est-ce que vous m'avez mis dans les yeux, nom d'un chien?

— Un désinfectant, fit le médecin. Je m'occuperai de vos yeux dès que j'en aurai terminé avec votre bras, Mr Lauder. Comment vous sentez-vous?

— Pas trop... mal... Yinka...? balbutia-t-il, ne sachant trop que lui dire. Qu'est-ce que tu fais ici? Tu écris... un papier?

— Tout juste! répondit-elle d'une voix parfaitement calme, bien qu'avec un petit temps de décalage, comme si elle lui avait parlé de très loin. Un article sur notre bonne vieille race *sapiens*, alors tenons-nous bien! Du haut de ces acacias, deux millions d'années nous regardent...! fit-elle en s'emparant de sa main.

Il sentit le souffle lui manquer, comme si, pour une obscure raison, toute sa nudité s'était concentrée dans ses doigts, et qu'ils avaient honte de toucher la main de Yinka, si fine et si fraîche.

— Je donnerais bien quelques coups de ciseaux dans cette tignasse, lança Yinka. Je n'ai jamais vu des cheveux aussi emmêlés et aussi crasseux!

— Excellente idée! Ça ne peut pas lui nuire... Alors, Mr Lauder, nous sommes prêt?

— A quoi... ?

— Je peux y aller ? Ça risque d'être assez douloureux...

— Allez-y.

Il serra les doigts frais de Yinka, qui lui retourna sa pression, presque à lui faire mal. Brusquement, à cette douleur s'en surimposa une autre, fulgurante, qui lui vrilla le biceps, tel le bec d'un vautour. C'est donc cela qu'éprouve une proie lorsqu'un rapace la déchire, encore palpitante... La douleur se fit insupportable, comme si une lame venait fouiller les profondeurs de son cerveau. Il serra les mâchoires à les briser, mais un hurlement lui échappa, projetant une salve de gouttelettes de salive. Puis il perdit conscience.

— Il s'est évanoui. C'est aussi bien... annonça le médecin, en laissant tomber dans un récipient métallique un petit objet qui le fit tinter. Vérifiez son pouls, ordonna-t-il à Yinka.

La jeune femme lâcha la main de Ken, posa le bout de ses doigts à la saignée de son poignet et se concentra.

Elle sentit une pulsation régulière. Son cœur battait.

Elle poussa un soupir de soulagement et contempla le visage figé de Ken. Le soleil lui avait décoloré des mèches de cheveux et ses traits étaient tellement altérés qu'elle avait peine à le reconnaître. Une balafre lui entaillait la joue gauche, du coin du sourcil à la commissure des lèvres. La plaie, à peu près cicatrisée, faisait penser à une scarification rituelle. Avec sa peau marbrée de bleus et de coups de soleil, roussie par les flammes, et striée d'égratignures, il avait vaguement l'allure d'un curieux léopard.

Le regard de la jeune femme courut sur le torse et le ventre amaigris, les hanches dont les os saillaient sous la peau. Ses tibias, ses chevilles et ses pieds, décharnés comme le reste de son corps, étaient couverts de sparadraps roses, que les gardes lui avaient posés avant l'arrivée du médecin. Jusqu'aux plantes de ses pieds qui étaient bandées... Ngili tentait d'étancher le sang de la plaie que le médecin avait entrepris de recoudre.

— Je dois faire vite, marmonna-t-il. Tant qu'il est évanoui, il ne sent rien, mais ça ne durera pas.

Comme pour lui donner raison, Ken s'agita en lâchant une quinte de toux, suivie d'un gémissement de douleur.

— Merci de votre assistance, Miss Ngiamena, reprit le

docteur. Vous feriez une excellente infirmière. Il ne me reste plus qu'à lui poser un bandage pour lui immobiliser l'épaule et le bras. Ensuite, repos complet. Espérons qu'il n'aura pas de fièvre.

— Combien de temps va-t-il devoir rester couché? demanda Ngili.

Le médecin, un petit homme râblé dont les yeux vous fixaient derrière des lunettes à double foyer, se tourna vers Yinka.

— Vingt-quatre heures, au minimum... Mais on dirait que vous êtes la plus patiente de nous trois, Miss Ngiamena. Et si vous vous installiez au chevet du malade, avec un livre?

Yinka acquiesça d'un hochement de tête.

Elle avait l'impression que son courage la dopait. Qu'il lui permettait de garder la tête froide et, effectivement, de s'armer de patience. Elle irait s'asseoir près de Ken, mais elle n'aurait pas besoin d'un livre. Elle avait amplement de quoi s'occuper l'esprit.

— Tu sais, les rangers pourront se relayer pour le veiller, Yinka, glissa Ngili qui l'observait.

— OK, mais j'aimerais tout de même assurer les deux premières heures de garde.

— Comme tu veux... Je comptais aller faire un tour, dans deux heures, pour voir où en sont les choses. Ça te dirait de m'accompagner?

— Bien sûr!

* * *

Quatre rangers transférèrent Ken de la tente principale, qui avait servi d'antenne chirurgicale, à une tente plus petite où il pourrait se reposer, et l'étendirent sur un lit de camp. Assommé de douleur et d'épuisement, il ne se réveilla même pas.

Lorsqu'il ouvrit enfin les yeux, il aperçut Yinka, installée sur une chaise en toile à côté de son lit. Il sentait la rondeur ferme de son genou, contre sa propre jambe. Elle s'était assoupie, la tête dodelinant sur la poitrine. Il huma l'air, tâchant d'isoler parmi toutes les odeurs qui flottaient dans la tente, un parfum qui serait le sien. Etrange que chez tout individu, les souvenirs les plus marquants soient d'ordre olfactif, songea-t-il. Il avait eut maintes fois l'occasion de vérifier cette vérité, tant dans la savane que dans la forêt...

Il était émouvant de retrouver les odeurs les plus simples de la civilisation — comme cette odeur de draps frais... Mais le parfum de Yinka s'obstinait à lui échapper. Peut-être était-elle trop loin?

Le sommeil l'emporta à nouveau, alors qu'il s'évertuait à retrouver des mots qui lui avaient trotté dans la tête, ces quelques derniers jours. Des paroles, probablement lourdes de sens, mais qu'il avait oubliées. Il dormit, vaguement conscient de bruits et d'allées et venues, autour de lui. De petits avions atterrissaient et redécollaient. Ici, le temps avait repris ses droits. Le temps de la civilisation, fragmenté en heures et en jours. Et ce temps s'écoulait.

Vers la fin de l'après-midi, il se mit à pleuvoir, et cette averse eut enfin raison de l'incendie qui faisait rage sur les pentes de la Mau. Depuis la veille, un avion-citerne venu de Nairobi se battait vaillamment contre les colonnes de fumée noire, mais le problème de son ravitaillement en eau commençait à se poser. Ses pompes avaient déjà asséché une bonne partie des trous d'eau des environs, mettant en péril la faune locale. Pourtant, malgré les véritables exploits qu'accomplissait le pilote, et les risques qu'il prenait pour combattre l'incendie sur un terrain aussi accidenté, de nombreux foyers actifs subsistaient encore.

L'averse surprit Yinka et Ngili alors qu'ils croisaient à moins de quinze à l'heure dans la savane. En un clin d'œil, la pluie débarrassa l'atmosphère de toute la poussière en suspension et chaque couleur, chaque forme, le moindre lacis de branches ou de feuilles, prit une acuité presque agressive.

A travers le pare-brise que balayaient les essuie-glace, Ngili aperçut une grappe de corps bruns, blottis dans l'herbe, au pied d'un acacia. Il coupa le contact et laissa le véhicule continuer sur sa lancée. Muet d'émotion, il les montra du doigt à Yinka. Il n'aurait su dire si c'étaient des Robustes ou des Graciles. Ils regardaient le Magirus approcher, dans le plus grand silence. Leurs yeux luisaient comme autant de baies noires.

C'étaient les premiers hominiens que Yinka voyait. Lorsqu'elle était arrivée sur place, vingt-quatre heures après son frère, les deux clans s'étaient déjà dispersés dans la savane.

— Ils n'ont pas l'air si farouches, murmura-t-elle.

— Non. On dirait qu'ils s'adaptent très facilement à leur nouvel environnement.

Yinka souffla un grand coup, fascinée par ces créatures qui avaient été les compagnons de Ken pendant tant et tant de jours.

— Alors ? Qu'est-ce que tu comptes faire ? Qu'est-ce que *vous* comptez faire, Ken et toi ? demanda-t-elle.

— C'est très simple. Je crois qu'il faut éviter à tout prix de divulguer cette découverte.

— Mais comment veux-tu garder un tel secret ?

Ngili remit le contact et fit demi-tour.

— Ça ne restera pas éternellement un secret, mais je ferai tout pour que ça dure le plus longtemps possible !

Ken se réveilla avec en tête des mots qui le hantaient. *La tyrannie des gènes*... Ils lui avaient semblé vides de sens, jusqu'au moment où Yinka entra dans la tente et lui sourit :

— Je les ai vus ! annonça-t-elle, radieuse, en s'asseyant près de son lit et en s'emparant de sa main. Ngili m'a emmenée faire un tour dans les environs et on en a surpris un petit groupe. Ils s'étaient réfugiés sous un arbre pour s'abriter de la pluie.

A cette nouvelle, Ken se redressa sur son lit et Yinka dut le forcer à se recoucher. Peut-être parce qu'elle venait de parler des australopithèques, il eut l'impression qu'un autre visage de femme se cachait derrière celui de Yinka — un visage qu'il entrevit de façon fugitive, comme si ses traits s'étaient faits transparents. Ce n'était pas Niawo, mais plutôt une sorte d'Eve archaïque, qui les avait toutes deux engendrées, elle et Yinka. Et ce fut sur ce visage ancestral qu'il déchiffra les signes de cette fameuse « tyrannie des gènes » — comme il les avait reconnus, sur le visage et le corps de Niawo. Elle se manifestait à présent en Yinka, ainsi qu'en toute femme. Elle transparaissait dans la grâce nonchalante de son corps, et dans la façon dont sa main lâcha la sienne pour venir à la rencontre de son front. Tout cela procédait de cette tyrannie, même si ce mot était terriblement impropre, car il n'entrait là-dedans aucune « tyrannie ». Cela relevait plutôt d'une prise de conscience profonde du destin et de la raison d'être du genre féminin.

— Une chance que tu n'aies pas de fièvre, fit-elle, avec un sourire. On peut dire que tu nous en as fait voir, petit Blanc ! Les gardes m'ont dit qu'ils avaient repéré des empreintes, dans la forêt, quand ils y sont montés pour évaluer l'étendue des dégâts.

— Des empreintes... murmura-t-il, en lui rendant son sourire. Encore des empreintes...

Elle posa sur lui un regard intense, et reprit sa main décharnée. Une violente émotion le suffoqua. Elle le fixait de ses grands yeux noirs, et il paniqua, comme lorsqu'il plongeait dans ceux de Niawo. Le souffle de Yinka effleura son visage et il reconnut soudain son parfum. L'odeur d'une peau fraîche, propre et saine, l'haleine de sa bouche aux dents parfaites. Et toujours cette effervescence des gènes, comme là-bas, dans la tribu, mais sous une enveloppe charnelle polie par les raffinements de la vie moderne.

Il éclata en sanglots. Il avait soudain entrevu Longs-Pieds, si fier à la tête de son clan, en marche vers la savane. Interdite, Yinka lui caressa la main, sans comprendre. Il tenta de lui expliquer qu'il s'inquiétait de ce qu'il adviendrait de Longs-Pieds, tout comme Ngili et elle, les *sapiens*, s'étaient inquiétés pour lui. Elle l'écouta, sourcils froncés, peut-être froissée par cette comparaison.

— Ce doit être un sacré gamin, ce Longs-Pieds, souffla-t-elle.

Il hocha la tête et entreprit de lui raconter... Leur première rencontre, au bord du trou d'eau. L'étonnante détermination de ce petit bonhomme, qui s'était mis en tête de réapprendre aux siens à vivre dans la savane. D'une voix tremblante, il lui décrivit ce qu'ils avaient vécu ensemble, tous ces instants magiques qui avaient cimenté leur amitié. La façon dont Longs-Pieds l'avait trouvé, brûlant de fièvre, et l'avait sauvé en le traînant jusqu'à son refuge souterrain. La découverte du briquet, leurs jeux autour du feu. La fabrication de l'épieu. La chasse au koudou. L'étrange sépulture où reposaient les restes du père de l'enfant. L'assaut du lion.

Cette petite créature au crâne aplati. Il... il...

Ken cherchait désespérément les mots pour le dire à Yinka : cet enfant avait fait de lui un autre homme. Mais il dut renoncer. Une telle sollicitude brillait dans les yeux de Yinka qu'il eut à nouveau peur de succomber à ce regard de femme.

— Ce gamin est un vrai magicien, à sa façon, déclara-t-il, d'une voix plate et bête.

Il s'en voulait. Ce qu'il avait tenté de décrire à Yinka n'était qu'un pâle reflet de la réalité. Que pouvait-il lui transmettre, de ce qu'il avait vécu avec l'enfant ? D'ailleurs, quelle importance ? Elle ne pouvait pas comprendre...

Yinka avait le visage de quelqu'un qui vient de prendre une décision importante.

— Demain, si tu t'en sens la force, je t'accompagnerai à ce trou d'eau », promit-elle. Sur ce, elle l'entoura de ses bras, et se pencha pour lui poser un baiser au coin des lèvres. D'abord léger, son baiser s'attarda, puis s'approfondit... Il la sentit frémir contre lui des pieds à la tête. « Je t'ai cru mort, petit Blanc... Je te voyais déjà dévoré par les hyènes....

— Il n'y en a pas, dans la forêt.

— Par une horrible bête pleine de crocs, alors...

— Quelqu'un pourrait entrer...

— M'en fous !

Mais elle cessa de l'embrasser, se contenta de lui pétrir la main, en proie à une émotion qui n'avait rien de sexuel et qui semblait l'effrayer, elle aussi.

Des pas crissèrent sur le sol, devant l'entrée de la tente.

— Ken ? Je peux entrer ? fit la voix de Ngili.

Qu'est-ce qui lui prend de faire tant de cérémonies ? se demanda Ken. Serait-ce une façon détournée de reconnaître enfin à Yinka le droit d'être seule en ma compagnie ?

Comme la jeune femme se relevait, Ngili entra et sourit à sa sœur :

— Décidément, ça a la vie dure, ces hommes de Cro-magnon ! Comment va le nôtre ? lui lança-t-il, en s'asseyant. Tu sais, Ken, il va falloir prendre une décision, pour notre découverte. Et vite, parce que les choses se précipitent. Il paraîtrait qu'un représentant de la Shell a pris contact avec Um'tu. Il lui a annoncé que ce "projet", comme ils disent, les intéressait plus que jamais. Ils revendiqueraient même un genre de droit d'inventeur.

— Quoi ? s'exclama Ken, avec un rire las. Ça recommence ! Après Anderson, la Shell...

— Imagine-toi qu'ils ont tenté de faire avaler à Um'tu que feu Harry Ends était un pionnier de la préservation des hominiens ! L'ennui, c'est qu'ils ont le carnet de Haksar.

— Et ils menacent de tout déballer ?

— Menacer, peut-être pas... Disons qu'ils exercent une certaine pression... fit Ngili. Alors ? Qu'est-ce que tu décides ? demanda-t-il, après une pause.

— Je suis d'avis de ne pas souffler mot de notre découverte, laissa tomber Ken, d'un ton grave.

— Formidable ! s'exclama Ngili — et à sa voix, Yinka comprit qu'il approuvait son ami sans réserve. Um'tu est dans les petits papiers du président, en ce moment. L'Etat, c'est lui, ou quasi... Rien ne nous empêche de délimiter un périmètre de quelques milliers de kilomètres carrés, et de le déclarer zone protégée. Même s'ils publient les notes de Haksar, les gros bonnets de la Shell ne pourront rien faire : tous ceux qui savaient quelque chose sont morts — et ce, grâce à Anderson, ajouta-t-il, avec un sourire en coin. Quelle ironie du sort, non ? Anderson, qui était le principal danger, pour l'existence de ces hominiens, est devenu leur sauveur ! Et, encore un truc, vieux...

— Quoi ?

— Pas question de laisser à qui que ce soit d'autre que nous le soin de veiller sur le secteur ! conclut-il, radieux. Nous trouverons bien le moyen de contourner tous les écueils administratifs... Et j'aime mieux te dire qu'à présent, rien ni personne ne me fera renoncer à la géologie !

Ken hocha la tête. Ça allait de soi...

— Yinka, l'avion-citerne rentre demain matin à Nairobi, reprit Ngili. Ça te dit, de le prendre pour repartir ?

— Je préférerais rester un jour de plus, répondit-elle. Si Ken se sent d'attaque, je veux qu'il me montre le trou d'eau où il a rencontré ce fameux Longs-Pieds.

Ngili baissa les yeux en souriant. Il tapota le bras de son ami, sans mot dire, et quitta la tente.

Le lendemain matin, sur le chemin du trou d'eau, Yinka assiégea Ken de ses questions. Elle voulait tout savoir. Il lui avait beaucoup parlé de ses relations avec Longs-Pieds, bien sûr, mais quel effet cela faisait-il de se retrouver, nu comme un ver, au beau milieu d'une tribu d'hominiens adultes ? Ken répondit, en choisissant ses mots, que c'était une expérience pour le moins... troublante.

Yinka arrêta la Land Rover à proximité de la petite mare où Ken avait vu Longs-Pieds pour la première fois. Chaussé de gros souliers empruntés à Ngili, il mit pied à terre en grimaçant — sa peau était encore à vif, sous les pansements.

Sans pouvoir se l'expliquer, il avait l'étrange impression que quelque chose avait changé, dans le coin. Il avait aperçu une sorte de ligne sombre, sur la vase de la berge. En proie à un étrange sentiment de déjà-vu, il se précipita vers lui, en clopinant, après avoir crié à Yinka de le suivre, comme si la présence de son amie avait pu le protéger.

Mais de quoi ?

Ce qu'il avait vu de loin n'était qu'un bâton, taillé dans une branche bien droite et dépourvue de nœuds. On aurait dit un petit épieu, noirci au feu.

Ken l'empoigna d'une main tremblante. Plus fort que jamais, le sentiment de déjà-vu semblait s'infiltrer en lui, comme un flux d'énergie qui aurait pénétré par chacun de ses doigts.

Arrête, Longs-Pieds ! Ne me fais pas ça...

Il avait la profonde certitude que c'était à dessein que l'enfant avait laissé cet objet à cet endroit précis, maintenant que le clan avait définitivement regagné la savane. Il avait dû ramasser cette branche, encore fumante, en descendant de la Mau. Arrivé dans la plaine, il s'était rendu compte qu'elle était trop courte pour pouvoir lui tenir lieu d'arme de chasse. Mais elle pouvait tout de même servir : ce serait un message pour son ami.

Ken raconta à Yinka comment il avait appris à Longs-Pieds à se servir d'un épieu. Ce bâton qu'il avait entre les mains, lui expliqua-t-il, était le moyen qu'avait choisi l'enfant pour lui dire qu'il n'oublierait rien.

Yinka lui lança un regard perplexe, comme si elle s'était interrogée quant à sa santé mentale.

— Et toi ? Tu crois que tu pourras oublier tout ça, un jour... ? Ça m'étonnerait beaucoup, enchaîna-t-elle, sans attendre sa réponse. D'ailleurs, qui le pourrait, à présent ? Rien ne sera plus jamais comme avant...

— Qu'est-ce que tu veux dire ?

— Nous avons tous vécu, jusqu'ici, dans l'illusion d'être les seuls représentants de l'espèce humaine, sur cette terre. Nous voilà détrompés. Et Dieu sait quelles répercussions aura cette révélation sur notre avenir... Génial, non ? s'esclaffa-t-elle, narquoise. Allez, donne-moi ça !

Elle lui prit la branche des mains et s'apprêtait à la jeter, quand un cri s'étrangla dans sa gorge. Ken se précipita vers elle. La savane grouillait de serpents — et d'insectes tout aussi venimeux...

Debout au milieu d'une touffe de roseaux, Longs-Pieds les regardait sans ciller.

Yinka resta bouche bée, incapable d'émettre le moindre son. Elle tendit la main derrière elle et chercha le bras de Ken, dont les yeux ne pouvaient se détacher de l'enfant — ce gamin si familier et pourtant si étrange... Ses prunelles noires luisaient comme des billes. Il avait la figure toute barbouillée, comme s'il venait de se régaler d'une taupe ou d'une musaraigne. Ken sentit remonter en lui un flot de souvenirs — leurs premières rencontres, ces longs face-à-face muets où ils se jaugeaient mutuellement, leurs premiers contacts, du bout des doigts, leurs parties de chasse, leurs jeux...

Mais qu'est-ce qu'il allait imaginer ? Comment aurait-il pu y avoir tant de regrets — ou de reproches — dans les yeux d'un enfant... ?

Et pourtant...

Eh oui, bonhomme... C'est ici que nous nous sommes rencontrés, et c'est ici que je te laisse...

L'enfant fit un pas en arrière et arrondit les lèvres. Il y eut un sifflement strident, et Niawo surgit, à quelques mètres derrière lui, étonnamment petite, d'une taille presque simiesque. Le regard de ses yeux ronds passa sur la femme qui se tenait aux côtés de Ken, avant de se fixer sur lui. Elle lui décocha un coup d'œil de connivence aussi bref qu'éloquent.

Nous nous sommes bien connus, disait ce regard, mais dans un autre âge...

Mais tout, dans celui de Longs-Pieds, disait : « Je veux suivre l'étranger, mon grand copain à la fois si drôle et si godiche ! »

Ken fit un pas en direction des deux hominiens. Mais une silhouette les avait rejoints — celle d'un grand mâle tout en épaules et en mâchoires. Il était plus puissamment charpenté que Niawo, et sensiblement plus jeune. En découvrant les deux *sapiens*, son visage s'était figé en un masque où se lisait une détermination farouche, presque suicidaire, de protéger l'hominienne et l'enfant.

Il les rappela vers lui d'un grognement sourd, et ils reculèrent tous deux pour se placer derrière lui, Longs-Pieds un peu plus lentement, comme à contrecœur. Puis le mâle se planta face aux deux intrus, qu'il défiait du regard, jusqu'à ce que Niawo et Longs-Pieds se soient mis hors de leur portée.

Alors, il se retourna à son tour et leur emboîta le pas.

Il fallut plusieurs minutes aux trois silhouettes pour se perdre au loin, dans cette savane peuplée de buffles et de lions, où s'accompliraient les mystères de l'évolution.

— Finalement, tu y tiens peut-être, à ce truc ! fit Yinka en tendant à Ken le petit épieu calciné.

Ken le prit et le palpa, en quête d'un reste de chaleur sur le bois. Une dernière trace de la main de son ami.

En vain...

— Et si nous songions à regagner notre base ? lança Yinka, du ton dont elle aurait dit : « à revenir sur terre ».

Ken hocha la tête, sans souffler mot.

Yinka le regarda et avança la main pour caresser son visage meurtri. Puis elle le prit par le bras et l'entraîna vers la Land Rover. Arrivée à la voiture, elle vint se lover contre lui et lui donna un baiser fougueux, à pleine bouche. Pris au dépourvu, il voulut se dérober, songeant que les hominiens étaient peut-être postés tout près, dans les hautes herbes, dressés dans l'attitude ancestrale des guetteurs surveillant leurs ennemis — ou leurs amis.

Mais la nature humaine s'en mêla : ses gènes choisirent ce moment précis pour exercer leur tyrannie. Nouant ses bras autour de la taille de Yinka, il l'attira à lui et murmura qu'il serait sans doute trop faible pour donner le meilleur de lui-même... En guise de réponse, elle le débarrassa de ses vêtements, le plaqua contre la carrosserie et l'emprisonna entre ses jambes, sans se soucier de ses protestations. Elle ne songeait qu'à l'épouser au plus près, à fusionner avec lui, le plus intimement et le plus vite possible, pour l'arracher à sa fascination du passé.

Puis elle mit fin à leur étreinte, si brusquement qu'il craignit un instant de n'avoir pas seulement laissé sa semence, en elle, mais son sexe entier. Après quoi, d'une main à la fois ferme et maternelle, elle l'aida à grimper dans la Land.

Pourquoi ? lui demanda-t-il, encore haletant. Pourquoi avait-elle voulu... ?

Pour le délivrer de ses obsessions, lui répondit-elle. Ne comprenait-il pas ? L'univers ne gravitait pas autour du couple symbiotique qu'ils formaient, lui et l'enfant — avec une femme ou deux, peut-être, pour pimenter leurs aventures... Car les femmes avaient besoin de lui, pour engendrer et élever d'autres Longs-Pieds.

— Demande-le-lui, à elle, ajouta Yinka, le doigt pointé dans la direction où avait disparu Niawo. C'est ce qu'elle te dirait, elle aussi, si elle pouvait parler !

Il fut à deux doigts de lui demander ce qui l'empêchait de décider lui-même du monde où il voulait vivre. D'ailleurs, si leur histoire à tous deux était destinée à durer, qu'est-ce qui leur interdisait de s'installer ici, dans la savane, au cœur de ce prodigieux mystère ? La recherche était pour lui un mode de vie ; il n'en connaissait pas d'autre.

Mais quelque chose dans l'expression de Yinka lui souffla que ce serait aussi vain que dangereux. Il capitula donc et garda le silence, les yeux fixés droit devant lui.

Comme la Land Rover démarrait, il se retourna et les aperçut au loin, tous les trois. La femme, l'homme et l'enfant.

Longs-Pieds...

Ils s'activaient autour d'un acacia, sans doute occupés à préparer leur abri pour la nuit. L'aube les trouverait pleins d'énergie et de courage, prêts à affronter une nouvelle page de leur histoire.

Postface

Il m'a fallu près de deux ans pour écrire ce livre, dont la rédaction est l'aboutissement de longues années de recherches et de préparations. J'étais encore en Roumanie, quand j'ai commencé à y songer. Ce n'est qu'une fois à l'Ouest, lorsque j'ai eu toute latitude de me rendre sur les lieux mêmes où l'humanité est apparue, en Afrique et ailleurs, que l'idée m'est venue de mêler la réalité et la fiction, pour raconter l'histoire d'un homme d'aujourd'hui qui découvrirait nos plus lointains ancêtres, dans une savane demeurée intacte depuis plusieurs millions d'années.

J'ai donc décidé d'en faire un roman — une œuvre de fiction. Les personnages et les situations sont purement imaginaires, et si j'ai pris quelques libertés avec les « réalités » politiques, géographiques et sociales que je mentionne, tout repose néanmoins sur un fond de vérité.

Qui n'a jamais rêvé, un jour ou l'autre, de pouvoir s'embarquer à bord d'une machine à remonter le temps, pour aller observer les ancêtres de l'humanité dans leur environnement naturel? Peut-être n'étaient-ils pas si différents de nous, qui sait? Car même si l'homme a évolué, la nature humaine, elle, n'a pas fondamentalement changé... C'est ce « dénominateur commun d'humanité » que j'ai entrepris de cerner et de définir — au prix de quelques entorses à la réalité, que m'imposaient les impératifs de la narration.

Je suis loin d'être le premier auteur à se pencher sur les

mystères de nos origines, mais je ne connais aucun roman où les « grands-parents » de la lignée humaine côtoient des personnages contemporains. Je compte donc sur l'indulgence des scientifiques avertis qui pourraient avoir la curiosité d'ouvrir ce livre — et surtout sur leur sens de l'humour!

Au cours de mes recherches, j'ai eu l'occasion de m'entretenir avec d'éminents chercheurs, mais ceux qui m'ont véritablement aidé à écrire ce livre et à en définir les principales orientations ne sont pas des hommes de science.

L'enfant qui m'a inspiré le personnage de Longs-Pieds n'est autre que mon propre fils, Adam, qui n'a pas son pareil pour courir, grimper aux arbres, se rouler dans l'herbe ou escalader les rochers — tout comme Longs-Pieds, dans la savane. Je lui dois à la fois l'idée de mon personnage et le titre de ce roman*.

Mais ce n'était que le début d'un long processus. C'est ma femme, Iris — qui est écrivain, comme moi — qui m'a soutenu pas à pas, durant la lente maturation de ce texte. Elle a courageusement assumé la tâche ingrate de lire et de relire les moutures successives du manuscrit — non sans me menacer, certains soirs, de ne plus jamais mettre le nez dans mes textes avant leur parution!

Quant à ma fille Chloé, je la remercie de m'avoir, et avec quelle efficacité! rappelé certaines vérités essentielles, concernant l'enfance. D'autres personnes de mon entourage m'ont encouragé en acceptant de lire mes premières ébauches. Qu'ils en soient tous remerciés, et tout particulièrement mon beau-père, Carl Friedman, et ma mère, Nelly Cutagva.

En juin 1995, j'ai soumis une première version du manuscrit à mon agent, Richard Pine, dont les critiques avisées m'ont permis d'améliorer considérablement mon texte. Richard Pine et deux de ses confrères, Howard Sanders et Richard Green, ont alors jugé cette seconde version digne d'être présentée au public, et nous avons découvert que le livre rencontrait des échos très favorables, tant dans l'édition que dans les milieux cinématographiques. Le sujet était manifestement dans l'air du temps...

Mais mon travail n'était pas pour autant achevé. Mon

---

* *Almost Adam*, en V.O.

ami Doron Ben-Yehezkel m'a encore signalé quelques inexactitudes que je me suis empressé de rectifier. Outre les lumières de Doron, j'ai mis à profit les précieuses remarques d'un autre ami, le romancier Claude Teweles. Tout cela n'aurait pas suffi, si je n'avais pu compter sur les conseils d'Henry Ferris, mon éditeur, qui m'a utilement rappelé que j'écrivais un roman grand public et m'a poussé à privilégier le rythme et la concision du récit, sans trop me focaliser sur son aspect scientifique.

Enfin, je ne saurais trop remercier Ann Treistman, qui s'est chargée de reporter de délicates corrections, dans des délais acrobatiques, et grâce à qui ce manuscrit a pu être prêt dans les temps.

Les remerciements ne sont parfois que de simples formalités, mais ce n'est certes pas le cas ici ! Sans toutes les personnes mentionnées ci-dessus, il m'aurait fallu bien plus de deux ans pour venir à bout de ma tâche.

Les auspices les plus favorables me semblent présider à la naissance de ce livre qui doit de voir le jour non seulement au travail de son auteur, mais au dévouement et à l'enthousiasme de ses tout premiers supporters.

PETRU POPESCU
Février 1996

imprimerie gagné ltée

IMPRIMÉ AU CANADA